HISTOIRE

DE LA

FRANCE

DANIEL RIVIERE
Agrégé d'histoire

HISTOIRE DE LA FRANCE

Références photographiques de la couverture :
Le centre d'Arles, photo aérienne B. Beaujard.
Saint-Louis, cliché Hachette, photo Bibl. nat.
Très riches heures du duc de Berry (juillet), photo Giraudon.
Mendiant, J. Callot, photo J.-L. Charmet.
Le port de Marseille, J. Vernet, photo Artephot/Faillet.
La Liberté guidant le peuple, E. Delacroix, cliché Hachette, photo Josse.
La libération de Paris, photo A. Zucca.

Conception typographique : Claude Verne

© HACHETTE, 1986

79 Bd St Germain 75288 Paris Cedex 06

ISBN 2.01.011005.6

Préface

Cet ouvrage souhaite répondre aux désirs d'un grand public qui aime l'histoire, mais qui, parfois dérouté par certains travaux trop purement thématiques, regrette de ne plus trouver des points de référence chronologiques, des événements, voire des portraits d'hommes ou de femmes qui, à un certain moment, ont eu une action déterminante. Que l'on ne se méprenne pas cependant. Si ce livre propose au lecteur un cadre chronologique solide, s'il réintroduit une part de récit, il ne saurait être question de nier l'apport essentiel des grands travaux d'histoire économique, sociale et culturelle qui, à juste titre, ont fait le renom de l'École française historique. Cet ouvrage se veut équilibré et essaie d'offrir au lecteur une synthèse entre plusieurs visions de l'histoire de la France. Si le lecteur trouve ici des précisions et des points de repère sur la guerre de Cent Ans, le règne de Louis XIV, l'art classique, la Révolution française, la Ve République..., il trouvera également des allusions au mouvement des prix, aux fluctuations de l'économie, du climat, à l'apparition de la charrue, aux loups, à la peste, aux croyances et aux peurs collectives de nos ancêtres. Des annotations marginales, des illustrations variées, des cartes contribuent à faciliter la compréhension d'un texte qui, dans un cadre historique large, de la fin de l'Antiquité à la France d'aujourd'hui, propose au lecteur une synthèse modeste et pratique.

Daniel Rivière

Table des matières

Les racines lointaines

Les paysages actuels de la France sont nés de la très lente évolution du relief, des climats et du travail des hommes. Au fil des millénaires, sous l'action des forces tectoniques, de l'érosion, des changements climatiques brutaux, le cadre naturel a évolué. Les équilibres se sont modifiés, provoquant des changements considérables du niveau des mers, de la flore, de la faune. Il faut attendre l'époque médiévale pour que les littoraux acquièrent — en partie sous l'action de l'homme — leur profil actuel. C'est tardivement aussi qu'un nom apparaît pour désigner notre pays.

Pendant des siècles, les habitants de ce qu'on peut appeler l'Hexagone n'ont aucun sens de l'unité politique du pays et ne portent aucun nom distinctif. Ce sont d'ailleurs des étrangers à l'Hexagone, les Romains d'abord, puis les Francs originaires de Germanie, qui donnent au pays ses premières appellations. Au IIIe siècle avant Jésus-Christ, les Romains remarquent à quel point les farouches guerriers celtes sont attachés à un animal fétiche : le coq (*gallus* en latin, d'où gaulois). Le nom France est d'apparition encore plus récente. Il est lié à l'installation dans le nord de la Gaule romaine des tribus franques à la faveur des grandes invasions barbares. Roi de 481 à 511, Clovis réussit à regrouper les petits royaumes francs dans un vaste ensemble qui porte le nom de *Regnum Francorum*. A l'époque mérovingienne, on commence à parler de *Francia*.

L'Homo erectus.
Le Singe, l'Afrique et l'homme,
Yves Coppens,
Fayard, 1983.

Dans l'état actuel de nos connaissances, il apparaît que l'Hexagone a été occupé par les hommes assez tardivement. Si on a pu repérer des préhominiens qui vivaient en Afrique il y a 5 millions d'années, des galets taillés découverts à Chilhac (Haute-Loire) laissent penser que des hommes vivaient dans l'Hexagone il y a 1,8 million d'années, mais la certitude n'est pas absolue. En revanche, à Roquebrune-Cap-Martin (Alpes-Maritimes), dans la grotte du Vallonnet, des outils ont pu être datés de 900000 av. J.-C. Un camp de chasseurs d'éléphants et de rhinocéros daté de 800000 av. J.-C. a été découvert à Soleilhac (Haute-Loire). L'homme de Tautavel, dont on a retrouvé le crâne près de Perpignan, date sans doute de 450000 av. J.-C. et appartient au groupe de l'Homo erectus (1,50 mètre, capacité crânienne inférieure à 1 000 cm^3). Le site de Terra Amata à Nice — 380000 av. J.-C. — montre que l'homme utilisait couramment le feu et qu'il savait fabriquer dès cette époque des outils simples dans une pierre très dure, le silex.

Bien des évolutions biologiques ont affecté la famille humaine. La taille, la forme du crâne, le volume du cerveau se sont modifiés au fil des millénaires. Des groupes apparaissent, s'épanouissent, puis s'évanouissent, cédant la place à de nouveaux groupes plus évolués, plus habiles. Ainsi se succèdent dans l'Hexagone l'Homo erectus, puis l'Homo sapiens ou homme de Neandertal (entre 100000 et 40-35000 av. J.-C.), enfin l'Homo sapiens sapiens sans doute venu de l'Est européen lors d'une période froide et duquel nous descendons directement. Vers 18000 av. J.-C., le froid en effet se renforce. L'Hexagone est alors une steppe que parcourent de grands troupeaux d'herbivores (chevaux, bœufs, bisons, rennes, mammouths...) pourchassés par des communautés nomades d'Homo sapiens sapiens qui s'abritent sous des tentes de peaux ou dans des grottes aux parois décorées de vastes fresques. Les peintures de Lascaux datent de 15500 av. J.-C. Le réchauffement du climat entre 10000 et 8000 av. J.-C. provoque une profonde modification du milieu et des équilibres naturels. Le niveau des mers remonte, les steppes froides cèdent la place à d'immenses forêts de bouleaux, de chênes, de tilleuls, d'ormes, de hêtres, d'aulnes... En tombant au fil des saisons, les feuilles de ces arbres enrichissent l'humus du sol. Les graminées prolifèrent. Les grands animaux de l'époque glaciaire s'adaptent mal à ce climat plus chaud et plus humide. Beaucoup disparaissent et sont remplacés par des espèces mieux adaptées à la vie sous couvert forestier : le cerf, le sanglier, le chevreuil, le loup... La civilisation des chasseurs-pêcheurs entre alors en déclin. On passe ainsi de l'âge de la pierre taillée (paléolithique) à l'âge de la pierre polie (néolithique) qui voit l'homme durant le VIIe millénaire domestiquer le mouton et le chien, puis construire des embarcations pour aller peupler la Corse.

C'est sans doute par le biais de contacts avec des peuples méditerranéens plus évolués ou des envahisseurs venus de l'Est européen que la culture des céréales apparaît dans l'Hexagone au cours du Ve millénaire. A Courthezon, dans le Vaucluse, on a découvert les restes d'un village où, vers 4650 av. J.-C., on pratiquait la poterie, l'élevage, l'agriculture. A partir du IVe millénaire, sur les rivages de la Manche, de l'Atlantique, de la Méditerranée, des peuples maritimes érigent des menhirs et des dolmens. Les hommes commencent à fondre le cuivre au milieu du IIIe millénaire dans les Cévennes, puis travaillent l'or, enfin le bronze vers 1800 av. J.-C. Pour se procurer des métaux et particulièrement de l'étain, des contacts sont établis entre les habitants de l'Hexagone et les peuples d'Espagne, d'Angleterre, d'Europe centrale. Au cours du IIe millénaire, l'homme apprend à utiliser la traction animale, à domestiquer le cheval, à utiliser le char et l'araire. Originaires de la vallée du Danube ou d'Allemagne du Sud, des peuples pratiquant l'incinération de leurs défunts apparaissent dans l'Est de l'Hexagone entre 1200 et 800 av. J.-C. Ce sont là les premières manifestations d'une poussée des Celtes. Celle-ci se renforce au VIIIe siècle av. J.-C. Le fer est travaillé dans les vallées alpines à partir de 750 av. J.-C. A la suite de vagues successives d'invasions, l'Hexagone constitue alors une mosaïque de peuples très variés parlant plusieurs langues. Occupant également la vallée du Danube, l'Allemagne du Sud, les Celtes ne forment dans cette mosaïque qu'un groupe

Gravure rupestre du mont Bego (Tende, Alpes maritimes), document H. de Lumley.

Un guerrier gaulois (IIᵉ siècle av. J.-C.), dessin de A. Rapin.

parmi d'autres mais, utilisant de longues épées de fer et des chars de combat, ils parviennent souvent à dominer les autres populations. Des camps entourés de fossés et de remparts sont édifiés. Ce sont les *oppida,* que dirige la caste des guerriers et où travaillent des artisans. Situé sur la route de l'étain qui, partant d'Angleterre, suit les vallées de la Seine, de la Saône et du Rhône, l'*oppidum* de Vix (Côte-d'Or) connaît au VIᵉ siècle une évidente prospérité. Des commerçants étrusques et grecs apparaissent dans le Midi. Marseille est fondée en 600 av. J.-C. par des Grecs. Intrépides, bien armées, des bandes de guerriers celtes organisent entre le Vᵉ et le IIIᵉ siècle av. J.-C. de lointaines expéditions militaires vers l'Italie (prise de Rome en 385 av. J.-C.), la Grèce (entre 280 et 275), l'Asie Mineure, d'où ils rapportent des trésors. C'est au cours du IIIᵉ siècle que les peuples méditerranéens, victimes des exactions celtes, distinguent chez leurs envahisseurs les Celtes orientaux ou Galates, qui bientôt s'hellénisent, des Celtes occidentaux habitant le nord de l'Italie, l'Hexagone, la Belgique, l'Allemagne du Sud et que les Romains désignent sous le nom de Gaulois.

Divisée en tribus jalouses les unes des autres (ainsi les Éduens et les Arvernes), dépourvue de toute unité politique, la Gaule transalpine — c'est désormais l'appellation de l'Hexagone — jouit d'une certaine prospérité dans les derniers siècles de son indépendance. Bons agriculteurs, les Gaulois utilisent des araires parfois équipés d'un soc en fer, savent fabriquer l'hydromel, la bière, inventent le tonneau, exploitent des salines. Des artisans habiles assurent la prospérité de nombreux *oppida* (Avaricum, Gergovie, Bibracte, Alésia, Lutèce) et produisent du savon, du verre, des bijoux, de la céramique et des armes réputées pour leur résistance.

Traversant les immenses forêts gauloises, un réseau rudimentaire de routes, de chemins, de gués existe déjà, permettant des échanges commerciaux actifs. Les Gaulois utilisent des pièces de monnaie copiées sur des modèles grecs et connaissent l'alphabet grec. La croissance démographique aidant, il est possible que la Gaule ait compté huit millions d'habitants à l'époque de la conquête. Les Gaulois mettent des braies (sorte de pantalon), aiment les bijoux, portent des casques décorés d'une pointe de corail ou surmontés d'un oiseau. Ils forment une société turbulente, hiérarchisée (les aristocrates, les hommes libres, les esclaves), mais possèdent des formes assez évoluées d'organisation politique (existence d'un conseil dans chaque tribu et d'un magistrat élu annuellement, le vergobret). Parce que le gui est une plante qui reste verte en plein hiver, les Gaulois voient dans celle-ci le symbole de l'immortalité de l'âme et lui vouent un culte privilégié. A la fois médecins, astrologues, prêtres, les druides sont l'objet d'un grand respect. A l'intérieur des *oppida,* ainsi à Gournay-sur-Aronde (Oise), existent des sanctuaires où des animaux et parfois même des prisonniers ou des criminels sont sacrifiés aux dieux .

A compter de la fin du IIIᵉ siècle av. J.-C., la poussée celtique en direction de la Méditerranée s'arrête et bientôt les

Reconstitution du sanctuaire de Gournay-sur-Aronde au IIᵉ siècle av. J.-C., dessin de A. Rapin d'après J. L. Brunaux.

rôles s'inversent. La Gaule suscite vite des convoitises de la part des Romains qui, en 125 av. J.-C., créent dans le Midi une province (*Provincia* d'où Provence), et de celle des peuples germaniques (invasion des Cimbres et des Teutons entre 120 et 102, puis installation des Suèves d'Arioviste en Alsace, vers 70 av. J.-C.). Inquiet des prétentions excessives d'Arioviste sur des tribus gauloises alliées de Rome, soucieux aussi de gloire militaire, Jules César intervient en Gaule en 58 av. J.-C. A la tête de troupes peu nombreuses (environ 50 000 hommes), mais très disciplinées, César écrase les Helvètes, les Suèves, les Belges, en 57, et enfin les tribus armoricaines. Un soulèvement gaulois de grande ampleur éclate en 52 av. J.-C. Un noble arverne, Vercingétorix, en prend le commandement, pratique la tactique de la terre brûlée et tient César en échec devant Gergovie. Une charge mal organisée de la cavalerie gauloise sur les légions romaines qui entament un mouvement de retraite tourne au désastre et oblige Vercingétorix à se replier sur Alésia (Alise-Sainte-Reine). Le chef romain entreprend aussitôt le siège de l'*oppidum* qu'il entoure d'un complexe réseau de fortifications. Une armée gauloise de secours est écrasée. Affamés, les assiégés se rendent. Vercingétorix se constitue prisonnier (automne 52) et est transféré à Rome où il figure au triomphe de César avant d'être égorgé. En 51, les derniers insurgés gaulois se rendent à Uxellodunum, dans le Quercy, et ont tous le poing tranché.

Reconstitution des fortifications romaines devant Alésia, musée de Saint-Germain-en-Laye (photo R.M.N.).

La Gaule romaine

Au contact de la civilisation romaine, la Gaule évolue profondément. Le pays reste divisé, mais connaît une longue période de paix et de prospérité. À partir du IIIe siècle, mais surtout aux IVe et Ve siècles, la situation intérieure se dégrade sous le choc des invasions et l'influence germanique pénètre en Gaule.

La paix romaine

Domination politique, puis intégration

La Gaule romaine au IIe siècle ap. J.-C.

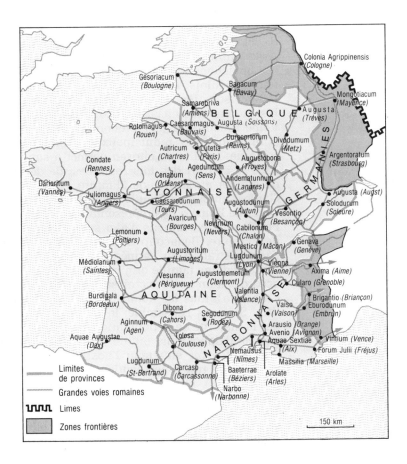

Colonia Agrippinensis (Cologne)
Gesoriacum (Boulogne)
Bagacum (Bavay)
Mongotiacum (Mayence)
Samarobriva (Amiens)
BELGIQUE
Augusta (Trèves)
Rotomagus (Rouen)
Caesaromagus (Bauvais)
Augusta (Soissons)
Durocortorum (Reims)
Divodumum (Metz)
Argentoratum (Strasbourg)
Autricum (Chartres)
Lutetia (Paris)
Condate (Rennes)
Augustobona (Troyes)
Ageduncum (Sens)
Cenabum (Orléans)
Andematunnum (Langres)
Darioritum (Vannes)
Juliomagus (Angers)
LYONNAISE
Caesarodunum (Tours)
Augustodunum (Autun)
Augusta (Augst)
Solodurum (Soleure)
Vesontio (Besançon)
Avaricum (Bourges)
Nevirnum (Nevers)
Cabilonum (Chalon)
GERMANIES
Lemonum (Poitiers)
Augustoritum (Limoges)
Mastico (Mâcon)
Genava (Genève)
Médiolanum (Saintes)
Lugdunum (Lyon)
Vienna (Vienne)
Axima (Aime)
Vesunna (Périgueux)
Augustonemetum (Clermont)
Culàro (Grenoble)
Burdigala (Bordeaux)
AQUITAINE
Valentia (Valence)
NARBONNAISE
Brigantio (Briançon)
Eburodunum (Embrun)
Dibona
Segodunum (Rodez)
Vaiso (Vaison)
Aginnum (Agen)
Aquae Augustae (Dax)
Tolosa (Toulouse)
Arausio (Orange)
Avenio (Avignon)
Aquae Sextiae (Aix)
Vintium (Vence)
Forum Julii (Fréjus)
Lugdunum (St-Bertrand)
Carcaso (Carcassonne)
Nemausus (Nîmes)
Baeterrae (Béziers)
Arolate (Arles)
Massilia (Marseille)
Narbo (Narbonne)

Limites de provinces
Grandes voies romaines
Limes
Zones frontières
150 km

Le premier empereur romain, Auguste (27 av. J.-C.-14 ap.), organise avec l'aide de son gendre, Agrippa, l'administration des territoires conquis. Au Sud, l'ancienne province romaine fondée en 125 av. J.-C. est agrandie et devient la Narbonnaise, administrée par un proconsul. Plus au nord, la « Gaule chevelue » est divisée en trois provinces confiées chacune à un légat : au Sud-Ouest, l'Aquitaine, entre la Loire et la Seine, la Celtique ou Lyonnaise, au nord de la Seine et jusqu'au Rhin, la Belgique. Les provinces sont découpées en étoile à partir de Lyon — fondée en 43 av. J.-C. — qui devient la capitale des Gaules. Dès 12 av. J.-C., des représentants de toutes les cités gauloises — une cité au sens antique englobe une ou plusieurs villes et un vaste territoire rural — prennent l'habitude de se réunir une fois par an à Lyon dans une sorte de conseil fédéral. Au pied de la colline de Fourvière, les délégués des soixante cités gauloises célèbrent le culte de Rome et de l'empereur et discutent de la gestion des provinces.

Comme les autres peuples vaincus, les Gaulois doivent verser des impôts à Rome. Les Romains considèrent le sol des provinces conquises comme domaine public, mais acceptent d'en laisser l'usage aux vaincus moyennant le paiement de l'impôt foncier. Pour faciliter la perception de cet impôt, Auguste ordonne la constitution du cadastre des propriétés qui est révisé tous les quinze ans. Diverses taxes sont prélevées sur les ventes, les héritages, les affranchissements d'esclaves et les transports.

Avec habileté, Rome laisse à chaque cité gauloise l'usage de ses anciennes lois et préserve le pouvoir politique local des nobles gaulois. Peu nombreux, les occupants romains s'appuient sur une élite gauloise qui peuple les nouvelles institutions des cités. Beaucoup de nobles gaulois ralliés à Rome romanisent leur prénom, apprennent le latin, se font élire magistrats municipaux et obtiennent la citoyenneté romaine. Le titre de citoyen permet à son détenteur de vivre sous le couvert des lois romaines, de devenir fonctionnaire ou officier au service de l'Empire. Né à Lyon et attaché à la Gaule, l'empereur Claude décide, en 48 ap. J.-C., d'ouvrir le sénat de Rome à des représentants de l'aristocratie gauloise. Peu à peu, les vaincus d'hier sont intégrés à la vie politique de l'Empire. Beaucoup de Gaulois font ainsi carrière dans l'administration ou l'armée. L'empereur Antonin (IIe siècle) est issu d'une famille originaire de Nîmes. La citoyenneté est accordée à un nombre croissant de Gaulois et, en 212 (édit de Caracalla), tous les hommes libres de l'Empire accèdent au titre. Si, dans l'ensemble, la présence romaine est acceptée par la majorité de la population, on relève cependant certains signes d'opposition ou de résistance. Ainsi, les druides semblent avoir entretenu l'hostilité au vainqueur. Ils sont victimes de rudes persécutions sous le règne de Tibère (14-37 ap. J.-C.). En 21 ap. J.-C., les Éduens et les Trévires se soulèvent. La révolte des Trévires et des Lingons, sous les ordres de Vindex et de Civilis, en 68-70, semble plus sérieuse, mais les représentants des cités gauloises désavouent le mouvement et affirment leur fidélité à Rome.

La romanisation de la Gaule

Désormais intégrée à un espace économique immense et à une civilisation particulièrement brillante, la Gaule change de visage, se couvre de chantiers, se romanise. De modestes bourgades sont élevées au rang de chefs-lieux de cités dès l'époque d'Auguste, ainsi Augustoritum (Limoges), Augustomagus (Senlis), Augustobona (Troyes). Bâties selon un plan géométrique, construites en brique et en pierre, les villes gallo-romaines possèdent des monuments d'aspect souvent grandiose. Vastes remparts, portes monumentales, temples élégants, arcs décorés de bas-reliefs se rencontrent surtout en Narbonnaise (Orange, Arles, Nîmes, Glanum, Vienne). Toutes les villes possèdent un forum bordé de portiques à colonnades et autour desquels on trouve des boutiques, des temples, la curie où siègent les magistrats de la cité et la basilique qui sert de tribunal, de lieu de réunion, de bourse.

L'arc de triomphe d'Orange (21-26 ap. J.-C.) [photo Almasy].

Le centre d'Arles : théâtre et amphithéâtre (Iᵉʳ siècle ap. J.-C.) [photo Yan].

Les théâtres (33 000 spectateurs dans celui d'Autun !) où l'on représente des pantomimes burlesques, voire licencieuses, sont nombreux. Les amphithéâtres (Arles, 26 000 spectateurs) permettent d'organiser des spectacles cruels : combats d'animaux, de gladiateurs, courses de chars, voire exécutions de condamnés. Ces villes aux rues pavées sont dotées d'égouts. Des canalisations en terre cuite et en plomb permettent d'alimenter en eau fraîche et pure les fontaines et les établissements de bains de ces villes (les thermes). Les Romains utilisent des techniques ingénieuses pour dériver l'eau des sources sur de longues distances (l'aqueduc de Nîmes a 50 km) et pour vaincre les obstacles de la nature. Ils construisent des aqueducs (sur le Gard) et des siphons (Vaison), percent une colline (Besançon). Dès l'époque d'Auguste, les Romains entreprennent la construction d'un vaste réseau de voies de communication qui, à partir de Lyon,

Larges d'environ six
mètres, ces voies
rectilignes bordées de
fossés sont souvent
construites à
l'emplacement des
anciens chemins
celtiques. Sur un lit de
grosses pierres
placées de chant « en
hérisson », les
constructeurs
déposent plusieurs
couches solidement
tassées de pierres et
de gravier. Près des
villes, les voies sont
élargies et
recouvertes de dalles.
Le long de ces voies
sont disposées des
bornes indiquant les
distances et les
directions. Des relais
et des auberges
permettent de changer
de cheval et de se
reposer.

rayonne en direction des principales cités. Les ports maritimes à vocation militaire (Fréjus) ou commerciale (Boulogne) sont actifs. Dès la fin du Iᵉʳ siècle, la romanisation de la Narbonnaise est très avancée, les autres provinces atteignent leur apogée au IIᵉ siècle.

Les inscriptions sur les bas-reliefs et sur les monnaies, le cadastre sont en latin. Peu à peu, les noms romains se substituent aux noms gaulois dans les campagnes. Bien des Gaulois adoptent le prénom de l'empereur régnant, puis romanisent leur nom de famille. L'usage de la langue latine progresse en particulier chez les aristocrates gaulois ralliés. Beaucoup de fils de grandes familles fréquentent les écoles (assez proches de nos universités) d'Autun, de Marseille, de Lyon, de Vienne, d'Arles, de Toulouse, de Limoges, de Reims... où ils étudient le grec, le latin, la poésie, l'éloquence. Ainsi se forme une élite intellectuelle gauloise assez indifférente au passé celtique, mais acquise aux idéaux de Rome et de la Grèce. L'historien Trogue-Pompée, le rhéteur Favorinus d'Arles, le poète Terentius Varo illustrent cette acculturation. Poète et grand propriétaire terrien, le Bordelais Ausone est célèbre au IVᵉ siècle. Toutefois, la langue gauloise reste longtemps en usage en milieu rural. Si, pour des raisons politiques, les Romains persécutent les druides, ils respectent cependant les dieux gaulois. Avec l'essor de la langue latine, une curieuse adaptation apparaît et les Gaulois donnent souvent aux dieux celtiques des noms issus de la mythologie gréco-latine. Dans le courant du IIᵉ siècle apparaissent les premières communautés chrétiennes. La nouvelle religion vient de l'étranger, se diffuse en milieu urbain (Lyon et Vienne) en liaison, par le commerce, avec la partie orientale de l'Empire. Les premiers chrétiens de Gaule portent presque tous des noms grecs ou orientaux. Refusant de sacrifier à l'empereur, se réunissant pour célébrer un culte qui apparaît mystérieux à leurs contemporains, les chrétiens inquiètent : ils font figure de sorciers et de comploteurs. Victime d'une persécution en 177, la communauté chrétienne de Lyon, avec à sa tête l'évêque Pothin et Blandine, est livrée aux bêtes sauvages dans l'amphithéâtre.

Des activités en essor

Avec la conquête, bien des terres deviennent propriété romaine. Le phénomène est particulièrement important en Narbonnaise où de nombreuses colonies romaines sont installées. Fonctionnaires, soldats ayant servi fidèlement Rome durant vingt ou vingt-cinq ans reçoivent ainsi des lots de terre prélevés sur les terroirs les plus riches. Les autres terres sont concédées aux Gaulois moyennant le paiement d'un impôt foncier qui nécessite la confection d'un cadastre. Le découpage du territoire en centuries (lots carrés de 50,51 hectares) est très avancé en Narbonnaise, mais beaucoup moins dans les trois Gaules où, d'ailleurs, les colonies romaines sont moins nombreuses et où les changements dans la propriété du sol sont de moindre importance.

Fragment du cadastre d'Orange gravé sur marbre, éditions du Seuil.

L'intégration du monde gaulois à un espace économique peuplé (70 millions d'habitants dans l'Empire ?), doté de bonnes voies de communication, consacre l'essor d'une économie de marché. Grands propriétaires fonciers, artisans exportent souvent très loin leurs productions. Dans les campagnes de nombreuses *villae* sont construites. Propriété d'un riche Romain ou d'un noble gaulois, la *villa* est une résidence de campagne tantôt de grande taille (200 pièces à Montmaurin dans le Sud-Ouest, 117 pièces à Saint-Ulrich, en Moselle), tantôt de taille beaucoup plus modeste. Dotée de tout le confort de l'époque (chauffage central, bains, thermes, voire glacière) la *villa* permet au maître, habitué aux raffinements de la vie citadine, de venir se détendre à la campagne pour y chasser. La *villa* est surtout le centre d'une grande exploitation agricole. De nombreux bâtiments annexes l'entourent. Certains domaines *(fundi)* sont énormes (de 7 à 8 000 hectares à Chiragan, 1 500 hectares à Montmaurin), d'autres de taille plus moyenne (200 hectares à Saint-Ulrich, une centaine d'hectares en Lorraine). Toujours fixés dans des régions de grande fertilité, ces domaines sont exploités en partie par le maître avec l'aide d'un intendant et d'esclaves. Des parcelles sont également confiées à des fermiers *(coloni)* qui paient une redevance en argent et en nature et vivent dans de modestes hameaux *(vici)*. Il existe également une importante classe de petits propriétaires fonciers. L'occupation

Boutique de marchand de vin, moulage du musée de Saint-Germain-en-Laye (photo G. Franceschi).

Villa de Montmaurin, haute Garonne (photo Yan).

Mosaïque provenant de l'intérieur d'une villa gallo-romaine et figurant les travaux d'Hercule (fin du IIe siècle ap. J.-C., Saint-Paul-lès-Romans, Drôme) [photo Hubert Josse].

17. LA GAULE ROMAINE

romaine permet une extension considérable du vignoble en Bourgogne, sur les bords de la Moselle et dans le Bordelais. Territoire riche, la Gaule exporte dans l'Empire du blé — une machine à moissonner est utilisée dans les plaines du Nord —, du vin et des jambons. Dans les *vici* et dans les villes existe une importante activité artisanale. De riches négociants, souvent d'origine orientale, viennent y conclure des marchés. Certains produits gaulois sont réputés comme le savon, les tonneaux, les manteaux à capuchon, les outils et les armes en fer, les bijoux, le verre (bleu ou incolore) et la céramique. Des céramiques provenant des très importants ateliers de La Graufesenque (Aveyron) ont été découvertes dans les cendres de Pompéi.

Le temps des invasions

La crise du IIIe siècle

Le danger vient de l'Est. À l'exception du Rhin, aucun obstacle naturel ne sépare en effet les Gaules de la Germanie où vivent des tribus de soldats-paysans. Turbulents, courageux, ces hommes à l'aspect extérieur barbare (vêtements de cuir, cheveux longs enduits de beurre rance...) disposent d'un excellent armement : cavalerie lourde, lance, longue épée remarquablement forgée. Dès le règne de Tibère, les Romains renoncent à conquérir la rive droite du Rhin. Venant de Scandinavie, des peuplades s'installent en Germanie à la fin du Ier siècle. Ainsi apparaissent les Vandales, les Goths, les Burgondes. Un siècle plus tard, les Suèves se réunissent dans la « ligue de tous les hommes » (*Alemani*, d'où vient Alaman, puis Allemand). Dans le cours du IIIe siècle, de petits peuples germaniques vivant sur la rive droite du Rhin (les Sicambres, les Chamaves, les Bructères, les Chattes...) forment une autre ligue, celle des Francs (du germain *Frank :* libre, ou *Frekkr :* hardi, courageux) ou « Hommes libres ».

Un envahisseur germanique, stèle érigée sur la tombe d'un guerrier, VIIe siècle ap. J.-C. (photo Bildarchiv Foto Marburg).

La pression germanique s'accentuant sur la frontière, l'empereur Vespasien (69-79), puis ses fils Titus et Domitien, prennent l'initiative de construire une ligne fortifiée, le *limes*. De Bonn sur le Rhin à Ratisbonne sur le Danube, le *limes* est constitué d'une route bordée d'une palissade en bois et d'un fossé. Des tours, des fortins renforcent le dispositif. En arrière de la frontière, des camps militaires sont installés. Huit légions romaines y tiennent garnison. Avec les troupes auxiliaires (Barbares servant Rome), ce sont ainsi près de 100 000 hommes qui défendent la longue frontière du Nord-Est. Au IIe siècle, le *limes* est renforcé mais le danger germanique ne cesse de s'accentuer. Rencontrant de grosses difficultés à recruter des soldats, Rome doit faire appel à un nombre croissant de mercenaires germains. La discipline se relâche. En 166, puis en 172-174 sous Marc Aurèle, les

Germains franchissent le *limes* et réussissent des incursions en Belgique, dans la région de Strasbourg et du Danube. Les troubles qui accompagnent les périodes de succession à la tête de l'Empire amènent souvent les généraux commandant les troupes du *limes* à prendre parti et à intervenir dans les guerres civiles. La frontière est périodiquement dégarnie et les Barbares en profitent. Après l'assassinat de l'empereur Commode (192), deux généraux se disputent l'Empire. Le 19 février 197, sous les murs de Lyon, Septime Sévère à la tête des légions du Rhin et du Danube écrase son rival Albinus. Lyon est saccagée par les troupes du vainqueur. Le nouvel empereur consolide le *limes,* mais l'Empire romain devenu immense est de plus en plus difficile à gouverner. Le sénat romain décline, le pouvoir tend à devenir personnel et absolu. En 213, le *limes* est à nouveau franchi par les Alamans, mais Caracalla arrête l'invasion. L'assassinat en 235 de l'empereur Sévère Alexandre ouvre une crise politique d'une exceptionnelle gravité et qui devait durer cinquante ans. En Gaule, les activités économiques sont gravement perturbées par les incursions barbares, par l'indiscipline des soldats et aussi par la raréfaction croissante des pièces d'or et d'argent. Les Barbares profitent de la situation ; l'Empire semble à la dérive. Entre 233 et 235, puis en 244, les Barbares franchissent le *limes* et se livrent à d'importants ravages. Les troupes romaines abandonnent la frontière et participent à la compétition pour le pouvoir en soutenant tel ou tel prétendant. Les Alamans et les Francs s'infiltrent en Gaule en 253, 256 et 259, traversent tout le territoire et atteignent l'Espagne. Massacres, pillages, incendies se succèdent. La Gaule connaît des heures terribles. Pris de panique, de nombreux habitants enfouissent dans le sol des trésors monétaires. Dans les campagnes dévastées, des paysans ruinés s'allient à des déserteurs pour constituer des bandes armées qui pillent et rançonnent. On parle des bagaudes (du celte *bagad :* groupe de combattants). Responsable de la défense des Gaules, Postumus est proclamé empereur en 260 par ses soldats et décide de régner sur la Gaule. Ainsi naît l'empire romain des Gaules qui dure quatorze ans. La détresse incite les Gaulois à se prendre en charge eux-mêmes. Postumus rétablit l'ordre et arrête les invasions (260-268). Ses successeurs, Marius, Victorinus, Tétricus sont moins heureux. L'empereur Aurélien (270-275) met fin à l'existence de cet empire des Gaules, mais les invasions reprennent (275). Près de soixante villes auraient été alors saccagées. La dernière alerte se situe entre 282 et 287. À la fin du IIIe siècle, sous le règne de Dioclétien (284-305), la situation militaire est redressée mais la Gaule est dévastée et dépeuplée.

Buste de Julia Dom na entre les fils de Septime Sévère (193-211), d'après une monnaie d'époque (photo R. Guillemot, Edimedia).

Un redressement éphémère

Durant une soixantaine d'années, la Gaule connaît un répit, en profite pour relever ses ruines et s'adapter à la nouvelle situation. Dioclétien juge préférable de fractionner le pouvoir central pour assurer une meilleure défense de l'Empire contre les Barbares. Ainsi apparaissent deux empereurs, l'un régnant en Occident, l'autre en Orient. De grands personnages, proches collaborateurs des souverains, reçoivent de hautes fonctions militaires : ce sont les comtes et les ducs. En Occident, Rome trop éloignée de la frontière est délaissée au profit de Milan et de Trèves. Des troupes sont réinstallées dans la zone frontière mais les Romains ont dû accepter d'établir des peuples germaniques dans des régions gauloises dépeuplées.

L'armée romaine continue à faire appel aux mercenaires barbares, les Francs sont particulièrement appréciés pour leur combativité. Dès la fin du IIIe siècle, les villes gauloises ont pris l'initiative de s'entourer de murailles hautes (de 8 à 10 m) et épaisses (de 2 à 5 m). Construites soigneusement, ces murailles sont efficaces mais ne protègent qu'une partie de la ville (de 10 à 20 ha en général). Au sein de la ville dépeuplée se constitue ainsi un camp retranché. La contraction des activités commerciales est considérable. En partie ruinées, abandonnées par de nombreux habitants, les villes ne retrouvent pas leur splendeur. La société tend à se figer. Des castes professionnelles apparaissent. Les fils de soldats doivent à leur tour servir dans l'armée, les colons (coloni) sont désormais attachés à la terre. Seule l'agriculture connaît un renouveau. Fuyant les villes, les grands propriétaires terriens fortifient leurs villae, y accumulent des vivres, accordent l'hospitalité aux paysans des environs, effrayés par la persistance des bagaudes. Les grands propriétaires profitent de la situation pour faire main basse sur des terres abandonnées.

De nombreux petits propriétaires libres redoutant une pression fiscale devenue exorbitante cherchent à échapper à l'État et aux impôts et n'hésitent pas à se faire colons en se plaçant sous la protection de ces grands personnages qui portent le titre de sénateur ou de clarissime.

Ceux-ci se comportent en seigneurs puissants, entretiennent des milices, rendent la justice et s'emparent ainsi d'une bonne partie des prérogatives de l'État.

La religion chrétienne progresse. Depuis 313 (édit de Constantin), le culte chrétien est autorisé. Dans le courant du IVe siècle, le christianisme triomphe dans les villes gallo-romaines, commence à pénétrer les campagnes. Des membres de grandes familles gauloises se convertissent et prennent en charge des évêchés. Un ancien soldat, saint Martin, introduit le monachisme en Gaule (fondation du monastère de Ligugé, près de Poitiers, en 361) et devient évêque de Tours (371).

La chute

Venant des bords de la mer Noire et du Sud de la Russie, les Huns et les Alains entament, à la fin du IVe siècle, une vaste migration vers l'ouest. Ils bousculent les peuples germaniques qui reprennent ainsi leurs incursions dans l'Empire romain mal défendu. En grande partie germanisée, l'armée romaine souffre d'une crise de recrutement. En 405, il n'y a que 17 000 soldats en poste entre le Jura et l'Océan. Faute de pouvoir les refouler, les Romains négocient avec les envahisseurs, leur accordent un territoire d'installation et le titre de « peuple fédéré » moyennant la collaboration de ceux-ci à la défense de l'Empire.

Les Alamans (352) et les Francs (355) envahissent la Gaule. Julien réussit à endiguer le mouvement et est proclamé empereur en 360 à Paris. Les Francs reçoivent un territoire d'installation en Brabant. En décembre 406, les Vandales, les Alains, les Suèves franchissent le Rhin. Cette invasion générale provoque d'épouvantables ravages dans toute la Gaule et ce, pendant trois ans. En 412, ce sont les Wisigoths qui envahissent le pays. Après les Francs, les Burgondes reçoivent un territoire d'installation (413). Les Wisigoths reçoivent l'Aquitaine en 418. La souveraineté de Rome en Gaule recule, des régions entières sont en réalité dominées par de petits chefs barbares. Entre 425 et 453, un Romain, Aetius, responsable de la défense de la Gaule, réussit avec l'aide de quelques peuples fédérés à contenir les nouveaux envahisseurs, voire à s'opposer aux ambitions excessives des Wisigoths et des Burgondes (déplacés et réinstallés en Savoie en 443). En 451, les Huns, dirigés par Attila, envahissent la Gaule. Paris, sur les conseils de sainte Geneviève, se prépare à résister mais est finalement épargné. Aetius réussit à dégager Orléans défendu par l'évêque saint Aignan et défait l'envahisseur près de Troyes au Campus Mauriacus. La victoire de 451 n'a été possible qu'avec l'aide des Germains fédérés. La tutelle de Rome sur la Gaule est de plus en plus théorique. L'assassinat d'Aetius en 453, sur l'ordre de l'empereur romain d'Occident, provoque le soulèvement de nombreux chefs barbares qui étendent leur territoire. C'est la dislocation de la Gaule romaine. Ainsi, les Burgondes occupent Lyon et la Bourgogne. Dans le Sud-Ouest, le roi wisigoth Euric se proclame indépendant. À la suite des invasions des Angles et des Saxons en Grande-Bretagne (milieu du ve siècle), les Bretons s'expatrient et se fixent en Armorique où l'influence celtique renaît. Toute unité de commandement disparaît en Gaule. Le dernier territoire administré par Rome se réduit à la région entre Loire et Somme. Son chef Syagrius est battu en 486 à Soissons par les Francs de Clovis. Ainsi disparaît la dernière présence militaire romaine en Gaule.

Guerriers anglo-saxons, sculpture en bas-relief sur un os de baleine, fin du viie siècle (photo British Museum).

Le royaume franc

De la rencontre du monde gallo-romain en partie christianisé avec des envahisseurs d'origine germanique, les Francs, naît une nouvelle société. Le pays change de nom, la christianisation gagne les campagnes, les activités économiques et la vie urbaine tendent à se contracter tandis que les liens d'homme à homme se renforcent. On passe ainsi lentement de l'Antiquité au Moyen Âge.

Les Mérovingiens (481-751)

Les Francs maîtres de la Gaule

La Gaule en 511.

À la fin du Vᵉ siècle, à l'exception d'une enclave entre Somme et Loire tenue par Syagrius, l'essentiel de la terre gauloise est passé sous contrôle d'envahisseurs germaniques : au Sud les Wisigoths, en Alsace les Alamans, à l'Est les Burgondes, au Nord les Francs qui ont créé une série de petits royaumes. Descendant de Mérovée, Chilpéric a ainsi constitué un royaume franc aux environs de Tournai. Âgé d'une quinzaine d'années, son fils Chlodweg (littéralement « chemin de gloire ») ou Clovis lui succède en 481. Excellent meneur d'hommes, rusé, souvent cruel, Clovis réussit en quelques années à étendre sa domination sur la majeure partie du territoire gaulois. En 486, Clovis écrase Syagrius à la bataille de Soissons, les Francs atteignent la Loire. Une nouvelle campagne menée contre les Alamans (bataille de Tolbiac, 496) permet au royaume franc de s'étendre vers l'est. Sous l'influence de sa seconde épouse, Clotilde, Clovis accepte de se faire baptiser par saint Remi, évêque de Reims (en 498 ou 499) et bientôt voue un culte ardent au patron chrétien de la Gaule, saint Martin. Ces gestes provoquent la conversion en masse des guerriers francs et valent au souverain la bienveillance des évêques gallo-romains et des communautés chrétiennes d'Aquitaine persécutées par les Wisigoths. À la bataille de Vouillé (507), Clovis écrase le roi wisigoth Alaric II et s'empare de toute l'Aquitaine ; il ne parvient cependant pas à accéder aux rivages de la Méditerranée. Les autres royaumes francs passent alors sous le contrôle de Clovis dont le règne s'achève en 511. Les fils de Clovis (Thierry, Clodomir, Childebert, Clotaire) poursuivent la conquête franque, s'emparent du royaume burgonde (523-534), de la Thuringe (531) et de la Provence (536). Ainsi se constitue le *Regnum Francorum*.

Acclamé par ses hommes à son avènement et élevé sur le pavois (grand bouclier), Clovis est le fondateur d'une monarchie militaire aux rouages simples. L'armée de métier à la romaine disparaît. À la requête du souverain, les hommes libres — francs ou gallo-romains — prennent leurs armes (l'épée longue, la francisque : les Francs sont surtout des fantassins), partent à la guerre, puis se partagent le butin (épisode du vase de Soissons).

Une épée franque et une francisque, musée de Saint-Germain-en-Laye (photo Hachette).

Les hommes libres doivent également participer périodiquement aux assemblées judiciaires. Les Francs reconnaissent le principe de la personnalité des lois, les lois gallo-romaines s'appliquent aux Gallo-romains, les lois franques aux guerriers francs. La justice franque fondée sur le *wehrgeld* (rachat à prix d'or des fautes commises) est codifiée par écrit dès 511 (loi salique). Elle ne répugne pas à utiliser des pratiques barbares comme l'ordalie : un accusé marche sur neuf socs de charrue chauffés à blanc pour prouver son innocence.

Quelques grands officiers (les échansons, les sénéchaux, les maréchaux et, surtout, le maire du palais) aident le souverain à gouverner. Au plan local, le comte représente le roi et administre un vaste territoire rural. Les villes sont dirigées par les évêques.

À la différence de l'Empire romain, la monarchie mérovingienne ne dispose pas de bonnes ressources fiscales. Les impôts directs sont perçus de plus en plus irrégulièrement et disparaissent au début du VIIIe siècle. La monarchie tire ses ressources de taxes prélevées sur la circulation des marchandises (les tonlieux) et, surtout, de l'exploitation de vastes domaines fonciers, ce qui la conduit à multiplier les voyages d'une *villa* à l'autre.

Se considérant comme le propriétaire de toute terre inculte, le roi mérovingien s'est ainsi constitué un immense patrimoine foncier dont il détache certains domaines pour récompenser la fidélité de tel ou tel guerrier.

Selon toute vraisemblance, les Francs devaient être peu nombreux à leur arrivée en Gaule. On a pu estimer à 100 000 le nombre des Wisigoths venus s'installer dans le Sud. Rapidement, des mariages accélèrent la fusion entre envahisseurs et Gallo-romains. On voit des représentants des riches familles gallo-romaines accéder à des fonctions administratives. Si la langue germanique progresse en Belgique et dans le Nord de la France jusqu'en Picardie, la langue latine résiste bien et est vite adoptée par la chancellerie de la nouvelle monarchie.

Depuis le IIIe siècle, la forêt a progressé en Gaule et bien des *villae* sont en friche. La population a diminué et l'habitat est devenu très clairsemé. Peu nombreux, mal nourris (nombreuses traces de rachitisme relevées sur les ossements exhumés), les hommes de l'époque n'hésitent pas à limiter la population en ayant recours à l'infanticide. Les temps sont durs. Des nuées de criquets ravagent l'Auvergne et le Limousin vers 560. La grande famine de 584 oblige les populations à fabriquer du pain avec des racines de fougère et des fleurs de noisetier. Une série impressionnante d'épidémies empêche tout relèvement démographique. La variole en 570, la dysenterie en 570 et en 580-582, la lèpre à l'état endémique font des ravages. Venue d'Orient, la peste justinienne touche à plusieurs reprises le Sud et la vallée du Rhône (épidémies en 543, 571, 580-582, 588-591, 599, 600, 654, 694...). La rudesse des temps et l'insécurité ambiante expliquent le maintien des systèmes de clientèle dans les campagnes. Bien des paysans libres propriétaires d'une terre aliènent leur liberté et entrent dans la *commendatio* d'un grand propriétaire qui leur assure protection. La grande propriété continue ainsi à se renforcer. Pour leur part, les envahisseurs germaniques connaissent également des systèmes de fidélité plus ou moins comparables. Tel guerrier franc expérimenté et puissant prend volontiers sous sa protection une bande de jeunes soldats qui se dévouent ensuite à leur patron. Les relations d'homme à homme, les liens de service et de fidélité partout se renforcent.

Si les villes ont perdu beaucoup de leur puissance, le grand commerce aux mains de marchands « syriens » (chrétiens d'Orient) ou juifs se maintient en partie. Les cours d'eau, ou les voies romaines sur lesquels circulent des caravanes de mulets... ou de dromadaires, permettent à la Gaule d'exporter vers l'Italie ou vers l'Empire byzantin, voire vers l'Égypte, du blé, de la poix, des céramiques, des sarcophages en marbre des Pyrénées, des armes franques et surtout des esclaves païens vendus au marché de Verdun. En retour, la Gaule importe de la soie, des épices, des objets de luxe. La conquête musulmane de la Méditerranée rend cependant difficile la survie de ce commerce lointain. Après 670, on constate que les chancelleries mérovingiennes cessent d'utiliser le papyrus importé au profit du parchemin. Les documents rédigés dans une écriture cursive peu lisible sont d'ailleurs rares, de même que les œuvres littéraires à l'exception des récits de Grégoire de Tours (VIe siècle). Seul le travail des métaux (fer aciéré pour les armes, travaux d'orfèvrerie) reste de bonne qualité.

Dans les campagnes, guérisseurs et devins sont nombreux. Les cultes païens comme le culte du soleil et les rites magiques sont vivaces. Beaucoup d'hommes portent des talismans ou enterrent leurs morts en glissant une pièce de monnaie dans la bouche des disparus pour payer leur « passage » vers l'au-delà. La diffusion du christianisme dans les campagnes entraîne la création des paroisses. Le phénomène est plus ou moins rapide selon les régions. En

Relief mérovingien évoquant un culte solaire, musée Carnavalet, Paris (photo Giraudon).

Bretagne, les dernières paroisses sont constituées au IXe siècle seulement. Des églises rurales avec souvent un baptistère extérieur sont édifiées soit au cœur des *vici* (voir p. 17) soit sur les terres d'un grand propriétaire. Un voile chrétien s'efforce de recouvrir certaines pratiques magiques. Les reliques des saints sont l'objet de grandes dévotions et passent pour guérir bien des maladies. Le tombeau de saint Martin à Tours est le point d'aboutissement de vastes pèlerinages dès le VIe siècle. Excellent missionnaire, un moine irlandais, saint Colomban, gagne le continent vers 590 et fonde dans les Vosges le monastère de Luxeuil qui devient vite un grand centre de spiritualité. D'autres monastères apparaissent : Remiremont, Jumièges, Fontaines... C'est dans le courant du VIIe siècle que de nombreuses communautés monastiques adoptent en Gaule la règle de saint Benoît et vouent leur existence à la prière, à la pénitence et à la prédication. Les habitants des villes construisent de nouvelles églises, mais dont la taille reste encore modeste (de 20 à 30 m de long). Issus des riches familles gallo-romaines, les évêques deviennent des personnages puissants, quasi indépendants de Rome et qui, dans les périodes troublées, organisent la défense de la ville. Chaque évêché dispose d'un patrimoine foncier considérable. Pour ses terres, l'évêque obtient des rois mérovingiens des immunités (exemption d'impôt, autonomie judiciaire) qui lui permettent de résister aux exigences du comte. Une telle puissance conduit les souverains à contrôler l'élection des évêques, puis à les nommer directement.

Pillage d'une ville lors des invasions des IXe-Xe siècles (Bibliotheek der Rijsumversiteit, Utrecht).

Le déclin de la dynastie mérovingienne

Le vaste ensemble territorial rassemblé par Clovis éclate dès 511 en quatre petits royaumes qui, vite, se jalousent et s'affrontent. Au cours des deux siècles et demi que dure la dynastie mérovingienne, les divers territoires francs ne sont réunis sous une seule autorité que durant soixante-douze ans. Les Mérovingiens n'ont, en effet, aucun sens de l'unité de l'État et confondent volontiers droit privé et droit public. Le royaume franc apparaît comme la propriété de la famille mérovingienne et les fils du roi prennent l'habitude de se partager le royaume paternel. De trop nombreux partages successoraux, une administration très faible, l'absence de bonnes ressources fiscales ôtent toute vigueur à la monarchie franque. Faute de numéraire, les rois croient pouvoir s'attacher la fidélité de grands aristocrates guerriers en leur distribuant des domaines fonciers. Dans ces conditions, les patrimoines royaux diminuent très rapidement et, au VIIIe siècle, certaines familles comme les Pippinides sont plus riches que les souverains. Des facteurs humains interviennent également. Bien des rois en bas âge accèdent au trône et passent vite sous la domination des maires du palais. Ces grands aristocrates favorisent les débauches de leurs jeunes maîtres, les « rois fainéants », pour mieux contrôler le pouvoir. Les rivalités et les vengeances entre factions aristocratiques s'achèvent par des mutilations (on crève les yeux du vaincu) ou par d'horribles exécutions (le roi Clotaire fait brûler vif son propre fils). De nombreux assassinats illustrent, au VIᵉ siècle, la rivalité qui oppose la reine Frédégonde à la reine Brunehaut. Capturée en 613 par le fils de Frédégonde, Clotaire II, Brunehaut est attachée à la queue d'un cheval sauvage qui met son corps en lambeaux. La réapparition aux frontières d'une menace extérieure (raids saxons et frisons, prise de Carcassonne et incursion musulmane à Autun en 725) ne facilite pas la consolidation de l'édifice mérovingien. Dans un pays immense, dépourvu d'unité politique, où les rois sont faibles, de vastes ensembles territoriaux s'émancipent rapidement de toute tutelle et se transforment en principautés indépendantes (Bretagne, Pays basque, Aquitaine). À la fin du VIIᵉ siècle, les territoires mérovingiens se limitent aux pays situés entre le Rhin et la Loire.

Au fil des partages successoraux, deux petits royaumes tendent à se constituer d'une façon durable : à l'Ouest, entre Seine et Loire, la Neustrie, au Nord et à l'Est, de la mer du Nord à la Meuse et au Rhin, l'Austrasie. Au Sud-Est, un troisième royaume, la Bourgogne, reste très affaibli. Dagobert, roi des Francs de 629 à 639, réussit à unifier les trois royaumes. Avec l'aide de l'évêque de Soissons, Éloi, Dagobert esquisse un redressement en s'opposant à la poussée des Basques et des Bretons. On lui doit la création, près de Paris, de la première abbaye de Saint-Denis. Dès 639, le royaume franc est à nouveau morcelé. La lutte entre Neustrie et Austrasie est violente. Les rois sont des fantoches et n'ont plus aucun rôle. Ce sont les maires du palais et, derrière eux, les aristocraties des deux royaumes rivaux qui s'affrontent. Le maire du palais de Neustrie, Ebroïn, parvient à contrôler la Bourgogne. Les Neustriens dominent le monde mérovingien jusqu'à l'assassinat d'Ebroïn en 683. À partir de ce moment, l'Austrasie, où une riche famille d'aristocrates, les Pippinides, contrôle la fonction de maire du palais, prend sa revanche. Maire du palais d'Austrasie, Pépin d'Herstal écrase les troupes neustriennes à Tertry, près de Laon, en 687. Dès lors, l'unité entre l'Austrasie, la Neustrie et la Bourgogne est rétablie. En 714, à la mort de Pépin d'Herstal, son fils illégitime, Charles, devient maire du palais. Il écrase très durement — d'où son surnom de Martel, le marteau — une révolte neustrienne en 717 (bataille de Vinchy), s'assure la fidélité de nombreux aristocrates en leur distribuant des terres prélevées sur les biens des monastères et favorise la mise au point d'une cavalerie lourde. Charles Martel restaure la puissance franque, vient au secours de l'Aquitaine envahie par les Musulmans d'Espagne qu'il écrase à la tête de sa cavalerie lourde, en 732, près de Poitiers. La bataille de Poitiers confère à Charles Martel un immense prestige. En 735, le roi d'Aquitaine reconnaît l'autorité franque sur son royaume. Plusieurs expéditions franques, en Aquitaine et en Provence, fortifient cette domination. À la mort du roi mérovingien Thierry III, en 737, Charles Martel se sent assez puissant pour ne pas lui donner de successeur sans oser toutefois se proclamer roi. Il organise le partage du royaume entre ses deux fils, Carloman et Pépin le Bref (c'est-à-dire le Petit) avant de décéder en 741.

Les Carolingiens (751-987)

Pépin le Bref et Charlemagne

Carloman se retire dans un monastère en 747, Pépin le Bref demeure alors l'unique maire du palais. Si, en 743, face à une révolte générale, un roi mérovingien a dû être réinstallé, il est clair que Pépin détient le pouvoir réel. Ce dernier écrase les révoltés et parvient à expulser les Musulmans de Septimanie (Languedoc) qui passe ainsi sous contrôle franc. En 751, Pépin demande au pape Zacharie qui doit porter le titre de roi : celui qui possède le pouvoir (le maire du palais) ou celui qui ne le détient pas (le Mérovingien) ? En situation difficile, du fait des menaces lombardes (royaume de Pavie), le pape tranche en faveur de Pépin le Bref. Ce dernier, élu roi des Francs, fait alors enfermer le dernier roi mérovingien dans un monastère et se fait sacrer par saint Boniface. En 754, le pape renouvelle la cérémonie. Pour la première fois, un roi franc est sacré par l'Église. L'obéissance à Pépin le Bref devient un devoir religieux. Le nouveau roi remercie la papauté en intervenant en Italie contre les Lombards (754 et 756) auxquels il retire d'importants territoires qu'il remet au pape. Pépin le Bref est le fondateur de l'État pontifical. Avant de mourir en 768, Pépin le Bref organise le partage de son royaume entre ses deux fils Carloman et Charles (Charlemagne, c'est-à-dire Charles le Grand).

Le décès de Carloman en 771 fait de Charlemagne le seul roi des Francs. De grande taille (plus de 1,90 m), portant la moustache mais possédant une voix de fausset, Charlemagne déploie une activité débordante, sillonne sans relâche son royaume, multiplie les expéditions militaires. Autoritaire, parfois même cruel, ce roi intelligent dispose d'une solide armée dont la cavalerie lourde est la pièce maîtresse (52 000 hommes en période normale dont 12 000 cavaliers). Chaque année au mois de mai, à la requête de l'empereur, une bonne partie des hommes libres rejoignent, tout équipés, l'armée qui part ensuite en campagne. Des chariots recouverts de cuir accompagnent les soldats. Le service militaire devient une tâche écrasante pour les petits paysans libres convoqués au « champ de mai ». Un équipement de cavalier équivaut au prix de vingt vaches et le comte inflige une amende de soixante sous à tout absent. Beaucoup préfèrent aliéner leur

Un cavalier carolingien : il porte des éperons, mais il n'a pas d'étriers, dessin du Xᵉ siècle, manuscrit de l'abbaye de Saint-Gall (Bürgerbibliothek, Bern).

liberté et passer sous la protection d'un grand seigneur. En revanche, la multiplication des expéditions militaires permet au roi des Francs de surveiller sa noblesse. Avant le départ en guerre, Charlemagne rend la justice et associe les aristocrates à l'élaboration des lois qui sont aussitôt consignées par écrit, chapitre par chapitre : ce sont les capitulaires. Assez courtes (de mai à octobre), les campagnes militaires permettent également de faire du butin et de s'emparer de nouvelles terres que Charlemagne distribue ensuite aux aristocrates. Le royaume franc s'agrandit rapidement. Charlemagne s'empare du royaume lombard de Pavie (773-774), annexe la Bavière (788), défait les Avars qui habitent la plaine hongroise (796). Les expéditions franques se heurtent

L'empire carolingien en 814.

parfois à de vives résistances. Ainsi, les Bretons restent toujours indociles. Charlemagne ne parvient pas non plus à s'emparer de l'Espagne musulmane. En 778, il échoue devant Saragosse et l'arrière-garde de son armée commandée par le marquis de Bretagne, Roland, est massacrée par des Basques dans le défilé de Roncevaux. En 801, les Francs parviennent cependant à prendre Barcelone. Au Nord, Charlemagne lance, à partir de 772, de multiples opérations contre les Saxons dont les raids menacent son royaume. Une violente révolte des Saxons, en 778, met les Francs en difficulté. Il faut près de trente ans d'incessants combats et de rude répression (4 500 chefs saxons décapités après une révolte) pour enfin dominer la Saxe. Le royaume franc dont le cœur est constitué par l'ancienne Austrasie devient immense, couvre près de 1,2 million de km^2 et regroupe de 15 à 18 millions d'habitants. Charlemagne est couronné empereur chrétien d'Occident le 25 décembre 800 à Rome par le pape Léon III. Ce titre confère au roi des Francs un immense prestige en faisant de lui à la fois un grand chef politique et un chef religieux. L'Empire byzantin en prend ombrage, mais le calife musulman Haroun al-Rachid, impressionné, envoie à Charlemagne des ambassadeurs et de riches présents : une horloge à eau, un éléphant, un jeu d'échecs.

La reconstitution de l'État

Charlemagne ou un de ses successeurs, statuette équestre vers 860-870, musée du Louvre (photo John Craven).

Charlemagne a cherché à doter cet empire — dont l'ancienne Gaule ne représente qu'une partie — d'une administration et d'un État. Si l'empire ne dispose toujours pas de bonnes ressources fiscales en dehors des tonlieux, l'empereur possède en revanche une immense fortune foncière qu'il peut utiliser pour s'attacher la noblesse. Charlemagne contrôle ainsi près de 600 grands domaines ou fiscs royaux et environ 200 abbayes. Aix-la-Chapelle devient la capitale fixe du royaume en 794. La fonction de maire du palais disparaît mais l'empereur reste toujours secondé par quelques grands officiers : le sénéchal, le chambrier, le connétable, les maréchaux... Le personnel religieux de la chapelle palatine, sous les ordres du chancelier, assure la rédaction des actes impériaux et l'envoi de la correspondance. Dans tout l'empire, près de 700 comtes choisis parmi les membres des grandes familles exécutent les ordres, convoquent les hommes libres au service militaire (service d'ost), président le tribunal, perçoivent les amendes. Chaque comte reçoit un domaine foncier à titre viager pour rétribuer ses services. Il dispose aussi d'un petit personnel administratif (une douzaine de personnes) et peut être aidé par un vicomte. Dans les zones frontalières dangereuses, comme en Bretagne ou en Catalogne, des comtes dotés de pouvoirs militaires spéciaux sont en place, ce sont les marquis. Au total, le personnel administratif de l'empire compte sans doute de 8 à 9 000 personnes. Dans les villes, le personnage le plus puissant reste toujours l'évêque nommé par l'empereur. Méfiant, Charlemagne envoie régulièrement en province des *missi dominici* (en général un comte et un évêque) chargés d'une mission de contrôle et d'inspection. Enfin, l'empereur exige un serment de fidélité de tous les hommes libres âgés de plus de douze ans. Ces serments prêtés en 789, 793 et 802 permettent de tisser dans tout l'empire un vaste réseau de fidélité. Les liens d'homme à homme ne cessent d'ailleurs de progresser. Après les petits paysans libres, ce sont maintenant des guerriers qui se cherchent un seigneur. Dès la fin du VIIIe siècle, entre Loire et Rhin, apparaissent le vocabulaire et les rites d'entrée en subordination. Un « vassal » prête « hommage » à un « seigneur » en plaçant ses mains dans les siennes. Le vassal s'engage à aider militairement et à conseiller son seigneur qui, en retour, le protège et lui confie à titre viager un « bénéfice », petit domaine foncier qui plus tard s'appellera le « fief ».

L'entrée en subordination, le rite de la recommandation par les mains, manuscrit d'Heidelberg, Bibl. nat., Paris.

Si l'empire carolingien apparaît relativement organisé, il reste cependant fragile. Il est peu centralisé et Charlemagne accorde à certaines régions, comme l'Aquitaine, une large autonomie. En Aquitaine, en Provence, en Italie, en Germanie, les *missi dominici* n'interviennent pas et bien des comtes devenus de puissants personnages appliquent mollement les directives impériales.

La civilisation carolingienne

La période comprise entre 750 et 850 a été marquée par une reprise démographique, un très léger redressement des activités économiques et, surtout, un net réveil des activités culturelles.

La peste disparaît, la population augmente. Certains documents écrits (capitulaire de Villis, polyptique de l'abbé Irminon) permettent de mieux connaître la vie rurale. Les propriétaires partagent leur vaste domaine (2 850 hectares à Annapes) en une « réserve » groupée autour d'une *villa* et une série de petites tenures (de 5 à 12 hectares) ou « manses » confiées à des paysans libres, les colons, ou à des esclaves qui sont ainsi « chasés » sur une terre. Colons et esclaves versent au propriétaire des redevances et assurent par une série de corvées la mise en valeur de la réserve. Ce système aboutit à adoucir la condition des esclaves dont le nombre d'ailleurs diminue, mais inversement aggrave la condition de nombreux petits paysans libres passés sous la domination du grand propriétaire. Peu à peu, il y a confusion entre l'esclave et l'homme libre, tous deux ne sont que des « vilains » qui travaillent la terre.

C'est de cette époque que date l'apparition en Île-de-France de la charrue lourde dont le versoir permet un labour en profondeur de la terre. Le collier d'épaule qui augmente sensiblement la traction animale est figuré sur un document daté de 800, le fer à cheval est mentionné pour la première fois en 855. Il faut cependant se garder de toute généralisation. Ces nouveautés ont dû se diffuser lentement. L'araire domine encore largement et les terres mal travaillées doivent se reposer longuement. L'inventaire du vaste domaine d'An-

Un extrait du polyptique d'Irminon rédigé entre 809 et 829, Bibl. nat., Paris (éditions du Seuil).

napes montre l'extrême rareté des objets en fer puisqu'on n'y trouve que deux pelles, deux faux et deux faucilles en fer... Selon l'interprétation que l'on fait des documents d'époque, on peut estimer que les rendements agricoles sont convenables (l'historien Michel Rouche arrive à un rendement de 5 à 7 grains pour un grain semé) ou au contraire dérisoires (comme le pense l'historien Gabriel Fournier : de 1,6 à 1,8 grain récolté pour un grain semé)...

La région la plus active de l'empire se situe au Nord et correspond au territoire compris entre le Rhin et la Moselle. Quentovic sur la Manche et Duurstede sur le Rhin inférieur sont des ports actifs. Entre l'Italie (éveil de Venise) et cette région, des contacts commerciaux se maintiennent grâce aux routes alpines. Malgré l'arrêt de la frappe des pièces d'or au VIIe siècle, des marchés et des foires apparaissent. Les communautés de marchands juifs (Verdun, Mâcon, Troyes, Arles...) restent toujours actives, en particulier dans la traite des esclaves païens vendus aux musulmans d'Espagne. Les murailles érigées aux IIIe et IVe siècles maintiennent les villes à l'étroit et sont souvent abattues. De vastes travaux sont réalisés (nouvelles murailles, nouvelles églises, construction de cloîtres) comme à Lyon, Metz, Arras, Reims, Le Mans, Vienne.

Connaissant le latin, le calcul, appréciant qu'on lui fasse la lecture — son œuvre préférée est *La Cité de Dieu* de saint Augustin —, Charlemagne, qui a appris tardivement à écrire, encourage une renaissance des lettres et des arts. Il appelle autour de lui d'illustres savants comme Pierre de Pise et surtout, l'Anglo-Saxon Alcuin. Au palais impérial d'Aix-la-Chapelle, une école destinée à la formation de jeunes prêtres et d'aristocrates est créée. Dans le reste de l'empire, monastères et cathédrales créent des établissements similaires qui permettent, selon un programme méthodique d'études, de former un clergé plus instruit. La langue latine épurée et à nouveau étudiée devient ainsi la langue des savants, mais tend à devenir incompréhensible au reste de la population.

L'église de Germigny-des-Prés près d'Orléans, achevée vers 806 (photo Jacques Boulas).

Maquette du palais d'Aix-la-Chapelle (Armand Colin éditeur).

Dans les cloîtres, une forte activité de copie permet de sauvegarder une part considérable de la pensée antique. À partir de 770, un nouveau style d'écriture très claire, la minuscule caroline, apparaît. Les manuscrits sont souvent décorés de très riches et très fines miniatures. Aix-la-Chapelle, Tours, Reims, Metz, Saint-Denis deviennent des centres intellectuels et religieux de première importance. Cet effort de réapprentissage de la culture classique rend possible l'apparition au IXe siècle de créations originales avec les récits historiques d'Eginhard et Nithard, les écrits d'Hincmar de Reims ou les réflexions de Jean Scot. Grand bâtisseur, Charlemagne favorise l'ouverture de nombreux chantiers. La chapelle palatine édifiée à Aix-la-Chapelle en 796 par l'architecte Eudes de Metz, les églises de Germigny-des-Prés, de Saint-Gall, de Fulda, de Saint-Riquier témoignent de cet essor. Le chant polyphonique apparaît dans les services religieux à cette époque.

Se considérant comme le chef temporel de la chrétienté, Charlemagne accorde son appui à l'Église, encourage la fondation de monastères bénédictins et l'envoi de missionnaires pour évangéliser les Saxons. L'empereur oblige les paysans à verser une fraction de leur récolte (en principe un dixième) au curé de la paroisse, c'est la dîme. L'Église cherche à faire reculer certaines pratiques sociales peu conformes avec le dogme chrétien, comme le rapt des femmes ou la polygamie qui sont encore pratiques courantes. Avec ses quatre épouses successives et ses six concubines, Charlemagne donne le mauvais exemple, tout comme ses filles d'ailleurs qui resteront célibataires mais auront toutes des enfants.

La dislocation de l'empire et la naissance de la France

Charlemagne meurt en 814. Son unique successeur, Louis le Pieux (814-840), est un homme instruit mais fortement influencé par les clercs de son entourage. Il renonce vite aux expéditions militaires de son père. De ce fait, il contrôle moins bien sa noblesse, désormais privée de butin. En accordant facilement des immunités aux terres de l'Église, Louis le Pieux contribue à affaiblir le pouvoir impérial. S'il proclame en 817 le principe d'une supériorité de l'aîné, Lothaire, en matière d'héritage, il favorise par la suite son dernier fils, Charles le Chauve, né d'un autre mariage. La dynastie se déchire. En 830, le fils aîné, Lothaire, et les enfants nés du premier lit se révoltent contre leur père. De nombreux aristocrates soutiennent la révolte qui aboutit à la déposition de l'empereur en 833 et à son internement. Dès 834, Louis le Pieux reprend le pouvoir, mais le prestige impérial s'est écroulé alors que le péril extérieur est réapparu. Un premier raid normand a eu lieu en 819. À la mort de Louis le Pieux (840), Lothaire utilise son droit d'aînesse et revendique l'ensemble de l'héritage. Ses deux autres frères encore en vie, Louis le Germanique et Charles le Chauve n'entendent pas se faire déposséder. La guerre civile reprend.

En février 842, à Strasbourg, Louis le Germanique et Charles le Chauve s'unissent par serment. Les Serments de Strasbourg sont les premiers documents en langues française et allemande que nous possédons.

Le partage de 843.

En 843, Lothaire est vaincu et accepte de négocier avec ses deux frères un partage en trois de l'empire. Longuement négocié par des experts qui inventorient soigneusement les différents fiscs royaux, le traité de Verdun (août 843) donne naissance à trois royaumes. Lothaire garde le titre impérial et reçoit un territoire allongé et hétérogène regroupant l'Italie, la Provence, la Bourgogne, la région d'Aix-la-Chapelle, l'embouchure du Rhin et de la Meuse. Ses deux frères reçoivent des territoires plus homogènes : Louis le Germanique obtient la Francie orientale (la Germanie, la Bavière, le nord des Alpes), Charles le Chauve la Francie occidentale (les régions à l'ouest de la Meuse, du Rhône et englobant la majeure partie de l'ancienne Gaule). Ce partage de 843 marque profondément l'histoire de l'Europe. Si le royaume de Lothaire se fractionne vite en une série de principautés indépendantes, les deux autres pays aux formes plus ramassées devaient se maintenir durant des siècles. La Francie orientale retrouve vite son appellation de Germanie et donne naissance à l'Allemagne et la Francie occidentale devient le royaume de France, mais les deux pays ont désormais des destins divergents.

Charles le Chauve
(détail), Bible de
Charles le Chauve,
Bibl. nat., Paris
(photo Hachette).

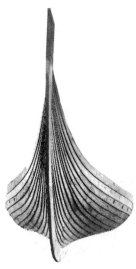

Barque normande
(photo Université
d'Oslo).

Roi de France, Charles le Chauve (843-877) consacre tous ses efforts à guerroyer contre son frère Louis le Germanique pour s'emparer des restes du royaume de Lothaire décédé en 855. Charles le Chauve parvient à se faire couronner empereur d'Occident en 875, mais le titre a perdu beaucoup de son éclat. En réalité, le pouvoir royal s'est considérablement affaibli en France. Les guerres civiles et les invasions normandes ont ruiné les liens de fidélité qui unissaient tous les hommes libres au souverain. Localement, les hommes ont pris l'habitude d'obéir au seigneur le plus proche. Le pouvoir tend à se fractionner en une série de petits ensembles. Le roi a dû distribuer aux seigneurs indociles de nombreux fiscs royaux. Charles le Chauve règne sur un royaume beaucoup plus petit que celui de son grand-père, mais il distribue quatre fois plus de terres que Charlemagne ! La monarchie dilapide ainsi son patrimoine et perd rapidement tout moyen de pression. En 877, Charles le Chauve admet même le principe de l'hérédité de la fonction comtale. Les Aquitains et les Bretons se sont soulevés. De grands seigneurs — tel Robert le Fort mort en 866 — ont pu se constituer de puissantes principautés qui menacent la monarchie.

Incapable de protéger les populations contre les raids normands ou musulmans, la monarchie se déconsidère. Depuis le début du IXe siècle, en effet, les Normands venus du Danemark ou de Suède ont pris l'habitude de remonter les fleuves avec leurs barques plates pour piller les villes et les monastères. Nantes en 843, Bordeaux en 844 et en 847, mais aussi Rouen et Paris sont mis à sac. Vers 850, les Normands s'établissent à demeure à l'embouchure de la Seine et de la Loire. Contre ces envahisseurs utilisant la voie d'eau et se déplaçant très rapidement, la lourde cavalerie franque est longtemps inefficace. Les Normands inspirent aux populations des villes et aux moines une légitime terreur. Beaucoup cherchent le salut dans la fuite. Des moines de l'île de Noirmoutier accomplissent, entre 820 et 875, un vaste périple (embouchure de la Loire, Auvergne, Tournus) pour mettre à l'abri les reliques de saint Philibert. À partir de 880, à l'instigation de seigneurs locaux, la riposte s'organise. Parfois on préfère négocier et acheter le départ des envahisseurs nordiques. En 896, un groupe normand commandé par Rollon se fixe sur la basse Seine. En 911, le roi Charles le Simple reconnaît la pleine propriété de cette région à Rollon, qui, converti au christianisme, se reconnaît vassal du roi de France et s'engage à défendre la Seine contre les autres Normands. Ainsi naît la principauté de Normandie. Après 930, le danger normand décline mais la France n'est pas à l'abri d'autres menaces. Le Midi reste exposé aux raids opérés par les Sarrasins (musulmans d'Espagne ou d'Afrique du Nord). Ceux-ci installent à La Garde-Freinet un camp retranché longtemps redoutable (888-973). Le Sud-Est et l'Est sont menacés par les incursions des Hongrois (nomades d'origine turco-mongole) qui atteignent Nîmes en 924, ravagent la Bourgogne et la Champagne en 937. Très cruels, les

Hongrois s'en prennent en particulier aux jeunes filles qu'ils emmènent nues, attachées par les cheveux à leurs chariots. En 955, le roi de Germanie, Otton Ier, écrase ces envahisseurs venus de l'Est.

En France, la monarchie carolingienne s'épuise et devient de plus en plus théorique. Le pouvoir se fragmente en une série de cellules quasi autonomes. En sillonnant sans relâche son domaine, en faisant sans cesse étalage de sa force, un seigneur peut contrôler un comté, voire un ensemble plus vaste. Mais, au-delà de six ou sept comtés et de deux ou trois journées de cheval, le seigneur ne peut plus faire sentir concrètement sa présence et son autorité recule immédiatement au profit de vassaux locaux qui s'émancipent, se retranchent dans un château rudimentaire, fait d'une tour de bois entourée d'une palissade et d'un fossé. Dans ces conditions, aucun roi ne parvient à contrôler l'ensemble du territoire français. Les successeurs de Charles le Chauve, Louis II le Bègue, Charles le Simple sont des rois faibles qui n'ont guère d'autorité, faute de terre à distribuer. Il arrive même que des descendants de Robert le Fort, ainsi Eudes, comte de Paris, soient élus par les grands seigneurs au trône de France. En 936, si le titre royal revient à un Carolingien — Louis d'Outremer — c'est un Robertien (descendant de Robert le Fort), Hugues le Grand, qui est le vrai maître du royaume. Hugues porte le titre de duc des Francs et domine un ensemble territorial important. Dans l'Orléanais, le Val de Loire, la région parisienne, il contrôle plusieurs comtés et de riches abbayes, ainsi Saint-Germain-des-Prés et surtout Saint-Martin-de-Tours qui est l'établissement religieux le plus prestigieux du royaume. Le duc possède ainsi une vaste clientèle de vassaux. À sa mort, en 956, la puissance robertienne recule. Certains vicomtes vassaux profitent de l'occasion pour s'émanciper. Son fils, Hugues Capet — dont le nom rappelle que les Robertiens possèdent en dépôt la *cappa*, le demi-manteau de saint Martin, c'est-à-dire la relique la plus vénérée de France — parvient à retrouver le titre de duc des Francs en 960. À la mort du roi carolingien Louis V (mai 987), les grands seigneurs et les évêques élisent roi des Francs occidentaux Hugues Capet qui est couronné le 3 juillet 987.

L'éveil (XIe-XIIe siècles)

A certains signes on décèle, dès le milieu du Xe siècle, l'esquisse d'un renouveau dans la vie troublée du royaume de Francie occidentale. Le mouvement des invasions s'épuise, la féodalité se renforce entre Loire et Rhin, des châteaux sont édifiés — en bois le plus souvent, mais aussi en pierre, à Langeais, dès la fin du siècle —, des défrichements sont perceptibles et des bourgs urbains rassemblant des marchands apparaissent. La puissante abbaye de Cluny, fondée en 910, symbolise un certain redressement spirituel. Ces signes d'éveil se confirment dans les premières décennies du XIe siècle et s'amplifient nettement à partir de 1070-1080.

Les pouvoirs : le roi, les princes, les châtelains et l'Église

Un pays morcelé, des pouvoirs multiples

Vers l'an mille, toute autorité centrale a disparu. Maître effectif d'un domaine de taille réduite, le roi des Francs (c'est son titre officiel jusqu'à la fin du XIIe s.) n'exerce qu'un pouvoir théorique sur un pays immense, boisé, dont les routes sont mauvaises et peu sûres. Le pays est divisé en une bonne douzaine de principautés (duchés de Normandie, d'Aquitaine, de Bourgogne, comtés de Flandre, de Champagne, de Bretagne, d'Anjou, de Blois, de Toulouse...) dont chaque titulaire ne contrôle à son tour qu'une portion. Dans un rayon d'une, voire deux ou trois journées de cheval, un seigneur avec une troupe réduite de jeunes guerriers professionnels peut se faire obéir ; au-delà, il doit déléguer ses pouvoirs à un petit seigneur vassal qui, en principe, agit en son nom, mais en réalité se comporte souvent de façon indépendante. Le pays est ainsi morcelé en une vaste série de cellules au sein desquelles des châtelains exercent sur les paysans la puissance publique, jugent, lèvent des taxes, réquisitionnent, exigent des corvées...

Fondée sur des liens d'homme à homme, la féodalité devait normalement aboutir à une construction pyramidale. Par la cérémonie de l'hommage, un noble ou un guerrier professionnel entre en subordination en se reconnaissant le vassal d'un seigneur ou d'un suzerain qui, en remerciement, lui confie un domaine foncier, le fief (autrefois bénéfice), sur lequel le vassal peut exercer la puissance publique. A genoux, le vassal place ses mains dans celles de son seigneur qui le relève. Pour montrer leur accord, les deux hommes échangent un baiser sur la bouche, le vassal prête serment sur les reliques, puis le seigneur donne à son subordonné un objet qui symbolise la remise du fief : motte de terre, branche d'arbre. Comme un père à l'égard de son fils, le seigneur s'engage à défendre son vassal, à le recevoir à sa table et, si besoin est, à élever ses enfants. En retour, le vassal possède des devoirs à l'égard de son suzerain : il lui doit le respect, le conseil (participation aux cours de justice), l'aide militaire (tours de garde au château, participation aux chevauchées avec sa propre bande de guerriers) et l'aide financière lorsque le seigneur captif doit verser une rançon, doter sa fille ou armer son fils chevalier. Dans la réalité, la construction féodale s'est déréglée au profit des vassaux. La cascade des hiérarchies est devenue théorique. Au XIe siècle, l'hérédité du fief est reconnue. Ce qui était le salaire récompensant un service est devenu la propriété d'un lignage. Le vassal peut vendre ou léguer une partie du fief. Les devoirs ont été assouplis. L'aide militaire n'excède pas quarante jours par an. Il est même admis qu'un vassal puisse avoir plusieurs seigneurs. Le vassal en profite, joue des rivalités entre ses maîtres et agit à sa guise. La situation est parfois si confuse

Enceinte et donjon du XIIe siècle : Gisors (Vu du ciel par Alain Perceval, marques déposées).

qu'il faut, au milieu du XIe siècle, imaginer un hommage spécial qui désigne le seigneur principal, c'est l'hommage lige.

Le pays est quadrillé par une série de châteaux édifiés sur une hauteur naturelle ou artificielle (la motte). Au XIe siècle le quadrillage est assez lâche : on compte souvent une forteresse pour vingt à trente communautés rurales et une dizaine de châteaux pour un comté. Constitués d'un fossé, d'une palissade, d'une vaste cour avec des cabanes, une écurie, des magasins, parfois une chapelle et au centre une tour (le donjon), ces châteaux sont des lieux de refuge pour les paysans en cas de danger. De vastes salles très sommairement meublées (des coffres, des tables, des paillasses, un lit à courtine...) constituent le donjon où vit le châtelain avec sa famille et ses jeunes guerriers. Ces forteresses sont souvent construites dans un matériau abondant et facile à débiter, le bois. La multiplication des guerres locales et des incendies amène au XIᵉ siècle, et surtout au XIIᵉ siècle, l'essor de la construction en pierre avec des tours de forme d'abord carrée (Langeais, Nogent-le-Rotrou), puis ronde (Fréteval, vers 1050), permettant une meilleure défense. La palissade se transforme en rempart de pierre. Au XIIᵉ siècle, certains châteaux (Château-Gaillard, sur la Seine, 1196) constituent des forteresses d'une grande complexité. Les châteaux sont moins nombreux dans le Midi, où d'ailleurs la féodalité s'est moins bien épanouie et où les nobles ont conservé l'habitude de résider à la ville.

Un groupe de jeunes guerriers célibataires vit au château, aide le châtelain à défendre son fief, participe aux expéditions. Un long et rude apprentissage fait de ces hommes frustes, brutaux, le plus souvent analphabètes, des guerriers professionnels. Ils portent un casque, une casaque de cuir recouverte de petites plaques ou mailles de fer (le haubert); ils manient la lance et la longue épée et, tirant partie de la selle à pommeau et des étriers, maîtrisent vite l'escrime cavalière. A une époque où le fer et les bons chevaux sont assez rares, un tel équipement vaut cher (un cheval de guerre vaut 5 livres vers 1200). Après la cérémonie de l'adoubement, les jeunes deviennent chevaliers. Ils participent souvent sous la conduite d'un aîné — ainsi Guillaume le Maréchal au XIIᵉ siècle — à ces jeux d'équipe à la fois joyeux et brutaux que sont les tournois et qui permettent d'imposer des rançons aux vaincus. Plus tard, ils reçoivent parfois un petit fief et se marient. La vieille noblesse franque adopte vite les rites de la chevalerie et, dans le courant du XIIᵉ siècle, les nobles et les chevaliers tendent à se confondre. Le morcellement du pays en châtelainies, l'existence de ces bandes de jeunes guerriers impulsifs expliquent la multiplication des guerres locales. Chaque seigneur cherche à étendre son pouvoir au détriment de son voisin. Avec ses cavaliers, le châtelain organise des rapines, des « prises » au détriment des paysans voisins. Le sire attaqué réagit. Vers l'an mille, l'insécurité est partout présente. Rapts, viols, massacres, vendettas, incendies, destructions sont fréquents.

Un cavalier au XIᵉ siècle, détail de la tapisserie de Bayeux (photo Roger-Viollet).

L'Église fait reculer la violence

Dès la fin du Xᵉ siècle (concile de Charroux, en Poitou, 989), des hommes d'Église, souvent liés à l'abbaye de Cluny, lancent le mouvement de la paix de Dieu. Dans une région troublée, l'Église organise une procession, convoque une assemblée de paix au cours de laquelle les chevaliers sont invités à s'engager par serment sur les reliques à limiter l'usage de la violence, à respecter les biens et les hommes de

Dieu, les paysans sans défense, les vignobles et les moulins. Le mouvement de la paix de Dieu s'étend au nord de la Loire après 1020. L'Église va plus loin, impose la trêve de Dieu (codifiée au concile d'Arles, 1037-1041) qui interdit de se battre du mercredi soir au lundi matin. La mesure est difficile à faire respecter, mais les chevaliers ne sont pas insensibles à certaines menaces : excommunication, privation de sépulture chrétienne. Vers 1025, l'évêque de Laon, Adalbéron, développe la théorie des trois ordres. Il décrit la société féodale hiérarchisée, scindée en trois groupes et prend soin de placer ceux qui prient au sommet de la société, suivis de ceux qui font la guerre, et de ceux qui travaillent.

Lentement, l'Église parvient à détourner une partie de l'agressivité chevaleresque. A partir du milieu du XIe siècle, la cérémonie de l'adoubement est christianisée. L'Église pousse les chevaliers turbulents à mettre leur force au service de la religion chrétienne en allant guerroyer en Espagne musulmane (ce qui permet de rapporter aussi de belles rançons en or). En 1095, au concile de Clermont, le pape Urbain II lance un appel à la noblesse d'Occident pour partir en croisade, afin de délivrer le tombeau du Christ à Jérusalem. Son appel, amplifié par les prêches enflammés d'ermites comme le célèbre Pierre l'Ermite, rencontre un succès immense. Ce sont plus de 60 000 piétons (pauvres paysans rapidement massacrés par les Turcs) et de 4 à 5 000 chevaliers (chiffre considérable pour l'époque) qui participent à la première croisade. Beaucoup sont français. Le 15 juillet 1099, Jérusalem est prise d'assaut. La deuxième croisade, prêchée par saint Bernard à Vézelay en 1146, échoue devant Damas (1148). Tous ces efforts ont porté leurs fruits et, peu à peu, la violence recule, au moins en France.

Les rois capétiens (987-1180)

Les premiers Capétiens, Hugues Capet (987-996), Robert le Pieux (996-1031), Henri Ier (1031-1060), Philippe Ier (1060-1108) sont mal connus du fait de la rareté des actes écrits à l'époque. Régnant en théorie sur un vaste ensemble qui va du comté de Flandre au comté de Barcelone, et de l'Atlantique à la rive droite de la Saône et du Rhône, ces rois ont en réalité peu de pouvoir et ne disposent même pas d'une capitale fixe. Orléans est un des lieux de séjour les plus prisés. Certaines principautés vassales font de leur titulaire un seigneur plus puissant que le roi des Francs. C'est le cas de la Normandie, déjà bien administrée et soumise au duc Guillaume, de la Flandre, déjà prospère et dont le comte exploite sa double vassalité à l'égard de l'empereur et du Capétien. C'est aussi le cas des comtés de Blois, de Chartres, d'Anjou, de Champagne et de l'immense duché d'Aquitaine qui fait de son titulaire une sorte de roi — aux pouvoirs d'ailleurs limités — du Midi. Les premiers Capétiens ont de la peine à faire régner l'ordre et à contrôler quelques évêchés et abbayes et un domaine royal de taille modeste (7 000 km²), mais bien

La France en 987.

situé (entre Compiègne et Orléans) et constitué de terres très fertiles. Il n'y a plus d'impôts. Les rois tirent uniquement leurs ressources de l'exploitation de ce domaine : quelques grandes exploitations foncières (mais toutes les terres du domaine ne leur appartiennent pas), des forêts, des mines et la perception sur ce domaine de droits et diverses taxes. Si la monarchie reste élective jusqu'en 1179, dans les faits elle est devenue héréditaire. En effet, les premiers Capétiens réussissent à enraciner leur dynastie en prenant soin de faire élire et couronner de leur vivant leur fils aîné, mais obtenir une descendance mâle devient une priorité qui pousse parfois les rois à répudier leurs femmes (Robert le Pieux en 992 et 1003, Louis VII en 1152). La mort, en 1002, du puissant empereur germanique Otton III, l'expansion normande en direction non du cœur de la France, mais de l'Italie du Sud, puis de l'Angleterre (Guillaume le Conquérant, roi d'Angleterre en 1066) ont indirectement contribué à soulager un pouvoir royal faible. En 1023, Robert le Pieux ne peut toutefois empêcher le comte Eudes de Chartres de s'emparer de la

Champagne et de la Brie. En 1054, Henri Ier est battu à Mortemer par le duc de Normandie (futur Guillaume le Conquérant), Philippe Ier est battu par le comte de Flandre en 1071 au mont Cassel. La prudence dont font preuve les rois dans la gestion de leur domaine propre les amène à éviter tout gaspillage. Le domaine royal, seule source de revenus pour la monarchie, est même légèrement agrandi au XIe siècle. Robert le Pieux s'empare de Dreux, Henri Ier annexe le comté de Sens, Philippe Ier s'empare du Gâtinais, du Vexin (1077) et achète la vicomté de Bourges (1100).

Au XIIe siècle, avec Louis VI le Gros (1108-1137) et Louis VII (1137-1180), le pouvoir royal se renforce légèrement. Louis VI le Gros parvient à éliminer du domaine royal certains châtelains indépendants et pillards comme les sires du Puiset et de Coucy. La route Paris-Orléans devient sûre. En 1124, alors que le royaume est menacé par une expédition dirigée par l'empereur germanique Henri V, Louis VI rassemble une bonne partie des barons de la France du Nord. C'est un signe : les rois désormais prennent de l'assurance, interviennent hors du domaine royal pour imposer leur volonté (en Auvergne, en 1126).

Aliénor d'Aquitaine, gisant de l'abbaye de Fontevrault (photo J. Boulas).

En épousant en 1137 Aliénor, l'unique héritière du vaste duché d'Aquitaine, le futur Louis VII compte étendre l'influence capétienne vers le Sud-Ouest, mais cet espoir sera déçu.

Louis VII mène la lutte contre un vassal puissant, le comte Thibaut de Champagne (1142-1144).

Suivi d'une grande partie de la noblesse française, Louis VII participe avec l'empereur Conrad III à la deuxième croisade qui le mène jusqu'en Syrie (1147-1149).

Conseiller de Louis VI le Gros et aussi de Louis VII, l'abbé de Saint-Denis, Suger (décédé en 1151), perfectionne l'administration jusque-là rudimentaire du domaine. Il assure la régence au cours de la deuxième croisade.

La monarchie dispose d'un trésor, d'archives. Le rituel royal est désormais bien en place. Le roi est sacré à Reims, on applique sur son corps les saintes huiles qui font de lui un personnage quasi divin capable de faire des miracles. Dès le milieu du XIe siècle, il passe pour guérir les écrouelles (adénite tuberculeuse). On l'enterre à Saint-Denis.

A côté des officiers traditionnels (le chancelier, le maréchal, le sénéchal, le chambrier, le bouteiller), des prévôts apparaissent (fin XIe, peut-être), chargés de la gestion des riches terres d'un domaine royal en constante expansion, mais aussi de l'exercice de la justice, de la police. En 1125, il y a 24 prévôts en fonction, ils sont 56 en 1202. Au XIIe siècle, les prévôtés sont le plus souvent mises en fermage : le prévôt avance au roi les revenus estimés du domaine et se rembourse sur le pays en prélevant un bénéfice souvent important. Il est possible que le domaine ait rapporté au roi plus de 220 000 livres en 1179. La multiplication des actes rédigés par la chancellerie royale montre une intervention croissante du pouvoir capétien dans la vie du royaume. Le roi commence à légiférer, prend l'avis de son conseil.

Jadis constituée de chevaliers du domaine, la cour royale accueille des grands seigneurs sous Louis VII.

Le danger Plantagenêt

Ce progrès du pouvoir royal est limité. Avec une armée, qui au XIIe siècle ne dépasse sans doute pas 300 à 400 chevaliers, le roi ne peut pas toujours se faire obéir. Ainsi, Louis VI en 1127 ne parvient pas à imposer le candidat de son choix à la tête du comté de Flandre. Le comté de Barcelone se détache du royaume. Enfin, de riches et puissantes principautés comme la Flandre, l'Anjou, la Normandie accomplissent à la même époque un effort d'administration et d'organisation comparable sinon supérieur. Le danger anglo-normand s'accroît. La réunion depuis 1066 sous une même autorité du royaume d'Angleterre et du duché de Normandie crée un délicat problème dans la mesure où le roi anglo-normand apparaît beaucoup plus puissant que le roi capétien et où le duc de Normandie est vassal du roi des Francs.

Louis VI se heurte à deux reprises (1109-1113 et 1123-1135) au puissant roi Henri Ier Beauclerc. Le Capétien résiste avec ses maigres moyens.

La mort en 1135 d'Henri Ier Beauclerc ouvre en Angleterre une période d'anarchie (1135-1154). La menace anglo-normande semble reculer. Hélas ! la mésentente persistante au sein du couple royal français Louis VII-Aliénor relance le problème. En 1152, Louis VII fait annuler son mariage ; aussitôt Aliénor épouse Henri Plantagenêt, comte d'Anjou et duc de Normandie, qui devient roi d'Angleterre en 1154. A l'Ouest de l'Europe, un nouvel ensemble territorial solidement administré voit le jour.

Henri II Plantagenêt contrôle un empire atlantique très étiré (il faut un mois et demi de voyage pour le parcourir du nord au sud) constitué de l'Angleterre, de la Normandie, de la Bretagne (rattachée après 1158), de l'Anjou et du Maine et des possessions d'Aliénor.

Henri II Plantagenêt domine ainsi plus de la moitié du royaume de France et, à ce titre, est le vassal de Louis VII auquel il a prêté l'hommage lige.

Cet immense empire est cependant dépourvu d'unité, mais il confère sur le moment au Plantagenêt une redoutable puissance. Henri II manifeste d'ailleurs davantage d'intérêt à ses possessions continentales, où il réside le plus souvent, qu'à l'Angleterre.

Pris de court, Louis VII n'a d'autre solution que d'affirmer sans relâche ses droits de suzerain.

Avec le Plantagenêt, la guerre est larvée. En 1159, Louis VII apporte son aide au comte de Toulouse alors en situation difficile ; le roi d'Angleterre recule mais, en 1162, il reprend le Vexin au Capétien. Louis VII attise les querelles qui vite déchirent la cour et la famille royale Plantagenêt. Il offre l'hospitalité à Thomas Becket, archevêque de Canterbury, qui s'oppose à Henri II, conclut un accord avec le fils aîné du Plantagenêt en révolte ouverte contre son père (1179). A la mort du roi des Francs (1180), l'essentiel du pouvoir capétien a été préservé.

Un divorce au XIIe siècle
Cultivée, délicate, mais sensuelle et frivole, Aliénor (1122-1204), mariée à quinze ans avec un roi pieux et austère, a obtenu que le duché d'Aquitaine soit conservé à l'écart du domaine royal. Le couple s'entend mal, Aliénor n'a donné à Louis VII que deux filles. Lors de la deuxième croisade, la frivolité de la reine en Terre sainte ridiculise le roi. De retour en France, Aliénor se laisse courtiser par le jeune Henri Plantagenêt, comte d'Anjou, héritier par sa mère de la Normandie. Le 18 mars 1152, Louis VII fait annuler pour consanguinité son mariage par un concile d'évêques. Deux mois plus tard, Aliénor épouse Henri Plantagenêt auquel elle donne une fille et quatre fils, dont Richard Cœur de Lion et Jean sans Terre.

Des activités en essor

Les grands défrichements

La poussée démographique
On estime généralement que la population du royaume de France a dû doubler ou tripler entre l'an mille et le début du XIII siècle. Le régime alimentaire de l'époque (des bouillies, du pain noir, des fèves, des lentilles, quelques viandes faisandées, un peu de lard et de poisson, beaucoup de vin peu alcoolisé) est déséquilibré (trop de glucides). Si la peste a disparu, la lèpre progresse. Dans le diocèse de Paris, on ouvre une première maladrerie en 1106, on en compte vingt en 1200. La poussée démographique provient surtout de l'arrêt des grandes invasions, du progrès de la sécurité et de la relative rareté des grandes famines (1005-1006, 1031-1033, 1050, 1090, 1123-1125, 1144, 1160, 1172, 1195-1197).

Les distinctions juridiques de l'époque carolingienne entre les paysans libres et les esclaves se sont fortement estompées vers l'an mille. S'il existe encore des esclaves vivant au château et exploitant la réserve du seigneur, ceux-ci sont très peu nombreux. Beaucoup d'entre eux ont été « chasés » sur une parcelle de terre et leur sort s'est peu à peu confondu avec celui des anciens paysans libres passés sous la protection d'un maître. Une nouvelle catégorie sociale existe, ce sont les serfs, paysans attachés à la terre, vendus avec celle-ci, punis par le maître et soumis à diverses obligations : corvées sur la réserve, chevage (taxe de servitude), formariage (interdiction de se marier en dehors de la seigneurie), mainmorte (le seigneur peut récupérer tout ou partie de l'héritage). Entre la servitude totale et la liberté existe alors toute une série de nuances qui font du servage un état social très complexe. Certains petits paysans ont pu également conserver leur liberté et ne sont pas attachés héréditairement à un maître, ce sont les vilains.

A la fin du Xe siècle, les forêts trouées de clairières mises sommairement en culture, les landes, les broussailles couvrent de vastes étendues. Avec habileté, les hommes tirent profit de ces « déserts ». Les animaux sauvages sont abondants, la chasse fructueuse. La forêt fournit du bois, permet de fabriquer du charbon et d'installer de nombreuses forges. Ces étendues servent de terrain de pâture aux animaux domestiques, particulièrement aux porcs friands de glands. L'homme recueille les fruits sauvages, le miel, et l'écorce des arbres utilisée pour tanner les peaux.

Plus nombreux, disposant de haches et de scies en fer, les hommes s'attaquent aux grandes forêts. En trois siècles (milieu X^e-milieu XIIIe), ils accroissent considérablement l'espace cultivé. Dès la fin du Xe siècle, des défrichements ou « essarts » ont lieu en Auvergne et en Mâconnais. Les premiers polders apparaissent en Flandre après l'an mille. Vers le milieu du XIe siècle, de grands défrichements ont lieu en Poitou, en Aquitaine et en Normandie. Le XIIe siècle voit l'apogée du mouvement avec les essarts du Bassin parisien, de Lorraine, d'Anjou, de Bretagne, du Maine... Les analyses des pollens retrouvés fossilisés dans les tourbières montrent bien le recul du hêtre et l'essor des céréales vers 1100. Les premiers essarts ont été individuels : un vilain ou un serf agrandit sa tenure en éliminant les ronces, broussailles, et arbres qui l'entourent. Au XIIe siècle, les défrichements sont organisés par des seigneurs ou des monastères qui augmentent ainsi leurs revenus et font reculer l'insécurité propre aux déserts. En plein massif forestier, le seigneur attire des paysans en leur promettant des charges réduites et des libertés, crée un village nouveau. Ainsi se multiplient les « villeneuves », « sauvetés », « abergements », « neuvilles ». De retour de lointaines chevauchées, des seigneurs créent des villages au nom exotique : Fleurance, Grenade, voire Jéricho... La concession d'une charte de franchise (sur le modèle de celle de Lorris-en-Gâtinais, mise au point entre 1108 et 1137) aux « hôtes » stimule l'ardeur paysanne. Les moines maniant la hache semblent en réalité avoir été peu nombreux. Bien des serfs attirés par ces franchises s'enfuient pour aller peupler ces villeneuves. Le servage est en recul au XIIᵉ siècle. En Normandie et en Mâconnais, il est rare, mais il persiste en Berry et en Nivernais. Ce sont également des seigneurs qui prennent l'initiative d'organiser des grands travaux pour assécher des marécages, protéger des régions basses contre le danger de la mer ou des fleuves (polders de Flandre, marais salants atlantiques, comblement de lagunes en Languedoc). En 1160, Henri II Plantagenêt ordonne la construction dans la région de Saumur des premières digues (les « turcies ») protégeant la vallée des inondations de la Loire.

Les progrès agricoles

Un araire, encore utilisé en pays méditerranéen (photo N. Girard).

Une charrue au XIIIᵉ s., enluminure du manuscrit Psautier, hebraïca, romana, gallica, Bibl. nat., Paris (photo Hachette).

La diffusion à cette époque de certains procédés techniques a accéléré ce mouvement d'expansion. Le moulin à eau se généralise. Au milieu du XIIᵉ siècle apparaissent les premiers moulins à vent. La traction animale est perfectionnée grâce à la diffusion du joug frontal pour les bœufs, alors très nombreux. L'emploi du cheval doté d'un collier d'épaule progresse lentement dans les campagnes. Cet animal fragile, beaucoup plus cher que le bœuf, possède cependant une musculature bien adaptée au travail des terres lourdes. La multiplication des forges rurales permet de ferrer ces animaux et de protéger ainsi la corne de leurs sabots. L'araire, instrument symétrique, ouvre un sillon superficiel dans le sol sans parvenir à retourner complètement la terre. Bien adapté aux sols légers du Midi, l'araire est encore l'engin de labour le plus fréquemment employé à l'époque. Au XIIᵉ siècle, la charrue progresse au nord de la Loire. Plus difficile à manier, nécessitant le travail de deux hommes et une importante force de traction (de 6 à 8 bœufs ou de 2 à 4 chevaux), la charrue est un instrument dissymétrique constitué d'un avant-train, d'un coutre qui fend la terre, d'un soc équipé d'un versoir en métal qui permet de retourner complètement et en profondeur la terre. La charrue bien adaptée aux terres grasses du Nord permet d'aérer le sol. Le grain semé profondément résiste mieux au pourrissement et au gel. Si l'engrais est assez rare, on laboure trois, voire quatre fois (milieu du XIIᵉ siècle), la pièce de terre. Le hersage (XIᵉ siècle) permet de briser les mottes de terre. Pour éviter un épuisement trop rapide du sol, des systèmes de rotation biennale, voire triennale, apparaissent déjà. Le travail manuel reste cependant important : on manie la bêche, la houe, on moissonne à la faucille.

Un travail aussi soigné de la terre, une conjoncture climatique convenable, permettent une hausse des rendements. En moyenne, on passe d'un rendement de deux grains et demi pour un grain semé vers l'an mille à quatre à six grains pour un grain semé à la fin du XIIe siècle. On cultive aussi le lin, le chanvre, le pastel qui permet de teindre en bleu les étoffes. La vigne est cultivée très au nord mais on ne sait pas conserver le vin plus d'un an. Ce sont les cultures céréalières qui connaissent l'essor le plus important : l'avoine, le seigle et surtout les blés d'hiver et de printemps. De ces récoltes, on parvient à dégager un surplus qui est vendu au marché seigneurial ou à la ville. Cette expansion permet l'épanouissement de nombreux villages. Les cabanes de bois de l'an mille, pourvues d'un simple trou pour l'évacuation des fumées, cèdent la place à des maisons en torchis (paille et boue) ou en pisé (gravillon, boue, sciure) dotées d'une cheminée. Le mobilier reste rudimentaire et la majorité des paysans lotis sur de petites parcelles connaissent une vie rude.

L'éveil des villes et du commerce

Malgré l'insécurité des temps, on voit apparaître, à la périphérie des villes souvent délabrées, des bourgs (à Angers dès 924, en Arles en 972) où artisans, marchands, prêteurs de fonds juifs se rassemblent dès le Xe siècle. Au siècle suivant le mouvement se renforce. Le recul de la violence permet à un nombre plus élevé de marchands de sillonner les voies romaines dégradées et les nouveaux chemins, d'établir des contacts avec les musulmans d'Espagne ou avec l'Empire byzantin et l'Orient d'où proviennent en particulier les épices et les tissus de luxe fort appréciés des seigneurs. L'apparition des premiers moulins à fouler le drap (fin XIe) et à battre le fer (au Mans en 1085, à Issoudun en 1116) montre un renforcement de la production artisanale. Les villes administrées par les évêques se réveillent. Les artisans se regroupent par rue ou par quartier. Ces villes, souvent ravagées par des incendies, possèdent des rues non pavées qui sont des cloaques livrés aux troupeaux de porcs. Le fils aîné de Louis VI meurt dans un accident causé par un troupeau de porcins. Néanmoins, le grand nombre de constructions, la beauté de certains monuments, les enceintes de pierre, les activités artisanales et commerciales suscitent l'admiration des contemporains et provoquent un afflux de ruraux.
Les habitants des villes sont appelés « bourgeois ». Dès le XIe siècle, les artisans et les marchands se regroupent en associations d'entraide et de contrôle des fabrications. Rapidement, les bourgeois cherchent à avoir un droit de regard sur la gestion de la ville et s'unissent par un serment commun. On commence à parler des « communes ». Hors de leur propre domaine, les rois capétiens sont assez favorables aux communes. Les comtes de Flandre et de Champagne laissent faire, mais les négociations entamées avec les évêques sont parfois difficiles. Au Mans en 1070, à Laon en

1112 (massacre de l'évêque Gaudry), des révoltes sanglantes éclatent. Au début du XIIe siècle, le mouvement communal s'épanouit. Des franchises sont accordées, les bourgeois obtiennent d'élire des magistrats (échevins dans le Nord, consuls dans le Midi), de contrôler l'activité économique, d'exercer en partie la justice, parfois même de participer avec le seigneur à la défense de la ville. Toutefois, ces droits ne sont vite exercés que par la minorité la plus riche (propriétaires d'immeubles, riches artisans, voire seigneurs féodaux résidant dans les villes du Midi) et, à l'exception des villes flamandes, les communes cèdent devant les pressions des princes ou des rois. Les franchises accordées à Paris par le roi de France sont ainsi très limitées.

Le XIIe siècle est marqué par un essor des activités artisanales et commerciales. Les bourgs sont rattachés à la ville. Le troc, les redevances en nature déclinent, car l'emploi de la monnaie d'argent se généralise. De très nombreuses petites pièces (les deniers) sont en usage (240 deniers font 20 sous qui font une livre), mais le nombre important d'ateliers de monnayage fait que la valeur des monnaies change d'un endroit à l'autre. Il faut sans cesse avoir recours aux « changeurs ». Les transports progressent... et aussi les péages. Les chevaliers pillards qui détroussent les marchands sont pourchassés, le comte de Flandre fait bouillir vif l'un d'eux dans un chaudron ! Des ponts de bois ou de pierre sont construits. Des animaux bâtés ou des chariots — qui ne parcourent cependant pas plus de 20 à 30 km dans la journée — circulent. Les marchandises lourdes (le vin, le sel) sont transportées par voie d'eau, alors très utilisée. Des quais sont construits. Sur mer, la navigation reprend et les ports de Dunkerque, Calais, Nieuport sont aménagés à cette époque. Sous des tentes, à la porte des villes, des foires attirent les marchands comme à Beaucaire, Montpellier, Saint-Gilles, Saint-Denis (foire du Lendit), Reims... Les plus importantes ont lieu dans les villes de Champagne (Lagny, Bar-sur-Aube, Provins, Troyes), à mi-chemin des deux pôles économiques les plus évolués de l'époque : l'Italie et la Flandre. Les comtes de Champagne assurent la sécurité aux marchands qui font le voyage. Ces foires de longue durée se succèdent les unes après les autres et font de la Champagne un centre de négoce en activité toute l'année. Une juridiction habile garantit aux marchands l'honnêteté des transactions. On échange d'abord des marchandises (blé, vin, bétail, draps flamands, épices d'Orient, tissus italiens...), puis dès la fin du XIIe siècle, on se livre à des opérations bancaires. Des marchands italiens fréquentent régulièrement la Champagne à partir de 1170.

Aspirations et croyances

A la veille du millième anniversaire de la naissance du Christ, puis du millième anniversaire de sa mort, quelques hommes, interprétant un passage de l'Apocalypse de saint

Jean, redoutent l'invasion de la terre par les forces sataniques avant le retour glorieux du Christ. En 1033 précisément, une éclipse de soleil, une famine sévère créent ici ou là une certaine anxiété sans que le phénomène prenne toutefois une allure catastrophique.

Les hommes de l'époque sont imprégnés du message chrétien, un message souvent mal assimilé du fait de la médiocrité du clergé. Le monde paraît se réduire à un combat permanent entre Satan (le Mal) et Dieu (le Bien). On croit à la survie de l'âme, à l'utilité de dons pieux avant de mourir (beaucoup de seigneurs dilapident ainsi leur patrimoine). On discerne mal les frontières entre le naturel et le surnaturel.

Un ermite (photo Bibl. de l'université de Bâle).

Les hommes pratiquent alors une religion peu intériorisée mais très démonstrative. Se priver, jeûner, accomplir un long et dangereux pèlerinage à Rome, à Saint-Jacques-de-Compostelle, voire à Jérusalem, assurent le pardon des péchés aux yeux des contemporains. Les ermites, qui vivent dans la solitude des forêts, sont respectés (Robert d'Arbrissel, en Anjou, à la fin du XIe siècle). La première croisade suscite un enthousiasme populaire qu'Urbain II n'avait pas prévu. Croyances et rites magiques persistent. On craint la lune, les jeteurs de sorts, le loup-garou ; on attribue au forgeron du village, en contact avec le feu, des pouvoirs surnaturels. La magie se mêle parfois à la religion. On prête aux reliques des saints des forces mystérieuses, on les vénère en les enfermant dans de magnifiques châsses, on les touche dans l'espoir de guérir, on craint aussi leur vengeance si, après avoir prêté serment, on se parjure.

Vers l'an mille, le clergé, entièrement soumis aux féodaux, est franchement médiocre : à la campagne des prêtres incultes et pauvres (car le seigneur se réserve la perception des dîmes), à la ville trop d'évêques indignes se comportent en grands seigneurs. La simonie (trafic des sacrements) est courante. Prêtres et évêques ont des concubines, des enfants auxquels ils lèguent leur paroisse ou leur évêché. Indépendante, l'abbaye de Cluny a suscité beaucoup d'espoir, mais, devenue très riche grâce aux offrandes des fidèles, elle vit désormais très loin de l'idéal chrétien de pauvreté et de simplicité. Vers 1020, des hérésies éclatent à Châlons-sur-Marne, Orléans, Arras, en Aquitaine. Les manichéens (du nom d'une hérésie née au IIIe siècle en Orient) estiment que l'Église ne sert à rien, rêvent de pureté, d'égalité, veulent une religion intériorisée et, dénonçant les souillures du monde, refusent le mariage et la procréation. Ils périssent sur le bûcher. A la fin du XIe siècle, l'Église retrouve une certaine dignité grâce au pape Grégoire VII (1073-1085). Les seigneurs abandonnent la perception des dîmes. Un noble cultivé, actif, mystique, saint Bernard (1090-1153) étend le rayonnement de l'abbaye de Cîteaux, créée en 1098, en fondant un nouvel établissement à Clairvaux en 1115 où il réintroduit les règles d'austérité, de pauvreté, de prière pour les moines de chœur et de travail manuel pour les frères convers. Le mouvement cistercien connaît vite un énorme succès et voit à son tour les dons affluer. Des édifices très sobres sont construits. Près de 300 établissements répartis dans toute l'Europe se rattachent au mouvement. Avec la croisade apparaissent au début du XIIe siècle des ordres religieux qui remplacent les pénitences par le combat en Terre sainte. Les moines-soldats hospitaliers et templiers deviennent célèbres, accumulent les dons en terres dont les revenus sont transférés vers l'Orient. Rapidement, les templiers passent pour être d'habiles gestionnaires.

Les hérésies persistent cependant. Après avoir distribué ses biens aux pauvres, un marchand lyonnais, Pierre Valdo, se fait l'apôtre d'un catholicisme purifié. Le mouvement vaudois, né vers 1176, devait se maintenir dans le Midi jusqu'au XVIe siècle.

Présentant bien des ressemblances avec le mouvement manichéen, le mouvement albigeois ou cathare (« pur », en grec) s'épanouit au XIIe siècle dans une région comprise entre Béziers, Albi, Cahors, Agen, Mirepoix et constitue une contre-Église qui se réunit en concile en 1167 et bénéficie, à partir de 1194, de la bienveillance du comte de Toulouse, Raymond VI.

L'éveil culturel

Aux quelques écoles implantées dans les monastères (abbaye du Bec) s'ajoutent, au XIe siècle, de nouveaux établissements urbains (Angers, Tours, Orléans, Chartres...). Les études reprennent, les actes écrits peu à peu deviennent plus nombreux. Au siècle suivant, on redécouvre le droit et les premiers notaires publics apparaissent. Par l'intermédiaire du monde musulman, certains clercs retrouvent les travaux d'Euclide et surtout la pensée d'Aristote. Pierre Abélard (1079-1142) élabore un nouveau système de raisonnement, la scolastique. A côté des œuvres savantes rédigées en latin s'épanouit une littérature profane d'abord orale puis écrite, en langue d'oïl au Nord, en langue d'oc au Sud. La *Chanson de saint Alexis* date de 1040. La *Chanson de Roland* est rédigée vers 1170. Chrétien de Troyes célèbre les exploits chevaleresques *(Lancelot, Perceval)*. Des œuvres comme *Tristan et Iseut*, le *Roman de Renart* sont composées ou ébauchées à la fin du XIIe siècle. Au Sud, des troubadours comme Jaufré Rudel (vers 1140) ou Bernard de Ventadour (1150-1195) créent la poésie courtoise qui, en vers rimés d'une grande délicatesse, célèbre l'amour et la femme.

Dès l'an mille, les constructions d'églises reprennent (petites églises des Pyrénées, Saint-Philibert-de-Tournus, 1006, Saint-Martin-du-Canigou, 1009, Saint-Germain-des-Prés, 1014...). Les bâtisseurs cherchent à remplacer la charpente, facilement incendiable, par une voûte de pierre plus sûre, mais dont le poids élevé mine la résistance des murs. La pierre est soigneusement taillée (le calcaire dans le Val de Loire et en Poitou, le granit et la lave en Auvergne), afin de réaliser des voûtes rondes ou en berceau (Tournus) ou des voûtes d'arêtes comme à Vézelay (intersection à angle droit de deux voûtes en berceau). Les murs deviennent plus épais et sont conso-

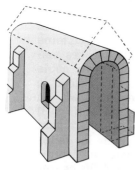

Une voûte en berceau romane.

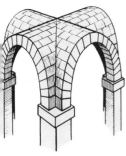

Une voûte d'arêtes.

lidés à l'extérieur par des contreforts, à l'intérieur par des colonnes. On limite le nombre des ouvertures. On obtient ainsi des édifices trapus, en forme de croix, de taille moyenne et dont la nef centrale est sombre. Un clocher est édifié à l'intersection de la nef et du transept. Des fresques sont peintes sur les murs intérieurs (Saint-Savin-sur-Gartempe). Les chapiteaux sont ornés de sculptures dont les thèmes s'inspirent d'un imaginaire volontiers fantastique : entrelacs, arabesques complexes, figures monstrueuses et naïves illustrant les vices et les vertus. A Moissac, à Vézelay, en Arles apparaissent aussi de belles statues figurant le corps humain (les évangélistes, la Vierge, le Christ). Le tympan inspire aux artistes de délicates et complexes décorations. Les plus beaux chefs-d'œuvre de l'art roman sont édifiés entre 1050 et 1150, particulièrement au Sud et au Centre : Notre-Dame-la-Grande de Poitiers, Saint-Sernin de Toulouse, la cathédrale du Puy-en-Velay, l'église de Saint-Nectaire en Auvergne, l'abbatiale de Vézelay, la basilique de Cluny (aujourd'hui disparue), le cloître de Moissac, l'église Saint-Trophime d'Arles...

Façade de la basilique Saint-Denis (photo H. Roger-Viollet).

Après 1100, une nouvelle technique architecturale apparaît plus au nord, en Normandie, en Ile-de-France et en Anjou. L'« art nouveau » ou « gothique », élaboré par des Français alors que l'art roman est plus international, utilise l'arc brisé. La croisée d'ogives (deux arcs brisés se croisant en diagonale) est mise au point. Elle permet une construction plus légère, plus haute, plus aérée et donc plus lumineuse. Les vitraux se généralisent. Entre 1132 et 1144, Suger fait édifier l'abbatiale de Saint-Denis selon cette nouvelle technique. Apparaissent ensuite la cathédrale de Sens (1135-1168), les cathédrales de Bourges, Angers, Langres, Senlis (début des travaux vers 1150) et Notre-Dame de Paris (1163-1245).

Saint Jacques, cloître de Moissac (XI-XIIe siècles) [photo H. Roger-Viollet].

Notre-Dame-la-Grande, Poitiers (photo Giraudon).

L'épanouissement du royaume capétien (1180-1328)

Entre 1180 et 1328, les Capétiens directs étendent le domaine royal, affermissent leur autorité et renforcent leur emprise sur le pays de loin le plus peuplé d'Occident et dont la prospérité, le rayonnement politique et artistique sont, dès cette époque, considérables. Avec le temps, l'essor atteint un seuil, la croissance de l'agriculture et de l'artisanat marque le pas et, dès le dernier tiers du XIIIe siècle, un certain marasme apparaît.

La croissance se poursuit

Jusqu'à la fin du XIIIe siècle, des activités soutenues

Un lépreux s'annonçant avec une crécelle, XIVe siècle, Bibl. de l'Arsenal (photo B.N.).

Apparue à la fin du XIe siècle, la phase d'expansion économique se maintient jusqu'aux environs des années 1280. Une telle conjoncture a grandement favorisé les entreprises des Capétiens. Bien des facteurs se conjuguent pour soutenir l'activité : les progrès sensibles de la paix intérieure, un climat favorable rendant possible des récoltes abondantes, l'absence d'épidémie pesteuse, la rareté des grandes famines et donc des crises de surmortalité... Dès lors, la poussée démographique reste soutenue, faisant de la France le royaume le plus peuplé de la chrétienté. Seule, la lèpre continue à exercer des ravages. L'essor de l'extraction du minerai d'argent à partir du XIIe siècle, puis au XIIIe siècle l'arrivée régulière en Europe méditerranéenne du minerai du Sénégal (environ 30 tonnes par an) rendent possible la multiplication des moyens monétaires. Les Vénitiens et les Florentins prennent l'initiative d'émettre de nouvelles monnaies d'argent et d'or à fort pouvoir libératoire. Ces monnaies favorisent les grosses transactions et inspirent les réformes monétaires de Saint Louis. Cet afflux monétaire stimule les prix, puis les salaires qui augmentent durant la période. Le développement chez les grands du goût du luxe (bijoux, longs vêtements aux couleurs vives, fourrures, sous-vêtements en lin) favorise l'épanouissement de l'artisanat.

L'expansion agricole se maintient, même si les défrichements sont de moins en moins nombreux et si la survie de la forêt pose problème ici ou là. Dans le Sud-Ouest, de nouveaux villages, les « bastides » sont créés. L'usage du fumier progresse, de même l'épandage de chaux et de boue. Le système de l'assolement triennal avec sa discipline communautaire (obligation de laisser reposer un an sur trois une parcelle) triomphe dans le Bassin parisien au milieu du XIIIe siècle. De nouvelles cultures apparaissent : le sarrasin dans le Sud-Ouest, le houblon dans l'Est, les plantes tinctoriales et l'abricotier venu de Terre sainte. Les vins de Beaune, Auxerre, Angers, Bordeaux sont recherchés. Pour les céréales, on atteint couramment des rendements de 4 à 6 grains pour un grain semé sur les terres les plus moyennes, mais 7 grains pour un semé en Picardie en 1225 et même 11 grains pour un semé en Artois en 1325. Vers 1900, les agriculteurs français ne feront pas mieux. La monnaie est désormais d'un usage courant. Les seigneurs convertissent volontiers des droits jadis perçus en nature contre des versements réguliers en numéraire, affranchissent contre argent leurs serfs et afferment une partie de leur réserve. Le coût exorbitant des croisades, les dons au clergé, les achats somptueux provoquent un appauvrissement de nombreux petits seigneurs. Il n'est pas rare de voir des lignages nobles disparaître comme en Picardie où existent cent lignages nobles en 1150 mais seulement quarante-deux en 1250. Les différences sociales s'accentuent également chez les paysans. A côté d'une majorité (les deux tiers, voire les quatre cinquièmes vers 1300) vivant modestement, voire misérablement, sur des parcelles devenues exiguës à la suite de la croissance démographique, on voit s'épanouir une classe nouvelle de riches paysans. Ce sont les laboureurs, possesseurs de chevaux et qui souvent prennent à ferme les vastes terres de la réserve seigneuriale.

La communauté paysanne se retrouve régulièrement à l'église de la paroisse et prend l'habitude de se confesser et de communier une fois par an à Pâques (décision du concile de Latran IV, 1215). Les fêtes villageoises, les processions sont alors très nombreuses. Les grandes révoltes de l'époque (croisade des enfants en 1212, mouvement des pastoureaux en 1251) sont menées par des visionnaires et obéissent souvent à des buts religieux (délivrer le tombeau du Christ). L'apparition du rouet stimule la production textile. Dans certaines villes (Gand, Bruges, Ypres, Douai, Arras, Rouen, Reims, Beauvais...), le textile constitue une quasi-industrie organisée par de riches négociants qui dominent une foule de petits artisans. Dans les villes se développe le travail du bois, du cuir, du fer, des métaux précieux, des objets de luxe. Des ateliers de copie et de miniature se fixent à Paris. Le perfectionnement des transports rend possible un accroissement sensible des échanges. Les foires de Champagne, très actives, se spécialisent dans les opérations monétaires. Les premières lettres de foire (ancêtres des lettres de change) voient le jour. Sur les routes, un réseau d'auberges et de couvents facilite l'hébergement des marchands. Tirés par des attelages en file, des chariots à avant-train mobile permettent de transporter jusqu'à quatre tonnes. Le pont Saint-Bénézet

Un rouet à filer, vers 1505, musée Dobrée, Nantes (photo Giraudon).

sur le Rhône à Avignon est achevé en 1185. Des écluses sont construites en Flandre (fin du XIIᵉ siècle). Sur mer, le commerce du vin, du sel, de la laine anime les ports de Bruges, Rouen, La Rochelle, Bordeaux. Aigues-Mortes est fondée en 1247. Jaugeant 300 tonneaux, de solides navires munis du gouvernail d'étambot (vers 1250) affrontent les mers occidentales.

L'épanouissement des villes

La croissance démographique amène de nombreux ruraux à affluer vers les villes. Vers 1320, la plus grande ville d'Occident est Paris (peut-être 200 000 habitants), Gand dépasse 50 000 habitants, Avignon, Bordeaux, Bruges, Lyon, Rouen, Saint-Omer, Toulouse ont entre 20 000 et 50 000 habitants. Les villes doivent souvent construire des enceintes plus grandes. Le paysage urbain n'évolue guère. Toujours menacée par les incendies (Rouen brûle six fois entre 1200 et 1225 !), la ville est constituée d'un réseau sinueux de rues étroites et sales. Le terrain est rare et cher, on construit des maisons hautes et à encorbellement. Les places publiques sont de faible superficie. Contrôlées par les marchands les plus riches, les communes affirment leur liberté, se dotent d'un sceau, de registres de délibérations, d'une cloche. Des impôts municipaux sont levés. Les villes prospères du Nord financent la construction de halles, d'une maison communale et souvent d'un beffroi (Tournai, Cambrai, Abbeville, Bruges, Boulogne-sur-Mer, Saint-Riquier), mais c'est l'exception ; ailleurs, les délibérations des échevins ont lieu dans un couvent (Nantes, Dijon).

A la ville comme à la campagne, les différences sociales s'accentuent. A la fois possesseurs d'immeubles, prêteurs de fonds, négociants et entrepreneurs, de très riches bourgeois constituent le monde du patriciat qui domine la vie citadine

Ypres, les halles aux draps et le beffroi, gravure du XIXᵉ siècle (photo Viollet-Neurdein).

et exploite souvent durement les artisans (la famille Val-Richin à Rouen, Jehan Boinebroke à Arras). Regroupés par métier, les artisans constituent des corporations, édictent des règlements qui cherchent à éliminer la concurrence et les nouveautés (d'où une certaine stagnation technique) et privilégient le bel ouvrage sur la production de masse. L'apprenti doit réaliser un chef-d'œuvre et acquitter un droit d'entrée dans la corporation pour devenir maître, sinon il reste toute sa vie un valet. En 1268, on dénombre 101 corporations à Paris.

Au bas de la société urbaine prolifère le monde des manœuvres, des domestiques, des marginaux durement traités. Chaque ville possède son pilori, son gibet et les voleurs sont souvent exécutés. Tolérée par les autorités, la prostitution se développe. « Bordelages » et étuves (bains publics fréquentés par des « ribaudes ») sont alors fort nombreux.

Le concile de Latran IV (1215) encourage les mesures vexatoires imposées aux Juifs. Ils doivent porter un insigne infamant (la rouelle), se regrouper dans certains quartiers, n'avoir aucune relation sexuelle avec les chrétiens. Les rois de France tolèrent, voire accentuent ces brimades qui parfois tournent au massacre (pogroms à Troyes en 1288 et dans toute la France en 1321).

Une étuve, miniature du xve siècle, Bibl. municipale de Leipzig (photo Giraudon).

C'est également dans les villes que s'installent au xiiie siècle les nouveaux couvents de moines mendiants. Les dominicains sont présents à Paris en 1217, les franciscains en 1219. Créés en Espagne par saint Dominique et en Italie par saint François d'Assise la même année 1206, ces mouvements rénovent profondément la religion chrétienne en revenant à un idéal de pauvreté (les moines doivent mendier et ne peuvent acquérir de richesses).

Les mendiants refusent l'isolement et décident de vivre au contact du monde en ouvrant des couvents au cœur des villes. Excellents prêcheurs, souvent très instruits, les dominicains, les franciscains, puis les augustins et les carmes, se font les avocats d'une religion plus intériorisée et qui affirme la dignité des pauvres.

Leur succès est si rapide (plus de 400 couvents en France vers 1270) que l'opinion leur reproche vite d'exercer une influence trop forte sur Saint Louis.

La ferveur religieuse autant que le patriotisme urbain favorisent la mise en chantier des cathédrales et l'épanouissement de l'art français ou gothique. Les cathédrales de Chartres (1195-1220), d'Amiens (1220-1270), de Reims (1211-1311), mais aussi de Bourges (1209-1270) sont alors achevées.

L'arc brisé, la croisée d'ogives, la consolidation des arcs-boutants permettent d'élever les voûtes : 24 mètres à Laon, 32 mètres à Paris, 37 mètres à Chartres, 43 mètres à Amiens. Plus haute, la cathédrale est aussi plus lumineuse, car elle est percée d'immenses verrières (2 600 m^2 à Chartres !) et souvent d'une rosace en façade. Des vitraux multicolores, des statues représentant des personnages volontiers souriants aux gestes gracieux, à l'allure profondément humaine apparaissent : ainsi le « Beau Dieu » d'Amiens (vers 1230), la « sainte Anne » et « l'ange au sourire » de Reims.

L'ange au sourire (cathédrale de Reims)
[photo Boudot-Lamotte].

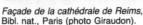

Façade de la cathédrale de Reims,
Bibl. nat., Paris (photo Giraudon).

Enfin, les villes sont le lieu de prédilection d'une renaissance intellectuelle.

Dès la fin du XIIᵉ siècle à Gand, de petites écoles sont ouvertes pour les enfants de marchands. Au XIIIᵉ siècle, les universités françaises voient le jour, obtiennent du pape et des rois des privilèges.

Montpellier se spécialise dans l'étude de la médecine. Orléans et Toulouse doivent leur réputation au droit romain.

Constituée entre 1200 et 1231, l'université de Paris acquiert vite une extraordinaire réputation. Souvent turbulente (maîtres et étudiants font grève en 1221, puis en 1229-1231), l'université de Paris attire les maîtres les plus réputés du temps : l'Anglais Roger Bacon, l'Allemand Albert le Grand, les Italiens Thomas d'Aquin et Bonaventure. Les étudiants affluent (on peut être étudiant de 15 à 35 ans !), fréquentent les premiers collèges (naissance de la Sorbonne en 1257) et favorisent ainsi la naissance du Quartier latin. Il y a peut-être 10 000 maîtres et étudiants à Paris vers 1300.

Cette vitalité favorise le rayonnement en terre d'oc, et dans une grande partie de l'Europe, de l'art français et de la langue d'oïl.

On parle français à la cour d'Angleterre, le Vénitien Marco Polo rédige en français le récit de son voyage en Chine (fin XIIIᵉ). Les œuvres profanes se multiplient, ainsi le *Roman de Renart* composé à la fin du XIIᵉ siècle, les fabliaux au XIIIᵉ siècle, le *Roman de la Rose* (première partie par Guillaume de Lorris, vers 1230-1240, seconde partie par Jehan de Mehung, entre 1269 et 1278), les poèmes de Rutebeuf. Le théâtre français prend forme. Adam de la Halle fait représenter en 1276 à Arras le *Jeu de la feuillée.*

Le domaine, les hommes, les institutions du roi

Des rois mieux connus

Une documentation désormais plus abondante nous permet de mieux connaître les huit rois qui, descendants directs d'Hugues Capet, se succèdent sur le trône de France entre 1180 et 1328.

Saint Louis et Marguerite de Provence.
(photo Helmut Peter Buchen).

De ces huit rois, trois au moins (Philippe Auguste, Saint Louis, Philippe le Bel) ont, par la durée de leur règne, leur personnalité, l'ampleur de leur œuvre, marqué profondément l'époque. Petit, très brun, l'allure un peu lourde, Philippe II dit Philippe Auguste perd un œil à la suite d'une maladie. C'est un homme actif, nerveux, parfois cynique qui porte un coup décisif à l'empire Plantagenêt. Veuf très tôt et n'ayant qu'un fils de santé délicate (le futur Louis VIII), il épouse une princesse danoise Ingeburge (1193) pour laquelle il ressent une immédiate et mystérieuse répulsion. Il obtient des évêques français l'annulation de son mariage, enferme Ingeburge dans un couvent, se remarie (d'où la naissance d'un second fils, Philippe Hurepel), mais se heurte à l'hostilité déclarée du pape Innocent III qui lance l'interdit sur le royaume avant qu'un accord ne soit trouvé et qu'Ingeburge, tardivement, ne revienne à la cour. Louis VIII ne règne que de 1223 à 1226. Louis IX ou Saint Louis, roi de 1226 à 1270, marque profondément le siècle. Blond, maigre, très grand, ce roi est, dans sa jeunesse, un chevalier gai, enjoué. Dévoué à sa mère, la rigoureuse Blanche de Castille qui dirige dans les faits le royaume de 1226 à 1252, tendrement attaché à son épouse, la reine Marguerite de Provence qui lui donne onze enfants, ce roi devient vite un modèle de justice, de paix, de piété. Doué d'une foi ardente, voire mystique, Saint Louis multiplie les gestes d'ascèse, d'humilité et les actes de charité. Il porte des vêtements sans éclat, soigne les lépreux, accueille à sa table les pauvres et crée l'hôpital des Quinze-Vingts pour les aveugles. Il protège les moines mendiants. Sa réputation de droiture l'amène à plusieurs reprises (en 1256 en Flandre et en Bourgogne, en 1264 en Angleterre) à rendre des arbitrages internationaux. De son vivant, il apparaît comme un souverain au-dessus des autres. Les exercices d'ascèse, les jeûnes affaiblissent son corps et sa santé déjà fragile. Sa taille se voûte, son caractère devient tranchant, autoritaire. Certaines de ses décisions, à l'encontre des Juifs, des blasphémateurs condamnés à avoir la langue coupée, des prostituées et des joueurs de dés, sont très dures. La canonisation du roi, en 1297, confère à la dynastie capétienne un surcroît de prestige. Si Philippe III le Hardi (roi de 1270 à 1285) est comme son père un roi pieux, son intelligence politique semble en revanche plus limitée.

La personnalité de Philippe IV le Bel, roi de 1285 à 1314, suscite encore bien des interrogations. De grande stature, les traits bien dessinés, ce roi à la vie privée simple et irréprochable, aimant la chasse, parle si peu que ses visiteurs le comparent à une statue vivante.

Certains lui reprochent d'être un faible, d'accorder une confiance aveugle à ses conseillers, les « légistes », d'être peu scrupuleux (d'où sa réputation de faux-monnayeur), de faire preuve d'un goût morbide pour les procès et les scandales.

Statue de Philippe le Bel, basilique de Saint-Denis (Arch. phot. Paris-SPADEM).

En 1314, Philippe le Bel n'hésite pas à rendre publique l'infidélité de ses brus (Marguerite de Bourgogne[*] et Blanche de Bourgogne[**]) qui sont arrêtées et répudiées cependant que leurs amants (Philippe et Gautier d'Aunay) sont suppliciés.

D'autres soulignent l'intelligence, l'habileté, l'autorité d'un roi qui a favorisé la renaissance de l'État et l'affirmation de la suprématie royale. Les fils de Philippe le Bel, dépourvus de descendance mâle, se sont succédé sur le trône mais, fauchés par la maladie, n'ont régné que brièvement : Louis X le Hutin (1314-1316), Philippe V le Long (1316-1322) et Charles IV le Bel (1322-1328).

Les modifications qui affectent les rites et les titres monarchiques montrent clairement le renforcement du pouvoir royal à cette époque.

A partir de Philippe Auguste, les rois cessent de faire élire et couronner leur fils aîné de leur vivant. Dès 1190, le titre de roi des Francs est remplacé dans les actes officiels par celui de roi de France et, en 1205, le terme « royaume de France » s'impose.

Le sacre de Louis IX âgé de douze ans en 1226 s'accompagne d'une modification du rituel lourde de sens. L'acclamation traditionnelle par les barons et la foule a lieu, non pas avant, mais après la cérémonie religieuse : ainsi disparaît l'un des derniers souvenirs de l'ancienne élection du roi. A l'exception d'une révolte vite étouffée de quelques comtes (1226) et d'une tentative d'enlèvement du jeune roi (1228), la première régence du royaume par une femme d'origine étrangère, Blanche de Castille, se passe assez bien et prouve la solidité de la monarchie.

---

* Femme du prince Louis (futur Louis X), mère de Jeanne de France, grand-mère de Charles le Mauvais, Marguerite de Bourgogne mourut en prison.
** Femme du prince Charles (futur Charles IV), Blanche de Bourgogne resta sept ans emprisonnée à Château-Gaillard puis fut répudiée.

Le rassemblement du royaume par le droit et les armes

Durant toute cette période, le domaine royal s'agrandit considérablement. Le domaine est la zone où le roi exerce directement la puissance publique, entretient des agents, exploite de riches domaines fonciers (mais toutes les terres ne sont pas sa propriété), des forêts, des mines, perçoit des taxes et des tonlieux. Les Capétiens ont peu à peu absorbé les petites seigneuries indépendantes enkystées dans leur domaine. Avec habileté, ils ont su tirer profit du droit féodal, imposer aux veuves de leurs vassaux leur tutelle, percevoir le droit de relief qui veut qu'à chaque succession le vassal verse une année de revenus de la seigneurie au suzerain. Faisant jouer ses droits de seigneur, Philippe Auguste parvient à rattacher ainsi le Valois, le Vermandois, l'Amiénois, l'Artois (1180-1191). Tout est prétexte à étendre le domaine royal. Le mariage, en 1284, du futur Philippe le Bel avec une riche héritière permet de faire main basse sur la Champagne. L'absence de règle bien définie sur l'héritage en ligne masculine ou féminine permet le rattachement en 1271 du comté de Toulouse. Philippe le Bel réussit à détacher le Lyonnais de son allégeance à l'Empire (1312). Lorsqu'un conflit surgit avec un vassal, le roi, s'il s'estime assez puissant, proclame désormais la confiscation du fief — on dit la commise — et lance une opération militaire. Contre les grands vassaux, les Plantagenêts, les comtes de Flandre et de Toulouse, des expéditions nombreuses ont lieu au XIIIe siècle.

La dislocation de la plus grande partie de l'empire Plantagenêt est réalisée à cette époque. Contre Henri II (mort en 1189) à la fois roi d'Angleterre et principal vassal du roi de France, mais qui respecte le Capétien, Philippe Auguste n'hésite pas à soutenir la révolte des fils du Plantagenêt. S'il part en 1190 en croisade avec le nouveau souverain d'Angleterre Richard Cœur de Lion (1189-1199), Philippe Auguste se hâte de revenir en France (1191) et, au mépris des coutumes chevaleresques, s'attaque aux biens continentaux de son puissant vassal resté en Terre sainte. A son retour, Richard Cœur de Lion prend les armes, inflige de lourdes défaites au Capétien (Fréteval, juillet 1194 et la déroute de Gisors en septembre 1198), construit sur la Seine l'énorme forteresse de Château-Gaillard. La mort du roi Richard dans un combat en Limousin (avril 1199) sauve Philippe Auguste ; le nouveau roi d'Angleterre, Jean sans Terre, n'ayant ni la personnalité ni l'adresse de son prédécesseur. Jean sans Terre enlève la fiancée du comte de la Marche (1200). Le roi Philippe saisit ce prétexte (alors que lui-même est bigame à l'époque !) et cite le roi d'Angleterre à comparaître devant sa cour. Il prononce alors la commise des fiefs continentaux d'un vassal réputé félon (avril 1202). Les troupes françaises s'emparent de Château-Gaillard le 6 mars 1204 et occupent la Normandie, puis l'Anjou, le Maine et une partie du Poitou jusqu'à la conclusion d'une trêve en octobre 1206. Le conflit ne s'apaise pas cependant. Philippe Auguste songe à débarquer en Angleterre (1213). Jean sans Terre, qui ne conserve que la Guyenne et quelques terres du Sud-Ouest, prépare une revanche en faisant alliance avec l'empereur germanique Otton IV et deux vassaux en révolte contre le roi de France, Renaud, comte de Boulogne, et Ferrand, comte de Flandre. En février 1214, le roi d'Angleterre débarque à La Rochelle, pénètre en Anjou où il met le siège en juin devant la forteresse de La Roche-aux-Moines. Au nord, l'empereur et ses deux alliés préparent l'invasion. Philippe Auguste réagit avec vivacité. Le 2 juillet 1214, à l'approche du prince Louis (futur Louis VIII), Jean sans Terre lève le siège de La Roche-aux-Moines. Le 27 juillet, à Bouvines près de Lille, le roi de France écrase ses adversaires. De cent à trois cents chevaliers sont faits prisonniers et paient de lourdes rançons.

S'estimant injustement dépouillé d'une grosse partie de l'héritage Plantagenêt, le roi d'Angleterre Henri III a refusé de prêter l'hommage au roi de France pour les terres de Guyenne. En 1242, il tente une expédition militaire, mais est battu par Saint Louis à Taillebourg sur les bords de la Charente. Par le traité de Paris (1259), Saint Louis reconnaît que certaines acquisitions sont d'une légalité douteuse, restitue à Henri III la Saintonge, l'Agenais, une partie du Limousin, du Quercy et du Périgord. En retour, le Plantagenêt fait hommage au roi de France. Les empiétements continus des agents de Philippe le Bel sur les terres d'Edouard Ier amènent une reprise du conflit en 1293. La commise du fief de Guyenne est prononcée le 21 mars 1294. Une expédition militaire (1295-1296) permet au roi de France de s'emparer de la majeure partie du duché. Le roi d'Angleterre cherche son salut en s'alliant avec le comte de Flandre, Guy de Dampierre, qui défie Philippe le Bel. La victoire de Furnes (1297) permet aux Français d'installer en Flandre des hommes qui leur sont dévoués.

C'est également au XIIIe siècle que le Languedoc et le Toulousain passent sous influence capétienne. Ni les moines cisterciens, ni les prêches de saint Dominique (1206) n'ont fait reculer le mouvement cathare ou albigeois dans le grand fief du comte de Toulouse, Raymond VI. Le 12 janvier 1209, le légat pontifical Pierre de Castelnau est assassiné. Le pape Innocent III lance alors une croisade pour combattre l'hérésie. Philippe Auguste n'y participe pas, mais de nombreux seigneurs du Nord et de l'Ile-de-France se rassemblent sous la direction de Simon de Montfort. En juillet 1209, la prise de Béziers est prétexte à de sanglants massacres (5 000 morts peut-être). Le Languedoc est conquis et, le 12 septembre 1213, à la bataille de Muret, les albigeois secourus par le roi d'Aragon sont écrasés. Le concile de Latran IV prononce la déchéance de Raymond VI et confie le fief à Simon de Montfort. La cupidité et la brutalité des barons du Nord provoquent le soulèvement des Toulousains. Simon de Montfort est tué sous les murs de sa capitale (1218). Dans l'incapacité de reprendre en main la situation, son fils Amaury fait appel au roi de France auquel il cède ses droits. En 1226, Louis VIII s'empare du Languedoc, constitue deux sénéchaussées rattachées au domaine royal (Beaucaire, Carcassonne). Le traité de Paris d'avril 1229, conclu entre

Blanche de Castille et Raymond VII, aboutit à un compromis : la monarchie conserve le Languedoc, laisse le comté de Toulouse à Raymond VII qui prête hommage et s'engage à marier sa fille Jeanne à l'un des frères du roi. L'installation des tribunaux de l'Inquisition dans les villes du comté de Toulouse (1233), le climat de délation, le fanatisme de nombreux moines inquisiteurs (des cadavres de cathares sont déterrés et brûlés !) provoquent des remous. Des communautés cathares se réfugient dans des forteresses (Montségur, Quéribus). L'assassinat d'inquisiteurs à Avignonnet en 1242 relance la révolte. Le long siège (mai 1243-mars 1244), puis la chute de Montségur marquent la défaite du mouvement. Près de deux cents cathares sont brûlés vifs. En 1249 est célébré le mariage de Jeanne de Toulouse et d'Alphonse de Poitiers qui bientôt administre le comté. La langue d'oïl, l'art français, les baillis royaux pénètrent en terre d'oc. A la mort de Jeanne et d'Alphonse en 1271, le comté est rattaché au domaine royal.

La France en 1328.

Lorsque Charles IV le Bel meurt, en 1328, le domaine royal atteint 314 000 km². Désormais, les trois quarts du royaume (superficie totale : 424 000 km^2) relèvent directement de l'autorité du roi. A côté de quelques comtés autonomes (Blois, Nevers, Forez, Armagnac, Foix...), les grands fiefs qui subsistent sont réduits à quatre : la Bretagne, devenue duché en 1297 et au comportement très indépendant, la Bourgogne où l'influence française est forte, la Flandre et la Guyenne.

Des expéditions lointaines

Plus riches, les rois disposent de ce fait d'un instrument de conquête plus puissant. Dès la fin du XIIe siècle, l'armée royale regroupe de 2 à 3 000 hommes. Les effectifs sont en augmentation constante au XIIIe siècle. Le service militaire des vassaux est d'une durée trop brève. Les rois utilisent leurs revenus pour s'attacher contre argent (les fiefs de rente) les services de chevaliers, ou pour embaucher des troupes de mercenaires, gens de petite condition, servant à pied, plus rarement à cheval, et qui manient l'arbalète, le couteau et la lance. Ces « routiers », « Brabançons » ou « Cottereaux » acquièrent vite une réputation d'efficacité (ce sont les routiers d'un certain Cadoc qui prennent Château-Gaillard), mais aussi de violence et de cruauté. Les villes fournissent parfois des milices communales ; des troupes de ce genre sont présentes à Bouvines. Des machines puissantes, expédiant des boulets de pierre, sont utilisées comme la pierrière qui écrase Montségur.

Tenant bien en main leur domaine, les rois peuvent désormais s'absenter et participer à de lointaines expéditions. Saint Louis est absent de France six ans lors de la septième croisade. De Louis VII à Philippe III le Hardi, tous les Capétiens prennent la croix, mais utilisent souvent la croisade à des fins bien éloignées de l'idéal religieux d'origine. En 1202-1204, la quatrième croisade à laquelle participent de nombreux chevaliers français (Robert de Clari, Villehardouin) aboutit, non pas à délivrer Jérusalem reprise en 1187 par Saladin, mais à prendre d'assaut et à saccager une ville chrétienne, Constantinople. L'idéal de la croisade est perverti. Philippe Auguste se contente d'un bref séjour en Terre sainte. Louis VIII utilise l'institution pour intervenir contre les cathares. Après l'installation (1266), puis l'expulsion (les « vêpres siciliennes », 1282) de chevaliers angevins et provençaux en Sicile, Philippe III le Hardi prétend punir le roi d'Aragon, instigateur de ce soulèvement, en lançant la croisade d'Aragon (1284-1285) qui tourne à l'échec et provoque la mort du roi.

Seul Saint Louis reste fidèle à l'esprit d'origine et prend l'initiative d'organiser deux croisades qui cependant échouent toutes les deux. A l'été 1248, Louis IX rassemble à Aigues-Mortes une imposante flotte, de 7 à 8 000 chevaux et 25 000 hommes dont 2 500 chevaliers. Partie en août, la septième croisade hiverne à Chypre, puis se dirige vers l'Égypte. Saint Louis s'empare de Damiette sur le Nil (juin 1249), mais hésite, perd du temps, échoue à Mansourah (décembre). En

Saint Louis.
Miniature du
XIIIe siècle.
Archives nationales,
Paris
(photo Holzapfel).

ordonnant la retraite, il est fait prisonnier par les Musulmans tandis que son armée est décimée par le scorbut et la dysenterie. Le roi restitue Damiette, verse une rançon pour ses chevaliers (400 000 écus), puis gagne la Terre sainte (1250-1254) dont il consolide les forteresses et où il apaise les conflits. Son courage, sa piété, son sens de l'honneur (il n'a pas voulu abandonner le moindre de ses chevaliers) lui valent un énorme prestige. Quinze ans plus tard, le roi décide de repartir et multiplie les levées fiscales, ce qui provoque des tiraillements, voire des révoltes, comme à Pontoise et à Cahors. Le coût exorbitant de telles expéditions dissuade bien des barons de se croiser. De 10 à 15 000 hommes quittent Aigues-Mortes en juillet 1270 en direction de la Tunisie. Le roi espère obtenir la conversion de l'émir de Tunis et, avec l'aide des Mongols, prendre en tenaille les Mameluks, maîtres de l'Égypte et de la Terre sainte. Carthage est enlevée le 24 juillet 1270, mais l'émir ne se convertit pas et la dysenterie ravage rapidement les rangs de la huitième croisade. Le 25 août, Saint Louis, atteint par la peste ou la dysenterie, meurt en prononçant comme dernière parole « Jérusalem ». Son corps bouilli dans du vin est ramené en France.

Les hommes du roi

Une tendance s'affirme au XIIIe siècle : les hommes qui entourent le roi sont de plus en plus nombreux et de moins en moins liés au monde aristocratique des grands vassaux. Sous Philippe Auguste, la charge prestigieuse de chancelier, longtemps tenue héréditairement par les membres d'une grande famille, reste vacante. C'est un modeste moine hospitalier, frère Guérin, qui exerce la fonction avec le titre de garde du Sceau. Beaucoup de petits nobles du Bassin parisien (Joinville, sénéchal de Champagne) et de clercs, particulièrement de moines mendiants sous Saint Louis (Eudes Rigaud, Hugues de Digne) jouent un rôle prépondérant. Issus de la bourgeoisie et parfois même de la petite noblesse, des jeunes gens fréquentent les premières universités qui, comme à Orléans et Toulouse, enseignent le droit romain (l'université de Paris n'enseigne que le droit canon ou droit de l'Église). Les premiers « légistes » formés à l'université d'Orléans entrent à la cour en 1248. Au cours du siècle, l'ancienne cour féodale se scinde en plusieurs organismes : l'Hôtel du roi chargé de l'entretien de la maison royale, mais qui regroupe aussi les grands officiers et les secrétaires, le Conseil du roi qui assiste le roi dans ses décisions, la cour en Parlement qui juge et enfin la Chambre des comptes.
Formés à l'école du droit romain, les légistes favorisent la renaissance de l'État en exaltant la souveraineté royale et en se faisant les avocats de la prééminence et de la totale indépendance de la monarchie française. Dès 1202, le pape Innocent III admet que le roi de France ne reconnaît aucun supérieur au temporel, mais le pape sous-entend qu'il l'em-

porte au spirituel. Les premières compilations juridiques soulignent cette prééminence, le *Livre de Justice et Plet* (vers 1260) affirme que « le roi ne doit tenir de personne... tous sont sous la main du roi ». Sous Saint Louis, Innocent IV oblige l'Église de France à verser des décimes (1/10 de ses revenus) pour la croisade et affirme que l'excommunication du roi ne peut plus être prononcée par un concile national mais seulement par le pape. C'est sous Philippe le Bel que des légistes comme Pierre Flote, Guillaume Nogaret ou Guillaume de Plaisians, poussent à l'extrême la théorie qui fait du roi l'égal de l'empereur, d'où la formule « le roi est empereur en son royaume » (1302). Le conflit avec le pape Boniface VIII, puis la victoire de Philippe le Bel (1303) montrent qu'aucune autorité, même spirituelle, ne peut mettre en tutelle la couronne de France. Il convient toutefois de ne pas exagérer l'importance politique de ces légistes. On remarque en effet que la grande majorité des licenciés en droit préfèrent mener une carrière d'avocat et n'entrent pas au service du roi. De même, à la cour royale, l'influence des légistes est équilibrée par celle des petits et grands nobles qui d'ailleurs jalousent les légistes et provoquent leur chute en 1315. Observons enfin que l'homme de confiance de Philippe le Bel, le chambellan Enguerrand de Marigny n'a étudié ni le latin ni le droit et que, issu d'un petit lignage chevaleresque, il correspond mal au profil classique du légiste.

Un effort d'organisation

S'inspirant de l'administration mise au point par Henri II Plantagenêt, Philippe Auguste favorise l'éclosion d'un nouveau corps d'officiers royaux, les baillis ou sénéchaux dans le Midi, qui se superposent aux prévôts. Les baillis recrutés dans la petite noblesse sont salariés et révocables par le roi. D'abord itinérants, les baillis s'installent ensuite dans des circonscriptions (vers 1240 ?) où ils exercent leur charge de justice, de police, de finance avec l'aide d'un petit personnel de sergents. Trois fois par an, ils doivent rendre leurs comptes à la cour du roi. Agents de la domination capétienne en province, les baillis sont souvent mal vus par les petits seigneurs et redoutés des populations locales à cause de leurs excès. Saint Louis envoie des enquêteurs, réforme la fonction (ordonnances de 1247, 1254, 1256), punit les baillis malhonnêtes, impose un véritable mouvement (chaque bailli reste en poste de trois à quatre ans) et leur interdit de recevoir des cadeaux.

C'est à partir du règne de Philippe Auguste que la monarchie se dote d'une capitale fixe, Paris, qui abrite les services de plus en plus étoffés de la cour du roi. Les rois embellissent une ville en forte expansion démographique. Philippe Auguste fait paver les premières rues, construit la forteresse du Louvre, dote la capitale d'une enceinte plus vaste. Saint Louis, qui a acheté aux Vénitiens la couronne d'épines du

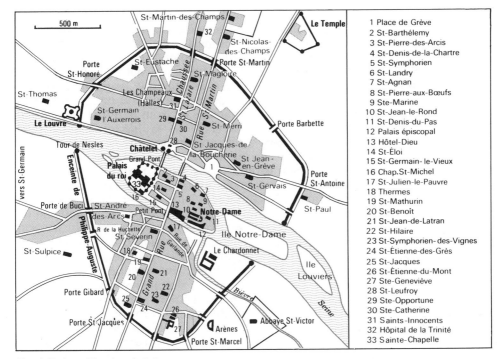

Plan de Paris au début du XIIIᵉ siècle.

Légende du plan :

1	Place de Grève
2	St-Barthélemy
3	St-Pierre-des-Arcis
4	St-Denis-de-la-Chartre
5	St-Symphorien
6	St-Landry
7	St-Agnan
8	St-Pierre-aux-Bœufs
9	Ste-Marine
10	St-Jean-le-Rond
11	St-Denis-du-Pas
12	Palais épiscopal
13	Hôtel-Dieu
14	St-Éloi
15	St-Germain- le-Vieux
16	Chap.St-Michel
17	St-Julien-le-Pauvre
18	Thermes
19	St-Mathurin
20	St-Benoît
21	St-Jean-de-Latran
22	St-Hilaire
23	St-Symphorien- des-Vignes
24	St-Étienne-des-Grès
25	St-Jacques
26	St-Étienne-du-Mont
27	Ste-Geneviève
28	St-Leufroy
29	Ste-Opportune
30	Ste-Catherine
31	Saints-Innocents
32	Hôpital de la Trinité
33	Sainte-Chapelle

Intérieur de la Sainte Chapelle (photo Roger-Viollet).

Christ, fait édifier la Sainte-Chapelle (1243-1248) au sein du palais du roi dans l'île de la Cité. Plusieurs fois remanié, ce palais est doté sous Philippe le Bel de tours et de vastes salles (l'une d'elles fait 70 m sur 29) qui permettent aux courtisans et au personnel administratif d'établir leurs services. C'est par le biais de l'exercice de la justice que le pouvoir royal s'affirme. Les légistes estiment que le roi a le droit de juger par-dessus les autres justiciers (princes, comtes, évêques, justice échevinale). La procédure d'appel à la cour du roi est systématisée. Saint Louis sous un chêne à Vincennes ne dédaigne pas de juger lui-même les petites affaires. Sous son règne, la monarchie se dote d'un nouveau symbole : le bâton ou main de justice. Rapidement, les causes judiciaires affluent à Paris et amènent (vers 1250 ?) la cour du roi à se spécialiser. A côté des grands vassaux, on commence à distinguer certains spécialistes : « ceux qui comptent », ils donneront naissance à la Chambre des comptes, et « ceux qui jugent », ils forment le Parlement. Lentement, la « cour en Parlement » se détache de la cour du roi. Les grands vassaux n'y jouent qu'un rôle de figuration lors du prononcé des jugements. Ce sont les légistes qui font l'essentiel du travail (ils sont 155 vers 1320). Les arrêts du Parlement sont consignés par écrit à partir de 1263, mais avec des rappels remontant à 1254 qui font jurisprudence. Des recueils de coutumes sont rédigés (les coutumes de Beauvaisis par le légiste Philippe de Beaumanoir en 1283). Les ordonnances de 1278 et 1316 spécialisent les membres du Parlement qui

Un gibet (vers 1323),
Bibl. nat., Paris
(photo Bibl. nat.).

Gros d'argent,
Bibl. nat., Paris
(photo Hachette).

siègent soit à la Chambre des enquêtes, soit à la Chambre des plaids qui prononce les jugements, soit à la Chambre des requêtes. Hostiles aux coutumes féodales, aux pratiques nées lors des invasions (l'ordalie, le jugement par bataille), les légistes imposent un droit plus respectueux de la personne humaine. Saint Louis, qui a déjà interdit les guerres privées, lutte contre les tournois, interdit le duel judiciaire en 1261. La justice exige désormais une enquête préalable, des preuves par témoin ou par écrit. Si la justice semble plus équitable, si la paix intérieure est désormais mieux assurée grâce à un réseau de forteresses tenues par des hommes du roi (ainsi l'énorme château d'Angers), il ne faudrait pas oublier que la monarchie encourage les cruels supplices infligés aux blasphémateurs (1267), les humiliations et persécutions dont sont victimes les Juifs, les excès commis par les tribunaux de l'Inquisition.

Les rois affirment également leur prééminence en imposant la supériorité de leur monnaie à une époque où les ateliers de monnayage sont très nombreux. Par ordonnances (1262 et 1266), Saint Louis décide que la monnaie royale a cours dans toute l'étendue du royaume et restreint les autres monnaies à un usage local. Désireux de doter son royaume d'une bonne et solide monnaie, le roi consulte des bourgeois et décide la création de deux fortes pièces, le gros d'argent de 4,22 grammes et l'écu d'or de 4 grammes, qui n'aura d'ailleurs qu'un succès limité. Les officiers royaux qui examinent régulièrement la comptabilité des prévôts et des baillis — « ceux qui comptent » — constituent officiellement la Chambre des comptes en 1320, installée dans une tour du palais de la Cité (30 membres).

Un seuil est atteint (1280-1330)

Des limites et des excès

Cet effort d'organisation possède des limites. En 1300, l'État absolu, s'il est souhaité par certains théoriciens, n'existe pas. Le pouvoir du roi se heurte à des barrières et souffre de graves imperfections. Les Capétiens n'ont d'ailleurs qu'un sens médiocre de l'État. Ils confondent droit privé et droit public, utilisent le domaine royal comme un bien propre et trouvent légitime de détacher de ce domaine patiemment rassemblé des principautés données aux cadets au titre d'avance sur hoirie (avance d'héritage interdisant au bénéficiaire de réclamer la couronne). Ainsi naissent les apanages dont bénéficient Philippe Hurepel en 1223, les fils cadets de Louis VIII en 1226 et, plus tard, les fils de Saint Louis et de Philippe le Bel. En 1328, ces apanages couvrent 27 000 km². Comme dans les grands fiefs de Bretagne, Bourgogne, Guyenne et Flandre (83 000 km²), les lois du roi ne s'appliquent dans ces apanages qu'avec l'accord du prince. Les frictions avec le pouvoir monarchique sont donc fréquentes et un fief comme l'Artois, donné en apanage en 1226, ne fait retour à la couronne qu'en... 1659.

L'impôt régulièrement levé sur tout le royaume n'existe pas encore. Le roi vit des ressources de son domaine (on dit qu'il « vit du sien »), mais ignore les notions de budget, de prévision, confond les dépenses nécessaires à la marche de l'État (construction des forteresses, paiement des mercenaires, des officiers royaux) avec ses propres besoins (luxe vestimentaire, fêtes, cadeaux). Le roi contracte vite des dettes. Saint Louis doit 100 000 livres, Philippe III 250 000. Ce sont souvent des banquiers italiens qui avancent l'argent. Sous Philippe le Bel, les Florentins Musciatto et Albizi Franzesi, connus sous les noms de Mouche et Biche, sont célèbres. L'ordre du Temple consent également des prêts. Pour financer les expéditions militaires et les croisades, les rois ont vite recours à de douteux expédients : perception de 43 décimes sur l'Église de France entre 1188 et 1294, imposition en principe exceptionnelle des villes, impôt indirect de 2 % sur les marchandises (la « maltôte »), arrestation de Juifs en 1267 et libération contre argent, taxes sur les marchands et les banquiers italiens, persécution des templiers... Philippe le Bel fait varier le cours des monnaies en fonction de ses intérêts et multiplie les dévaluations. Il lève en 1303 une taxe sur chaque maison, le fouage. C'est l'ancêtre de la taille. Ces tentatives pour créer les premiers impôts réguliers passent très mal. L'opinion, franchement hostile, estime que le roi doit se restreindre, « vivre du sien ». Des émeutes éclatent à Paris en 1306, à Montbrison en 1308. Le roi doit réunir des assemblées locales pour obtenir des villes l'assentiment à la levée de l'impôt.

Assassinat d'un collecteur d'impôts, xve siècle. Bibl. nat., Paris (photo Bibl. nat.).

Dans les premières années du xive siècle, l'extension du domaine royal en Flandre se heurte à une résistance imprévue des habitants de cette région, économiquement attirée par l'Angleterre qui fournit la laine et politiquement par l'empire. A partir de 1297, une partie de la Flandre est occupée par les troupes royales, le comte est en résidence surveillée. Les excès des agents royaux provoquent le soulèvement de Bruges le 18 mai 1302. La révolte s'étend, Philippe le Bel envoie une armée qui est écrasée par les milices d'artisans à Courtrai le 8 juillet 1302. Les Flamands résistent. En août 1304, la courte victoire de Mons-en-Pévèle donne l'avantage à Philippe le Bel. De longues négociations menées par le chambellan Enguerrand de Marigny aboutissent au rattachement de Lille, Douai, Béthune au domaine royal.

Les deux crises qui agitent le règne de Philippe le Bel et suscitent de vifs remous ont pour origine l'autoritarisme du gouvernement royal. Très influencés par le droit romain, des légistes comme Flote ou Nogaret sont aussi des hommes d'action qui ne reculent pas devant certains excès : l'usage de la torture pour arracher des aveux (affaire des templiers), le coup de force ou la falsification d'une bulle pontificale pour le besoin de la cause royale. Ils comprennent l'importance de l'opinion publique et prennent l'initiative en 1302 sur le parvis de Notre-Dame de Paris, en 1303 au Louvre, en 1308 à Tours, puis en 1314 de convoquer des assemblées de représentants de la noblesse, du clergé et de bourgeois. Ces assemblées annoncent les états généraux, mais leurs membres ne sont pas tous élus et il n'y a encore aucun dialogue. Les députés se contentent d'écouter les discours des légistes qui présentent de prétendues preuves et obtiennent sans difficulté l'assentiment populaire.

La principale crise oppose le pape Boniface VIII, intransigeant défenseur de la supériorité du spirituel sur le temporel, à Philippe le Bel, qui lève une décime sur le clergé français non pour la croisade, mais pour mener la guerre en Guyenne (1294-1296). Le roi l'emporte, mais la querelle reprend en 1301 lorsque le roi ordonne l'arrestation de l'évêque de Pamiers protégé du pape. Boniface VIII rappelle dans une bulle que toute créature doit être soumise au pape. Nogaret résume en la falsifiant la bulle pontificale, accuse le pape d'être simoniaque et le cite à comparaître devant le concile. Faisant alliance avec les ennemis romains du pape qui souhaitent l'éliminer physiquement, Nogaret gagne l'Italie à la tête d'une petite troupe (été 1303). Avant que le souverain pontife décide l'excommunication du roi de France, le 7 septembre 1303, Nogaret pénètre par force dans le château d'Anagni. Le légiste notifie la citation et évite peut-être que les Romains n'assassinent le pape. Libéré par les habitants d'Anagni, le pape rudoyé, humilié, meurt un mois plus tard. Philippe le Bel triomphe, le nouveau pape Clément V, élu en 1305, est un Français qui transfère la papauté à Avignon en 1309, à la frontière du royaume.

La seconde crise oppose Philippe le Bel à l'ordre du Temple. Très riches et spécialistes des transferts bancaires, les templiers n'ont plus guère de rôle militaire depuis la chute en 1291 du dernier établissement chrétien en Terre sainte. En 1295, le roi leur retire la garde de son trésor. Donnant foi à des accusations qui circulent contre les templiers (hérésie, idolâtrie et surtout sodomie), Philippe le Bel ordonne l'arrestation des moines-soldats et la mise sous séquestre de leurs biens (octobre 1307). Le roi a-t-il voulu s'approprier ainsi leurs richesses ? A-t-il agi par souci de purifier l'ordre ? Toutes les hypothèses sont possibles. Torturés, certains templiers font des aveux, mais le pape reste sceptique. Le grand maître de l'ordre du Temple, Jacques de Molay, se rétracte (1309). En 1310, cinquante-quatre dignitaires du Temple sont brûlés vifs et Philippe le Bel obtient du pape la suppression de l'ordre deux ans plus tard. Il ne rembourse pas les dettes contractées auprès des templiers dont la majeure partie des biens est donnée aux hospitaliers. Jacques de Molay est brûlé en 1314.

La fin du règne de Philippe le Bel, qui coïncide avec l'éclatement du scandale touchant les brus du roi (voir p. 56), est marquée par une montée incontestable de l'opposition. Les dévaluations monétaires, les impôts passent mal, le roi doit convoquer une nouvelle assemblée des trois ordres en 1314 pour faire approuver la levée d'un impôt pour la guerre de Flandre. Pour la première fois, un dialogue se noue entre le chambellan Marigny, qui longuement expose les besoins de la monarchie, et un orateur bourgeois, Étienne Barbette, qui apporte le consentement des villes. Des nobles, des évêques constituent des ligues qui dénoncent les excès de la fiscalité royale, s'agitent et présentent des doléances.

Les derniers capétiens directs

A partir des années 1280, des signes apparaissent, indiquant que la croissance économique marque le pas. Les défrichements s'arrêtent dès 1270 en Sologne, vers 1290 en Limousin et dans le Bordelais, vers 1320 en Forez et en Dauphiné. Le roi et les seigneurs estiment nécessaire de protéger les forêts en créant des gardes forestiers (création de la maîtrise des Eaux et Forêts en 1317). La population ne peut plus espérer tirer profit d'une extension des terroirs et se trouve désormais à la merci d'une mauvaise récolte. Les seigneurs tendent à restreindre l'usage des terres communales. Le prix de la terre augmente fortement, la pression démographique provoque une pulvérisation des parcelles paysannes souvent réduites à 2-3 hectares, alors qu'il faut 4-6 hectares à une famille pour échapper à la misère. De nombreux petits nobles appauvris vivotent sur des patrimoines minuscules (une maison, un clos de vigne, une ou deux pièces de terre). Une série d'émeutes secoue les villes en 1280. Les activités artisanales ne progressent plus. Les patriciens imposent des conditions de plus en plus dures aux petits artisans. Bien des chantiers de cathédrale s'interrompent pour de longues années. Audacieusement élevée à 48 mètres de hauteur, la voûte de la cathédrale de Beauvais s'écroule en 1284. De nouvelles routes terrestres et surtout maritimes (première liaison Gênes-Bruges après 1270) amènent vers 1290 le déclin des foires de Champagne. Au même moment, les mines d'argent européennes s'épuisent, des troubles au Mali empêchent l'arrivée régulière de l'or africain. Le numéraire se raréfie et de sérieuses difficultés monétaires apparaissent.

La France comme le reste de l'Europe constitue un monde « plein » qui, compte tenu des techniques de l'époque, se heurte à un seuil. L'expansion est devenue impossible. Une enquête royale réalisée en 1328 permet de penser que le royaume de France compte alors de 16 à 17 millions d'habitants pour 424 000 km² (de 19 à 20 millions dans les limites actuelles), soit à peu près le chiffre de population de la France sous Louis XIV ! La France est surpeuplée. Une oscillation climatique dans les toutes premières années du XIVe siècle accélère le passage d'une longue phase d'expansion à une période de marasme d'abord, de crise ensuite. Des étés et des automnes particulièrement pluvieux qui font pourrir les grains et rendent difficiles les labours dans la boue, des hivers plus froids qui favorisent la prolifération des virus et l'apparition de la tuberculose mettent les hommes en difficulté. Soudain, deux années pluvieuses et froides (1315-1316) provoquent la réapparition d'une grave famine et d'une crise de surmortalité. En 1320 et 1321, une épidémie de dysenterie soulève l'opinion contre les Juifs et les lépreux, tous gens réputés impurs dans la mentalité de l'époque, accusés d'avoir empoisonné les puits. Des massacres ont lieu. Avant même la grande peste de 1348, on discerne une nette poussée de la mortalité. Une pression fiscale accrue en Flandre provoque un soulèvement paysan en 1323. Aidés par les artisans et les ouvriers de Bruges et d'Ypres, les paysans tiennent en échec le comte de Flandre durant cinq ans.

Succédant à Philippe le Bel le 30 novembre 1314, Louis X le Hutin[*] calme l'opposition des ligues de barons et de prélats en octroyant des chartes provinciales qui apparaissent comme des reculs du pouvoir royal (limitation du rôle des officiers royaux, reconnaissance des guerres privées et du duel judiciaire). Irrités par la montée des légistes, les grands seigneurs obtiennent leur chute en 1315. Enguerrand de Marigny est pendu après un procès sommaire. La santé fragile de Louis X (mort d'une pneumonie en 1316) et de ses frères Philippe V (1316-1322) et Charles IV (1322-1328), l'absence d'héritier mâle chez ces trois princes posent un délicat problème de succession. Aucun texte bien précis n'existe alors. Dans certains fiefs, la succession par ligne féminine est admise. La loi salique, attribuée aux Francs, qui privilégie l'héritage par ligne masculine résulte, en fait, d'une interprétation douteuse et tardive (milieu du XIVe siècle) d'une très ancienne coutume. Avant de mourir, Philippe le Bel avait souhaité que le comté de Poitiers ne soit pas transmis par les femmes. Mort en juin 1316, Louis X laisse une fille, Jeanne, née de son premier mariage et une seconde épouse, Clémence de Hongrie, enceinte. Son frère Philippe s'attribue la régence. La reine Clémence ayant accouché d'un garçon, Jean Ier, qui ne vit que quatre jours, Philippe accomplit alors un geste décisif en écartant du trône la princesse Jeanne[**] et en se faisant couronner roi (janvier 1317) après avoir recueilli l'assentiment d'une assemblée de grands seigneurs et de notables. Philippe V décède à son tour en 1322 en ne laissant que deux filles ; son frère Charles écarte les princesses de la succession et monte sur le trône. L'éviction des filles de la succession semble dès lors admise. Le problème devient difficile lorsque, en février 1328, Charles IV le Bel s'éteint sans héritier mâle lui non plus. Cette fois il n'y a plus de frère pour succéder au souverain. Il faut donc réunir une assemblée de clercs, de nobles et de représentants des villes pour désigner un roi et choisir entre le roi d'Angleterre, Édouard III, qui présente sa candidature et fait valoir ses droits de petit-fils de Philippe le Bel par sa mère, Isabelle de France, et le cousin le plus proche des derniers rois, Philippe de Valois, fils d'un frère de Philippe le Bel.

[*] Louis X le Hutin, c'est-à-dire le querelleur, l'entêté.
[**] La princesse Jeanne est la mère de Charles le Mauvais.

De terribles épreuves (1328-1453)

Les hommes qui ont vécu la longue période qui sépare la montée sur le trône de Philippe VI de Valois (1328) de la victoire de Castillon (1453) ont été confrontés à des événements d'une exceptionnelle dureté : guerre interminable avec l'Angleterre, guerre civile, déferlement de la peste, chute de la population, fléchissement général des activités, troubles sociaux, agitation révolutionnaire...

La rudesse des temps

La conjonction des fléaux

En quelques décennies, de redoutables fléaux se conjuguent et provoquent un effondrement de la population du royaume. Dès le début du XIVe siècle (voir p. 67), certains signes inquiétants annonçaient déjà un retournement de la conjoncture. La détérioration du climat s'accentue : les chevaliers de Crécy pataugent dans la boue au mois d'août 1346. L'hiver 1420-1421 est d'une exceptionnelle rigueur. Les famines persistent, ainsi en Languedoc en 1373-1375 ou dans le Bassin parisien en 1437-1439. Les signes d'épuisement économique et les progrès de la mortalité sont visibles depuis 1300-1330. Brusquement, en novembre et décembre 1347, un nouveau fléau apparaît. Apportée par une galère génoise en provenance de la mer Noire, la peste ravage Marseille. L'Italie est touchée au même moment. Du sud vers le nord, l'épidémie ravage le royaume de France durant toute l'année 1348 avant de s'étendre au reste de l'Europe (1349-1350). Après la peste antique et la peste justinienne, cette troisième grande poussée pesteuse est propagée par les puces qui vivent en symbiose avec un rongeur peu craintif, le rat noir. C'est au XVIIIe siècle seulement que le rat gris, moins « sociable », supplante ce petit rongeur, principal vecteur, avec la puce, de la terrible maladie. Celle-ci revêt d'abord une forme pulmonaire et se propage par la salive. Le corps se couvre de pustules. Le malade vomit, change de couleur, crache le sang et meurt en trois jours. Lors du printemps et de l'été, une forme légèrement moins mortelle de la maladie, la peste bubonique, prédomine. Une grosseur apparaît à l'aine, ou sous les aisselles du malade, et la mort suit huit fois sur dix. Les dépouilles des pestiférés restent contagieuses pendant 48 heures ; il faut les entasser dans des fosses communes et jeter rapidement de la chaux vive par-dessus. Désarmés, les médecins attribuent l'origine de la maladie à une corruption de l'air, ils recommandent de porter des masques, de faire brûler des feux. Le dévouement des sœurs de l'Hôtel-Dieu de Paris est exemplaire, mais une grande partie de la population préfère la fuite. Bien des hommes voient dans la maladie la manifestation du courroux divin. Des réflexes primaires aboutissent à accuser les Juifs d'avoir empoisonné l'eau des puits : 2 000 d'entre eux sont victimes de pogroms en Alsace en 1349. Si certaines régions sont moins touchées — ainsi le Béarn et le baillage de Senlis —, s'il est possible que la maladie ait épargné les hommes du groupe sanguin O, il reste que l'épidémie de 1348-1349 fait d'effroyables ravages dans toute la France. Près de 40 % des paysans provençaux, la moitié des habitants d'Avignon, de Bourges, de Toulouse trépassent. A Périgueux, Lyon, Reims, Ypres, la mort fauche entre un quart et un tiers de la population. Le village bourguignon de Givry (population normale : de 1 500 à 1 800 habitants) enterrait en moyenne 35 personnes par an, mais on dénombre 622 décès entre juillet et décembre 1348 !

L'exaspération paysanne contre les ravages de la guerre. Un homme d'armes isolé est assassiné (début XVe siècle), Bibl. nat., Paris (photo Hachette).

La peste, manifestation de la colère divine, est représentée sous la forme de flèches tombant du ciel (vers 1510) [photo Bayerischen Staatsgemälde-sammlungen.].

Très éprouvée (baisse d'un tiers ?), la population du royaume aurait pu cependant se rétablir si d'autres facteurs ne s'étaient conjugués pour empêcher, pendant un siècle, tout redressement démographique. Les conditions climatiques de l'époque favorisent une prolifération du bacille pesteux. Dès lors, la maladie revient par grandes vagues (1360-1361, 1373-1375, 1380-1383, 1399-1401, 1420-1421, 1438-1441...) auxquelles s'ajoutent des épidémies locales. D'autres maladies font des ravages : le typhus, la coqueluche et, surtout, la tuberculose. Si les grandes batailles de la guerre de Cent Ans sont peu nombreuses, en revanche les pillages, les destructions, le climat d'insécurité qui accompagnent le passage des hommes de guerre ruinent les efforts de reconstruction.

Ainsi, la population du royaume reste bloquée durant des années à un bas niveau. Le creux de la vague semble être atteint vers 1420-1460. De telles épreuves provoquent le déficit des naissances, la formation de classes creuses. Découragés, les habitants se marient tardivement, ce qui n'empêche pas les liaisons préconjugales, la multiplication des bâtards et l'essor de la prostitution.

L'effondrement des productions, les remous sociaux

L'effondrement de la population a des conséquences immédiates sur la main-d'œuvre devenue rare et donc mieux payée, et sur les productions qui déclinent pour répondre à une demande générale en baisse. Durant un siècle (milieu XIVe-milieu XVe), le mouvement des prix décroît nettement.

A la campagne, la céréaliculture recule et abandonne les terroirs marginaux ou ingrats. La baisse de la production céréalière atteint de 50 à 60 % dans le Bassin parisien très touché par la guerre. Ce mouvement provoque une baisse considérable des revenus seigneuriaux alors que les frais d'exploitation augmentent. La grange de Cormeilles (Ile-de-France) rapporte 500 livres en 1369 mais seulement 380 en 1402... Les friches s'étendent et les forêts attirent à nouveau les hommes qui y trouvent un refuge. La viticulture reste cependant prospère comme l'atteste la faveur dont jouissent les vins de Bourgogne. L'apparition d'une nouvelle race de mouton venue d'Espagne ou de Sicile — le mérinos à poil long — amène l'essor de l'élevage ovin. Dans les potagers, on cultive à la fin du XIVe siècle des laitues et des fraisiers. Tout ceci provoque une évolution du paysage rural : recul des labours, progrès des forêts, fortification de nombreuses fermes, d'églises, voire de villages entiers, pour se mettre à l'abri des soldats pillards. Des villages sont abandonnés — le plus souvent provisoirement — et leurs habitants gagnent avec leur famille et leur troupeau les bois pour se cacher (en Forez, en particulier) ou se replient sur un piton rocheux naguère siège d'un *oppidum* gaulois. Irrégulièrement entretenues, les terres ont des rendements faibles. Des parcelles abandonnées sont louées à bas prix par de riches laboureurs qui accroissent ainsi leur emprise sur la campagne. La rareté de la main-d'œuvre favorise un nouveau déclin du servage.

Les seigneurs, vaincus à plusieurs reprises, voient leur crédit s'effondrer et leur autorité remise en cause. Dès le milieu du XIVe siècle, on décèle des réactions antiseigneuriales. Le manoir fortifié qu'occupent, en 1357 et 1358, près de Compiègne, des paysans dirigés par le Grand Ferré et Guillaume l'Aloue résiste aux Anglais mais refuse d'accueillir dans ses murs les nobles français. La grande révolte de mai-juin 1358, la Jacquerie (plaine de France, Beauvaisis), est nettement antiseigneuriale. Des paysans aisés, mais touchés par la crise, pillent les châteaux, détruisent les chartes féodales, mettent à mort des gentilshommes (l'un d'eux est rôti à la broche !) et violent quelques nobles dames. Face à des seigneurs appauvris, discrédités, concurrencés dans leur fonction militaire par de simples mercenaires, les paysans discutent, critiquent, exigent des conditions d'exploitation plus douces, des baux allégés. Les communautés paysannes n'hésitent pas à engager de longs procès pour arracher aux seigneurs des concessions. La féodalité entre lentement en déclin. Si les seigneurs continuent à prêter l'hommage, à vivre noblement, si des ordres de chevalerie laïcs apparaissent (ordre de l'Étoile en 1351, ordre de la Toison d'Or dans les États bourguignons en 1429), l'institution féodale vieillit. Terriblement touchées par la peste (plusieurs dizaines de milliers de morts en juin-juillet 1349 à Paris, lors du retour de l'épidémie), les villes ont vu leur population fondre. Fuyant les bandes armées, des ruraux accourent vers les cités entourées de remparts, mais cet afflux ne reconstitue qu'imparfaitement les populations urbaines. La guerre et la crise économique désorganisent les productions textiles. Si les salaires progressent, l'accès à la maîtrise devient très difficile pour les valets, qui restent toute leur vie des « compagnons » à l'esprit de corps très vif et aux réactions parfois violentes. La levée de taxes pour entretenir ou construire les murailles, l'apparition d'une fiscalité régulière destinée à financer la guerre, la mise en circulation d'une « mauvaise » monnaie à faible teneur en métal précieux (ainsi entre 1337 et 1361, puis entre 1413 et 1422), autant de mesures impopulaires qui provoquent des émeutes soudaines dans les villes. Des insurrections éclatent, avec parfois un relent de lutte de classes, ainsi à Paris en 1357-1358, à Rouen en 1382 (émeute de la Harelle), à Paris la même année (émeute des Maillotins), dans la capitale à nouveau en 1413... En Auvergne et en Languedoc, un mouvement antifiscal, mais évoluant parfois vers le banditisme, le Tuchinat, provoque, entre 1378 et 1384, des émeutes au Puy, à Montpellier, à Béziers et une grande insécurité dans les campagnes.

Un climat lugubre...

Le triomphe de la mort, détail, peinture italienne du XVᵉ siècle (photo Scala).

De telles catastrophes modifient les comportements sociaux et suscitent une évolution des mentalités. Pendant plus d'un siècle, des générations se succèdent en n'ayant aucune notion de la paix, en vivant dans l'angoisse d'un retour de la peste ou du passage d'une bande d'« écorcheurs ». Certains voient dans l'irruption de la peste la manifestation de la colère de Dieu. Des tableaux figurent la peste sous la forme d'une pluie de flèches tombant du ciel. Des bandes de flagellants croient apaiser cette colère en se livrant à de rudes mortifications (France du Nord-Est, 1349). La mort est familière aux hommes de cette époque, l'art se plaît à la représenter sous les traits d'un cadavre verdâtre, au rictus inquiétant qui, dans une danse infernale, entraîne par la main riches et pauvres, hommes et femmes. C'est avec une sorte de délectation morbide que les artistes multiplient les images effrayantes : triomphe de la mort, gisants des tombeaux, Christ souffrant, Apocalypse...

Savoir que la mort peut survenir à tout moment amène les hommes du temps à s'interroger sur leur salut, à espérer que leur âme, si chargée soit-elle de péchés, évitera l'enfer en restant « en attente » au purgatoire avant d'accéder au paradis. Dès qu'une épidémie se déclare, les gens se précipitent chez leur notaire et prévoient avec un réalisme mathématique maintes précautions pour assurer le salut de leur âme. En conséquence, on lègue une somme d'argent pour payer la célébration de centaines de messes. Homme de guerre célèbre du XIVe siècle, Jean de Grailly, captal de Buch, prévoit de faire dire 40 000 messes ! Les riches précisent avec soin l'ordonnance de leurs funérailles. Dès la fin du XIVe siècle, on en vient à acheter à prix d'or au représentant pontifical des lettres d'indulgence dans l'espoir d'abréger de quelques années le passage au purgatoire. Cette religion simpliste de la peur, de l'aumône expiatoire, est celle de la grande majorité de la population. Une population effrayée par les catastrophes, mais qui communie et se confesse rarement plus d'une fois par an. Il est vrai que le bas clergé, à l'exception de quelques frères mendiants, n'est guère à la hauteur. S'il existe des prêtres savants, ceux-ci résident rarement dans leur cure et préfèrent la confier à un pauvre prêtre auxiliaire, peu cultivé, mal rétribué et vivant souvent en concubinage. Une minorité de chrétiens cultivés ou très pieux cherche dès cette époque d'autres voies, souhaite un renouveau de l'Église, s'inquiète du spectacle peu édifiant qu'offre alors le haut clergé. Jusqu'en 1378, la papauté installée à Avignon, à la merci du roi de France, est dominée par des Français. Les papes se comportent alors en monarques, lèvent des impôts, dirigent une lourde administration et s'intéressent peu aux problèmes spirituels ; une cour fastueuse multiplie les banquets, les fêtes et les commandes aux artistes. Brusquement, en 1378, la chrétienté se divise. Deux papes rivaux — l'un à Avignon reconnu et soutenu par la France, l'autre à Rome protégé par l'Angleterre — s'affrontent. Ce déchirement, le « grand schisme », dure quarante ans et suscite chez certains chrétiens bien des interrogations.

... mais aussi des réalisations brillantes

La période est contrastée à l'excès. Malgré les catastrophes, les hommes réussissent à construire des œuvres brillantes. Les techniques continuent à progresser, le gouvernail d'étambot est utilisé en Méditerranée après 1310 et équipe les nefs et les galères. En mer du Nord, de lourds bateaux, les kogges, affrontent les houles. Les navires, désormais construits selon la technique du bord franc, glissent mieux sur l'eau et utilisent la boussole venue des Indes (vers 1350). L'usage du papier fabriqué avec des chiffons permet l'impression des premières gravures sur bois (fin du XIVe siècle) et la confection des premières cartes marines. Dans les villes, l'apparition des premières horloges mécaniques permet de mesurer le temps et de rétribuer minutieusement le travail salarié.

La Vierge au chancelier Rolin, Jan Van Eyck, vers 1425, musée du Louvre, Paris (photo Hachette).

Le mois d'avril, détail (les frères de Limbourg, vers 1415), musée Condé, Chantilly (photo Bulloz).

L'usage du rouet se développe et c'est au xive siècle que le haut fourneau est mis au point dans la région de Liège. L'art gothique se transforme en art flamboyant, art de la complexité, de la décoration exubérante, mais aussi art de la délicatesse et parfois d'une certaine emphase. L'église Saint-Maclou de Rouen (vers 1440) ou l'hôtel particulier de Jacques Cœur à Bourges illustrent cet art nouveau. A Paris, Charles V réalise d'imposants travaux, fait construire une nouvelle enceinte, dote le Louvre de galeries, y établit une bibliothèque. Il fait édifier dans l'Est parisien une nouvelle résidence royale. Le palais de la Cité, doté d'une horloge en 1370, est abandonné aux légistes et aux administrateurs, les rois vivent désormais à l'hôtel Saint-Paul constitué d'une série de pavillons décorés avec soin et entourés de jardins. La grande aristocratie oublie la rudesse des temps en organisant des chasses que suivent d'élégantes dames. La vie de cour, en particulier au début du règne de Charles VI (1380-1400) resplendit de tous ses feux. Paris s'affirme alors comme la capitale des modes aristocratiques. Des tapisseries comme celles de Nicolas Bataille mettant en scène l'Apocalypse (Angers, 1380), les sculptures réalisées à Dijon pour les ducs bourguignons par Claus Sluter (mort en 1406), les miniatures raffinées réalisées par les frères de Limbourg pour le duc de Berry (vers 1415) sont de bons exemples de cet art à la fois éblouissant et délicat. C'est en Flandre, alors possession des ducs de Bourgogne, que la technique de la peinture à l'huile est vraisemblablement mise au point (fin xive). Au moment où les peintres florentins multiplient les innovations, les frères Van Eyck peignent les traits humains avec grâce et parviennent à donner une représentation précise de la perspective dès 1425 (La Vierge au chancelier Rolin, par Jan Van Eyck). Leur chef-d'œuvre, le polyptyque de l'Agneau mystique (Gand), est achevé en 1432. Un roi comme Charles V, amateur de beaux livres, des princes comme Louis d'Orléans, Jean de Berry, Philippe le Bon, René d'Anjou, amoureux des arts et des fêtes, initiateurs des modes vestimentaires, sont d'authentiques mécènes. C'est grâce à l'appui de ces princes qu'un foyer préhumaniste s'épanouit à Paris à la fin du XIVe siècle. La pensée s'affine. Charles V encourage Nicolas Oresme à traduire en français les œuvres d'Aristote *(La Politique)* et de saint Augustin *(La Cité de Dieu).* Les chroniques de Froissart, les poèmes d'Eustache Deschamps, de Christine de Pisan et du prince Charles d'Orléans témoignent de ce renouveau littéraire.

Le temps de la monarchie tempérée

La conjonction des malheurs se traduit par l'émergence de critiques à l'encontre de la monarchie. Les Anglais infligent, plusieurs fois, de lourdes et humiliantes défaites aux rois de France, dont l'un d'eux — Jean le Bon — est fait prisonnier à Poitiers en 1356. La nouvelle dynastie des Valois souffre vite d'une baisse de prestige. Mal assurés de leur légitimité, les Valois favorisent la formulation de la règle de la succession par voie masculine au trône de France en interprétant la loi salique (milieu du XIVe siècle). A plusieurs reprises le pouvoir central connaît de longues périodes de flottement qui favorisent les intrigues, voire la guerre civile. La captivité de Jean le Bon (1356-1360 puis 1364) et la crise de folie qui terrasse Charles VI en 1392 sont, de ce point de vue, catastrophiques. L'immensité du royaume ne facilite pas la transmission des ordres et freine le regroupement rapide d'une armée : il faut six journées de cheval à un messager royal pour aller de Paris à Périgueux en été, mais dix jours en hiver.

Le système fiscal Après plusieurs essais, le système se fige entre 1370 et 1390 avec un impôt direct, le fouage, plus tard appelé la taille, et deux impôts indirects, les aides (impôt sur les boissons) et la gabelle (impôt sur le sel). Très injuste, cette fiscalité régulière pénalise les paysans, mais épargne le clergé, la noblesse et le monde des légistes assimilé à la « noblesse de robe ». Beaucoup de villes, par « abonnement » et négociations, obtiennent de substantiels allégements.

La guerre de Cent Ans, la rançon considérable exigée de Jean le Bon par les Anglais posent rapidement un problème financier à la monarchie qui ne peut plus vivre des revenus du domaine royal. Non sans mal, on aboutit dans le courant du XIVe siècle au rétablissement d'une fiscalité régulière reposant sur la taille, les aides et la gabelle. Pour mettre en place cette fiscalité, les rois ont dû convoquer à plusieurs reprises les états. Réunis de plus en plus souvent (1343, 1346, 1347, 1355, 1357-1358...), les représentants de la noblesse, du clergé et des bourgeois profitent rapidement de la situation. Les débats sont houleux (surtout dans les états de langue d'oïl), l'éloquence devient dès cette époque une grande qualité politique. Charles le Mauvais et le dauphin polémiquent en public. Des partis se forment derrière un prince royal (Charles le Mauvais, puis Jean sans Peur) pour critiquer les conseillers du roi, exiger des réformes, une meilleure gestion de l'État et, par ce biais, essayer de s'emparer du Conseil royal. Entre les états et le roi, un marchandage s'esquisse : les députés consentent la levée d'un impôt, mais exigent d'en contrôler eux-mêmes la levée. En 1355 apparaissent ainsi les « élus », recrutés parmi les membres des états et chargés de la levée du fouage (impôt par « feu », par famille). Enhardis, les états vont plus loin et commencent à jouer un rôle législatif en inspirant des réformes administratives (1357, 1413, 1439), voire en intervenant dans la politique étrangère. Ce sont les états qui repoussent un désastreux projet de traité avec l'Angleterre en 1359. Dix ans plus tard, Charles V prend soin de consulter les états avant de reprendre la guerre contre Édouard III. Dans les périodes difficiles (1357-1358), les états cherchent même à mettre en tutelle la monarchie. Le pouvoir royal doit, dès lors, négocier, ruser, gagner du temps. Un moment (entre 1370 et 1420), sous l'influence des idées d'Aristote, la monarchie accepte que les grands officiers (le chancelier, les présidents et conseillers du Parlement) soient élus par leurs pairs. Paris acquiert à cette époque une réputation de ville rebelle, volontiers contestataire. Face à cette menace, Charles V fait édifier dans l'est de la capitale la forteresse de la Bastille et le donjon de Vincennes. Au xvᵉ siècle, Charles VII, encore plus méfiant, installe la monarchie dans le Val de Loire.

Si les états ont menacé le pouvoir royal, ils ne sont jamais parvenus cependant à instaurer un réel régime parlementaire. A la différence de l'Angleterre, les états français siègent très irrégulièrement. Leur organisation imparfaite limite d'ailleurs leur influence. Ils sont divisés, il y a des états de langue d'oïl, des états de langue d'oc et des états régionaux. Les rois savent vite jouer de ces divisions. Si les représentants des villes sont élus, prélats et nobles siègent à ces états en leur nom propre. Critiquée, la monarchie est devenue modérée et a dû négocier, mais en dépit des crises, la construction monarchique a résisté. Si les rois ont fait des concessions, ils ont su aussi étoffer la théorie du pouvoir royal. C'est du règne de Charles V que date l'idée que le roi n'est pas propriétaire de la couronne, mais dépositaire de celle-ci.

L'exaltation de la monarchie
Doté d'un grand sens de l'État, Charles V a tout fait pour exalter le pouvoir royal dont il a souligné la majesté. La cour de France respecte désormais l'étiquette. Vers 1380 apparaissent les entrées royales. Le voyage du souverain en province est prétexte à organiser un défilé solennel et des festivités (fontaines crachant le vin, trompettes). Précédé d'une garde d'honneur revêtue d'habits éblouissants, le roi pénètre en ville. Un dais porté au-dessus de la tête du souverain indique le caractère sacré du monarque.

Les faits saillants

Les premiers rôles

Des temps exceptionnels réclamaient des rois d'envergure. Ce fut rarement le cas. Cinq rois se succèdent sur le trône de France entre 1328 et 1461, deux sont médiocres, l'un est fou, l'autre hésitant et déconcertant, un seul a l'ampleur d'un homme d'État.

En 1328, le décès sans héritier mâle du dernier Capétien direct, Charles IV le Bel, amène les grands seigneurs, les prélats et quelques représentants des villes à se réunir pour élire un nouveau roi. De préférence à Édouard III d'Angleterre qui possède des titres sérieux à faire valoir, mais qui n'a que quinze ans et est étranger, l'assemblée, déjà sensible au sentiment national, confie la couronne à Philippe de Valois, cousin du roi défunt. A trente-cinq ans, ce roi-chevalier, à la belle prestance, devient ainsi le fondateur de la dynastie des Valois. Malheureusement, Philippe VI, roi de 1328 à 1350 est un souverain faible et assez médiocre. Roi de 1350 à 1364, Jean II dit le Bon apprécie les belles-lettres, les traditions chevaleresques, mais son caractère excessif, instable, obstiné l'empêche d'apprécier sereinement les événements et il commet bien des maladresses. Il humilie à l'excès son gendre, Charles le Mauvais, roi de Navarre de 1349 à 1387, descendant par les femmes de Philippe le Bel en ligne directe. Pendant des années, Charles le Mauvais, doué pour l'intrigue, excellent orateur, multiplie les complots contre les Valois, souvent avec l'aide des Anglais.

Le fils aîné de Jean le Bon, Charles, est le premier prince à porter le titre de dauphin (du nom du Dauphiné, province achetée en 1349 par Philippe VI, puis donnée en apanage au prince héritier). A dix-huit ans, il assure dans des conditions très difficiles la régence du royaume lors de la captivité de son père. Roi de 1364 à 1380, Charles V dit le Sage ne possède aucune des qualités physiques des deux précédents rois. Pâle, chétif, ce souverain dont la main droite est enflée en permanence, qui souffre d'une fistule au bras gauche, est un homme de cabinet et de réflexion. Il dissimule volontiers.

Charles V, musée du Louvre, Paris (photo Boudot-Lamotte).

Grand travailleur, amateur de musique, de lecture, sensible aux idées d'Aristote, Charles V s'entoure d'excellents collaborateurs : les légistes Nicolas Oresme et Philippe de Mézières, le connétable Du Guesclin, l'amiral Jean de Vienne. Son règne est marqué par un net redressement militaire et par l'apparition d'une « bonne » monnaie, le franc (1364). Charles V a doté ses frères de riches apanages : Louis reçoit l'Anjou, Jean le Berry, Philippe dit le Hardi obtient la Bourgogne et bientôt la Flandre par son mariage avec l'héritière du comté. Ainsi prend naissance la prestigieuse lignée des ducs de Bourgogne, princes Valois qui, peu à peu, cherchent à rendre leurs États indépendants : Philippe le Hardi (mort en 1404), Jean sans Peur (assassiné en 1419), Philippe le Bon (mort en 1467) et enfin Charles le Téméraire (tué en 1477).

Charles VI, roi de 1380 à 1422, est frappé en août 1392 par un accès de folie furieuse. Un accident, survenu lors d'un bal costumé en 1393, provoque une rechute. Le roi connaît des périodes de lucidité de plus en plus rares, il est « empêché ». Ses oncles assurent la régence. Son frère, Louis d'Orléans, époux de Valentine Visconti, se heurte vite à son cousin Jean sans Peur, duc de Bourgogne, qui le fait assassiner en 1407 ! La reine de France, Isabeau de Bavière, épouse d'un roi fou, a une liaison avec son beau-frère, Louis d'Orléans, puis prend d'autres amants, intrigue avec l'Angleterre et finalement renie son fils (le futur Charles VII) en le déclarant bâtard. Craintif, instable, en proie à des terreurs étranges (il n'ose pas franchir à cheval un pont de bois), Charles VII, roi de 1422 à 1461, a été très affecté par le reniement de sa mère. Jeanne d'Arc le fait couronner en 1429 et parvient à lui redonner courage. Au fil des ans, ce roi au physique ingrat, prend de l'assurance et organise la victoire décisive sur l'Angleterre (1453).

La guerre de Cent Ans ne provient pas directement d'un conflit dynastique. Évincé du trône de France, Édouard III a accepté de prêter hommage pour la Guyenne à Philippe VI en 1329. La guerre entre les deux royaumes n'éclate au demeurant qu'en 1337, alors que des luttes d'influence en Bretagne et en Flandre opposaient depuis des années Anglais et Français. En soutenant les Écossais en révolte contre Édouard III, en poussant baillis et sénéchaux à empiéter en Guyenne, Philippe VI met le roi d'Angleterre en situation difficile. Excédé, Édouard III n'a vu sans doute d'autre solution que dans la rupture de tout lien de vassalité avec le roi de France. Cette très longue guerre (1337-1453) oppose deux royaumes différents. La France, quatre fois plus peuplée que sa rivale, mais longtemps dépourvue d'une solide organisation militaire, connaît bien des déboires. On peut distinguer quatre phases dans cette guerre : une première où les désastres français se succèdent (1337-1360), puis une phase de redressement militaire et de trêves (1360-1404), suivie d'une seconde période catastrophique pour la France (1404-1422), enfin de la victoire finale acquise sous le règne de Charles VII (1422-1453).

Cette guerre n'a en réalité jamais duré cent ans. Les combats réels durent une trentaine d'années entrecoupées de multiples trêves dictées le plus souvent par l'épuisement financier des deux monarchies. Les papes français (jusqu'en 1378) ont souvent joué les médiateurs et favorisé la couronne de France. Si, en 1340, Édouard III dispose au total de 30 000 hommes et Philippe VI de 20 à 25 000 combattants, les effectifs engagés tendent ensuite à décliner du fait de la crise démographique. En 1449, l'armée française n'excède pas 18 à 19 000 soldats. Les combattants à cheval tiennent longtemps le premier rôle : chevaliers et leurs auxiliaires montés, arbalétriers, coutilliers, pages. Les chevaliers, qui paient eux-mêmes leur équipement, disposent souvent de plusieurs chevaux, utilisent la lance, l'épée, la masse d'armes. Les cuirasses, assez rudimentaires au début du conflit, se perfectionnent et s'alourdissent (près de 20 kg vers 1400). Les chevaux sont parfois protégés par un caparaçon. Le coût élevé de ces équipements explique la chasse aux prisonniers à laquelle se livrent les vainqueurs. Tout noble fait prisonnier est mis à rançon. La mésaventure arrive plusieurs fois à Du Guesclin. Au xve siècle, le prince Charles d'Orléans restera vingt-cinq ans prisonnier des Anglais. Peu à peu, les troupes à pied jouent un rôle déterminant. Ces gens du commun, souvent mercenaires, utilisent l'arbalète. C'est la spécialité des Génois au service de la France. Cette arme propulse avec force à 100 mètres un carreau qui peut traverser une cuirasse. Mais l'instrument est lourd et d'un maniement difficile : il faut un moulinet pour tendre les cordes. Les Anglais préfèrent le grand arc (2 mètres) en bois d'if, plus léger, maniable, rapide, mais ne portant pas au-delà de 50 mètres. Regroupés en carrés, protégés par des boucliers, les piquiers constituent de véritables buissons de

La bataille de Crécy.
Les archers anglais
(à droite) sont plus
rapides que les
arbalétriers génois
(à gauche) au service
de la France,
Bibl. nat., Paris
(photo Hachette).

La tactique
Les rois hésitent à
engager de grandes
batailles dont on
assimile l'issue à un
jugement de Dieu. Ils
préfèrent de loin la
tactique des
chevauchées.
Répartie en plusieurs
colonnes disposées
en parallèle et
marchant de front,
l'armée traverse le
territoire ennemi en
pillant et en semant la
désolation. C'est vite
la spécialité des
Anglais. Charles V et
Du Guesclin ripostent
par le harcèlement de
l'adversaire au moyen
de raids lancés à partir
de forteresses
soigneusement
entretenues.

fer, capables de briser bien des charges de cavalerie. L'autre grande innovation du conflit correspond à l'apparition de l'artillerie. Entre 1320 et 1330, des engins rudimentaires, les bombardes qui lancent des boulets de pierre, apparaissent à Florence et à Metz. Il est possible que les Anglais aient utilisé trois de ces engins à Crécy (1346). Un corps nouveau, celui des canonniers, se constitue dès lors. Souvent recrutés parmi les fondeurs de cloches, ces hommes doivent savoir fondre une pièce d'artillerie et fabriquer de la poudre à canon en mélangeant le salpêtre, le soufre et le charbon de bois. A la fin du xive siècle, les canons perfectionnés commencent à menacer les forteresses. Montés sur roues au xve siècle, ils apparaissent sur les champs de bataille et permettent la victoire française à la bataille de Castillon (1453).

La guerre provoque bien des souffrances. Les populations doivent payer de lourds impôts et subissent les ravages et les exactions des soldats. Au chômage durant les trêves, des mercenaires, les « routiers », sous la direction d'un capitaine souvent élu, constituent des bandes d'une cinquantaine ou d'une centaine de combattants que suivent des commerçants, des femmes, des enfants, voire des prêtres en situation irrégulière. Ces routiers vivent sur le pays, commettent des atrocités ou utilisent le chantage pour extorquer aux bourgeois des villes de solides rançons pour quitter la région, aller piller une autre contrée... et revenir quelques mois plus tard. Certains de ces aventuriers acquièrent ainsi une triste célébrité : Cervole l'Archiprêtre (un ancien clerc devenu capitaine !), Geoffroy Tête Noire, Croquard et, chez les Anglais, Falstaff.

Philippe VI commence son règne en écrasant au mont Cassel les milices paysannes et citadines en révolte contre le comte de Flandre (1328). Au détriment de l'Angleterre, la France semble renforcer son influence dans cette région. En Guyenne, les empiétements des agents du roi de France se multiplient. Édouard III proteste. Le 24 mai 1337, Philippe VI proclame la confiscation du fief de Guyenne. Le roi d'Angleterre réplique en réclamant la couronne de France et en reniant l'hommage prêté à Philippe VI (7 octobre 1337). L'arrêt des exportations de laine anglaise vers les villes flamandes provoque des remous ; un bourgeois de Gand, Jacques Van Artevelde, suscite une révolution. La Flandre devient l'alliée d'Édouard III et, dès 1339, des troupes anglaises parties du Brabant ravagent le Cambrésis. Philippe VI expédie une flotte de 200 navires en mer du Nord pour empêcher le débarquement de nouveaux renforts anglais. Le 24 juin 1340, devant l'avant-port de Bruges (bataille de l'Écluse), les navires anglais écrasent la flotte franco-génoise. Il est possible que 20 000 hommes aient trouvé la mort dans cette grande bataille navale. Les troupes d'Édouard III s'installent solidement en Flandre. L'année suivante, la guerre gagne la Bretagne où le prétendant anglais au duché (Jean de Montfort) l'emporte sur les candidats du roi de France (Charles de Blois et Jeanne de Penthièvre). A court d'argent, Philippe VI décide la création d'un impôt sur le sel, la gabelle (mars 1341). Le 12 juillet 1346, Édouard III fait débarquer 15 000 soldats à Saint-Vaast-la-Hougue. Une grande chevauchée à travers la Normandie permet aux Anglais de rafler un important butin. Alors que l'ennemi se dirige vers la Flandre, Philippe VI, qui dispose d'une forte armée, décide après bien des hésitations d'affronter Édouard III dans une grande bataille. Le 26 août 1346, à Crécy-en-Ponthieu, les chevaliers français surexcités, mal commandés, se ruent sur les troupes anglaises qui ont mis pied à terre. Les archers anglais brisent les charges françaises. C'est un désastre. Le frère de Philippe VI est tué,

Bataille de l'Écluse, Bibl. nat., Paris (photo B.N.).

La tactique défensive anglaise : protégés par des pieux fichés en terre, les archers brisent une charge de cavalerie, Bibl. nat., Paris (photo B.N.).

Jean le Bon, musée du Louvre, Paris (photo Hachette).

il y a sans doute plusieurs milliers de morts. Édouard III met alors le siège devant Calais (7 000 habitants). Durant onze mois (septembre 1346-août 1347), la ville résiste, mais faute de secours se rend. Trois bourgeois, en chemise et la corde au cou, implorent la clémence du roi d'Angleterre qui accorde la vie sauve aux habitants de la ville. Pendant deux siècles, Calais — où débarquent les laines d'outre-Manche après 1363 — reste territoire anglais.

Le déferlement de la grande peste paralyse les opérations militaires. Les maladresses du nouveau roi de France, Jean II le Bon, à l'encontre de son gendre Charles le Mauvais (l'épithète date du xvie siècle) compliquent la situation. Charles, roi de Navarre, comte d'Évreux et de Mortain, fait assassiner le favori de son beau-père (janvier 1354) et entre en relation avec Édouard III. Celui-ci a envoyé en Guyenne son fils aîné, le Prince Noir (l'épithète date aussi du xvie siècle). Excellent homme de guerre, bon administrateur, de caractère ombrageux, le Prince Noir lance une chevauchée en Languedoc (octobre-novembre 1355). Jean le Bon a dû convoquer les états de langue d'oïl pour solliciter la levée de nouveaux impôts (novembre). Les critiques à l'encontre de la monarchie deviennent vives et la mise en place des « élus » montre clairement que les états entendent bien contrôler l'utilisation des fonds publics. En avril 1356, Jean le Bon fait arrêter Charles le Mauvais et ordonne l'exécution immédiate de quatre conseillers du roi de Navarre. Le Prince Noir lance alors une nouvelle chevauchée de Bordeaux en direction de la Loire. Au moment où les troupes anglaises se replient, Jean le Bon les attaque à Maupertuis (à 8 km de Poitiers) le 19 septembre 1356. Bien retranchés derrière des haies épineuses et des fossés, les archers et les chevaliers du Prince Noir brisent une fois de plus les charges de la cavalerie adverse. C'est la cohue dans les rangs français. Après cinq heures de combat, le roi de France et l'un de ses fils (« Père, gardez-vous à droite, Père, gardez-vous à gauche... ») sont faits prisonniers.

Le Prince Noir, cathédrale de Canterbury (photo Boudot-Lamotte).

La menace révolutionnaire (1356-1360)

C'est le dauphin Charles qui assure la régence alors que la foule murmure contre les nobles. Les états de langue d'oïl réunis à Paris en octobre 1356 se montrent indociles. Les 800 députés constituent aussitôt une commission de 80 membres qui présente des remontrances au dauphin, exige la destitution de sept conseillers du roi et le contrôle par les états du Conseil royal. Un fidèle de Charles le Mauvais, Robert Le Coq, réclame la libération du roi de Navarre. Le prévôt des marchands de Paris (l'équivalent du maire), Étienne Marcel, exige des réformes et la réduction du nombre des officiers royaux. Il ordonne une grève qui oblige le dauphin à retirer la mise en circulation d'une « mauvaise » monnaie. En mars 1357, les états consentent à la levée de l'impôt, mais le dauphin a dû accepter de publier une grande ordonnance répondant aux exigences des états. Il est prévu que ceux-ci pourront se réunir régulièrement sans convocation royale : les députés cherchent clairement à mettre en tutelle la monarchie. En novembre, Charles le Mauvais s'évade de prison, gagne Paris où il multiplie les déclarations publiques et se pose en victime des excès de la monarchie.

Entre les partisans du dauphin, du roi de Navarre et d'Étienne Marcel, les incidents se multiplient (janvier 1358). Les états de langue d'oïl prétendent interdire la convocation par le dauphin d'états provinciaux réputés plus dociles. Pour faire céder le régent, Étienne Marcel, accompagné de près de 3 000 gens de métier, a recours à l'intimidation. Le 22 février 1358, la foule envahit le palais. Sous les yeux horrifiés du dauphin, deux de ses familiers sont assassinés ; Étienne Marcel coiffe ensuite le dauphin d'un chaperon bleu et rouge aux couleurs de la ville de Paris. Le dauphin promet de faire entrer quelques bourgeois dans son conseil, mais s'enfuit de la capitale en mars et regroupe quelques troupes à Compiègne. En mai et juin éclate la Jacquerie. Les Jacques (du nom d'un vêtement court qu'ils portent) entrent en relation avec Étienne Marcel. Certains Parisiens s'inquiètent. Effrayé par les excès de la révolte paysanne, Charles le Mauvais fait assassiner le chef des Jacques et écrase les paysans le 9 juin 1358. Le roi de Navarre prend ainsi ses distances à l'égard du mouvement parisien. Le dauphin menace Paris alors qu'Étienne Marcel est de plus en plus critiqué et isolé. Après avoir fait entrer quelques soldats anglais dans Paris, Étienne Marcel est assassiné le 31 juillet. De retour dans la capitale, le dauphin fait annuler par les états de langue d'oïl réunis en 1359 tout ce qui avait été concédé depuis 1356...

Défaite des Jacques à Meaux (9 juin 1358), Bibl. nat., Paris (photo Hachette).

Avec Édouard III, une négociation est engagée, mais les conditions écrasantes et humiliantes du projet de traité (mars 1359) sont repoussées par les états (mai). Édouard III reprend la guerre, lance en octobre une chevauchée de Calais en direction de Reims, sans doute dans l'espoir de se faire couronner roi de France. Reims résiste (décembre) et les Anglais se replient vers la Beauce où un très violent orage (avril 1360) décime leur armée. Édouard III y voit un signe de Dieu et accepte de renouer la négociation d'abord à Brétigny (mai), puis à Calais (octobre).

La paix de Brétigny-Calais (1360) fixe à 3 millions d'écus la rançon de Jean le Bon (l'équivalent de deux années de recettes fiscales françaises !), accorde au roi d'Angleterre la pleine souveraineté sur Calais, le Ponthieu, le comté de Guines et une Aquitaine très agrandie. Au total, un tiers du royaume de France passe au roi Plantagenêt qui s'engage cependant à renoncer à la couronne de France. La double renonciation, celle de Jean le Bon à sa suzeraineté sur des terres devenues anglaises et celle d'Édouard III à la couronne de France, devait avoir lieu avant novembre 1361. La lenteur du transfert des territoires français au nouveau maître anglais fait que cette double renonciation ne fut jamais échangée, rendant dès lors possible une reprise de la guerre. Libéré en 1360, Jean le Bon lève de lourds impôts pour payer sa rançon. L'évasion du duc d'Anjou remis en otage à Édouard III amène Jean le Bon à se constituer à nouveau prisonnier (janvier 1364). Le roi-chevalier meurt à Londres le 8 avril 1364.

Le premier redressement français (1360-1404)

La paix avec l'Angleterre dure jusqu'en 1369. Des centaines de routiers démobilisés ravagent alors les campagnes. Du Guesclin rassemble ces bandes d'aventuriers et les mène guerroyer en Castille (1365-1369). Patiemment, Charles V renforce sa position et son autorité. La monnaie est stabilisée, la fiscalité permanente rapporte bon an, mal an, 2 millions de francs à la monarchie. Un accord est trouvé en Bretagne. Le frère du roi, Philippe dit le Hardi, devient duc de Bourgogne en 1363 et épouse six ans plus tard l'héritière du très riche comté de Flandre. La Castille d'Henri de Trastamare offre à la France l'appui de sa flotte de guerre.

La défaite de Charles le Mauvais Éternel comploteur, le roi de Navarre constitue une menace pour la monarchie française. Les armées royales commandées par un noble breton, Bertrand Du Guesclin, écrasent les armées navarraises commandées par Jean de Grailly, captal de Buch, à Cocherel, le 16 mai 1364. Les dernières possessions du roi de Navarre sont occupées en 1378 à l'exception de Cherbourg. Charles le Mauvais meurt en 1387.

Le Prince Noir gouverne l'Aquitaine au nom d'Édouard III vieillissant. En 1368, le prince ordonne la levée d'un fouage. La lourdeur de cet impôt pousse le comte d'Armagnac, puis le sire d'Albret, à protester et à faire appel de cette décision à Édouard III, et en dernier lieu — dans la mesure où les renonciations prévues en 1360-1361 n'ont jamais été échangées — à Charles V qui reste toujours suzerain d'Aquitaine en droit féodal. Très prudent, Charles V consulte les juristes des universités françaises et italiennes qui, tous, lui donnent raison. Le roi de France décide alors de recevoir l'appel. Le 2 mai 1369, Charles V consulte les états du royaume qui approuvent sa politique. Dès lors, c'est la rupture avec l'Angleterre ; Charles V prononce la confiscation de l'Aquitaine le 30 novembre 1369.

En évitant systématiquement les grandes batailles, en pratiquant une guerre d'escarmouches et de harcèlement, Du Guesclin inflige aux Anglais de lourds revers entre 1369 et 1375. Militairement très efficace, cette nouvelle tactique a l'inconvénient de provoquer de nombreuses destructions matérielles dont souffrent les paysans. Les Castillans détruisent une flotte anglaise devant La Rochelle (1372). Les chevauchées ennemies échouent. Avec ténacité, Du Guesclin s'empare de nombreuses forteresses et provinces. En 1375, Édouard III ne contrôle plus sur le sol de France que Calais, Brest, Bordeaux et Bayonne. Une trêve est alors conclue. A l'exception d'une maladresse en Bretagne qui retourne à l'alliance anglaise (1378-1379), Charles V laisse un royaume très agrandi, mais, en proie au doute, il abolit sur son lit de mort les fouages.

Du Guesclin, moulage du masque mortuaire, basilique de Saint-Denis (photo Giraudon).

Le Prince Noir disparu en 1376, Édouard III en 1377, Charles V et Du Guesclin en 1380, des rois mineurs montent sur le trône de part et d'autre de la Manche : Richard II et Charles VI. En France, les oncles du roi, principalement les ducs d'Anjou, de Berry, de Bourgogne gouvernent et rétablissent non sans peine (émeutes de 1382) les fouages. Des trêves conclues avec l'Angleterre prolongent la paix, mais les oncles du roi se jalousent et ont vite des visions très différentes de la politique extérieure. En 1388, à vingt ans, Charles VI remercie ses oncles et gouverne en personne le royaume. Le frère du roi, Louis d'Orléans, personnage fastueux et assez léger, exerce une forte influence à la cour. Le 5 août 1392, Charles VI est terrassé par une crise de folie furieuse en chevauchant près du Mans. La santé mentale du roi devenant de plus en plus incertaine, les oncles du souverain et Louis d'Orléans assurent le pouvoir. En 1399, Richard II d'Angleterre, partisan d'un arrangement avec la France, est détrôné au profit d'un roi plus belliqueux, Henri IV de Lancastre. Dès 1404, des hostilités de faible ampleur reprennent entre les deux royaumes. Le duc de Bourgogne, Philippe le Hardi, étant mort, son fils Jean sans Peur siège alors au conseil.

De nouveaux désastres (1404-1422)

Jean sans Peur, musée du Louvre, Paris (photo Hachette).

Le nouveau duc de Bourgogne est un petit homme intelligent, sec, autoritaire et très ambitieux. Il entre vite en conflit avec son cousin Louis d'Orléans. Les conseils royaux se transforment en affrontements de plus en plus violents entre les deux princes. Le 23 novembre 1407, dans une rue de Paris, Jean sans Peur fait assassiner son rival. Avec un certain cynisme, le duc justifie son crime et se présente aux Parisiens comme le partisan d'une monarchie réformée. Ainsi naît le parti bourguignon qui — du fait de la folie de Charles VI — s'empare du gouvernement. En face, se forme sous la direction du jeune prince Charles d'Orléans et de son beau-père le comte d'Armagnac, un parti d'opposition, le parti armagnac d'abord soutenu par la reine Isabeau. En lutte ouverte, les deux partis sollicitent l'intervention anglaise (1411). Une chevauchée anglaise ravage la France de l'Ouest en 1412. La guerre avec l'Angleterre reprend au moment où la guerre civile divise les Français.

Les états de langue d'oïl réunis à Paris en janvier 1413 font preuve de quelque indépendance à l'égard des Bourguignons. Jean sans Peur croit pouvoir les mettre au pas en lançant une agitation populaire. A la tête des bouchers et des écorcheurs, Simon Caboche transforme l'agitation en émeute sanglante (avril). Des Armagnacs sont emprisonnés, voire massacrés. Impressionnés, les députés promulguent en mai une grande ordonnance de réforme de la monarchie (ordonnance dite cabochienne). Les cabochiens font régner à Paris un climat de terreur, la bourgeoisie marchande et l'Université effrayées se détachent du mouvement. Le duc de Bourgogne quitte précipitamment Paris. En septembre 1413, un brutal reflux amène le retour en force des Armagnacs dans la capitale. Durant cinq ans (1413-1418), la monarchie passe sous le rude contrôle des Armagnacs.

La guerre avec l'Angleterre continue. Le nouveau roi d'Angleterre Henri V débarque au Chef-de-Caux le 14 août 1415

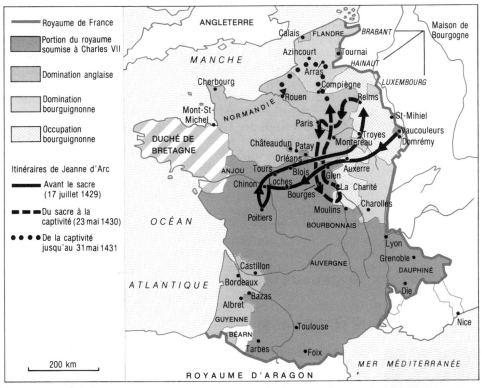

La guerre au XVᵉ siècle.

avec 12 000 hommes. Armagnacs et Bourguignons tentent un rapprochement. En vain. C'est une armée essentiellement armagnaque qui affronte le 25 octobre 1415 les Anglais à Azincourt. La tactique défensive anglaise brise encore une fois les charges de la cavalerie française. C'est un désastre. Beaucoup de prisonniers sont égorgés sur le champ de bataille, le prince Charles d'Orléans est fait prisonnier. Henri V part ensuite à la conquête de la Normandie (1417-1419). Une habile propagande bourguignonne suscite dans tout le royaume bien des ralliements. La reine Isabeau elle-même se réconcilie avec Jean sans Peur. En mai 1418, le duc de Bourgogne entre à Paris. La foule acclame celui qui se présente en champion de la réforme administrative et fiscale et se déchaîne contre les Armagnacs dont beaucoup sont à nouveau massacrés. Le dauphin Charles (15 ans) devenu chef du parti armagnac se réfugie à Bourges, puis se proclame régent du royaume (décembre 1418). La progression des troupes anglaises en direction de Paris provoque un soudain rapprochement entre les deux partis. Un entretien entre Jean sans Peur et le dauphin est prévu sur le pont de Montereau. Au lieu dit, le 10 septembre 1419, un fidèle du dauphin, Tanguy du Châtel, venge le meurtre de Louis d'Orléans en assassinant Jean sans Peur. Dès lors, la guerre civile reprend, pour le plus grand profit de Henri V.

La France est alors divisée en trois ensembles. Au nord de la Loire prédomine l'influence bourguignonne, soit dans les États propres du nouveau duc Philippe le Bon, soit dans les régions relevant du roi fou et de la reine Isabeau qui demeurent à Paris. A Calais, en Normandie, en Guyenne, l'influence anglaise l'emporte. Au centre de la France et au sud, le dauphin Charles contrôle à partir de Bourges de vastes territoires et a constitué une administration royale rivale. Le meurtre de Montereau jette Philippe le Bon dans le camp anglais. Les Parisiens et la reine Isabeau redoutent par-dessus tout un siège de la ville par Henri V. Après bien des hésitations, Philippe le Bon et la reine concluent avec Henri V le traité de Troyes (21 mai 1420) qui exclut le dauphin Charles de la succession et accorde la régence de la France au roi d'Angleterre auquel on donne la main de Catherine de France ! Devenant le gendre de Charles VI, Henri V devra hériter du royaume français à la mort de son beau-père, mais il est prévu que l'Angleterre et la France conserveraient leurs institutions et leurs coutumes propres. A Bourges, le dauphin Charles, rejoint par quelques princes, dénonce immédiatement le traité. Le 31 août 1422, Henri V meurt brutalement, laissant le trône d'Angleterre à un enfant de quelques mois. Charles VI meurt en octobre 1422, le dauphin se proclame alors roi sous le titre de Charles VII.

La victoire finale (1422-1453)

Charles VII par Jean Fouquet, musée du Louvre, Paris (photo Hachette).

Avec des moyens réduits (une armée de 8 000 hommes), le duc de Bedford, au nom du très jeune Henri VI, mène la lutte contre Charles VII, ce « roi de Bourges » au comportement si étrange et au caractère si irrésolu. Des deux côtés de la Manche, le sentiment national s'affirme. La monarchie anglaise abandonne alors le français comme langue officielle. En Normandie, des paysans commettent des actes d'hostilité à l'encontre des soldats anglais. En 1428, les Anglais tentent une opération décisive en direction de la Loire et du Berry. Le 12 octobre commence le siège d'Orléans. La chute de la ville semble imminente, lorsque le 6 mars 1429, Jeanne d'Arc se présente à Chinon devant Charles VII. Agée de dix-sept ou dix-huit ans, originaire de Domrémy, enclave armagnaque en terre bourguignonne, cette fille de laboureurs aisés explique qu'elle a entendu les voix de saint Michel, sainte Catherine et sainte Marguerite lui commander de venir au secours du roi de France. La foi de Jeanne d'Arc impressionne les théologiens de Poitiers. Charles VII lui donne un équipement militaire et l'autorise à se joindre à l'armée réunie à Blois pour tenter de délivrer Orléans. Celle qui se fait appeler la Pucelle soulève l'enthousiasme des routiers et des rudes capitaines de l'armée royale. Le 8 mai 1429, Orléans est libéré. Aussitôt, Jeanne obtient de poursuivre l'expédition en direction de Reims où Charles VII est couronné le 18 juillet. Dès lors, Charles VII apparaît à beaucoup de Français comme le roi légitime, protégé par Dieu. Déjà des villes au nord de la Loire font leur soumission, mais Paris reste fidèle à Henri VI. Les Anglais sont inquiets : Jeanne est-elle une envoyée de Dieu ou du diable ? En allant secourir Compiègne, Jeanne est faite prisonnière (23 mai 1430) par des Bourguignons qui la livrent aux Anglais contre 10 000 écus.

Jeanne d'Arc, vue par un greffier du Parlement de Paris (photo Hachette).

Un tribunal français est réuni à Rouen sous la présidence de l'évêque bourguignon Pierre Cauchon. Utilisant la procédure d'Inquisition (pas d'avocat, des questions insidieuses), le tribunal cherche à démontrer que la Pucelle est une sorcière. Celle-ci, abandonnée par Charles VII, se défend avec conviction et bon sens. Condamnée à mort, elle est brûlée vive le 31 mai 1431 à Rouen.

Bedford fait couronner Henri VI à Paris en décembre 1431, mais les complots et émeutes pro-français qui secouent la Normandie illustrent les limites de son action. Charles VII réussit alors à détacher Philippe le Bon de l'alliance anglaise au prix de lourdes concessions (abandon au duc de Bourgogne des terres royales qu'il occupe, mais avec possibilité de rachat par le roi des cités de la Somme). Le traité d'Arras est conclu le 21 septembre 1435. Commandées par Richemont, les armées royales s'emparent de l'Ile-de-France. Paris se rend en avril 1436. Les états de 1439 accordent au roi la levée d'une taille exceptionnelle, mais obligent Charles VII à rétablir la discipline chez ses soldats. Une révolte de princes dirigée par le dauphin Louis (futur Louis XI) met Charles VII en difficulté (1440-1441). Une trêve est conclue à Tours avec Henri VI devenu majeur. Charles VII réorganise alors ses armées. Les compagnies d'ordonnance apparaissent en 1445. Commandée par un capitaine, chaque compagnie regroupe environ cent « lances ». Une « lance » est constituée en principe de six cavaliers (un homme d'armes, deux archers, un coutillier, deux pages), dont quatre sont capables de se battre. Ces hommes employés en permanence sont logés, entretenus, soldés grâce au produit des impôts. Les effectifs sont contrôlés régulièrement (procédure des « montres »). Dans la réalité, Charles VII dispose vers 1450 de 1 800 lances représentant environ 10 000 cavaliers. Un parc d'artillerie dirigé par les frères Bureau et 8 000 combattants à pied complètent l'armée royale. En 1448 sont créés les francs archers. Ce sont des troupes non permanentes, recrutées dans tout le royaume à raison d'un archer pour 80 feux. L'archer recruté est dispensé du paiement des impôts : il est « franc ». Son matériel lui est fourni par le village et il doit s'entraîner au tir à l'arc tous les dimanches.

Au printemps de 1449, la trêve est rompue. La nouvelle armée française reconquiert rapidement la Normandie. Charles VII entre à Rouen en novembre. Le 15 avril 1450, à la bataille de Formigny, les troupes anglaises sont écrasées (de 2 à 3 000 morts). Aussitôt commence la reconquête de la Guyenne. Bordeaux est enlevé une première fois en juin 1451. Le chef anglais Talbot résiste avec opiniâtreté, reprend la ville dont les habitants sont anglophiles (octobre 1452) et tente de déloger les Français qui assiègent Castillon. Une habile utilisation de l'artillerie donne aux Français la victoire (12 juillet 1453). Bordeaux capitule en octobre. A cette date, l'Angleterre ne conserve plus que Calais.

Le renouveau (1453-1515)

Un pouvoir consolidé

Une monarchie plus puissante

Louis XI, portrait attribué à Fouquet (photo G. Wildenstein).

Louis XII, portrait de Perriat, château de Windsor, collection de Sa Majesté la reine d'Angleterre.

Les rois de la fin du Moyen Age parviennent à se faire obéir plus facilement. Devenu autoritaire avec l'âge, Charles VII règne jusqu'en 1461. Son fils, Louis XI, lui succède de 1461 à 1483. Ce roi petit et gros, aux vêtements de médiocre apparence, qui aime les plaisirs simples (la pêche à la ligne, la fréquentation des auberges), s'entoure de gens de petite naissance, tel le barbier Olivier le Daim. Il possède l'art de mener de complexes intrigues. Ses adversaires bourguignons voient en lui « l'universelle araignée ». Très loquace, ne tenant pas en place, ce roi superstitieux redoute la mort. Il se croit atteint de la lèpre, s'entoure de médecins et collectionne les médailles pieuses. Dissimulateur, mais implacable, il expulse les habitants d'Arras après une révolte et fait enfermer ses ennemis dans des cages en fer, les « fillettes ». Homme complexe, Louis XI possède d'indéniables qualités : un esprit clair, le goût du travail, un grand sens de l'État. Sa fille, Anne, épouse de Pierre de Beaujeu, assure la régence avec habileté et fermeté durant la minorité de Charles VIII (1483-1491). Le gouvernement personnel de Charles VIII ne dure que six ans (1492-1498). D'une intelligence médiocre, le jeune roi ne rêve que d'expéditions héroïques, aime les vêtements somptueux et collectionne les oiseaux exotiques (serins, perroquets). A Amboise, le 7 avril 1498, Charles VIII se heurte violemment contre le linteau d'une petite porte et meurt d'une congestion cérébrale sans laisser d'héritier mâle. Son cousin, Louis d'Orléans, fils du duc Charles d'Orléans, monte sur le trône sous le nom de Louis XII. Roi de 1498 à 1515, Louis XII par sa bienveillance et surtout la modération de ses exigences fiscales reçoit le titre flatteur de « Père du peuple ». Le cardinal Georges d'Amboise fait fonction de Premier ministre.

Les révoltes qui parfois éclatent sont maîtrisées, ainsi les émeutes urbaines de 1461 (la « Tricoterie » à Angers, le « Miquemaque » à Reims). Si la « ligue du Bien public » menée par Charles de France, frère de Louis XI, et Charles le Téméraire, héritier des États bourguignons, met Louis XI en difficulté (bataille indécise de Montlhéry, juillet 1465), le roi réussit vite à désunir ses adversaires et à reprendre l'avantage. Anne de Beaujeu triomphe de la « guerre folle » menée entre 1485 et 1488 par les ducs de Bretagne et d'Orléans qui sont battus à Saint-Aubin-du-Cormier. Louis d'Orléans est retenu prisonnier trois ans.

L'affirmation du sentiment national favorise la consolidation du pouvoir central. Depuis le milieu du XVe siècle, le français l'emporte sur le latin dans les actes de la chancellerie. Charles VII encourage l'Église de France à affirmer ses libertés et ses franchises contre les empiétements de la papauté. Ainsi naît le gallicanisme. Le Mont-Saint-Michel ayant résisté aux Anglais durant la guerre de Cent Ans, l'archange saint Michel devient à cette époque l'un des grands saints protecteurs de la France, après saint Martin (haut Moyen Age) et saint Denis (XIe-XIIIe). C'est sous le patronage de saint Michel que Louis XI, désireux de rassembler sa noblesse, crée en 1469 un grand ordre de chevalerie. Le danger de mise en tutelle de la monarchie par les états généraux diminue. Louis XI déclare : « Je suis la France. » En 1498, la règle de succession au trône de France par ordre de primogéniture mâle au sein de la famille des Valois s'applique aisément, il n'y a aucun interrègne. C'est d'ailleurs lors des obsèques de Charles VIII que retentit pour la première fois la formule « mort est le roy Charles, vive le roy Louis » qui met clairement en évidence le principe de la continuité monarchique. Convoqués plus rarement (états de 1470, de 1484, assemblée de notables de 1506), les états perdent une bonne partie de leur influence politique. Ceux qui sont réunis à Tours en 1484 par Anne et Pierre de Beaujeu peuvent être considérés comme les premiers vrais états généraux : députés de langue d'oïl et de langue d'oc siègent ensemble, nobles et prélats ont élu des députés, les débats sont d'un grand sérieux, mais aucune décision importante n'est prise. Le principe d'une fiscalité régulière étant désormais admis, les états sont consultés sur d'autres thèmes : annulation d'un traité, d'un mariage princier, régence...

Des moyens d'action accrus

Lors de la perception de la taille, la monarchie a pris l'habitude de négocier dans certaines régions le montant de l'impôt avec des états provinciaux. Ainsi apparaissent les pays d'états où l'impôt voté est généralement d'un montant inférieur à celui levé dans les provinces dépourvues de ces assemblées régionales, les pays d'élections (car des « élus » y fixent le montant de l'impôt). C'est au XVe siècle que sont mises en place des circonscriptions fiscales : les élections (avec des « élus » et un receveur de la taille) regroupées en cinq ou six généralités. Des « généraux conseillers sur le fait des finances » contrôlent l'ensemble. La taille assure ainsi 80 % des recettes de la monarchie. Elle rapporte 1 200 000 livres tournois en 1462. Louis XI en fixe le montant à 4 600 000 livres en 1481, puis elle décline sous le règne de Louis XII (1 700 000 livres en 1507, mais 3 700 000 livres en

1514). La taille est inégalement perçue, l'impôt accable les paysans surtout dans les provinces de langue d'oïl, affecte peu les citadins, épargne complètement la noblesse et le clergé. La gabelle, les aides et les diverses recettes du domaine royal complètent les ressources royales.

Ces revenus élevés font des rois de France les souverains les plus riches d'Europe. Ils peuvent entretenir une armée permanente et étoffer le personnel administratif. En province, le bailli a perdu beaucoup de ses pouvoirs. Des officiers spécialisés sont apparus depuis la fin du XIIIe siècle : le receveur possède des attributions fiscales, le juge-mage, le lieutenant, l'avocat du roi ont des fonctions judiciaires, le capitaine général des fonctions militaires... Après 1420, le principe de l'élection des serviteurs de l'État disparaît. La vénalité triomphe : l'officier royal a la possibilité de vendre sa charge ou de désigner lui-même son successeur. Charles VII réorganise la justice (ordonnance de 1454). Pour juger en appel certaines causes, des parlements sont créés en province (Toulouse, Grenoble, Bordeaux, Dijon...), mais Louis XI se méfie du puissant parlement de Paris qui, lors de l'enregistrement de certains édits, adresse au roi des remontrances. Les juges des parlements sont parfois dessaisis des affaires les plus graves évoquées directement devant le Conseil du roi. Si les rois vivent en Val de Loire (Plessis-lez-Tours, Amboise, Blois...), Paris demeure la capitale administrative du royaume. Depuis Charles V, le palais de la Cité est entièrement occupé par l'administration. Sous Louis XI, les archives de la Chambre des comptes s'entassent dans les couloirs. Le désordre qui accompagne toute bureaucratie est visible dès cette époque. Vers 1500, il y a dans tout le royaume peut-être de 4 à 5 000 officiers royaux aidés d'environ 10 000 subordonnés.

Une influence croissante en Europe

La dislocation des principautés

En quelques décennies, les principales principautés féodales incluses à l'intérieur du royaume de France perdent leur autonomie. C'est le cas des États bourguignons. Ceux-ci, constitués à partir de 1363 par un frère de Charles V, Philippe le Hardi, ont grossi au fil du temps et constituent au milieu du XVe siècle un ensemble territorial complexe, mais particulièrement prospère. Au sud, un bloc regroupe le comté de Nevers, le Charolais, le duché de Bourgogne (Dijon) et le comté de Bourgogne ou Franche-Comté (Salins, Besançon). Le commerce des vins et du sel procure des revenus appréciables à Philippe le Bon, duc de 1419 à 1467. Au nord, l'activité textile, financière, maritime des villes de Flandre, d'Artois, du Hainaut, de Brabant et de Hollande permet au duc de Bourgogne de dominer l'une des régions les plus évoluées d'Europe. De par ses possessions, Philippe le Bon est vassal à la fois de l'empereur germanique et du roi de France, mais le duc qui parle français et est membre de la famille des Valois se sent plus attiré par la France que par l'empire. Il accepte en 1463 de vendre à Louis XI les villes de la vallée de la Somme. Son fils, Charles, intelligent, courageux, mais impulsif et trop ambitieux, souhaite unifier les États bourguignons en annexant Liège, la Lorraine, l'Alsace, voire les cantons suisses et ressuciter l'ancienne Lotharingie. Maître du couloir européen le plus prospère (vallées de la Saône, du Rhin, littoral de la mer du Nord), Charles pourrait alors se proclamer indépendant et obtenir de l'empereur Frédéric III une couronne royale.

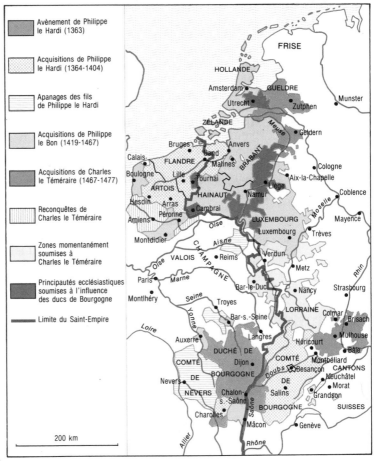

Légende :
- Avènement de Philippe le Hardi (1363)
- Acquisitions de Philippe le Hardi (1364-1404)
- Apanages des fils de Philippe le Hardi
- Acquisitions de Philippe le Bon (1419-1467)
- Acquisitions de Charles le Téméraire (1467-1477)
- Reconquêtes de Charles le Téméraire
- Zones momentanément soumises à Charles le Téméraire
- Principautés ecclésiastiques soumises à l'influence des ducs de Bourgogne
- Limite du Saint-Empire

200 km

Carte des États bourguignons au XVe siècle.

Les ambitions de Charles le Téméraire se heurtent aux intérêts de Louis XI. Dès 1465, l'héritier de Bourgogne met le roi de France en difficulté lors de la guerre du Bien public, Louis XI restitue à Philippe le Bon les villes de la Somme. En 1467, Charles succède à son père ; Louis XI propose une négociation. En octobre 1468, venu avec une maigre escorte, le roi de France rencontre au château de Péronne le « grand-

Charles le Téméraire,
portrait de Roger
Van der Weyden,
musée de Berlin
(photo Braun).

duc d'Occident » au moment où les Liégeois, encouragés par la France, se soulèvent contre la Bourgogne. Furieux, Charles le Téméraire retient pendant plusieurs jours Louis XI prisonnier et l'oblige à de nouvelles et humiliantes concessions. Le roi réunit les états à Tours (novembre 1470) pour dénoncer le traité. Charles le Téméraire poursuit sa politique, acquiert en 1469 une partie de l'Alsace, obtient de René II de Lorraine la cession des principales villes fortes de son duché (1473). L'expansion bourguignonne inquiète et provoque des résistances. Les troupes du Téméraire envahissent la Picardie en 1472, mais sont tenues en échec par les habitants de Beauvais dirigés par une jeune femme énergique, Jeanne « Hachette ». L'empereur refuse d'accorder au Téméraire la couronne royale (1473). Louis XI s'allie avec les cantons suisses, Charles avec le roi d'Angleterre, Édouard IV, qui promet son intervention (1474). Sans difficulté, Louis XI achète le départ des troupes anglaises par le traité de Picquigny (29 août 1475). Charles est désormais isolé, alors que son adversaire pousse les Lorrains, les Suisses, les villes rhénanes à s'unir contre la Bourgogne. Le 2 mars 1476 à Grandson, puis le 22 juin à Morat, la redoutable infanterie suisse défait l'armée bourguignonne. Avec un courage qui frise l'aveuglement, Charles de Bourgogne livre une troisième bataille sous les murs de Nancy le 5 janvier 1477. Les soldats suisses battent à nouveau les troupes bourguignonnes. Le 7 janvier, on retrouve le cadavre du grand-duc d'Occident à demi dévoré par les loups. Louis XI ne cache pas sa joie et, impatient, ordonne l'occupation des États bourguignons par ses armées. Pour sauvegarder l'essentiel de son héritage, la fille du Téméraire, Marie de Bourgogne, épouse à treize ans le fils de l'empereur, Maximilien de Habsbourg (août 1477). Les États-Généraux des Pays-Bas apportent leur soutien à l'orpheline. Une guerre oppose alors Maximilien à Louis XI tenu en échec à Guinegatte (7 août 1479). Après le décès accidentel de Marie, un accord est trouvé (traité d'Arras, 23 décembre 1482) : la France conserve le duché de Bourgogne et la Picardie, le fils de Marie de Bourgogne[*] et de Maximilien, Philippe le Beau, reçoit la Flandre, le Brabant, le Hainaut, la Hollande, le Luxembourg. Agée de deux ans, la fille de Marie et de Maximilien, la princesse Marguerite, est fiancée au fils de Louis XI et apporte en dot l'Artois, le Charolais, la Franche-Comté. Après avoir rompu ses fiançailles avec Marguerite, Charles VIII restitue à Maximilien de Habsbourg ces dernières possessions en 1493 avant de s'engager dans les guerres d'Italie.

Le décès d'un prince sans héritier ou la condamnation d'un grand seigneur par la justice royale permettent de rattacher d'autres fiefs au domaine royal. C'est le cas des comtés d'Alençon, d'Armagnac, des duchés de Berry, de Guyenne, de l'Anjou et de la Provence. Le Roussillon, rattaché à la France sous Louis XI, est cédé à l'Aragon par Charles VIII en 1493. Le royaume de France dépasse les limites fixées en 843 par le

* Philippe le Beau est le père de l'empereur Charles Quint qui toute sa vie chercha à récupérer l'héritage de sa grand-mère, Marie de Bourgogne.

traité de Verdun en s'étendant au détriment de l'empire au-delà de la rive gauche du Rhône (Dauphiné au XIVe siècle, puis Provence). A la mort du duc de Bretagne, François II, les Beaujeu interviennent, empêchent le remariage de Maximilien de Habsbourg avec la jeune duchesse Anne (1490) et font occuper Nantes. En décembre 1491, Anne de Bretagne épouse Charles VIII, mais le traité conclu précise que la Bretagne n'est pas annexée et conserve ses libertés et ses franchises. Veuve en 1498, Anne se remarie avec le nouveau roi Louis XII qui a obtenu l'annulation de son premier mariage par le pape Alexandre VI Borgia. En 1506, Claude de France, née de l'union d'Anne de Bretagne et de Louis XII, se marie avec l'héritier présomptif du trône, François d'Angoulême-Valois. Tout en conservant ses privilèges, la Bretagne est désormais liée à la France.

L'aventure italienne

Une civilisation brillante, des richesses à foison, mais aussi des intrigues complexes, des rivalités violentes entre les divers États, autant d'éléments qui amènent le jeune Charles VIII à vouloir intervenir en Italie. Le roi de France fait valoir ses droits de lointain héritier de Charles d'Anjou, frère de Saint Louis, roi de Naples au XIIIe siècle. Des nobles napolitains en révolte contre un roi d'origine aragonaise et le duc de Milan Ludovic Sforza pressent la France d'intervenir.

L'Italie à la fin du XVe siècle.

En 1493, Charles VIII prépare son expédition et s'assure la neutralité de ses voisins en leur cédant quelques provinces. L'armée française franchit les Alpes (juillet 1494), pénètre sans difficulté à Florence, Rome et enfin Naples (février 1495) où Charles VIII fait une entrée solennelle, habillé en empereur romain. Les Français émerveillés raflent des trésors et s'amusent. La ligue de Venise constituée en mars met soudainement Charles VIII en difficulté, le duc de Milan change de camp. Les Français décident la retraite. A Fornoue, près de Parme, le 6 juillet 1495, les Français bousculent leurs adversaires mais les garnisons restées à Naples capitulent en 1496.

Le nouveau roi Louis XII possède des droits sur le duché de Milan, droits hérités de sa grand-mère Valentine Visconti, femme de Louis d'Orléans (voir p. 77). Dès la fin de 1499, une nouvelle expédition permet aux Français d'occuper le Milanais. Le duc Ludovic Sforza est fait prisonnier (1500). Louis XII conclut un accord avec l'Aragon pour reconquérir conjointement le royaume de Naples et se le partager. Le royaume est repris en 1501, mais très vite les Espagnols se retournent contre les Français. Malgré les exploits de Bayard sur le pont du Garigliano, les troupes françaises sont battues en 1503 et 1504. Le royaume de Naples est définitivement perdu pour la France, mais Louis XII maintient ses troupes en Italie du Nord. Subtil et retors, le nouveau pape Jules II réussit à utiliser les troupes françaises contre Venise (ligue de Cambrai, 1508-1509) puis renverse les alliances et prend la tête de la Sainte Ligue dirigée contre la France (1511)! A la tête des troupes de Louis XII, Gaston de Foix remporte d'éclatants succès à Bologne, à Brescia et à Ravenne où il trouve la mort (février-avril 1512). Une attaque des Suisses en Lombardie oblige les Français à se replier. Maximilien Sforza s'empare du Milanais, les Suisses battent les Français à Novare (juin 1513), puis menacent Dijon. Le roi d'Angleterre, Henri VIII, débarque alors à Calais et bat la cavalerie française. Des négociations avec les Suisses et l'Angleterre permettent d'éviter l'invasion (1513-1514), mais les dernières troupes françaises demeurées en Milanais sont en situation désespérée lorsque meurt Louis XII (1er janvier 1515).

La reprise économique

Le retournement de la conjoncture

A partir du milieu du XVe siècle, la situation économique tend à s'améliorer dans toute l'Europe. Commence alors une grande phase d'expansion. Le climat se réchauffe légèrement favorisant une bonne maturation des récoltes. Les grandes famines sont plus rares (1465, 1481, 1492), la guerre se déplace vers les frontières du royaume assurant ainsi aux habitants une sécurité plus grande. En partie grâce à l'évolution climatique, en partie grâce à une lente immunisation des populations, le bacille pesteux est moins agressif et les grandes épidémies deviennent plus rares (1440, 1481) et plus localisées. La mortalité décline, la lèpre disparaît, mais le typhus, le choléra, la tuberculose persistent. Lors de la première guerre d'Italie, bien des soldats français contractent à Naples la syphilis, vite appelée mal de Naples par les Français... et mal des Français par les Italiens ! Les couples se marient plus tôt et ont des enfants en grand nombre. Dès lors, l'excédent naturel permet un rajeunissement et surtout un gonflement de la population du royaume qui retrouve à peu près son niveau de 1328 (une quinzaine de millions d'habitants). Tours connaît une crise du logement, dans beaucoup d'endroits il faut agrandir les églises.

La reprise agricole, ▶ miniature flamande du XVᵉ siècle, Bibliothèque de Lord Leicester, Londres (photo Hachette).

◀ *L'hôtel particulier de Jacques Cœur à Bourges* (milieu du XVᵉ siècle) [photo Archives photographiques].

La Pieta de Villeneuve-lès-Avignon, Enguerrand Quarton, musée du Louvre (photo Hachette).

Née de la rencontre de la nef et de la kogge, la caravelle mise au point vers 1450-1460 permet à des navigateurs italiens ou ibériques de lancer les premières grandes expéditions maritimes. Christophe Colomb atteint San Salvador, Cuba et Haïti en 1492. Peu à peu, le centre d'activité de l'Europe se déplace vers la mer du Nord où domine Anvers et surtout vers l'Atlantique. C'est en 1505 que Lisbonne détrône Venise dans le trafic des épices. La façade atlantique française se réveille. Nantes, La Rochelle, Bordeaux, mais aussi Saint-Malo, Honfleur, Rouen, Dieppe... sont des ports actifs. Des marchands, des bourgeois achètent une ou des parts d'un bateau de commerce, souscrivent des assurances. Des navigateurs français participent au mouvement d'exploration des mers. Le Dieppois Béthencourt atteint les îles Canaries en 1402. En 1503 Le Paulmier de Gonneville atteint les côtes brésiliennes.

Des activités en essor

Jacques Cœur
Originaire de Bourges
— où il se fait construire plus tard un hôtel particulier magnifique —
Jacques Cœur est un homme d'affaires complet. Il exploite des mines d'argent, il est banquier, négociant en vin, sel, laine et surtout en épices. Ses galères se rendent à Beyrouth et à Alexandrie. Il emploie plus de 300 personnes, prête de l'argent à Charles VII et prend à ferme la gabelle et les aides (il avance au roi le montant de ces impôts, puis procède à leur levée en prélevant un bénéfice). Sa rapide ascension, sa fortune lui valent des ennuis. Celui dont la devise est « à cœur vaillant rien (d') impossible » est arrêté en 1451 pour malversations. Il s'évade en 1453 et meurt en 1456 à Chio.

Selon les régions, le mouvement de hausse des prix apparaît entre 1420 et 1460. L'exploitation des mines d'argent d'Europe centrale, voire du Lyonnais, est accélérée, mais couvre imparfaitement les besoins en métaux précieux. En 1475 une « bonne » monnaie est mise en circulation : l'écu au soleil. Les salaires suivent désormais avec retard ce mouvement des prix. La remontée des prix agricoles encourage le défrichement et la remise en culture de parcelles jadis abandonnées. Des marchands enrichis, des officiers royaux achètent des terres. Inversement, au bas de l'échelle sociale, la poussée démographique favorise la pulvérisation des parcelles paysannes. Deux tiers des exploitations ont moins de quatre hectares dans la plaine de Neubourg, vers 1500. Dans les villes, les constructions en pierre se multiplient. Le textile connaît une nouvelle vigueur à Rouen, Louviers, Reims, Amiens, Toulouse, Arras, Tournai, Paris... La sécurité intérieure favorise les échanges, les premières routes pavées dans la région de Lille datent du règne de Philippe le Bon. Les foires de Lyon, Caen et Rouen sont célèbres sous Louis XI qui développe le système des postes, intervient dans la vie économique en favorisant l'implantation du travail de la soie à Tours et à Lyon et en faisant rédiger plus de 70 règlements de corporation.

Si une certaine sclérose affecte l'enseignement des universités de l'époque, c'est cependant au collège de Sorbonne que Guillaume Fichet installe la première presse à imprimer de France, en 1470. Villon compose ses poésies entre 1456 et 1462, Commynes rédige ses chroniques entre 1489 et 1498. Le Palais de justice de Rouen illustre la somptuosité du style flamboyant. Jean Fouquet (mort en 1481) ou Enguerrand Quarton (vers 1440-1460) témoignent des progrès de la peinture en France. Le sculpteur Michel Colombe réalise pour le duc de Bretagne François II et sa femme un tombeau splendide (cathédrale de Nantes).

La France de la Renaissance

Depuis la fin du XVe siècle, un mouvement de reprise démographique et économique se dessine en Europe. La conjoncture se renverse, engageant les États européens de mieux en mieux organisés dans un mouvement brillant d'expansion. De nouvelles exigences intellectuelles et esthétiques ont créé en Italie les bases d'une Renaissance qui gagne vite les autres pays. Des inventions techniques (l'imprimerie, vers 1440) ou des découvertes scientifiques (le système de Copernic, 1543) considérables apparaissent en Europe au moment même où de grands voyages permettent de repousser les limites du monde connu (Colomb, 1492). Pays le plus peuplé d'Europe, la France du début du XVIe siècle est associée à ce grand mouvement, mais s'engage aussi dans de longues guerres contre un voisin puissant. Elle ne sera cependant pas non plus épargnée par la crise de conscience qui secoue la chrétienté de cette époque.

Le renforcement du pouvoir royal

François Ier, François Clouet, musée du Louvre (photo Hachette).

Henri II, dessin d'après François Clouet, musée des Beaux-Arts, Rennes (photo Giraudon).

Des rois énergiques

Le 1ᵉʳ janvier 1515, François d'Angoulême-Valois accède au trône. Ce roi d'un peu plus de vingt ans est le cousin le plus proche et aussi le gendre de Louis XII décédé sans enfant mâle. Brun, très grand, élégant, ce souverain est d'une intelligence vive. Il comprend et s'adapte vite aux idées nouvelles et encourage, sur les conseils de sa sœur Marguerite d'Angoulême, les débuts de la Réforme. Prince de la Renaissance, François Iᵉʳ est volontiers jouisseur, amateur de femmes, calculateur. Son long règne (1515-1547) est marqué par les guerres contre son rival Charles Quint et le renforcement continu du pouvoir royal. On lui attribue d'ailleurs la formule : « Tel est notre bon plaisir. » Mécène et homme de goût, François Iᵉʳ laisse un héritage culturel important. On lui doit le Collège de France, la protection accordée à Rabelais, à Marot, l'achat d'œuvres de Vinci, la construction de Fontainebleau, de Chambord...

Diane et le cerf, J. Goujon, musée du Louvre (photo André Vigneau).

Henri II accède au trône en 1547, à vingt-huit ans. Ce fils cadet de François Iᵉʳ a épousé une riche héritière florentine, Catherine de Médicis. De caractère réservé et timide, Henri II ne possède pas le panache de son père, mais ce roi très catholique sait faire preuve d'autorité, et son œuvre, interrompue par un accident en 1559, ne saurait être sous-estimée. Durant son règne, Henri II subit l'influence du connétable de Montmorency et surtout de la favorite en titre, de dix-neuf ans son aînée, Diane de Poitiers, duchesse de Valentinois. Cette femme intelligente, dont les contemporains vantent l'exceptionnelle beauté, exerce un rôle politique et artistique important. Dans l'ombre de Diane, une famille lorraine, les Guise, poursuit son ascension.

L'exaltation du pouvoir monarchique

Ces souverains énergiques ont le sens de la grandeur et de la mise en scène. Depuis François Iᵉʳ, le roi de France porte désormais le titre de Majesté. Un faste permanent entoure la vie du monarque, personnage sacré dont la vie se déroule sous les regards de tous. Les reines accouchent et les rois meurent en public. Des fêtes splendides, aux thèmes souvent érudits et mythologiques, permettent d'exalter périodiquement la puissance, la sagesse ou la force de ces souverains. Les fêtes du camp du Drap d'or données en l'honneur de François Iᵉʳ et d'Henri VIII d'Angleterre sont restées célèbres, à l'instar de celles offertes à Amboise et à Chambord, en 1539, lors du voyage de Charles Quint à travers la France. Les entrées royales dans les villes sont toujours prétexte à organiser de brillants cortèges. Les municipalités allouent des sommes considérables à la décoration des rues, à l'édification d'arcs de triomphe, aux distributions de vin. Des artistes aussi célèbres que Jean Cousin, Jean Goujon, Ronsard ont participé à l'entrée solennelle d'Henri II à Paris en 1549.

De 10 à 15 000 personnes constituent la cour et suivent la famille royale dans ses multiples déplacements entre l'Ile-de-France et le Val de Loire. La cour ressemble souvent à une immense caravane luxueuse : en tête viennent les nobles et les grands officiers de la couronne, suivis d'une foule disparate composée de domestiques, de soldats, de musiciens, de tapissiers, de cuisiniers... La cour joue un rôle essentiel, elle draine l'élite du pays, lance les modes, multiplie les commandes aux artisans. Les guerres d'Italie et le mariage du jeune Henri avec une Florentine ont attiré une importante colonie italienne qui introduit ainsi un certain raffinement dans la vie quotidienne des grands.

Une administration plus efficace

Le gouvernement du royaume apparaît mieux organisé. François Ier et Henri II continuent à prendre l'avis de leur Conseil. La direction de l'armée reste toujours du ressort d'un grand seigneur, le connétable. A partir de 1538, cette charge est confiée à Anne de Montmorency. Le chancelier (Duprat, sous François Ier) reçoit en dépôt le sceau royal, dirige la justice et joue un rôle politique important en rédigeant les ordonnances et édits du roi. Il dispose déjà d'un personnel nombreux (une bonne centaine de collaborateurs). En 1547, apparaissent quatre secrétaires qui portent bientôt (1559) le titre de secrétaires d'État. Chacun d'eux a pour tâche d'administrer un quart du royaume, ce sont les ancêtres des ministres. En province, le roi est toujours représenté d'abord par des baillis et des sénéchaux, puis par des gouverneurs dotés de vastes pouvoirs. Enfin, François Ier et Henri II prennent l'habitude d'envoyer en province des représentants extraordinaires, les commissaires (une vingtaine, vers 1550), munis de larges pouvoirs en matière de justice, de lutte contre l'hérésie, d'organisation militaire. Ces commissaires, dont les pouvoirs sont limités dans le temps et l'espace, peuvent être considérés comme les précurseurs des intendants.

En suivant les progrès de la justice royale, on mesure assez bien ceux du pouvoir royal. Au sommet de l'édifice, on trouve ces cours supérieures de justice que sont les parlements et dont le nombre est porté à huit à cette époque. A la base, par exemple en Auvergne, dans le Bourbonnais, là où existait encore une puissante justice seigneuriale, des tribunaux royaux de bailliage apparaissent. En 1536, l'ordonnance de Crémieu augmente la compétence des tribunaux royaux au détriment des autres juridictions. Le grignotage au profit des gens du roi va bon train. En août 1539, François Ier promulgue la célèbre ordonnance de Villers-Cotterêts qui impose le français dans les actes judiciaires, étend une fois de plus la compétence des tribunaux royaux, réserve l'exercice de la justice à des diplômés en droit, institue la « question » (torture). L'ordonnance donne aussi naissance à l'état civil par l'obligation faite aux curés de tenir des registres de baptêmes et de décès ; enfin, elle interdit les grèves et les coalitions. En 1552, Henri II perfectionne le système judiciaire par la création de nouveaux tribunaux, les présidiaux, qui s'intercalent entre les parlements et les tribunaux de bailliage. C'est également à cette époque que sont fixées par écrit les nombreuses coutumes qui régissent les relations entre particuliers.

Des moyens renforcés

Si les rois disposent d'hommes dévoués, d'institutions nouvelles, ils jouissent aussi dans cette première partie du XVIe siècle de moyens d'action renforcés. Devant faire face à de lourdes dépenses du fait des guerres, de la vie de cour, des constructions, la monarchie réussit à augmenter ses ressources. La gestion du trésor royal s'organise. François Ier crée en 1523 le Trésor de l'Épargne, embryon de caisse de l'État, qui centralise toutes les recettes de la couronne (impôts, taxes féodales, revenus du domaine royal). A partir de 1542, les généralités sont dirigées par des receveurs généraux des Finances. Henri II coiffe le système en créant en 1554 le poste de contrôleur général des Finances.

La fiscalité ne cesse de s'alourdir. La taille connaît un triplement entre 1515 et 1559, la gabelle (impôt sur le sel) augmente inlassablement. Mais les besoins d'argent sont si importants que les rois n'hésitent pas à recourir à des expédients discutables. Ainsi, François Ier et Henri II acceptent qu'un nombre grandissant de charges publiques, les offices, soient vendues chaque année à des particuliers. Ces ventes gonflent les recettes, mais créent à long terme un danger politique en constituant un corps d'agents royaux quasi indépendants, car propriétaires de leur charge. Après les emprunts aux banquiers italiens, lyonnais, la monarchie imagine d'avoir recours aux emprunts publics. En 1522 est lancé le premier emprunt d'État, proposé aux particuliers à 8 % d'intérêt et gagé sur les impôts de l'Hôtel de Ville de Paris. Ainsi naissent les rentes sur l'Hôtel de Ville. La monarchie recueille d'un coup 2 400 000 livres et s'engage à verser chaque année aux rentiers 200 000 livres d'intérêt. Le premier emprunt réussi est suivi d'un deuxième en 1536 et de très nombreux autres : trente-six emprunts sous Henri II ! Dès lors, le système se dérègle, la monarchie paie irrégulièrement les intérêts et la dette publique monte de façon vertigineuse pour atteindre 35 à 40 millions de livres en 1559...

Le succès des emprunts royaux, dessin du milieu du XVIe siècle, musée du Louvre (photo Hachette).

Les rois disposent enfin d'un autre avantage depuis la signature d'un concordat entre le pape Léon X et le roi de France à Bologne en 1516. Les élections au siège des évêchés disparaissent et le roi, désormais, est libre de nommer les titulaires des plus grandes charges de l'Église. 120 sièges épiscopaux, 1 200 abbayes et prieurés sont de ce fait placés à la merci de la faveur royale. Le roi dispose ainsi d'un moyen puissant pour récompenser ou acheter le zèle des grandes familles, et aussi pour exiger du clergé le versement plus ou moins régulier de contributions financières. Le concordat de 1516 a peut-être empêché la monarchie française d'épouser la cause réformée.

La mise au pas

Les rois n'hésitent pas à faire usage de leurs prérogatives pour limiter partout les pouvoirs autonomes et renforcer l'autorité centrale. Signe des temps, les états généraux ne sont pas réunis entre 1484 et 1560. Lorsque surgit une grave difficulté, on se contente de convoquer de simples assemblées de notables (1527 et 1558). La monarchie impose aussi son contrôle aux municipalités. François Ier prend l'habitude de recommander un candidat aux suffrages des électeurs municipaux dont le nombre est d'ailleurs limité aux syndics et représentants des divers corps de métiers. Même mainmise sur ces prestigieuses cours de justice que sont les huit parlements. Constitués de juges qui rendent la justice en dernier appel — et non pas de députés élus — ces parlements disposent du privilège d'enregistrement des édits royaux — un édit n'est applicable que s'il est enregistré — et profitent souvent de cette procédure pour adresser au roi des remontrances de coloration politique. François Ier réagit énergiquement en interdisant, dès 1527, aux parlements de jouer tout rôle politique.

Il arrive cependant que le pouvoir rencontre des résistances inattendues. C'est dans ce contexte que doit être interprété l'épisode célèbre de la « trahison » du connétable de Bourbon. Très grand seigneur, titulaire de la charge de connétable, disposant de vastes domaines territoriaux qui, au cœur du royaume, échappent encore aux agents du roi, Antoine de Bourbon passe au service de Charles Quint en 1523. La révolte du connétable est la conséquence des multiples manœuvres, juridiquement contestables, lancées par François Ier pour s'emparer d'une partie du domaine des Bourbons. Le passage du connétable à l'ennemi accroît les difficultés militaires, mais le roi triomphe et l'une des dernières maisons féodales encore autonomes passe sous la tutelle royale.

La hausse de la pression fiscale provoque parfois des réactions violentes et imprévues. Une importante révolte contre la gabelle est écrasée dans la région de La Rochelle en 1542 ; Henri II doit envoyer Montmorency réprimer durement la longue révolte contre la gabelle qui embrase Bordeaux et la Guyenne en 1547 et 1548.

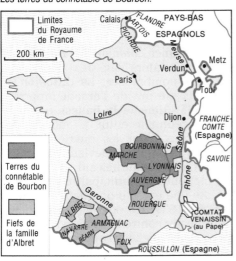

Les terres du connétable de Bourbon.

Limites du Royaume de France
200 km
Terres du connétable de Bourbon
Fiefs de la famille d'Albret

Calais • FLANDRE PAYS-BAS
ARTOIS ESPAGNOLS
PICARDIE
Meuse
Metz
Verdun • Toul
Paris •
Loire
Dijon • FRANCHE-COMTÉ (Espagne)
Saône
BOURBONNAIS
MARCHE SAVOIE
LYONNAIS
Rhône
AUVERGNE
Garonne
ROUERGUE
COMTAT VENAISSIN (au Pape)
ALBRET
ARMAGNAC
NAVARRE BÉARN
FOIX
ROUSSILLON (Espagne)

Les Français de la Renaissance

Des hommes et des biens plus nombreux...

Les Français du début du XVIe siècle vivent dans un cadre territorial plus étroit (460 000 km^2) que de nos jours : Lille, Strasbourg, Besançon, Grenoble, Nice, Perpignan... sont alors villes étrangères. Après les grandes crises de la fin du Moyen Age, le royaume connaît une période de récupération démographique. Avec sans doute 16 millions d'habitants en 1515 et 17 millions en 1547, la France est alors le pays le plus peuplé d'Europe.

Une reprise générale des activités accompagne cette poussée démographique qui se prolonge jusque vers 1560-1580. Les villages se repeuplent. De nouveaux défrichements font reculer les forêts. La production céréalière, favorisée par un temps assez chaud, est en hausse continue au moins jusque dans les années 1530-1540. Dans le milieu rural, encore, de nombreuses forges sont créées à cette époque. Les 460 forges installées en France produisent environ 10 % du fer européen. Dans les villes, l'accroissement de la population et surtout le développement du luxe chez les riches expliquent l'essor artisanal : imprimerie, travail de la laine, du cuir, du métal. Une manufacture de mousquets apparaît à Saint-Étienne dès 1516. François Ier installe à Fontainebleau un atelier de tapisserie, Henri II fonde une verrerie de luxe à Saint-Germain. Déjà implanté à Tours, le travail de la soie gagne Lyon dès 1536 et fournit des emplois à plusieurs milliers d'ouvriers. Ville frontière, Lyon est également un centre de commerce important, grâce à ses foires, et une place bancaire essentielle. La hausse des prix accompagne cet essor. En un siècle, les prix ont dû quadrupler en moyenne en France.

... mais aussi des tensions sociales

Aux environs de 1540, la croissance commence à fléchir. Les productions agricoles stagnent alors que les bouches à nourrir sont de plus en plus nombreuses. La diffusion en France d'une partie de l'or et surtout de l'argent rapportés d'Amérique par les Espagnols alimente la hausse des prix. Les contrastes sociaux s'accentuent entre le monde des riches et la foule des humbles. Pour les ouvriers ou les compagnons payés en argent, la situation devient particulièrement difficile du fait du retard des salaires sur les prix. Des grèves violentes éclatent, incitant les municipalités et le roi à sévir. A Lyon en 1529 éclate une émeute populaire contre le prix jugé excessif du blé. En 1539, les ouvriers imprimeurs lyonnais font grève pour protester contre les maigres salaires, la mauvaise nourriture, l'embauche d'apprentis moins payés. Cette grève violente gagne Paris en 1540.

Les Français sur les mers

Les Français profitent à leur tour de l'ouverture des horizons et tentent, dans cette première partie du XVIe siècle, une série d'explorations. Le voyage du Florentin Verrazano vers la côte de Caroline et dans la baie de l'actuelle New York est financé par des marchands et par François Ier (1523). Le puissant armateur dieppois Jean Ango arme deux bateaux qui réussissent à atteindre Sumatra (1529-1530). Le Malouin Jacques Cartier effectue trois voyages à destination du Canada (1531, 1535-1536, 1541) et présente à la cour de François Ier un guerrier iroquois. Villegagnon installe, en 1555, une petite colonie de protestants français au Brésil, dans la baie de Rio. Mais, de même que la colonie établie au Canada par Cartier, celle de Villegagnon ne résiste guère et s'effondre vite. Mal organisées, peu soutenues par les rois qui ont les yeux tournés surtout vers l'Italie, ces explorations restent sans lendemain et témoignent d'une réelle incapacité française à exploiter le Nouveau Monde. Elles ont eu cependant pour mérite de réveiller l'activité portuaire de la métropole. Dieppe devient alors le centre réputé d'une école de cartographie, La Rochelle arme des navires à destination de Terre-Neuve dès 1533, Le Havre est créé en 1517. Le cabotage côtier anime les ports de Bordeaux, Nantes, Rouen, Saint-Malo. Marseille profite pleinement de l'alliance turque pour accroître ses échanges avec le Levant.

La Renaissance des lettres

L'imprimerie favorise à cette époque la diffusion des idées nouvelles. Un foyer humaniste et érudit se crée en France autour de Lefèvre d'Etaples, Guillaume Budé, Henri Estienne. L'étude des auteurs de l'Antiquité et des langues grecque, latine, hébraïque progresse. François Ier et surtout sa sœur, Marguerite d'Angoulême, ont encouragé ce mouvement par la création en particulier d'un foyer intellectuel en marge de la vieille Sorbonne. Le Collège des Lecteurs royaux — de nos jours, Collège de France — naît en 1530.

Les écrivains du temps ont les yeux tournés vers l'Italie et la Grèce. Beaucoup voient dans les œuvres antiques des monuments inégalés du génie humain et considèrent la langue française comme trop souvent barbare. Une réaction nationale, dont Joachim du Bellay est le porte-parole, en 1549, avec la *Défense et Illustration de la langue française,* s'esquisse bientôt. Après les œuvres originales de Clément Marot, de François Rabelais — le *Pantagruel* est un des premiers succès littéraires consacrés par l'imprimerie —, une littérature proprement nationale s'affirme. Au milieu du siècle, autour de du Bellay et de Ronsard, une école littéraire, la Pléiade, est constituée qui entend défendre et promouvoir la langue française et, en s'inspirant des auteurs antiques, doter la France d'une littérature brillante. Ronsard crée un style original, simple, gracieux, émouvant avec les *Amours de Cassandre* (1552) et les *Amours de Marie* (1556).

Ronsard, R. Boissard, Bibl. nat., Paris (photo Hachette).

La Renaissance des arts

Depuis le XVe siècle, des influences artistiques nouvelles provenant d'Italie pénètrent en France. Les expéditions militaires françaises dans la péninsule accélèrent ce mouvement qui favorise l'émergence progressive d'une architecture originale et d'un style nouveau de décoration. L'évolution se fait en plusieurs phases. On distingue une première vague renaissante jusqu'aux environs de 1530 ; un style plus complexe apparaît ensuite autour de l'école de Fontainebleau ; enfin, au milieu du siècle, un style bien français d'architecture et de sculpture voit le jour.

A la première vague appartiennent les agréables demeures du Val de Loire que sont Azay-le-Rideau (1518-1529) et Chenonceaux (1513-1521). François Ier, qui a invité en France Léonard de Vinci, ordonne alors de grands travaux à Blois (1515-1524) et à Chambord (à partir de 1519). Dans cette phase, l'influence médiévale est encore bien visible. Les premiers châteaux de la Renaissance française possèdent en effet des tours, des créneaux, des toits en forte pente. On continue à construire dans le style gothique flamboyant en plein XVIe siècle (façade nord de la cathédrale de Beauvais, 1537). Mais un vent nouveau se lève et se répand peu à peu : goût pour la symétrie, l'équilibre, multiplication de fenêtres décorées, apparition de pilastres et de piliers...

Galerie François Ier, château de Fontainebleau (photo C.N.M.H.S.).

Le bain de Diane (détail), François Clouet, musée des Beaux-Arts, Rouen (photo Bulloz).

Fontainebleau n'est qu'une vieille forteresse lorsque, en 1528, François Ier ordonne un vaste programme d'agrandissement et de rénovation. Sur l'immense chantier, dont l'activité connaît un sommet dans les années 1530-1540, de nombreux artistes français s'initient au contact de maîtres italiens. Une école de décoration, dont l'influence s'étendra à toute l'Europe, naît de ce mouvement. Elle s'ingénie à combiner harmonieusement le bois, le stuc, la fresque ; les plafonds de noyer ou de chêne sont sculptés ; des guirlandes, des amours, des lions, des guerriers en stuc blanc (enduit imitant le marbre) encadrent de grandes fresques richement coloriées. L'inspiration des décors plonge ses racines dans l'érudition humaniste et l'antiquité païenne. Des corps nus, aux membres fins et allongés, des courbes suggestives, une ambiance érotique caractérisent le style de peinture maniériste qui se forme autour de l'école de Fontainebleau.

Au milieu du siècle, des architectes et des sculpteurs réalisent une synthèse brillante entre l'héritage médiéval et l'apport antique. Un style français s'épanouit. Si les édifices gardent toujours des toits en pente, des cheminées et parfois des flèches, on voit désormais surgir des façades plates avec des ouvertures symétriques, ponctuées de niches, de statues et surtout de colonnes. Les frontons sont souvent curvilignes, les premières coupoles (à Anet) apparaissent. C'est dans cet esprit que travaille Pierre Lescot (1510-1578) qui entreprend, à partir de 1546, la rénovation du vieux Louvre avec l'aide du sculpteur Jean Goujon (1510-1588), auteur de la fontaine des Innocents. Philibert de l'Orme (1510-1570) construit le château d'Anet pour Diane de Poitiers, et, en 1563, les Tuileries pour la reine Catherine de Médicis.

Nymphe de la Seine,
J. Goujon,
musée du Louvre
(photo Giraudon).

Des guerres épuisantes

Marignan

Lorsque François Ier accède au trône, l'armée française envoyée par Louis XII dans le Milanais est dans une situation désespérée. D'esprit audacieux, le nouveau roi regroupe une forte armée (de 30 à 40 000 hommes, 300 canons) et, en suivant des sentiers alpins, surprend les Milanais et les Suisses. Une longue et cruelle bataille s'engage à Marignan les 13 et 14 septembre 1515 (16 000 morts sans doute) où l'artillerie de Galliot de Genouillac fait la décision. Le règne commence par une grande victoire. François Ier est armé chevalier par Bayard. Milan retombe aux mains des Français alors que les Suisses et le pape négocient. Avec les cantons suisses est signée en 1516 la paix perpétuelle de Fribourg qui réserve désormais au roi de France l'exclusivité du recrutement des redoutables soldats suisses. Jusqu'à la fin de l'Ancien Régime, il y aura des soldats suisses dans les armées françaises. Le concordat de Bologne (cf. p. 100) est conclu avec le pape Léon X. Cette situation, si favorable pour les intérêts français, ne dure pas longtemps et les règnes de François Ier et d'Henri II sont marqués par de longues guerres.

Naissance d'un conflit européen

De savants mariages entre la famille royale espagnole et la maison de Habsbourg permettent à Charles de Habsbourg* de devenir roi d'Espagne en 1516. Dans les années qui suivent, Charles hérite des Pays-Bas, de la Franche-Comté, de Naples, de la Sicile. S'il abandonne à son frère Ferdinand ses possessions d'Autriche, il reste que les domaines des Habsbourg sont en voie d'encercler la France.

En 1519, le trône impérial dans le Saint-Empire romain germanique est vacant. La coutume veut que quelques princes allemands, les « princes électeurs », élisent alors un nouvel empereur. Devenir empereur présente bien des avantages ; en effet, l'élu recueille l'appui politique des villes et des princes allemands, il porte le titre le plus prestigieux d'Europe. L'empereur, héritier de Charlemagne, jouit d'une prééminence sur les autres monarques et peut aspirer à une sorte de direction du continent. François Ier et Charles présentent leur candidature. A l'issue de longs marchandages, les électeurs confèrent la dignité impériale au Habsbourg qui porte désormais le titre de Charles V ou Charles Quint (28 juin 1519).

* Petit-fils de Marie de Bourgogne.

L'Europe vers 1540.

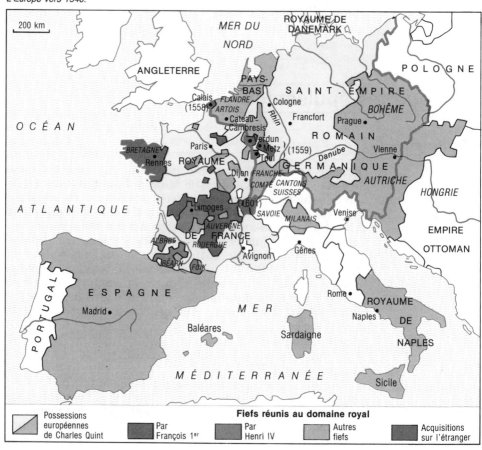

Les arquebusiers,
bas-relief du tombeau
de François Ier,
P. Bontemps,
basilique de Saint-
Denis (photo René-
Jacques).

Entre le nouvel empereur, dont les possessions prennent en tenaille la France, qui rêve de récupérer la Bourgogne (patrie de sa grand-mère), et la France naît alors une rivalité profonde qui dégénère, par le biais des alliances (l'Angleterre, les princes allemands, la papauté et même l'empire turc de Soliman optent tantôt pour un camp tantôt pour l'autre), en conflit européen. Durant près de quarante ans, sous les règnes de Charles Quint, Philippe II, François Ier, Henri II, des guerres épuisantes opposent Valois et Habsbourg (1521-1526, 1527-1529, 1536-1538, 1542-1544, 1552-1559). Les revenus fiscaux plus réguliers des souverains permettent d'opposer des armées importantes (parfois de 30 à 50 000 soldats) où les fantassins, souvent mercenaires, sont désormais majoritaires, où les armes à feu (canons, arquebuses, mousquets et bientôt pistolets) jouent un rôle décisif. Que la France ait pu résister à autant de guerres montre la solidité démographique et économique du royaume.

Le conflit sous François Ier

Charles Quint (détail),
Le Titien, musée du
Prado, Madrid (photo
Hachette).

Quatre guerres opposent François Ier à Charles Quint sans résultat décisif. Si la France continue à intervenir en Italie pour conserver ses positions, elle est souvent menacée sur ses frontières par les troupes impériales.

Le conflit avec les Habsbourg éclate en 1521 et commence mal pour la France dont les troupes sont battues en Italie (Bayard est tué en 1524), et dont le territoire est menacé en Provence par l'avance du connétable de Bourbon passé au service de Charles Quint. Le roi de France prend alors la tête de l'armée, repasse les Alpes et reprend Milan à la fin de 1524. Les Français sont arrêtés devant Pavie, le siège s'organise. Mais des renforts impériaux surprennent à leur tour le camp français (24-25 février 1525). Les arquebuses à mèche des Espagnols font des ravages dans la cavalerie française, le roi utilise mal ses canons. C'est le désastre : de 6 à 8 000 morts et le roi de France est fait prisonnier.

Louise de Savoie, mère du roi, assure la régence. Transféré à Madrid, François Ier se résout à signer, le 14 janvier 1526, le dur traité de Madrid par lequel il renonce à l'Italie, à la suzeraineté sur l'Artois et la Flandre et promet de restituer la Bourgogne à l'empereur. Les deux fils du roi sont remis en otages. A Cognac, François Ier, une fois libéré, dénonce immédiatement ce traité.

La deuxième guerre (1527-1529) permet de revoir les termes du traité de Madrid. La paix des Dames — car négociée par Louise de Savoie et Marguerite d'Autriche — amorce un retour aux clauses de 1526, mais Charles Quint abandonne ses droits sur la Bourgogne (août 1529). Les deux fils du roi sont libérés contre rançon et François Ier épouse la sœur de l'empereur.

Une troisième guerre tout aussi indécise a lieu en 1536-1538 suivie d'une réconciliation éphémère. Le fait nouveau réside dans la hardiesse de la politique d'alliance du Roi Très Chrétien. François Ier est désormais l'allié des princes allemands protestants et surtout de Soliman le Magnifique. La quatrième guerre (1542-1544) permet aux Français de passer à l'offensive. En août 1542 une flotte de galères turques et françaises saccage Nice, les Turcs hivernent à Toulon et aux îles de Lérins. En avril 1544, les Impériaux sont écrasés à Cérisoles en Italie. L'empereur réplique en envahissant la Champagne à l'été 1544, cependant que les Anglais d'Henri VIII attaquent Boulogne. François Ier traite rapidement avec l'empereur (paix de Crépy-en-Laonnais, septembre 1544) sur la base des traités précédents. Pour desserrer l'étreinte anglaise sur le Boulonnais, le roi envoie ses galères dans la Manche. Un accord est conclu en juin 1546 : Boulogne sera restituée à la France contre 800 000 écus (traité d'Ardres).

Le conflit sous Henri II

Dès 1552 la guerre reprend avec les Habsbourg et dure jusqu'en 1559. Le nouveau roi de France affronte l'empereur vieillissant puis, à partir de 1556, le fils de Charles Quint, Philippe II, roi d'Espagne. De plus en plus les combats se déplacent d'Italie vers les frontières du Nord et de l'Est.

En janvier 1552, un accord est conclu avec les princes protestants allemands. Pour faciliter la révolte de ces derniers contre Charles Quint, Henri II occupe trois villes d'empire, Metz, Toul et Verdun. L'empereur réagit en assiégeant Metz que défend avec bravoure François de Guise. Vieilli, malade, l'empereur lève le siège le 2 janvier 1553 et songe à abdiquer. En Italie, Sienne se soulève et chasse les Espagnols (juillet 1552). La France envoie des renforts, mais les revers se multiplient : défaite à Marciano (1554) et capitulation de Sienne en 1555. Avant d'abdiquer, Charles Quint signe une trêve (1556), mais la guerre reprend très vite (1557). Dans le Nord, les troupes espagnoles dirigées par Emmanuel-Philibert de Savoie infligent aux troupes françaises du connétable de Montmorency la lourde défaite de Saint-Quentin, le 10 août 1557 (3 000 morts, 4 000 prisonniers dont le connétable). La route de Paris est ouverte, la fièvre gagne la capitale, mais, à court d'argent, l'armée espagnole ne poursuit pas son avance. Un audacieux coup de main de François de Guise sur Calais, alors propriété de Marie Tudor, épouse de Philippe II, crée la diversion (janvier 1558). Thionville et Dunkerque tombent en mai. L'Angleterre perd ainsi ses dernières possessions héritées de la guerre de Cent Ans. La situation militaire est désormais équilibrée alors que la France et l'Espagne connaissent de grosses difficultés financières et assistent avec inquiétude à la progression du calvinisme.

Le traité du Cateau-Cambrésis

Le traité du 3 avril 1559 marque un certain recul français. Si le texte ne dit mot de Metz, Toul et Verdun toujours occupés par les Français, il laisse à la France Calais, contre rançon, et Saint-Quentin. En retour, la France renonce au Milanais, à ses alliances italiennes, restitue à la Savoie toutes ses terres. Des multiples guerres menées en Italie, la France ne conserve que quelques places fortes dont Turin et Pignerol. Le repli français consacre désormais la prépondérance espagnole sur l'Italie.

Les divisions religieuses

Une réforme modérée de l'Église échoue

Le clergé catholique souffre alors de nombreux maux : inconduite fréquente, maigres connaissances théologiques, abus de la non-résidence. Les titulaires fortunés d'une cure ou d'un diocèse s'abstiennent souvent d'y demeurer, touchent les bénéfices et font célébrer les offices par des prêtres pauvres et incultes qui forment une sorte de prolétariat religieux. C'est le cas pour la moitié des cures dans le diocèse de Sens en 1495. Le clergé répond mal aux besoins spirituels très vifs d'une population inquiète qui vit encore sous le choc des catastrophes de la fin du Moyen Age. Au même moment, des idées nouvelles venues d'Italie pénètrent dans les milieux cultivés français : redécouverte de l'Antiquité, renouveau des études linguistiques, recherche de la pureté dans la traduction, esprit critique, lucidité...
C'est autour de Guillaume Briçonnet, prélat humaniste nommé évêque de Meaux en 1516, que l'on observe les premiers signes d'une réforme de l'Église. Dès 1518, Briçonnet avec l'appui de François Ier expérimente une réforme humaniste modérée, oblige ses curés à résider dans leurs paroisses, fait expliquer la Bible aux fidèles, attire des humanistes comme Lefèvre d'Etaples qui traduit en français le Nouveau Testament (1523). Ce mouvement humaniste reste néanmoins fidèle à Rome et est rapidement dépassé par deux vagues réformées plus radicales, mais d'origine étrangère.
Les idées du moine allemand Luther, qui a rompu avec Rome en 1517, trouvent dès 1519 des adeptes en France. Luther explique que seule la foi sauve, que les œuvres (charité ostentatoire, dons...) sont secondaires, que tous les chrétiens sont égaux par le baptême, que le rôle du clergé est secondaire, que tout chrétien peut entrer en contact avec Dieu par la lecture de la Bible et le libre examen, que le culte doit être épuré et simplifié. Dès 1522, un moine français rejoint Luther en Allemagne. Attaqué par les traditionalistes de la

Sorbonne et les admirateurs de Luther, le groupe de Meaux se désagrège. Briçonnet condamne Luther alors que l'humaniste Guillaume Farel propage les idées luthériennes à Bordeaux, en 1523. En août, le premier martyr réformé français, le moine Jean Vallières, a la langue coupée et est brûlé vif. Le puissant parlement de Paris lance, dès 1524, des mesures sévères de répression contre les « hérétiques ».

Les positions se durcissent

Les idées réformées gagnent du terrain alors que le roi hésite à réprimer un mouvement pour lequel il a d'abord eu une certaine sympathie. Dans la nuit du 17 au 18 octobre 1534, des réformés affichent sur les murs de Paris, et même sur la porte de la chambre du roi à Amboise, de petites affiches — les « placards » — attaques virulentes contre la messe. Ce geste scandalise François Ier et le pousse dans le camp de la répression. Celle-ci s'organise de 1534 à 1538. L'édit de Fontainebleau (juin 1540) permet aux tribunaux royaux — et non aux seuls tribunaux ecclésiastiques — d'évoquer les faits d'hérésie. Dans le Lubéron, 3 000 Vaudois environ sont massacrés en 1545. L'humaniste Étienne Dolet est brûlé vif. A ce moment, les réformés français, après avoir été attirés par Luther, optent massivement en faveur de la seconde vague protestante qui secoue alors l'Europe : le calvinisme.

Calvin, musée Boymans-van Beuningen, Rotterdam (photo A. Frequin).

Jean Calvin (1509-1564) est né en France où il a d'ailleurs poursuivi de brillantes études humanistes. Converti à la Réforme vers 1533, menacé d'arrestation, Calvin se réfugie à l'étranger (1535-1541). Il publie alors l'*Institution de la Religion chrétienne* (édition en latin, en 1536, puis en français, en 1541) dans lequel il approfondit les idées protestantes. Calvin reprend les idées de Luther, mais y ajoute une teinte pessimiste et austère. Il explique que, de toute éternité, Dieu a prévu le destin de chaque homme, certains seront sauvés par la grâce, les autres seront perdus : c'est la prédestination. Installé à Genève en 1541, Calvin parvient non sans mal à dominer la ville. De santé fragile, cet intellectuel solitaire se montre vite intolérant, inflexible. Acharné à sa tâche, Calvin accorde la plus grande importance à la formation de pasteurs qu'il envoie en mission dans toute l'Europe, et notamment en France.

La répression s'accentue

Dès 1541, à Sainte-Foy, puis, en 1542, à Aubigny et Meaux, de petits groupes calvinistes s'organisent. La poussée calviniste devient très vive vers 1550-1560. La centaine de pasteurs venus de Suisse ou d'Allemagne rencontrent alors un auditoire réceptif. Géographiquement, le calvinisme se propage le long des grands axes économiques (Lyon, Bassin parisien, vallées de la Seine et du Rhône, ports atlantiques et à la périphérie du très catholique parlement de Paris,

Huguenot
Le mot est apparu à Genève vers 1520-1525 pour désigner tout d'abord les partisans de l'indépendance de la ville en lutte contre le duc de Savoie. Il provient sans doute de l'allemand *Eidgenossen* (les compagnons du serment). Rapidement, le sens du mot évolue. Il revêt une coloration religieuse péjorative et devient synonyme de protestant d'obédience calviniste. On sait d'ailleurs que Calvin, fuyant la France, finit par s'installer à Genève qu'il transforma en une austère république protestante.

Gascogne, Languedoc). Socialement, le calvinisme s'implante dans les milieux alphabétisés des villes (artisans, hommes de loi, médecins, petits nobles), les paysans et le prolétariat urbain analphabètes restant souvent fidèles au catholicisme. La nouveauté c'est la conversion au calvinisme, vers 1555-1560, de nombreux grands aristocrates (Antoine de Bourbon, le prince de Condé, Gaspard de Coligny) qui insufflent au protestantisme français un état d'esprit orgueilleux, militant, batailleur. Entre un quart et un cinquième de la population du royaume passe probablement au calvinisme vers cette époque.

En dépit des arrestations, 4 000 huguenots — c'est désormais leur nom —, protégés par des nobles en armes, se réunissent plusieurs soirs de suite au Pré-aux-Clercs, à Paris, en mai 1558. En mai 1559, se tient clandestinement à Paris le premier synode de l'Église nationale réformée. Une confession de foi est rédigée.

Très inquiet par l'extension du mouvement calviniste, Henri II multiplie durant tout son règne les mesures répressives. Les édits de Châteaubriant (1551) et de Compiègne (1557) prévoient la peine de mort contre les hérétiques, interdisent l'émigration, surveillent les imprimeries. Une chambre spéciale du parlement de Paris, la « chambre ardente », se spécialise dans les procès religieux. Lorsque, en juin 1559, le conseiller au parlement de Paris, Anne Du Bourg, plaide en faveur de la tolérance, Henri II ordonne son arrestation et arrache de sa main la page du registre où est consigné le discours ! Du Bourg est brûlé vif en décembre.

Un tournoi tragique

Les clauses du traité du Cateau-Cambrésis prévoient la conclusion d'un double mariage princier. Élisabeth, fille d'Henri II, doit épouser Philippe II d'Espagne, représenté par le duc d'Albe ; Marguerite, sœur du roi de France, doit épouser Emmanuel-Philibert, duc de Savoie. Pour célébrer ces noces, de somptueuses fêtes sont organisées à Paris en juin 1559. Durant trois jours se déroule rue Saint-Antoine un fastueux tournoi auquel Henri II, très sensible à l'esprit chevaleresque, participe le 30 juin en arborant les couleurs de Diane de Poitiers. Superstitieuse — un quatrain de Nostradamus daté de 1555 annonce un accident —, la reine Catherine suit la joute. Brusquement, la lance du capitaine des gardes écossaises, Montgomery, se brise et pénètre dans le casque du roi. Henri II s'écroule, l'œil gauche percé. Le dauphin, la reine s'évanouissent. On transporte le roi au palais des Tournelles. Les médecins tentent l'opération : extraire les morceaux de lance du crâne. L'opération très douloureuse permet d'extraire cinq gros éclats, l'un est long comme un doigt. L'état du blessé empire. Le duc de Savoie fait quérir à Bruxelles l'illustre médecin Vésale. On consulte Ambroise Paré. L'agonie du roi se prolonge jusqu'au 10 juillet 1559. Il meurt à quarante ans, laissant le trône à un garçon de quinze ans, François II.

Les guerres de Religion

La guerre civile éclate

L'arrière-plan européen

L'évolution de la France ne peut être isolée du contexte européen de l'époque. La seconde partie du xvie siècle est caractérisée par un afflux d'argent en provenance du Mexique et par une accélération de la hausse des prix. Le climat connaît un refroidissement assez rapide. Crises de subsistance et poussée des épidémies ponctuent cette fin de siècle beaucoup plus favorable à l'Espagne de Philippe II et à l'Angleterre d'Elisabeth Ire qu'à la France des Valois.

Sur le plan religieux, l'Europe est désormais divisée en deux camps antagonistes. En Scandinavie, dans le nord de l'Allemagne et des Pays-Bas, en Ecosse, en Angleterre, le protestantisme est solidement implanté. Le catholicisme résiste en Irlande, dans le sud de l'Allemagne, en Autriche, en Italie, en Pologne, au Portugal, en Espagne. Le fait nouveau, c'est que l'Église catholique entreprend alors un vaste mouvement de redressement, autant pour freiner la poussée protestante que pour se réformer elle-même. L'inquisition a été relancée par les papes. De plus, en 1563, s'achève le concile de Trente, qui insuffle un sang nouveau au catholicisme : affirmation du dogme, maintien des sept sacrements, du culte de la Vierge et des saints, messe en latin, renforcement de l'autorité du pape, accentuation de la discipline, création des séminaires, limitation du cumul, port obligatoire de la soutane... Certes, les décrets du concile tardent à être appliqués en France, mais un état d'esprit offensif gagne les milieux catholiques, le doute disparaît. L'ouverture du premier séminaire en France date de 1567 alors que, depuis déjà plusieurs années, les grands artisans du redressement catholique que sont les jésuites sont présents et ont ouvert des collèges dans le royaume (collège de Clermont à Paris, 1564).

L'impossible entente

Lorsque François II accède au trône en 1559, le calvinisme français est au sommet de sa force. La répression terrible ordonnée par Henri II et entérinée par son fils a plutôt pour effet de vivifier le mouvement que de l'affaiblir. La mentalité protestante évolue rapidement grâce au ralliement de nombreux grands seigneurs : Antoine de Bourbon, roi de Navarre, le prince de Condé, tous deux princes du sang, l'amiral de Coligny, neveu du connétable de Montmorency... De la soumission au roi, de l'acceptation du martyre, le protestantisme devient résistant, voire offensif, face à un souverain jeune que l'on sait mal assuré. Dès 1560, un groupe de protestants tentent d'enlever la famille royale. La conjuration d'Amboise échoue et ses auteurs sont massacrés.

C'est que François II n'a que quinze ans, qu'il est malade et que son esprit faible subit l'influence de la jolie Marie Stuart, son épouse, et des oncles de celle-ci, les Guises. Le duc François s'est couvert de gloire sous Henri II, Charles, cardinal de Lorraine, archevêque de Reims, est le prélat le plus riche et le plus puissant du royaume. Ils se font les champions de la répression de l'hérésie.

Lorsqu'un abcès à l'oreille emporte François II le 5 décembre 1560, la couronne passe à son frère Charles IX, âgé de dix ans et demi. Dès lors, l'influence prépondérante revient non plus aux Guises, mais à la reine mère Catherine de Médicis qui, hostile aux excès, conciliante par nature, va tenter avec l'aide du chancelier humaniste Michel de L'Hôpital une courageuse politique d'apaisement. Dès 1561, la reine mère fait libérer les protestants incarcérés, ordonne l'arrêt des persécutions, consulte les états généraux (réunis depuis la fin de 1560). Catherine de Médicis et Michel de L'Hôpital prennent l'initiative (en septembre 1561) de convoquer à Poissy un colloque par lequel la monarchie espère rapprocher les deux religions. L'édit de janvier 1562 permet aux protestants de célébrer leur culte hors des grandes villes dans certains lieux. Cette politique de tolérance arrive trop tôt dans un pays où le fanatisme règne désormais. Le colloque ne débouche sur aucun accord et il suffit d'un incident pour qu'éclate la guerre civile. Le 1er mars 1562, à Vassy dans l'est du royaume, le duc François de Guise surprend une assemblée protestante dans un lieu non autorisé par l'édit de janvier. Les hommes du duc dispersent l'assemblée avec violence (plus de 70 morts, peut-être) et cruauté (des femmes, des enfants sont massacrés). Ce geste reste impuni. La reine mère n'a pas osé ou n'a pas voulu sévir. Dans le camp huguenot, c'est l'embrasement. On s'organise, on prend les armes. Les guerres de Religion commencent.

Les « grands tours »
Parce que Charles IX est mineur et que le royaume est dirigé par la reine mère, italienne de naissance, les grands s'agitent, les factions religieuses s'opposent, l'autonomie progresse. Pour fortifier le sentiment monarchique dans cette période critique, Catherine et son fils entreprennent entre 1564 et 1566, durant deux ans et quatre mois, un vaste voyage en province. D'étape en étape, la cour de France, entourée de son luxe habituel, présente le jeune roi aux Français, visite les régions les moins sûres, la vallée du Rhône, la Provence — on consulte Nostradamus au passage —, le Languedoc, la Guyenne, le Pays basque, le Poitou, le Val de Loire, l'Auvergne. Catherine en profite pour s'informer, imposer ses décisions aux pouvoirs locaux. Une vaste ordonnance de réformation conclut ce grand tour. En 1578-1579, la reine mère organise un second voyage.

Un royaume déchiré

Des guerres à répétition

Huit guerres civiles secouent le royaume : 1562-1563, 1567-1568, 1568-1570, 1572-1573, 1574-1576, 1577, 1579-1580, et la huitième, la plus longue, qui voit la disparition de la dynastie des Valois, 1585-1593. Huit guerres confuses, cruelles, dont on ne donnera ici que les traits saillants et qui suivent toujours le même scénario. Un attentat ou un massacre lance le mouvement, les chefs des deux camps lèvent des armées, le pouvoir royal temporise, cherche à regrouper les modérés — les « politiques » — mais est vite dépassé et finit par basculer dans un camp — le plus souvent du côté catholique. On s'affronte, mais pas longtemps faute d'argent. Vient alors le temps des négociations, des arrangements — la reine mère y excelle — qui aboutissent à des compromis bâtards que le premier incident ruine. Le cycle infernal reprend aussitôt...

On ne se bat ni en permanence ni partout. Les affrontements touchent principalement l'Ile-de-France, les vallées de la Loire, du Rhône, le Sud-Ouest. Il y a des attentats, des batailles rangées (Jarnac et Moncontour en 1569 où les catholiques l'emportent), et des massacres dans les villes. Pendant plus de trente ans, les deux camps s'équilibrent à peu près. Chacun cherche des alliés étrangers et on remarque — surtout après 1585 — une tendance à l'internationalisation de la guerre civile. Troupes allemandes et or anglais chez les protestants face aux catholiques soutenus par les hommes et l'argent de l'Espagne de Philippe II, voire du pape.

Le temps des passions et des peurs

Bien des Français vivent des années dans l'angoisse et la peur. Peur d'abord des soldats français et étrangers — les reîtres et lansquenets allemands ont fâcheuse réputation. Ces hommes mal payés, mal encadrés, font subir de lourds et cruels pillages aux populations des zones de combat. Les armées sillonnent le royaume en traînant des troupeaux raflés, des charrettes de blé, de butin, que suit une nuée de prostituées. Dans les villes, on redoute les soulèvements qui tournent au massacre des innocents et au pillage des maisons cossues. On pend, on égorge, on brûle, on éventre, on noie, on mutile... dans les deux camps. Les huguenots sont souvent pris de passion iconoclaste. Ils violent le tombeau de Louis XI à Cléry, brûlent le cœur de François II à Orléans. Ils dévastent les églises catholiques, martèlent les statues, fondent les objets sacerdotaux. Agrippa d'Aubigné (première ébauche des *Tragiques* dès 1577) a laissé un témoignage saisissant alors que les analyses sereines et lucides d'un Montaigne (les *Essais,* 1580) ne trouvent guère d'écho.

Un royaume en crise

Les guerres de Religion provoquent un recul de l'autorité monarchique. Par leur faiblesse ou leur irrésolution, Charles IX et Henri III ont remis en cause une partie de l'œuvre

Charles IX, anonyme, musée de Versailles (photo Hachette).

Henri III, dessin du XVIe siècle, Bibl. nat., Paris (photo Hachette).

Les passions de la cour
A la cour souffle un vent de superstition. L'astrologie est à la mode : on interroge un miroir, on consulte son horoscope, on paie très cher les services des envoûteurs, qui utilisent des poupées dont ils percent le corps à l'aide d'aiguilles. Des fêtes éblouissantes au parfum licencieux ponctuent ces temps violents. En juin 1577, à Chenonceaux, la reine mère offre un banquet à la lumière des flambeaux et des feux d'artifice. Autour d'Henri III déguisé en femme, entouré de ses « mignons », de jeunes et très belles femmes de l'« escadron volant » de la reine mère assurent, à demi nues, le service. Toute la nuit des scènes de débauche se déroulent dans le parc.

centralisatrice réalisée en France depuis Louis XI. Les combats favorisent une poussée autonomiste. Gouverneurs, municipalités, officiers royaux en font à leur tête. On frise l'anarchie et un risque d'éclatement du royaume existe. Après la Saint-Barthélemy, les huguenots organisent dans le Midi une sorte de république protestante autonome qui lève ses propres impôts, fortifie ses villes (Saumur, Cognac, Niort, La Rochelle, Bergerac, Montauban, Montpellier, Nîmes...). Les parlements profitent de la situation, multiplient les remontrances, contestent. Trois fois, il faut convoquer les états généraux (1560-1561, 1576-1577, 1588) et affronter parfois de rudes critiques. Une sorte de radicalisme assaille de plus en plus la monarchie. L'administration se dérègle. Les impôts rentrent très mal. La dette publique gonfle sans cesse, tandis que se multiplient les expédients : vente de lettres d'anoblissement, d'offices (de 20 à 25 000 offices vers 1600, contre 5 à 10 000 en 1500).

On touche là la fragilité humaine du pouvoir royal. Des dix enfants nés du couple Henri II-Catherine de Médicis, quatre fils pouvaient sauvegarder la dynastie Valois et protéger la monarchie. Aucun n'y réussit. François II règne un an. La tuberculose fauche à vingt-quatre ans le tourmenté Charles IX (roi de 1560 à 1574) et son frère le brouillon duc d'Alençon (1584). Pas plus que ses frères, Henri III, roi intelligent mais contesté (1574-1589), ne parvient à avoir de descendance mâle. L'opinion du temps y voit là un signe de Dieu, le signe de la malédiction des Valois.

C'est finalement la reine Catherine, âgée, conciliante mais rusée, parfois tortueuse, qui assure directement ou indirectement la plus grande part des affaires du royaume jusqu'en 1588.

Le royaume traverse, en outre, une crise économique et sociale sévère. Le dérèglement monétaire, l'afflux d'argent espagnol accélèrent une vive poussée des prix. On remarque des hivers plus froids, des récoltes souvent médiocres qui provoquent cherté du blé et crises de subsistance (1562-1563, 1565-1566, 1573-1577, 1585-1586, 1590-1592). De nombreuses grèves secouent les villes terriblement affectées par la baisse de la production artisanale et par celle des échanges. Des bouleversements sociaux traduisent cette crise. A la ruine de nombreux petits paysans, artisans, ouvriers, petits nobles, aux difficultés de l'Église catholique qui a dû accorder plusieurs « dons » importants au trésor royal, s'oppose l'enrichissement spectaculaire de quelques grands seigneurs ou de quelques banquiers étrangers, comme le cordonnier Zamet devenu financier... Après avoir atteint un sommet peut-être proche de 20 millions d'habitants vers 1570, la population du pays fléchit après cette date. Aux ravages de la guerre, il faut ajouter l'effet des famines et surtout celui des épidémies. On repère des crises de surmortalité dues à la peste en 1562 à Paris, en 1564 à Lyon, en 1580 à Marseille, en 1585 à Lyon, Dijon, Bordeaux. Une grande épidémie de coqueluche (ou de choléra ?) suivie d'une peste fauche de 30 à 60 000 Parisiens au cours de l'été 1580.

Les faits saillants

Massacre de la Saint-Barthélemy, F. Dubois (témoin de l'événement), musée Arland, Lausanne (photo Hachette).

La Saint-Barthélemy, 24 août 1572

L'amiral de Coligny, école de Clouet (photo Hachette).

A l'issue de la troisième guerre de Religion (1569-1570), l'édit de Saint-Germain permet aux protestants de reparaître à la cour. L'amiral de Coligny exerce vite une forte influence sur l'étrange Charles IX. Il envisage une intervention armée en Flandre contre l'Espagne. Le nouveau duc de Guise, Henri, très populaire à Paris, et la reine mère s'opposent à ces projets qui vont relancer la guerre étrangère et s'inquiètent de l'influence croissante de Coligny. Le duc et la reine mère décident de faire assassiner l'amiral, mais l'attentat échoue (22 août). Charles IX ordonne une enquête. Pris de court, les Guises, Henri d'Anjou (futur Henri III), la reine mère réagissent, prétextent un vaste complot protestant et parviennent à arracher au roi son consentement à la punition des auteurs du prétendu complot : Coligny et quelques chefs protestants. A l'aube du dimanche 24 août 1572, jour de la Saint-Barthélemy, les gardes du roi, les soldats de Guise, des seigneurs catholiques passent à l'action. L'amiral est tué, son corps mutilé. En peu de temps, près de 200 soldats et gentilshommes huguenots — beaucoup étaient venus à Paris assister au mariage d'Henri de Navarre avec Marguerite de Valois — sont assassinés, et jusque dans le Louvre. C'est alors que l'opération de police initialement prévue tourne au massacre systématique. Le petit peuple catholique de Paris, soumis à de rudes conditions d'existence, très monté contre les huguenots, entre en scène. Durant trois jours, d'épouvantables massacres ont lieu, accompagnés parfois de mutilations quasi rituelles. Les pillages à l'encontre des riches huguenots sont considérables. De 2 à 3 000 Parisiens périssent ainsi. Des massacres similaires ont lieu d'août à octobre en province faisant entre 10 000 et 20 000 morts.

Henri III et la Ligue

Henri de Guise,
Dumonstrée, musée
des Beaux-Arts,
Rennes (photo Bulloz).

A la fin de la cinquième guerre de Religion, Henri III est contraint d'accorder aux protestants de larges concessions par l'édit de Beaulieu (6 mai 1576). Aussitôt de nombreux catholiques s'indignent et s'organisent en groupes de résistance puis s'unissent dans un mouvement général, la Ligue. Les ligueurs dénoncent vigoureusement Henri III jugé incapable de garantir les intérêts catholiques, proposent la réunion des états généraux et accordent toute leur confiance à Henri de Guise de plus en plus populaire. Henri III enraye ce mouvement de contestation du pouvoir royal en se proclamant chef de la Ligue. Celle-ci est dissoute en 1577.

Mais la Ligue se reconstitue à la fin de 1584. Le renouveau de la Ligue est lié de près à la crise dynastique déclenchée le 10 juin 1584 par la mort du dernier frère d'Henri III. Puisque le couple royal n'a pas d'enfant, l'héritier le plus proche est désormais Henri de Bourbon, roi de Navarre... qui se trouve être le chef du parti protestant ! La Ligue s'organise pour s'opposer à la montée sur le trône d'un protestant, et pour soutenir le duc de Guise qui rêve de succéder à Henri III de plus en plus haï. Elle se dote d'une armée, conclut un accord avec l'Espagne de Philippe II (décembre 1584), contrôle des places fortes, des provinces, et, dans la déclaration de Péronne (31 mars 1585), reconnaît le vieux cardinal de Bourbon comme héritier légitime des Valois. Les violences recommencent et la Ligue contraint Henri III à reprendre en 1585 la guerre contre Henri de Navarre.

Des sermons violents, des pamphlets cruels attaquent sans relâche la personne d'Henri III qui, privé de moyens financiers et militaires, devient en quelque sorte le prisonnier de la Ligue. Inversement, le prestige d'Henri de Guise, le « Balafré », est au sommet, c'est le « roi de Paris ». Henri III réagit. Le 12 mai 1588, le roi tente de reprendre le contrôle de la capitale ligueuse et y fait entrer 6 000 soldats. Entraîné par des étudiants et des moines fanatiques, le peuple parisien se soulève, construit des barricades. Des heurts sanglants éclatent. Le 13 mai, le roi doit fuir, la reine mère et la reine Louise sont prises en otages. La Ligue étend son contrôle sur toute la capitale. Le duc de Guise triomphe et obtient du roi une nouvelle et humiliante capitulation (5 juillet). En septembre, parvient la nouvelle de l'échec de l'Invincible Armada sur l'Angleterre, le camp catholique semble moins fort. Henri III en profite, concentre les pouvoirs et affronte les députés des états généraux — en grande partie

L'assassinat
d'Henri III,
gravure anonyme
(photo Bibl. nat.).

ligueurs — réunis à Blois à partir d'octobre 1588. Les 23 et 24 décembre 1588, Henri III fait assassiner le duc de Guise et le cardinal de Lorraine. Les meneurs de la Ligue aux états généraux sont arrêtés. L'assassinat du duc de Guise relance immédiatement la révolte parisienne. Un gouvernement d'allure démocratique se forme, prononce l'arrestation des magistrats du parlement. En février 1589, le duc de Mayenne, frère du Balafré, fait une entrée triomphale à Paris. Pour reprendre en main le royaume, soumettre Paris, Henri III se rapproche d'Henri de Navarre. Une alliance est conclue le 3 avril 1589. A la fin de juillet, l'armée royale et l'armée protestante entament le siège de Paris. Le 1er août 1589, un jeune dominicain fanatique assassine Henri III à Saint-Cloud. Avant de mourir, le dernier roi Valois a la force de reconnaître Henri de Navarre comme successeur légitime et l'exhorte à se convertir.

Henri IV et la reconstruction du royaume (1589-1610)

L'accession au trône d'Henri IV, roi de 1589 à 1610, a lieu dans des conditions tragiques, alors que la guerre civile désole le royaume depuis près de trente ans. Obstiné, habile, intelligent, le nouveau souverain parvient à rétablir en 1598 la paix intérieure et extérieure. Fondateur de la dynastie nouvelle des Bourbons, Henri IV est à tous égards l'homme du redressement.

La fin des troubles

Une situation confuse

Henri de Navarre et Marguerite de Valois, Bibl. nat., Paris (photo Hachette).

L'accession au trône d'un prince protestant dans un pays à majorité catholique relance immédiatement la révolte des ligueurs. Si, par sentiment légitimiste, les principaux ministres et grands officiers d'Henri III se rallient à Henri IV, celui-ci ne dispose que d'une petite armée et ne gouverne le royaume que de façon théorique. Beaucoup de provinces, de villes, de parlements refusent en effet de reconnaître le nouveau roi. Henri IV connaît un début de règne très difficile. A court d'argent, il doit lever le siège de Paris et gagner la Normandie poursuivi par les troupes de la Ligue. A Arques, le 21 septembre 1589, Henri IV sauve la situation en battant le duc de Mayenne.

Le début de l'année 1590 semble favorable au nouveau roi qui inflige une autre défaite à la Ligue à Ivry-sur-Eure (14 mars) et commence un second siège de Paris. La mort du cardinal de Bourbon (« candidat » de la Ligue), le 8 mai, prive les ligueurs d'un prétendant au trône. La Ligue connaît des jours sombres. Assiégée durant quatre mois, la population parisienne résiste, fanatisée par les curés et les moines qui revêtent la cuirasse et portent le mousquet. La famine apparaît dès juin. On mange des chats, des chiens, des os pilés... 13 000 Parisiens au moins décèdent dans une ville qui compte près de 220 000 habitants. Mais le 30 août 1590, la situation s'inverse. L'arrivée des troupes espagnoles commandées par Alexandre Farnèse oblige Henri IV à lever le siège. L'intervention étrangère sauve la Ligue, mais prolonge la guerre civile. La situation militaire s'enlise.

Le sursaut national

La procession de la Ligue le 14 mai 1590 (détail), école de Pourbus, musée Carnavalet, Paris (photo Hachette).

Les limites de la popularité
Le premier roi Bourbon fut très critiqué de son vivant. De nombreux Français n'acceptaient pas son autoritarisme, la hausse des impôts indirects, les mutations monétaires, la politique étrangère... Contre Henri IV on a pu relever 19 tentatives d'assassinat, le plus souvent mises au point par des hommes de loi ou par des religieux. Mis en cause dans l'attentat de Châtel en 1594, les Jésuites furent expulsés du royaume. Le roi leur accorda son pardon en 1603.

Les combats en province tournent à la confusion. A Paris où cantonnent les Espagnols, les ligueurs ont établi un gouvernement d'allure populaire : le « comité des seize » censé représenter les habitants des seize quartiers de la capitale. Mais à la suite de certaines décisions brutales, la lassitude commence à jouer contre les « seize » et les ligueurs parisiens se divisent rapidement. Une partie de la population proche des membres du parlement et de la grande bourgeoisie commerçante souhaite un arrangement avec Henri IV, c'est le parti des « politiques » qui s'oppose au parti des « catholiques zélés », souvent issus du petit peuple ou des milieux artisans et sensibles aux sermons exaltés de curés fanatiques comme Boucher ou Aubry. Le 15 novembre 1591, le conflit éclate entre les deux factions parisiennes. Les catholiques zélés font arrêter et exécuter sommairement Brisson, président du parlement. Effrayés, certains ligueurs modérés se rallient à Henri IV.

A Paris, en Bretagne, dans le Nord, des garnisons espagnoles prêtent main forte à la Ligue face aux troupes royales. Le duc de Mayenne est dans une situation inconfortable vis-à-vis du roi d'Espagne. Philippe II, qui a épousé une princesse Valois, entend faire reconnaître sa fille, l'infante Claire-Isabelle, reine de France. Le duc de Mayenne accepte de convoquer les états généraux à Paris (janvier 1593). La moitié des élus seulement ose faire le voyage. Les états examinent les candidatures au trône : celle de l'infante, celle du duc de Mayenne, celle d'Henri IV, roi en titre, mais prince protestant. Les débats traînent. Les députés hésitent. Au bon moment, Henri IV accomplit un geste décisif. Le 17 mai 1593, il annonce sa prochaine conversion au catholicisme. Le sursaut national joue pleinement. Dès le 28 juin, les états généraux repoussent au nom de la loi salique la candidature espagnole et se prononcent pour un roi catholique et français. Entre Paris, à nouveau en état de siège, et les troupes d'Henri IV une trêve est conclue, ce qui permet à de nombreux Parisiens d'assister à l'abjuration d'Henri IV à Saint-Denis, le 25 juillet 1593. On assure que le roi aurait déclaré que « Paris valait bien une messe ».

La reconquête du royaume

La réaction nationale s'amplifie et renforce le camp d'Henri IV. Les libelles se multiplient contre la présence espagnole ; l'un des plus célèbres est la *Satire Ménippée* qui ridiculise les meneurs de la Ligue et leurs alliés étrangers. De nombreuses villes de province se rallient à Henri IV, couronné roi le 27 février 1594 non pas à Reims, alors aux mains de la Ligue, mais à Chartres. Le roi achète à prix d'or le dévouement de nombreux gentilshommes catholiques, dont Brissac, gouverneur de Paris. Avec la complicité de ce dernier, l'armée royale trompe la surveillance des Espagnols et investit Paris à l'aube du 22 mars 1594. La réaction des

« zélés » est faible, les Espagnols s'enfuient. Henri IV gagne l'estime des Parisiens par sa modération et son indulgence. Un grave incident, heureusement sans conséquence, ternit ce tableau : le 27 décembre 1594, Jean Châtel tente d'assassiner le roi.

La paix extérieure

Les grands de la Ligue font peu à peu acte de soumission : le duc de Mayenne en 1595, le duc d'Epernon en 1596, le duc de Mercœur en 1598. La liquidation de la guerre avec l'Espagne demande quelques années. Si Henri IV est victorieux à Fontaine-Française (5 juin 1595), les Espagnols tiennent encore Doullens, Cambrai, s'emparent d'Amiens en 1597 et conservent des troupes en Bretagne. Philippe II se résout à négocier le traité de Vervins (2 mai 1598) qui permet un retour aux frontières du Cateau-Cambrésis et une renonciation de la famille espagnole au trône de France.

La paix religieuse, l'édit de Nantes

Au même moment, des négociations avec les représentants protestants réunis à Nantes aboutissent à la paix religieuse. L'édit de Nantes (13 avril 1598) conforte les intérêts de la minorité religieuse du royaume : le culte réformé est autorisé partout où il existait en 1597, les protestants jouissent des mêmes droits civils que les catholiques, peuvent accéder aux mêmes charges, disposent de la liberté de réunion, d'enseignement. En matière criminelle, les protestants relèvent désormais de « chambres mi-parties », composées de juges des deux religions, installées à Rouen, Bordeaux, Castres et Grenoble. Des articles secrets prévoient l'entretien des pasteurs et de garnisons par le trésor royal. Le roi accorde près de cent cinquante lieux de refuge (aussi bien des villes importantes que des villages ou de simples châteaux), protégés par des garnisons protestantes pour une durée de huit ans. Si la paix intérieure et extérieure revient à partir de 1598, il faut plus de deux ans à Henri IV pour convaincre les parlements de province, à majorité catholique, d'enregistrer le célèbre édit.

Un royaume exsangue

Lorsque la paix revient en 1598, le royaume de France est un pays ravagé. Partout l'autorité royale a régressé. Les gouverneurs de province, les nobles à la tête de bandes armées, les municipalités ont acquis, au cours des trente-six années de guerre civile, de solides habitudes d'indépendance. Profitant de l'anarchie endémique, des bandes de brigands contrôlent les routes en Anjou, en Normandie, en Comminges... Vers cette époque Montaigne est dévalisé en se rendant à Paris. Sans entretien, des rivières comme l'Oise se sont envasées. Les herbes folles ont envahi les routes et les loups attirés par les cadavres des champs de bataille pullulent. Le climat connaît à ce moment un net refroidissement. C'est vers 1600 que les glaciers atteignent leur avancée maximale. Des récoltes médiocres ont multiplié les crises de subsistance (1590-1592, 1596-1597). En Velay, des paysans n'ont pu subsister qu'en mangeant du pain fait d'avoine, d'herbes et d'écorces. Un peu partout, la petite propriété paysanne a diminué. On signale entre 1590 et 1597 des révoltes de « croquants » en Limousin, en Périgord, en Languedoc et en Vivarais. Le plus célèbre soulèvement est celui des « Tard-Avisés ». Depuis 1580, la peste est réapparue, elle ravage la Picardie et la Champagne en 1596. L'activité artisanale — le textile surtout — régresse sensiblement dans la majorité des villes.

Le redressement

Entouré d'hommes compétents et dévoués, Henri IV s'emploie à prolonger l'équilibre des forces entre catholiques et protestants et entreprend une œuvre importante de redressement.

Le panache blanc
A Ivry, alors que son armée est en difficulté, Henri IV aurait déclaré : « Mes compagnons, Dieu est pour nous, voici ses ennemis et les nôtres, voici votre roi. A eux ! Si vos cornettes vous manquent, ralliez-vous à mon panache blanc, vous le trouverez au chemin de la victoire et de l'honneur. » La cavalerie royale charge derrière son roi et met en fuite les ligueurs du duc de Mayenne.

Henri IV, la reine Margot et Catherine de Médicis (détail d'une tapisserie du XVIe siècle), musée des Offices de Florence (photo Giraudon).

Le premier roi Bourbon

Un roi esclave de ses passions
Le « Vert-Galant » a souvent été la proie de ses conquêtes féminines. Derrière Gabrielle d'Estrées, Henriette d'Entragues, Jacqueline de Beuil, les familles intriguent et savent faire monter les enchères.
Un des bâtards royaux est nommé évêque de Metz à six ans ! Les maîtresses royales sont logées au Louvre, les bâtards élevés avec les enfants légitimes, les scènes conjugales avec la reine Marie de Médicis sont fréquentes et violentes.

Né à Pau en 1553, Henri IV est, par son père, Antoine de Bourbon, le descendant direct du sixième fils de Saint Louis. A ce titre il est le cousin le plus proche d'Henri III Valois. De sa mère Jeanne d'Albret, il hérite la foi calviniste et la couronne du petit royaume de Navarre. Très tôt, il est confronté aux tumultes de la guerre civile et aux intrigues politiques. Son mariage avec Marguerite de Valois, sœur de Charles IX et d'Henri III, lui permet d'échapper de peu, en août 1572, au massacre de la Saint-Barthélemy. A vingt-trois ans, Henri prend la tête du parti protestant, sillonne le royaume, multiplie les combats. Il est roi de France à trente-six ans, mais doit se battre pendant neuf années pour reconquérir son royaume. En 1599, il fait annuler · son mariage avec Marguerite dont il vit séparé et dont il n'a pas d'enfant. Il envisage un temps d'épouser une de ses maîtresses, Gabrielle d'Estrées, qui lui a donné des enfants ; mais celle-ci meurt, peut-être empoisonnée. Il opte alors, pour des raisons diplomatiques et financières, en faveur d'un mariage italien. A quarante-sept ans, le roi épouse Marie de Médicis qui lui donne vite des descendants.

Très peu soigné de sa personne, malodorant, les cheveux longs et sales, les vêtements parfois déchirés, ce roi petit et nerveux est un chef de guerre d'une résistance exceptionnelle et toujours en mouvement. Ses ministres doivent écrire debout. Familier, le roi aime se mêler à la foule et sacrifie à ses passions : la chasse, le jeu de paume, les dés et surtout les conquêtes féminines. D'esprit vif, le roi a le sens de la repartie et ses propos font mouche. S'il travaille peu, son esprit clair va toujours à l'essentiel. Relativement cultivé, le roi aime qu'on lui fasse la lecture. Il connaît ainsi le *Théâtre d'agriculture*. Sa bonhomie cache une autorité et une volonté qui parviendront à imposer la paix aux deux factions antagonistes du royaume pendant douze ans.

La reprise en main du royaume

Par souci d'apaisement, Henri IV associe dans son gouvernement catholiques et protestants. Si, avec Sully et Laffemas, les protestants ont la haute main sur les finances royales et le commerce, les catholiques, avec Jeannin et Villeroy, conservent les affaires intérieures et la diplomatie. Le roi, avec l'aide de Conseils qui sont rétablis, s'emploie à restaurer l'autorité monarchique et à réduire à sa merci les derniers intrigants. Le gouverneur de Bourgogne, Biron, soupçonné de comploter avec la Savoie et l'Espagne, est décapité en 1602. Dans les provinces, les gouverneurs trop indépendants sont mis au pas. Des « commissaires départis », précurseurs des intendants, apparaissent : ils ont pour mission de veiller à ce que les nobles, les municipalités, les parlements obéissent au roi Bourbon. Une petite expédition militaire contre le duc de Savoie permet d'annexer en 1601 la Bresse, le Bugey, le pays de Gex. Lyon cesse d'être une ville frontière.

La poursuite de l'apaisement religieux

Avec 1 250 000 fidèles et 800 pasteurs, les protestants constituent alors une minorité organisée, mais inquiète, qui se retranche derrière les privilèges concédés par l'édit de Nantes : leurs pasteurs sont payés par l'État, leurs places fortes commandent une partie du territoire et sont entretenues par le roi. Les anciens ligueurs dénoncent l'État dans l'État.

Henri IV doit donc avancer avec prudence, rassurer les uns et les autres pour éviter la reprise toujours possible de la guerre civile. Pour contenter les catholiques et démontrer la sincérité de sa conversion, Henri IV finance la reconstruction de la cathédrale d'Orléans détruite par les huguenots. En 1603, l'édit de Rouen reconnaît officiellement l'installation — jusqu'alors provisoire — des jésuites en France. A l'égard de la Compagnie de Jésus, le roi multiplie d'ailleurs les signes d'encouragement. Il autorise la construction d'un collège royal à La Flèche (1607) auquel il cède par testament son cœur, il prend pour confesseur le père jésuite Coton. En ce qui concerne les protestants, Henri IV accepte de reconduire l'édit de Nantes en 1607. Certaines clauses de l'édit sont assouplies ou détournées avec l'accord du roi. Ainsi, à La Rochelle, en Béarn, le culte catholique n'est pas rétabli et, pour les Parisiens réformés, Henri IV accepte qu'un temple soit érigé à Charenton. Ces mesures d'apaisement permettent de réintroduire dans la communauté nationale un monde protestant souvent riche de personnalités. A côté des artisans, des hommes de loi, des paysans huguenots, existe en effet une solide élite huguenote, avec ses poètes (d'Aubigné),

Hôtel de Sully édifié en 1624 par Jean Ier Androuet du Cerceau (photo René-Jacques).

ses théologiens (Duplessis-Mornay), ses architectes (De Brosse, Du Cerceau), ses médecins (Héroard), ses négociants (Laffemas), sa noblesse d'épée (le duc de Rohan)...

Une nouvelle ferveur catholique

A l'instar d'une bonne partie de l'Europe, la France n'échappe pas au grand mouvement de piété baroque qui prolonge le concile de Trente et donne alors au catholicisme une nouvelle vigueur. Beaucoup de catholiques comprennent à ce moment que leur religion ne résistera à la vague protestante qu'au prix d'une foi ardente et d'une vie irréprochable. De fait, on constate que le protestantisme ne progresse plus en France, voire que certains huguenots, suivant l'exemple du roi, reviennent au catholicisme. De très nombreux couvents sont fondés à cette époque. Très populaires par leur simplicité, par leur dévouement lors des épidémies de peste et des grands incendies, les capucins créent alors de nombreuses maisons. Dès 1601, Mme Acarie installe à Paris des religieuses carmélites. Le couvent parisien de Port-Royal se réforme en revenant à une règle rigoureuse en 1609. C'est en 1608 que saint François de Sales publie l'*Introduction à la vie dévote*. Avec ce dernier, Mme de Chantal crée en 1610 l'ordre de la Visitation. Bérulle fonde l'Oratoire en 1611.

La restauration des finances

Maximilien de Béthune (1559-1641), baron de Rosny, duc de Sully, Bibl. nat., Paris (photo J.-L. Charmet).

C'est un huguenot, Maximilien de Béthune, baron de Rosny, nommé duc de Sully en 1606, qui rétablit l'ordre dans le trésor royal largement déficitaire après trente-six ans de guerre civile. Sully fait baisser le loyer de l'argent en 1601 et promulgue une réforme monétaire accompagnée d'une dévaluation l'année suivante. Il gonfle les recettes fiscales en prononçant la révocation de près de 40 000 lettres de noblesse qui permettaient l'exemption de la taille. Si l'impôt direct baisse, en revanche l'impôt indirect augmente. Le poids de l'impôt sur le sel, la gabelle, est accru d'un tiers. Des mesures plus ou moins légales permettent de réduire de moitié la dette et de reconstituer le domaine royal, mais de nombreux petits prêteurs sont lésés dans l'opération.

Les recettes restant cependant trop faibles, Sully n'hésite pas à recourir à un expédient, dangereux à long terme, pour accroître le trésor royal : il multiplie en effet les ventes de charges administratives, les « offices ». Surtout, il établit le 12 décembre 1604 une taxe annuelle sur tous les détenteurs d'offices. En échange de cette taxe — la « paulette », du nom du financier Paulet qui afferme cette taxe —, le roi rend ce titre héréditaire et accorde à ses possesseurs le droit de le revendre. A partir de cette date, la « paulette » augmente tous les ans les recettes fiscales du roi, mais l'hérédité des charges officiellement reconnue aboutit à une aliénation de la puissance publique et fait du corps des officiers une sorte de féodalité civile. En encourageant l'esprit d'indépendance chez les « officiers », la « paulette » contredit directement l'effort de restauration de l'autorité monarchique. En outre, cette taxe provoque un renchérissement des « offices », et elle contribue à détourner du négoce et des affaires nombre de familles bourgeoises attirées par l'argent (essentiellement grâce aux pots-de-vin), l'indépendance, le prestige, voire, dans certains cas, l'anoblissement, souvent associés à la possession de ces charges. Du moins, la politique de Sully est-elle efficace. L'équilibre budgétaire est rétabli en 1607 et Henri IV dispose d'un solide trésor en réserve (de 12 à 13 millions de livres).

Labourage, pâturage et manufactures

L'agriculture et l'artisanat sortaient appauvris et affaiblis de la guerre civile. Or, sous le règne d'Henri IV un relèvement des activités s'esquisse et l'on assiste, dans l'entourage du roi, à l'apparition des premières réflexions d'ordre économique.

Sully multiplie les mesures pratiques en faveur de l'agriculture. Il réglemente les corvées, limite la saisie du bétail, allège la pression de la taille sur les paysans, organise l'exploitation des forêts. Sully ordonne également la restitution aux communautés rurales des biens communaux (forêts, prairies... mises à la disposition de tous) souvent aliénés durant la guerre civile. Persuadé que la seule richesse réside dans la terre, méfiant à l'égard des activités artisanales qui détournent la main-d'œuvre des champs, Sully condense ses idées agrariennes dans la célèbre formule : « Labourage et pâturage sont les deux mamelles de la France, les vraies mines et trésors du Pérou. »

En 1600, un petit gentilhomme, Olivier de Serres, publie un ouvrage d'agronomie, le *Théâtre d'agriculture et ménage des champs* qui connaît un succès immédiat et retient l'attention du roi. Riche de conseils pratiques, l'ouvrage, qui plaide en faveur de cultures nouvelles comme le maïs ou le mûrier, aboutit à une certaine idéalisation de la vie rurale. Henri IV y voit un moyen de susciter le retour à la terre de la noblesse, désormais privée d'emploi militaire. Le ministre Barthélemy de Laffemas s'intéresse particulièrement aux recommandations relatives à l'exploitation du mûrier qui permet l'élevage du ver à soie. Contrairement à Sully, l'homme de la terre, Laffemas possède une vision plus large de l'activité économique et comprend vite que l'essor de la culture du mûrier doit rendre possible l'expansion d'une industrie de la soie, laquelle répondra aux besoins nationaux et attirera sans doute des commandes étrangères. Limiter la concurrence des autres pays, mais attirer l'or de l'étranger en favorisant l'éclosion d'une industrie nationale de la soie et des produits de luxe, ce sont là les grandes lignes d'une politique économique cohérente et ambitieuse, prémices du mercantilisme. Dès lors, c'est l'engouement à l'égard du mûrier. Le roi donne l'exemple et fait planter, en 1601, 20 000 mûriers dans les jardins des Tuileries. Le chapitre relatif à la sériciculture du *Théâtre d'agriculture...* est tiré à part et expédié dans chacune des paroisses de France. Laffemas se fait également le promoteur de grands travaux ruraux en invitant en France des ingénieurs hollandais pour créer des polders (comblement de marécages).

En 1603, s'achèvent les activités de la « commission du Commerce » présidée par Laffemas et source de nombreux encouragements et mesures pratiques en faveur de l'artisanat et de l'industrie textile. Laffemas fait rédiger de nouveaux règlements à l'usage des artisans et encourage surtout l'essor des premières manufactures de produits de luxe : Dourdan (soie), les Gobelins (tapisserie), Senlis (dentelle), Reims (draperie), Melun (verrerie).

Ces mesures furent-elles efficaces ? De fait, on observe à l'époque une certaine reprise des activités agricoles et artisanales. Autant que les mesures de Sully et de Laffemas, une conjoncture heureuse favorisa sans nul doute ce redressement : récoltes convenables, nette reprise de la natalité.

Outre-mer, les Français réussissent à s'implanter de manière durable au Canada, et en 1608, Samuel Champlain fonde Québec. Toutefois, il est excessif de faire du règne d'Henri IV une sorte d'âge d'or au cours duquel le royaume n'aurait connu que prospérité et bonheur. Bien des ombres, bien des échecs limitent le relèvement économique. La culture du mûrier, grande idée du règne, ne connut qu'un succès limité. Elle échoua dans de nombreuses provinces et, malgré le livre d'Olivier de Serres, on ne relève aucun signe

CINQVIESME LIVE
DV THEATRE D'AGRICVLTVRE
ET
MESNAGE DES CHAMPS.

DE LA CONDVITE DV POVLAILLER
du Colombier, de la Garenne, du Parc, del Estang, du Ruscher, et des Vers-à-Soie.

Page de titre de la Ve partie du livre d'Olivier de Serres (photo Bibl. nat.).

d'une réelle révolution agricole. L'activité des manufactures reste modeste. Surtout, le mouvement de recul de la petite propriété paysanne provoqué par la guerre civile n'a pu être enrayé et il est douteux que le paysan français ait connu une vie douce et heureuse sous Henri IV.

La place Royale — aujourd'hui place des Vosges — lors du Carrousel des 5, 6, 7 avril 1612 qui conclut l'annonce des mariages espagnols, musée Carnavalet, Paris (photo Hachette).

Les grands travaux

Sully s'attache à réparer les ravages causés par la guerre civile et à faciliter les transports. Il fait restaurer les ponts, ordonne de paver quelques routes le long desquelles on plante des ormes. Sully prend l'initiative de grands travaux sur la Seine, la Marne, l'Oise. Le percement du canal de Briare est entamé.

Henri IV aime Paris et tient à embellir une capitale d'aspect encore médiéval. En 1603, débute la construction des quais de l'Horloge et des Orfèvres. La même année, le roi inaugure le premier grand pont moderne et sans maisons de Paris, le Pont-Neuf. En 1607, débutent les travaux de la place Dauphine. En 1608, le roi inaugure le pavillon de Flore et la galerie du bord de l'eau qui relie désormais les Tuileries au vieux Louvre. Dans l'est de la capitale, une vaste place (144 mètres de côté) bordée de pavillons symétriques est en construction. La place Royale (actuelle place des Vosges) sera inaugurée en 1612.

La place Dauphine et le Pont-Neuf en 1640, Bibl. nat., Paris (photo Bulloz).

Un assassinat mystérieux

Contrairement à la légende du bon roi Henri, Henri IV fut, de son vivant, un personnage controversé. Les anciens ligueurs doutaient de la sincérité de sa conversion. La politique étrangère du roi suscitait en particulier bien des remous. En s'alliant avec des puissances protestantes, Henri IV a cherché à tenir en échec les très catholiques Habsbourg de Vienne et de Madrid. En 1609, un conflit éclate entre les princes protestants allemands et l'empereur Habsbourg. La reprise de la guerre européenne paraît inévitable. Henri IV entend soutenir ses alliés protestants, augmente les impôts, enrôle des soldats. Une bonne partie de l'opinion catholique française ne cache pas son hostilité à cette intervention contre une puissance catholique.

A quelques jours du départ du roi pour le Rhin, le 14 mai 1610, rue de la Ferronnerie, François Ravaillac profite d'un embarras de circulation, s'approche du carrosse royal et porte deux coups de couteau au roi qui meurt aussitôt. La personnalité de l'assassin est étrange. Ce géant de trente-deux ans aux cheveux brun-roux, aux yeux vifs, au tempérament mystique, prétend avoir des visions. Né à Angoulême, Ravaillac était solliciteur de procès. Cultivé, il semble avoir été impressionné par les écrits du jésuite Mariana légitimant le tyrannicide. Intrigué par cet homme aux sentiments religieux exaltés, le duc d'Epernon, ancien favori d'Henri III, se fait présenter Ravaillac et le charge de divers procès à Paris (1608) et à Naples. C'est alors que Ravaillac se découvre investi d'une mission divine : tuer le roi trop favorable aux protestants. Revenu à Paris, Ravaillac hésite assez longuement avant de passer à l'acte. Bien des points de l'affaire restent mystérieux. Y a-t-il eu machination et utilisation habile d'un homme mal équilibré par des catholiques « zélés » ? Quelle est la responsabilité du duc d'Epernon qui était d'ailleurs dans le carrosse à côté du roi ? On a évoqué aussi la responsabilité possible d'une ancienne maîtresse du roi, Henriette d'Entragues. Torturé, Ravaillac persiste à prétendre qu'il a agi seul. Il meurt le 27 mai 1610 en subissant le terrible supplice de l'écartèlement.

Assassinat d'Henri IV, gravure de Gaspard Bouttats, Bibl. nat., Paris (photo Hachette).

Supplice de Ravaillac, Bibl. nat., Paris (photo Hachette).

La France au XVIIᵉ siècle
La période tumultueuse

Dans la première partie du XVIIᵉ siècle s'esquisse en Europe un retournement de la conjoncture économique. Une révolution secoue l'Angleterre, la puissance hollandaise se confirme, un long conflit — la guerre de Trente Ans — ensanglante l'Allemagne et aboutit à la défaite des Habsbourg de Vienne et de Madrid. Dans ce contexte, la France connaît une évolution particulièrement tumultueuse. Deux régences provoquent deux crises monarchiques dont viennent à bout deux cardinaux ministres. Des intrigues, des complots, des soulèvements populaires, une longue guerre aux frontières, autant d'éléments qui contribuent à la richesse de cette période.

Quatorze ans de flottement

La régence de Marie de Médicis (1610-1617)

A la mort d'Henri IV, le petit Louis XIII a huit ans et demi. La régence est confiée à la reine Marie de Médicis. Les régences sont toujours des périodes difficiles pour la monarchie. Le quadrillage administratif et policier du royaume est encore bien imparfait, ce qui laisse toute latitude aux grands seigneurs, aux parlements et aux protestants d'en profiter pour intriguer, obtenir des avantages et des concessions d'un pouvoir affaibli.

D'origine florentine, Marie de Médicis n'a ni l'habileté ni l'intelligence de son ancêtre, la reine Catherine. Elle subit rapidement les influences d'un étrange couple d'aventuriers italiens, Leonora Galigaï et son mari Concini. Les sages ministres d'Henri IV s'inclinent ou quittent le Conseil (Sully démissionne en 1611). La politique française change d'orientation et devient nettement pro-catholique et pro-espagnole. Un double mariage concrétise cette évolution. Louis XIII épouse l'infante, et sa jeune sœur l'infant d'Espagne. Un gouvernement qui apparaît dominé par les étrangers, l'amertume des princes du sang écartés du pouvoir, la coloration excessivement catholique et pro-espagnole de la politique française provoquent ainsi la première crise monarchique de cette période.

Marie de Médicis, Peter Paul Rubens, musée du Prado, Madrid (photo muséo del Prado).

Les protestants, regroupés derrière le duc de Rohan, s'inquiètent les premiers et exigent de la régente la confirmation de l'édit de Nantes. Les princes du sang (les princes de Condé, de Conti, le comte de Soissons) et les grands seigneurs (les ducs de Vendôme, de Guise, de Longueville, de Bouillon...) s'indignent des faveurs écrasantes dont jouit Concini, fabuleusement enrichi, devenu marquis d'Ancre et maréchal, et exigent de participer au pouvoir. Marie de Médicis croit les calmer en les couvrant à leur tour de pensions (4 millions de livres en 1611), mais, bien vite, les réserves accumulées par Sully sont dilapidées. Les grands se retirent en province où ils multiplient les prises d'armes (1613-1614). Sous la pression de ceux-ci, la régente doit convoquer les états généraux à Paris (octobre 1614-mars 1615). Elle parvient à manœuvrer et à exploiter les divisions des 474 représentants des trois ordres. Les états généraux n'aboutissent à rien. Ils ont permis cependant à l'évêque de Luçon, Richelieu, de faire apprécier son talent oratoire et son intelligence. En 1615 et 1616, la situation demeure confuse. Protestants et grands seigneurs intriguent, se soulèvent. Un début de redressement s'esquisse à la fin de 1616 lorsque la régente fait arrêter le prince de Condé et que Concini forme une nouvelle équipe ministérielle. Richelieu entre au gouvernement comme secrétaire d'État pour la Guerre et les Affaires étrangères.

Le coup d'État d'avril 1617

Assassinat de Concini,
Bibl. nat., Paris
(photo Hachette).

Élevé rudement, timide, mais pénétré de la grandeur de sa charge, Louis XIII, juridiquement majeur depuis octobre 1614, a été relégué à une place secondaire par la reine Marie, alors chef du Conseil, et son favori Concini. Le roi a trouvé dans un modeste gentilhomme provençal, Charles d'Albert de Luynes, un compagnon de chasse qui devient vite un confident politique. Brusquement, ce roi d'apparence effacée, mais qui supporte mal les humiliations infligées par Concini, se révèle. A quinze ans et demi il prépare un coup d'État contre le favori. Le 24 avril 1617, alors que Concini pénètre au Louvre, le marquis de Vitry, capitaine des gardes, l'arrête. Concini esquisse un geste, Vitry fait feu avec son pistolet. Au Louvre souffle alors un vent de révolution. Debout sur un billard, Louis XIII se fait applaudir par les courtisans. L'équipe ministérielle de Concini — dont Richelieu — est renvoyée. La reine mère est exilée à Blois et placée sous surveillance. Dehors, la foule parisienne se déchaîne contre l'Italien. Le corps de Concini est horriblement mutilé. Le parlement de Paris condamne Leonora Galigaï à la décapitation comme sorcière (juillet 1617).

Luynes favori (1617-1621)

Louis XIII ne prend pas totalement en main le pouvoir. Un nouveau favori remplace Concini. Comme l'Italien, Charles d'Albert de Luynes s'enrichit rapidement et cumule les charges. Très vite, l'opinion murmure. Le nouveau gouvernement que dirige Luynes manque de fermeté et d'audace. A l'extérieur, la politique française demeure favorable aux

Habsbourg et à la cause catholique, mais va souvent à l'encontre des intérêts mêmes du royaume. Le laxisme de la politique intérieure favorise la réapparition des opposants traditionnels. Les grands seigneurs se regroupent derrière la reine mère. Le 22 février 1619, Marie de Médicis, malgré son âge et son embonpoint, descend par une échelle de corde les quarante mètres de la façade du château de Blois et, son coffre à bijoux sous le bras, rejoint les grands à Angoulême. Luynes n'ose pas sévir, négocie avec la reine mère une paix hâtive (avril 1619). Dès 1620, une nouvelle prise d'armes a lieu. Louis XIII disperse les troupes rebelles aux Ponts-de-Cé près d'Angers (7 août 1620). Très habile, Richelieu noue le dialogue entre la mère et le fils. Marie, pardonnée, rentre à Paris où elle fait construire le palais du Luxembourg. Richelieu devient cardinal en 1622, mais ne parvient pas à gagner la confiance de Louis XIII.

La menace militaire du parti protestant demeure. En septembre et octobre 1620, le roi et Luynes ont rétabli par la force le catholicisme en Béarn (rétablissement prévu depuis 1595). Dès la fin de 1620, les protestants se soulèvent dans le Sud-Ouest. Le roi et son favori interviennent militairement en 1621, remportent quelques succès, mais échouent devant Montauban. Une scarlatine emporte brusquement Luynes (décembre 1621).

Désormais dépourvu de confident, Louis XIII poursuit la lutte contre les protestants, remporte des victoires, échoue devant Montpellier et doit finalement accepter de négocier. En 1622, l'édit de Nantes est reconduit et les protestants obtiennent de nouveaux avantages militaires. Douze ans après la mort d'Henri IV, le royaume pâtit toujours de l'absence d'une direction ferme et d'une vision large des affaires. Le roi souffre de la situation. Une seule personne se fait remarquer au Conseil par la sagesse de ses avis, c'est la reine mère conseillée par Richelieu. Malgré son aversion à l'égard d'un ancien fidèle de Concini, Louis XIII accepte de faire entrer le cardinal de Richelieu au Conseil (29 avril 1624).

Louis XIII et Richelieu

La monarchie bicéphale

La principale innovation de la période, c'est l'introduction en France du ministériat. Entre deux êtres dissemblables, mais également attachés à la grandeur de l'État, s'installe progressivement une collaboration qui, au travers des épreuves, dure dix-huit ans. En effet, Louis XIII (né en septembre 1601) n'a jamais abandonné ses pouvoirs. A la fois autoritaire et timide, d'une dureté parfois excessive, ce roi connaît ses limites et est sensible aux vues amples, à la volonté impérieuse de rétablir la France qui animent Richelieu. Si le roi laisse faire son ministre, il se tient informé en permanence, annote en marge les rapports, intervient souvent. La tuberculose, l'entérite chronique ont eu raison très tôt de la santé de ce roi courageux, qui paie de sa personne, mène lui-même ses armées au combat, parcourt sans cesse son royaume qu'il connaît bien. S'il n'est pas un grand stratège, Louis XIII est un bon organisateur militaire. Grand chasseur, musicien, bon danseur, il est en revanche peu sensible aux belles-lettres. Il refuse — par avarice — la dédicace du *Polyeucte* de Corneille. Ce roi austère, qui a eu une enfance triste et bégaie légèrement, est un être solitaire, chaste, qui voit souvent dans la femme le péché, mais qui est capable de brusques et platoniques passions à l'égard de jeunes femmes (Marie de Hautefort, Louise de Lafayette), voire de jeunes hommes (Cinq-Mars). L'absence de dauphin est le grand drame du règne et l'une des causes des multiples complots. Enfin, en 1638, après vingt-deux ans de mariage, Anne d'Autriche donne le jour à Louis Dieudonné, futur Louis XIV.

Issu d'une famille noble poitevine, Armand du Plessis de Richelieu (1585-1642) devient homme d'Église pour conserver à sa famille appauvrie le siège épiscopal de Luçon. Intelligent, cultivé, doté d'un esprit très clair, Richelieu arrive au pouvoir grâce à son extrême souplesse, son ambition. Sous le Richelieu de la légende, vêtu de satin rouge, sec, autoritaire, impérieux, ayant le goût du faste, se cache un autre personnage, très pieux, acharné au travail en dépit d'une mauvaise santé, se levant la nuit pour étudier un dossier, anxieux, décidé à réduire sans les écraser les protestants — le cardinal est assez tolérant —, résolu à mettre au pas la grande noblesse et à relever à l'extérieur la puissance française. Des ecclésiastiques comme le père Hyacinthe, le père Joseph ont apporté au cardinal tout leur dévouement dans son immense tâche.

Louis XIII, Philippe de Champaigne, musée du Louvre (photo Hachette).

Richelieu, Philippe de Champaigne, musée du Louvre (photo Hachette).

Le siège de la Rochelle,
gravure de Jacques
Callot, témoin direct
de l'événement
(photo Hachette).

Les débuts de Richelieu

Lorsque, en avril 1624, le cardinal entre au Conseil, il trouve une situation médiocre et inquiétante. A l'intérieur, la menace armée du parti protestant commandé par le duc de Rohan persiste. On peut craindre une reprise des guerres de Religion. A l'extérieur, la position de la France est affaiblie. Des années de politique pro-catholique ont laissé le champ libre aux Habsbourg : la France est menacée d'être encerclée comme au temps de Charles Quint. L'armée espagnole commandée par un Italien, Spinola, passe pour la meilleure du monde (victoire de Bréda, 1625). Les milieux dirigeants français sont divisés. Les pamphlets jouent alors un grand rôle. Autour de la reine mère, de Gaston d'Orléans, frère du roi, de Bérulle, un parti dévot et pro-espagnol s'est formé auquel s'oppose le parti des « bons Français » favorable à la résistance aux Habsbourg et qu'anime un bouillant polémiste, le chanoine Fancan.

Richelieu apparaît d'abord comme la créature de la reine mère, l'agent des dévots ; mais, animé au plus haut point du sens de l'intérêt national, le cardinal évolue, estime qu'il faut relâcher la pression espagnole dans les Alpes (d'où l'expédition de 1624 en Valteline) et, finalement, se rallie, vers 1629, au point de vue des « bons Français » en optant pour la résistance à l'Espagne. En favorisant le redressement intérieur, en soutenant la grandeur extérieure, Richelieu gagne peu à peu la confiance complète du roi. Il est « principal ministre » en novembre 1629, mais cette nomination lui attire la colère, puis la haine de la reine mère et des dévots. Les années 1624-1630 sont des années difficiles, marquées de multiples événements.

Sitôt au pouvoir, Richelieu affronte les intrigues des grands seigneurs, qui n'hésitent pas à le défier, mais, cette fois, la fermeté du pouvoir est manifeste. Autour de Gaston d'Orléans, les princes du sang conspirent et tentent de faire assassiner le cardinal. L'affaire échoue et l'un des comploteurs, le comte de Chalais, est exécuté dans des conditions atroces à Nantes (19 août 1626). Même inflexibilité à l'égard du comte de Montmorency-Bouteville, exécuté pour avoir contrevenu à l'édit interdisant le duel (juin 1627). Sur ordre du roi, de nombreux châteaux médiévaux sont démantelés afin de priver d'abris sûrs d'éventuels rebelles. A la fin de 1626, devant une assemblée de notables, Richelieu présente, avec l'aide du garde des Sceaux Marillac, un vaste plan de réforme du royaume. Le cardinal, impressionné par la montée en puissance des Provinces-Unies, se passionne dès cette époque pour le commerce maritime, multiplie les aménagements portuaires, encourage la formation des premières compagnies françaises de commerce colonial.

A la fois pour briser la puissance militaire protestante et pour s'assurer le contrôle complet des ports atlantiques, le cardinal engage, de 1627 à 1628, une guerre tenace contre La Rochelle, soutenue par les troupes anglaises du duc de Buckingham. L'armée royale encercle la ville. Richelieu fait édifier par l'architecte Métezeau une solide digue qui interdit aux Rochelais tout secours par la mer. Dévastée par la famine (20 000 morts, probablement), la ville que dirige Jean Guitton se rend en octobre 1628. Tous les privilèges de La Rochelle sont abolis, les remparts rasés, le culte catholique réintroduit, le cardinal tolère toutefois la religion réformée et Guitton servira dans la marine royale. En 1629, l'armée royale défait l'armée protestante du duc de Rohan. Louis XIII accorde alors aux protestants la grâce d'Alès (28 juin 1629) dans laquelle on retrouve le même esprit de tolérance qu'à La Rochelle. Les places de sûreté protestantes sont supprimées, cependant que toutes les garanties religieuses, civiles et juridiques de l'édit de Nantes sont maintenues.

Une exécution horrible
Le jour fixé pour l'exécution du comte de Chalais, on découvre que le bourreau et sa hache ont été enlevés par des amis du condamné. Le pouvoir royal ne fléchit pas. On propose à un cordonnier, condamné à être pendu, sa grâce s'il se charge de la besogne. L'apprenti bourreau utilise une épée de Suisse qu'il ne sait pas manier. Il taillade le cou du malheureux condamné qui tombe à côté du billot. Il faut remettre en place le condamné et l'apprenti bourreau, à l'aide d'une doloire (outil tranchant utilisé par les tonneliers), s'acharne sur Chalais qui gémit. Près de trente coups sont nécessaires pour détacher la tête du corps, encore faut-il retourner le corps face vers le ciel pour achever l'horrible besogne.

1630-1635, les années décisives

Au moment même où les protestants français cessent de former un État dans l'État, la diplomatie française adopte une attitude résolument anti-espagnole. Dans les Alpes italiennes, en 1629 et 1630, la France intervient deux fois pour soutenir de petits États contre les Habsbourg de Madrid. Une garnison est maintenue à Pignerol. Cette évolution provoque l'inquiétude du parti dévot. Soutenu par la reine mère et par Gaston d'Orléans, le garde des Sceaux Marillac plaide en 1630 la cause de la paix et de la bonne entente avec l'Espagne. Il fait remarquer au roi la misère du pays — 1630 est une année de surmortalité —, la nécessité de la paix pour réformer en profondeur le royaume, soulager un peuple trop souvent agité par des ferments de révolte. En face, Richelieu et le parti des « bons Français » plaident en faveur d'une politique de grandeur et d'opposition à l'expansionnisme dangereux des Habsbourg, soulignent l'importance de constituer une marine de guerre, de financer les puissances protestantes pour affaiblir les Habsbourg (pratique de la « guerre couverte »), d'avancer avec prudence (afin de retarder la « guerre ouverte ») en cherchant à s'emparer de passages stratégiques en vue d'interventions possibles en Allemagne ou en Italie.

Le roi hésite. Une crise violente hâte le dénouement. Le 10 novembre 1630, au palais du Luxembourg, la reine mère exige de son fils le renvoi du cardinal. Soudain Richelieu apparaît, la reine mère s'emporte, injurie le cardinal qui, en larmes, se jette à ses pieds. Le roi, silencieux, quitte le palais. Les courtisans croient à la victoire des dévots, mais Louis XIII, retiré dans son pavillon de chasse à Versailles, fait venir Richelieu et lui accorde toute sa confiance. C'est la « journée des Dupes ». Michel de Marillac est destitué, son frère décapité, Gaston d'Orléans en fuite, la reine mère prend le chemin de l'exil définitif (juillet 1631). Dès lors, la situation se clarifie, la priorité passe à la politique étrangère et à une attitude de résistance, puis de harcèlement de la puissance espagnole, qui va faire de la France une puissance politique majeure, mais au prix de l'abandon des projets de réformes et de bien des souffrances.

Prudent, Richelieu maintient de 1630 à 1635 la pratique de la guerre couverte. La France n'intervient qu'indirectement dans la guerre de Trente Ans. Elle combat les Habsbourg par puissance interposée, en soutenant la Bavière catholique et surtout certaines puissances protestantes en lutte contre l'empereur, comme les Provinces-Unies et la Suède de Gustave-Adolphe et de sa fille Christine. La défaite de l'armée suédoise à Nördlingen, en 1634, fait craindre à nouveau une hégémonie des Habsbourg sur l'Europe. Richelieu renforce les alliances avec les Provinces-Unies, la Suède, les princes protestants allemands et, le 19 mai 1635, la France déclare la guerre à l'Espagne.

Les opérations militaires

La guerre commence mal pour la France. Dès 1635, les galères espagnoles s'emparent des îles de Lérins et menacent Marseille. Alors que la France traverse en 1636 une crise intérieure grave, les armées espagnoles envahissent la Bourgogne jusqu'à Saint-Jean-de-Losne. En août, les Espagnols s'emparent de Corbie en Picardie, des cavaliers espagnols s'approchent de Pontoise. Dans un Paris enfiévré, Richelieu et Louis XIII réussissent à enrôler 40 000 hommes, réquisitionnent les carrosses et reprennent Corbie en novembre.

Tirant la leçon des échecs, Richelieu perfectionne l'organisation militaire. L'archevêque de Bordeaux, Sourdis, commande les galères et reprend les îles de Lérins en 1637. Des intendants sont envoyés près des armées pour assurer un meilleur approvisionnement et faire régner une discipline plus stricte. De nombreux mercenaires sont enrôlés. L'un d'eux, Bernard de Saxe-Weimar, en 1638, occupe l'Alsace qui passe peu à peu sous contrôle français. Brisach, sur la rive droite du Rhin, tombe. Les routes terrestres de ravitaillement espagnol sont coupées. Les effectifs des forces françaises s'accroissent. La marine de guerre compte, en 1642, 65 vaisseaux de ligne et 22 galères. Sur terre, pour la première fois, l'armée dépasse 100 000 hommes (150 000 soldats en 1638). De tels efforts expliquent les exigences fiscales de l'époque.

Alors qu'à partir de 1640 l'Espagne épuisée connaît d'inquiétantes révoltes en Catalogne et au Portugal, et que le ministre Olivares est disgracié, la situation militaire française se redresse. Au Nord, Hesdin tombe en 1639, Arras en 1640, Bapaume en 1641. Au Sud, le cardinal soutient le soulèvement catalan. Les armées royales s'emparent du Roussillon, Perpignan tombe en septembre 1642. Richelieu meurt le 4 décembre 1642. A cette date, la France est agrandie, elle possède des portes dans les Alpes et sur le Rhin, elle a porté de rudes coups à l'Espagne et a empêché la jonction des deux branches Habsbourg. Lorsque, au printemps 1643, Philippe IV d'Espagne apprend que Louis XIII est tombé en agonie, il lance à partir des Pays-Bas espagnols une armée de 25 000 hommes qui assiège Rocroi, sur la vallée de l'Oise. Le duc d'Enghien — futur prince de Condé — y écrase les Espagnols, le 19 mai 1643 (8 000 morts, 7 000 prisonniers). La régence d'Anne d'Autriche s'ouvre sur une victoire éclatante.

Une nouvelle arme
Le mousquet prend désormais la place de l'arquebuse dans les armées. Cette arme porte jusqu'à 200 mètres, mais son poids est excessif et il faut, pour tirer, l'appuyer sur une fourche de 1,50 mètre de haut. Le chargement de l'arme nécessite beaucoup de temps. On doit introduire d'abord la poudre, la tasser, mettre une bourre, enfin la balle. La mise à feu se fait à l'aide d'une mèche enflammée dont le mousquetaire ne doit jamais se séparer. Les Suédois de Gustave-Adolphe perfectionnent le mousquet en l'allégeant et en inventant la cartouche.

Le raidissement du pouvoir

La gazette de Renaudot (photo Hachette).

La guerre couverte puis ouverte favorise une montée de l'absolutisme. Par des moyens souvent brutaux, Richelieu s'acharne à reconstruire l'autorité monarchique. Le cardinal est aidé dans sa tâche par une équipe d'hommes dévoués. Séguier, Bouthillier, Chavigny, Abel Servien, les Phelypeaux, le père Joseph, Jules Mazarin... ont la confiance du cardinal dont la vie est plusieurs fois menacée par des complots. D'où la mise en place d'une police, d'une nuée d'indicateurs et d'espions (particulièrement en Espagne) à la solde de Richelieu. Soucieux de justifier une politique étrangère mal comprise, mal acceptée, le cardinal entretient des pamphlétaires, utilise la *Gazette*, lancée en 1631 par Renaudot, à laquelle il confie parfois quelques articles écrits de sa main. Les institutions évoluent. Au Conseil du roi, les grands seigneurs disparaissent au profit d'officiers, de magistrats. Ainsi s'annoncent pour ces gens de robe — on parle des

« robins » — les débuts d'une ascension politique et sociale. Les parlements craignent la poigne du cardinal. En 1631 et en 1641, des édits limitent leurs remontrances. En 1632, le roi autorise son Conseil à casser les arrêts des parlements jugés contraires aux intérêts de la monarchie. Les états généraux ne sont plus convoqués, les élections municipales sont toujours contrôlées, les états provinciaux siègent irrégulièrement. Les châteaux forts sont démantelés. En province, le pouvoir royal contrôle de près les gouverneurs. L'exécution, en 1632, d'Henri de Montmorency, gouverneur de Languedoc en révolte ouverte contre le roi, est un symbole. La principale innovation de la période, c'est l'envoi en mission d'intendants.

Ces « commissaires départis » dont l'activité remonte à Henri II reçoivent de vastes pouvoirs de Richelieu : application locale des ordres du roi ; surveillance de la justice, de la répartition des tailles, de la discipline des troupes ; répression des complots. Dévoués, rapides et surtout révocables, ces intendants sont les agents privilégiés de l'absolutisme. Ils sont d'ailleurs redoutés et haïs des autres officiers au comportement quasi indépendant.

Partisan du mercantilisme, le cardinal s'est intéressé de près aux problèmes économiques. Colbert reprendra cette politique. Richelieu a cherché à protéger les manufactures de soieries, de tapisseries, d'objets de luxe par un tarif douanier favorable. Il fait rechercher les mines, favorise l'achèvement du canal de Briare.

De plus, il a cherché à susciter l'intérêt des Français pour le commerce maritime lointain, et permis aux gentilshommes d'y participer. Il a multiplié les travaux dans les ports de Dieppe, Fécamp, Le Havre, Saint-Malo, Nantes, Brouage, Bordeaux, encouragé la formation de plusieurs compagnies de commerce colonial. A cette époque est fondé Montréal (1642). Les Français s'installent à Saint-Louis du Sénégal (1626), à la Guadeloupe et à la Martinique (1635). Toutefois, ces efforts ont été grandement contrecarrés par la guerre, le renversement de la conjoncture économique et surtout l'excessive pression fiscale.

C'est que, pour alimenter le conflit contre les Habsbourg, les besoins sont énormes. Les réformes envisagées en 1626 sont abandonnées. Le pouvoir royal a vite recours aux expédients pour remplir les caisses du Trésor. La taille, la gabelle sont augmentées, on a souvent recours à des « crues » (prélèvements exceptionnels pour l'entretien des armées). On estime que le total des impôts passe en France de 31 millions de livres en 1620 à 118 millions en 1641... Cela ne suffit pas, la monarchie recourt alors aux emprunts, qui augmentent la dette publique, d'où les mutations monétaires qui permettent au trésor royal de rembourser en monnaie dévaluée. Bien que très hostile au principe, Richelieu laisse mettre en vente les offices. Le pouvoir royal vend à de riches bourgeois des offices de magistrature (certains parlements voient leurs effectifs doubler), de finances. On crée même des charges de « chauffe-cire », de « contrôleur-relieur de comptes » ! Cette pratique nuit à long terme aux intérêts de la monarchie dans la mesure où il faut rétribuer le titulaire de l'office pour le service qu'il rend et surtout en raison de l'exemption courante à la taille du nouvel officier.

Les oppositions

Marie de Rohan, duchesse de Chevreuse, Bibl. nat., Paris (photo Hachette).

L'exécution de Cinq-Mars, Bibl. nat., Paris (photo Hachette).

Le soulèvement Nu-Pieds, Bibl. nat., Paris (photo J.-L. Charmet).

Mal comprise, jugée excessive, la politique de Richelieu a été attaquée en permanence. Richelieu s'est maintenu au pouvoir au prix d'une sévère répression des complots ourdis par les grands et des insurrections nées dans les milieux paysans ou citadins.

Les grands seigneurs, derrière Mme de Chevreuse et Monsieur, frère du roi, une partie de l'entourage de la reine Anne d'Autriche et quelques dévots complotent sans cesse et spéculent longtemps sur la fragilité du règne. Jusqu'en 1638, l'héritier légitime de la couronne reste Gaston d'Orléans — Monsieur —, personnage léger, souvent lâche, mais très hostile au cardinal. Dans ces multiples intrigues, on trouve souvent la main ou l'argent d'Olivares et de l'Espagne. Ces complots confèrent au règne de Louis XIII un étrange parfum mi-romanesque, mi-tragique. On correspond par lettres chiffrées, on code les noms, on utilise de l'encre sympathique (fabriquée avec du jus de citron). Des couvents comme le Val-de-Grâce servent de boîtes aux lettres. Chaque fois, le cardinal, suspicieux à l'extrême, veille, lance la meute de sa police et de ses espions, déjoue les conspirations. Le cardinal est intraitable. Sur son ordre, en 1637, le chancelier Séguier fouille les appartements de la reine Anne et, pire encore, ose porter la main dans le corsage de la reine pour y saisir un billet compromettant... C'est que les complots sont nombreux. Après celui de Chalais (1626), on relève la révolte d'Henri de Montmorency (1632) puis, en 1636, une tentative d'assassinat contre le cardinal montée par le comte de Soissons et Monsieur. En 1637, on découvre que la reine correspond en pleine guerre avec Madrid et Bruxelles. En 1641, le comte de Soissons à la tête d'une troupe espagnole se risque à une invasion du pays. En 1642 enfin, la police du cardinal déjoue la conspiration nouée par Cinq-Mars et de Thou avec l'aide de l'Espagne.

Les soulèvements populaires — on parle des « émotions » — sont d'une nature différente. Ils n'obéissent pas à une volonté politique précise, ils sont plutôt des explosions de colère et de désespoir créées par une pression fiscale excessive alors que se multiplient les mauvaises récoltes. A Dijon en 1630, en Guyenne et en Languedoc en 1635, dans le Sud-Ouest mais aussi à Amiens, Rouen, Rennes en 1636 et en 1637, en 1639 en Languedoc, Provence et Normandie, en 1640 à Rennes, en 1643 dans l'Ouest... éclatent de violentes émeutes antifiscales. Sous-alimentée, la foule paysanne ou citadine s'en prend aux agents du fisc. On trucide quelques gabeleurs, on forme à la hâte une armée qu'encadrent souvent quelques petits gentilshommes ou quelques prêtres. Ces mouvements qui éclatent en pleine guerre sont une menace redoutable pour le gouvernement. Souvent, les parlements locaux, certaines municipalités ont une attitude ambiguë. La répression royale ne faiblit pas cependant comme en témoigne l'écrasement en 1639 des pauvres « Va-nu-pieds » en Normandie.

Anne d'Autriche et Mazarin

La régente et son ministre

Anne d'Autriche,
Rubens, musée du
Louvre (photo
Hachette).

Après six semaines d'agonie, Louis XIII s'éteint le 14 mai 1643 à Saint-Germain. Louis XIV n'a pas cinq ans ; sa mère, Anne d'Autriche, s'installe à Paris, fait annuler le testament de son mari qui limitait les pouvoirs de la régente et Jules Mazarin devient principal ministre.

Anne d'Autriche, qui appartient à la famille des Habsbourg de Madrid, devient régente à quarante-deux ans. Cette femme blonde encore très belle, aux mains fines, qui aime les bijoux et la vie de cour a souffert bien des humiliations de Louis XIII et de Richelieu. Très attachée à ses deux fils, Louis et Philippe, cette reine pieuse, mais sans expérience politique, a la sagesse de confier la direction des affaires à un Italien d'une subtilité et d'une intelligence remarquables. Entre la régente et le cardinal Mazarin — qui n'a jamais été ordonné prêtre — s'est établi au fil des ans un lien d'estime et peut-être un peu plus, comme le laissent entendre les tendres lettres qu'ils échangent. Jules Mazarin (1602-1661) reprend, mais avec moins de brutalité, la politique de lutte contre l'Espagne. Très soigné de sa personne, collectionneur avisé, d'esprit toujours enjoué, le cardinal a commencé sa carrière comme officier du pape, puis est passé au service de Richelieu. Affable, adroit, Mazarin est un négociateur hors pair, mais qui abuse des petits moyens et dont la gestion des affaires publiques n'est guère rigoureuse.

Jules Mazarin,
gravure de
R. Nanteuil,
Bibl. nat., Paris
(photo Hachette).

Diriger la France alors que le roi n'a pas cinq ans, que le principal ministre est étranger, qu'à la surprise générale il poursuit la guerre contre l'Espagne, n'est pas chose aisée. On constate dès 1643 la réapparition de signes d'opposition. Les émotions populaires ne cessent pas, en province bien des parlementaires et des officiers se permettent des audaces. Dès septembre 1643, une tentative d'assassinat contre Mazarin est déjouée. Compromise une fois de plus, Mme de Chevreuse est exilée, le duc de Beaufort embastillé. Mazarin qui n'est pas un homme sanguinaire réagit sans excès. Au fil des ans, l'étrange alliance d'une reine d'origine espagnole et d'un ministre italien provoque, comme sous Marie de Médicis, murmures, calomnies et finalement rébellions de milieux divers qui entendent bien profiter d'une période où le pouvoir est réputé plus faible pour desserrer l'empreinte absolutiste. Enfin, les astuces financières douteuses auxquelles se livre le surintendant (italien lui aussi) Particelli d'Emery pour financer la guerre, l'éclatement en Angleterre en 1642 de la révolution (Charles Ier est décapité en 1649), les très mauvaises récoltes de 1648-1651 favorisent l'éclatement d'une crise intérieure grave mais confuse : la Fronde.

La Fronde (1648-1653)

Le fait qu'on ait donné à ces cinq années d'agitation le nom d'un jeu d'enfant souligne bien le caractère étrange, tumultueux, de cette opposition à la fois aristocratique, bourgeoise et populaire, mais sans programme commun ni chef unique. Les impôts nouveaux imaginés par Particelli d'Emery, la réduction autoritaire de la dette publique, le retard dans le paiement des rentes sur l'Hôtel de Ville, la création accélérée d'offices déclenchent le mécontentement à Paris. Beaucoup d'officiers et de magistrats redoutent de voir ainsi diminuer la valeur de leur charge. La Fronde parlementaire éclate entre mai et juillet 1648. Les magistrats parisiens des cours souveraines (Parlement, Chambre des comptes, Cour des aides, Grand Conseil) se réunissent et rédigent un vaste programme de réforme du royaume : suppression des intendants, vote des impôts par les cours souveraines, interdiction d'emprisonner une personne plus d'une journée sans la présenter à un juge, limitation de la création des offices... Ces projets d'allure révolutionnaire mettent la monarchie en tutelle, annihilent l'œuvre de Richelieu et, surtout, provoquent l'enthousiasme de la foule parisienne au moment où les troupes royales sont sur la frontière. Mazarin et la reine font semblant de céder (26 juillet), mais, après la victoire de Condé sur les Espagnols à Lens, ils réagissent. Le 26 août, Mazarin et la reine font arrêter Broussel, conseiller au parlement et élément moteur de la contestation. La foule se soulève et Paris se couvre de 1 200 barricades. Le Palais-Royal, où réside la reine, est encerclé. Il faut négocier. Broussel relâché, les barricades disparaissent (28 août). Cependant, le coadjuteur de Paris, Jean François Paul de Gondi, futur cardinal de Retz, entretient l'agitation populaire. Le parlement prétend toujours contrôler la monarchie. Alors que les troupes de Condé atteignent les environs de Paris, la reine, ses fils et Mazarin quittent secrètement Paris dans la nuit du 5 au 6 janvier 1649 pour s'installer dans le froid et l'inconfort — on dort sur la paille — à Saint-Germain-en-Laye. Toute sa vie, Louis XIV se méfiera de la foule et du parlement. A Paris, c'est le déchaînement, le parlement lève une milice et prend en charge le gouvernement. Près de 4 000 pamphlets attaquent Mazarin (les *mazarinades*). De grands seigneurs et de grandes dames (le prince de Conti, le duc et la duchesse de Longueville, les ducs de Bouillon et de Beaufort, Gondi, Mme de Chevreuse, la Grande Mademoiselle, fille de Gaston d'Orléans) rallient le mouvement. L'armée de Condé fait le blocus de la capitale. Les insurgés se divisent entre eux. Le 11 mars 1649, à Rueil, un accord est conclu avec la régente qui regagne Paris en août.

Le cardinal de Retz (photo Hachette).

Un attroupement à
Paris contre Mazarin,
Bibl. nat., Paris (photo
J.-L. Charmet).

Le prince de Condé,
Coysevox, musée de
Chantilly (photo
Giraudon).

La Fronde connaît une seconde explosion avec la Fronde des princes (janvier-décembre 1650). Très orgueilleux, ayant conscience d'avoir sauvé la monarchie, le prince de Condé multiplie les insolences et prétend remplacer Mazarin. La reine et son ministre font arrêter brusquement Condé, Conti et le duc de Longueville (18 janvier 1650). L'agitation reprend aussitôt, mais cette fois en province où la duchesse de Longueville et la princesse de Condé favorisent des soulèvements. L'armée royale, que dirige Mazarin, l'emporte cependant sur tous les fronts (octobre-décembre 1650).

L'annonce de la victoire de Mazarin provoque une troisième explosion. Gondi et les parlementaires parisiens s'agitent à nouveau, défendent les princes. C'est l'union des deux Frondes (décembre 1650-septembre 1651). Le 3 février 1651, le parlement exige le renvoi du ministre. Mazarin quitte la France le 6 février, fait libérer Condé et spécule sur l'inévitable désunion des magistrats, des princes et de la foule parisienne. En correspondance régulière avec la reine restée à Paris, Mazarin dirige le royaume en sous-main. Très vite, les frondeurs se querellent. Les hommes de Condé manquent de peu d'étrangler Gondi ! Condé finit par se retirer en Guyenne.

Commence alors la dernière phase du mouvement, la plus violente, la plus anarchique : la Fronde condéenne (septembre 1651-août 1653). Une insurrection populaire, l'Ormée, éclate à Bordeaux. Le prince de Condé s'y installe, soulève une partie des provinces et s'allie à l'Espagne. La reine et l'armée royale, dirigée par Turenne, le poursuivent. Condé gagne alors le Nord pour s'emparer de Paris, est battu à Bléneau (avril 1652) et ensuite sous les murs de Paris (2 juillet 1652). La Grande Mademoiselle sauve l'armée de Condé en faisant ouvrir les portes de la capitale et tirer au canon sur l'armée royale. A Paris, Condé se querelle à nouveau avec les magistrats, s'appuie sur les éléments populaires les plus extrémistes. Des massacres ont lieu à l'Hôtel de Ville le 4 juillet 1652. La reine et l'armée royale entourent Paris. La lassitude joue en faveur de la monarchie.

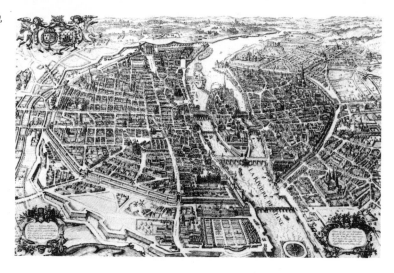

Le 13 octobre, Condé s'enfuit et se met au service de l'Espagne. Le 21 octobre, Anne d'Autriche et Louis XIV entrent à Paris sous les applaudissements. Quelques parlementaires et grands seigneurs sont exilés. Mazarin revient à Paris le 3 février 1653. En août, l'ordre règne à Bordeaux.

Le rétablissement de l'ordre

Après avoir subi les affres de la guerre civile, la France connaît enfin le calme dans les dernières années du ministère Mazarin (1653-1661). Quelques soulèvements antifiscaux ont lieu, tandis que Gondi continue en vain de nouer de complexes intrigues. Aidé par une équipe ministérielle dévouée et adroite (Séguier, Lionne, Le Tellier, Servien et surtout Fouquet), Mazarin initie le jeune roi au gouvernement du royaume, achève victorieusement la longue guerre contre l'Espagne et, surtout, renforce l'absolutisme. Les intendants réapparaissent en province, les parlements sont muselés. Le seul point noir reste la situation financière désastreuse du pays. Les expédients apparus sous Richelieu sont d'un usage permanent.

Les victoires françaises

En dépit de la Fronde, Mazarin a poursuivi la politique anti-Habsbourg. Après Rocroi (1643), les troupes françaises l'emportent à Fribourg-en-Brisgau (1644). A côté du duc d'Enghien, devenu en 1646 prince de Condé, et une nouvelle fois victorieux à Lens (20 août 1648), la guerre révèle un autre talent militaire : Turenne, victorieux à Nördlingen (1645) qui envahit la Bavière en 1648. L'empereur Habsbourg de Vienne négocie alors les traités de Westphalie (24 octobre

1648) qui mettent fin à la guerre de Trente Ans. La France reçoit l'Alsace sans Strasbourg et devient garante avec la Suède des « libertés germaniques », ce qui donne à ces deux pays toute latitude d'intervention dans une Allemagne que les Habsbourg ne peuvent plus unifier et qui reste pour longtemps divisée en plus de 350 États.

La France en 1659.

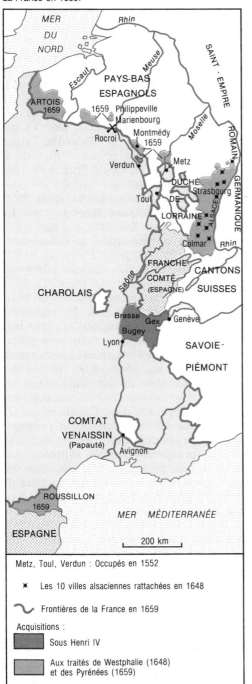

Metz, Toul, Verdun : Occupés en 1552

✖ Les 10 villes alsaciennes rattachées en 1648

〜 Frontières de la France en 1659

Acquisitions :

[gris foncé] Sous Henri IV

[gris clair] Aux traités de Westphalie (1648) et des Pyrénées (1659)

La guerre cependant se poursuit entre la France et les Habsbourg de Madrid.

Révolté, le prince de Condé se met au service de l'Espagne et la guerre franco-espagnole oppose vite les deux grands chefs militaires français : Condé et Turenne. Sur la frontière du Nord, Turenne grignote lentement les positions espagnoles. Tout se dénoue en 1658. Avec l'aide des princes allemands et de l'Angleterre de Cromwell, Turenne bat l'armée de Condé aux Dunes près de Dunkerque (14 juin 1658). Le roi d'Espagne accepte de négocier.

Après de longs pourparlers à la frontière franco-espagnole, Mazarin conclut, avec Philippe IV d'Espagne, la paix des Pyrénées (4 juin 1659). La France obtient le Roussillon, la haute Cerdagne, l'Artois, Thionville, Montmédy. Le mariage de Louis XIV avec Marie-Thérèse, fille de Philippe IV, est conclu. Moyennant le versement à la France de la somme fabuleuse de 500 000 écus d'or, Marie-Thérèse renonce à ses droits à la succession (en Espagne, il n'y a pas de loi salique, les femmes peuvent régner). Mazarin calcule — avec justesse — que le trésor espagnol ne pourra verser une telle somme. Les droits de Marie-Thérèse sont, de ce fait, garantis. Enfin, le prince de Condé obtient son pardon et rentre en France.

Louis XIV épouse l'infante à Saint-Jean-de-Luz le 26 août 1660. Mazarin meurt le 9 mars 1661. La cour prend le deuil. A partir de ce moment, Louis XIV dirige en personne le pays. Atteinte d'un cancer au sein, Anne d'Autriche s'éteint le 20 janvier 1666.

Le royaume dans ses profondeurs

Le retournement de la conjoncture

Le phénomène de récupération démographique apparu sous Henri IV se poursuit jusqu'aux environs de 1640, date à laquelle on dénombre de 20 à 22 millions d'habitants. La régence d'Anne d'Autriche et particulièrement les années de la Fronde ont été marquées par une baisse sensible de population (sans doute 18 ou 19 millions vers 1662). Une série de calamités explique ce retournement. Sous le règne de Louis XIII, la poussée pesteuse est impressionnante. En 1628-1629, la moitié peut-être de la ville de Lyon périt. Les émeutes populaires nombreuses et les ravages exercés par les soldats dans les provinces frontalières (Picardie, Champagne, Bourgogne) ou à l'intérieur du royaume lors de la Fronde (épouvantables destructions en Ile-de-France en 1649 et 1652) sont des facteurs de surmortalité.

Les accidents météorologiques ont été nombreux après 1630. La tendance aux hivers froids se confirme. Avec le froid, les loups suivent. Depuis les guerres de Religion, qui ont laissé derrière elles tant de cadavres, on remarque un déferlement des loups sur le royaume. En 1595, en plein Paris, un enfant est attaqué par un loup ! Depuis 1600, des chasses aux loups seigneuriales sont organisées tous les trois mois. Le froid n'est pas le seul responsable des médiocres récoltes de la fin du règne de Louis XIII et de la régence. Interviennent également les grêles, les gels tardifs et surtout les étés trop humides qui empêchent la maturation des céréales et provoquent même leur pourriture. D'où les mauvaises récoltes de 1621-1622, 1625-1626, 1629-1630, 1636-1637, 1648-1651, 1660-1662, qui favorisent les crises de surmortalité et les grands mouvements de vagabondage. La période est dure pour un peuple soumis à une forte pression fiscale et qui n'a pas toujours eu conscience de la grandeur de la politique royale. Les activités artisanales et commerciales connaissent le même retournement. La prospérité semble soutenue jusqu'en 1630-1640, comme le montrent la courbe générale des prix plutôt à la hausse et l'activité importante des métiers du bâtiment (nombreux hôtels particuliers dans le Marais ou dans l'île Saint-Louis), puis on observe un fléchissement sous la régence. Il y a alors pénurie d'espèces, les prix sont à la baisse. Les compagnies de commerce imaginées par Richelieu périclitent.

Les conséquences sociales

La succession de mauvaises récoltes, alors que les impôts royaux augmentent — il est courant de trouver des villages avec une, deux ou trois années d'arriérés de taille —, conduit nombre de petits paysans à vendre leur tenure. Beaucoup de petits seigneurs touchés par la baisse des prix et les dépenses excessives entraînées par la guerre ou la vie citadine, aliènent également leurs biens. Ce sont généralement des bourgeois commerçants et surtout des magistrats, des officiers, qui rachètent ces tenures. Moyen de placement, la terre permet aussi de faire illusion et de masquer des origines roturières. Parce que les roturiers sont lourdement soumis à la taille et que la possession d'un office permet souvent de s'en affranchir, de nombreux bourgeois n'hésitent pas à engager des sommes importantes dans l'achat de charges que Richelieu et Mazarin multiplient largement. Cette « ruée » sur les offices (de 40 à 50 000 officiers en 1661) a des conséquences économiques néfastes. Elle détourne un groupe riche de la manufacture, du commerce, de la banque — il n'y a toujours pas de grande banque française à l'image de celle d'Amsterdam. Elle accentue enfin une certaine paralysie de l'économie française.

Le bal à la cour,
gravure d'A. Bosse
(photo Hachette).

*Mendiant à la jambe
de bois,* gravure de
J. Callot (1622)
[photo J.-L. Charmet].

*Saint Vincent de Paul
et l'hôpital des Enfants
trouvés,* anonyme,
musée de l'Assistance
publique, Paris
(photo J.-L. Charmet).

L'autre fait social dominant de la période, c'est la montée de la misère. Villages dévastés par le passage des gens de guerre, paysans torturés, filles violées, population rurale se réfugiant dans les bois ; autant d'images tragiques, mais courantes. Les villes attirent vagabonds et déracinés, les abandons d'enfants y sont nombreux. Pour répondre à ces très nombreux cas de détresse, saint Vincent de Paul (1581-1660) institue les Dames et les Filles de la Charité (1634), religieuses habillées en villageoises et en contact permanent avec les pauvres. Pendant la Fronde, saint Vincent de Paul organise des convois pour secourir les régions dévastées d'Ile-de-France, de Champagne et de Lorraine. Dans la haute société s'esquisse alors un élan de charité pieuse. Suivant l'exemple de la reine Anne qui met en gage ses bijoux pour aider Monsieur Vincent, de nombreuses grandes dames visitent les pauvres, les hôpitaux, multiplient les dons. Saint Vincent de Paul crée ainsi l'œuvre des Enfants trouvés (1638). Mais le nombre toujours grandissant des pauvres inquiète : peu à peu, la charité cède le pas à la surveillance, voire à la répression de la pauvreté. En 1656 est créé à Paris l'Hôpital général où sont enfermés les pauvres auxquels on confie un travail (5 000 mendiants enfermés à Paris en 1660). Des établissements similaires apparaissent en province.

La ferveur catholique

Le renouveau catholique, visible depuis le règne d'Henri IV, s'accélère. Un parfum de dévotion et de ferveur catholique entoure la société du temps. C'est en 1615 que sont promulguées en France les décisions du concile de Trente. De grandes figures marquent profondément leur époque : saint François de Sales, auteur de l'*Introduction à la vie dévote* (1608), Pierre de Bérulle, introducteur en France de l'ordre de l'Oratoire, et enfin saint Vincent de Paul, qui fut aidé dans sa tâche par Louise de Marillac.

L'effort catholique permet un meilleur encadrement pastoral et spirituel de la population. Cet effort est favorisé par une réforme progressive du clergé français : les monastères se réorganisent, de nombreuses maisons religieuses sont alors fondées, des prélats de valeur apparaissent qui permettent d'oublier les excès de certains — tel Jean François Paul de Gondi, cardinal de Retz et amant de Mlle de Chevreuse. Les séminaires deviennent plus nombreux, mais il faut attendre la fin du règne de Louis XIV pour en trouver un par diocèse. Un net effort en faveur d'une meilleure formation spirituelle et morale se dessine. L'Oratoire de Bérulle (1611) partage ses activités entre la formation des prêtres et l'enseignement des jeunes. En 1618, à Saint-Nicolas-du-Chardonnet à Paris, Adrien Bourdoise crée une communauté spécialisée dans la formation des prêtres. Même préoccupation et même effort chez saint Vincent de Paul en 1625 avec les prêtres de la Mission ou lazaristes et Jean-Jacques Olier qui organise en 1642 à Saint-Sulpice, à Paris, un séminaire célèbre. En province, où une bonne partie du peuple ne parle que le patois ou les langues régionales, des missions religieuses sont organisées par les lazaristes, les capucins, les oratoriens, les jésuites. Au contact des paysans dont ils utilisent souvent la langue, ces missionnaires — Jean Eudes en Normandie, Julien Maunoir en Bretagne, saint François Régis en Vivarais, en attendant Louis-Marie Grignion de Monfort sous Louis XIV — multiplient prêches et sermons, composent des cantiques, organisent le catéchisme des enfants et des adultes. Une telle démarche favorise une meilleure pratique religieuse et une reprise en main du petit peuple. La communion pascale se généralise, le dogme est expliqué tandis que missionnaires et nouveaux prêtres font la chasse aux superstitions, pratiques magiques et autres cultes des fontaines qui existaient encore. Des confréries — associations dévotes et laïques — se forment pour épauler ce vaste mouvement. L'une des plus réputées est la Compagnie du Saint-Sacrement (1629-1665) qui reçoit des adhésions nombreuses et parfois célèbres, et qui se fixe pour but d'assister les pauvres, convertir les protestants ou libertins, mais qui exerce vite un travail de surveillance et de délation. Cette ferveur n'est pas, en effet, exempte d'une certaine intolérance, voire d'un certain fanatisme comme en témoignent les nombreuses affaires de sorcellerie qui secouent la période. Une des plus connues aboutit à l'exécution à Loudun, en 1634, d'Urbain Grandier. Il reste que ce mouvement porte ses fruits et que nombreux sont les protestants qui retournent au catholicisme (la famille Condé, par exemple).

Naissance du jansénisme

Une querelle théologique entre catholiques obscurcit cet essor. Cette querelle témoigne de la passion que porte la société de l'époque aux affaires religieuses. Le problème de la grâce de Dieu divise les catholiques. L'Église a de tout temps expliqué que l'homme, sali par le péché, ne pouvait faire son salut qu'avec l'aide — la grâce — de Dieu. Pour réaliser ce salut, Dieu et l'homme coopèrent. La question est de savoir quel est l'élément moteur de cette collaboration. A la fin de l'Antiquité, saint Augustin avait limité le rôle de l'homme et souligné l'importance de Dieu dans ce mouvement. Au XVIe siècle, les protestants reprirent abondamment cette vision assez pessimiste de l'homme. Plus tard, l'évêque d'Ypres, Jansénius (1585-1638), s'inspire de l'enseignement de saint Augustin tout en restant fidèle au catholicisme et explique que l'homme est définitivement corrompu par le péché mortel, que seule la grâce divine peut le sauver, mais que Dieu n'accorde sa grâce qu'à un petit nombre. A la mort de Jansénius est publié un traité, l'*Augustinus,* développant cette vision pessimiste et austère d'une condition humaine quasi prédestinée (1640).

A cette date, la doctrine de Jansénius est déjà connue en France grâce à l'abbé de Saint-Cyran (arrêté dès 1638) et à Antoine Arnauld auteur d'un *Traité de la fréquente communion* (1643). Un foyer janséniste se constitue autour de l'abbaye de Port-Royal et de son annexe Port-Royal des Champs dont l'abbesse se trouve être la sœur d'Antoine Arnauld, Angélique Arnauld. Beaucoup de Parisiens fortunés et pieux viennent y faire retraite. De petites écoles sont ouvertes qui donnent aux enfants — ainsi au jeune Racine — une éducation solide, mais austère.

Les jésuites favorables au libre arbitre et accusés par Arnauld d'accorder trop facilement l'absolution aux fidèles, de propager une religion mondaine et souriante, réagissent en dénonçant dans le jansénisme une hérésie qui frise le calvinisme. La Sorbonne condamne le jansénisme, le pape approuve la condamnation (1653). Au nom des jansénistes, Blaise Pascal réplique par une série de lettres, *les Provin-*

Angélique Arnauld,
Philippe de
Champaigne,
musée du Louvre
(photo Hachette).

ciales (1656-1657) attaquant rudement les jésuites. Parce que beaucoup de jansénistes sont d'anciens frondeurs, Mazarin lance la répression : *les Provinciales* sont brûlées, les petites écoles fermées, des religieuses dispersées. En 1669 seulement la querelle s'apaise et Port-Royal rouvre ses portes.

Le mouvement littéraire et artistique

Dans les cercles limités de la haute société s'ébauche un mouvement d'épuration des mœurs, une préoccupation de distinction, voire de préciosité. Catherine de Vivonne, marquise de Rambouillet, ouvre à Paris un salon mondain et littéraire où l'on prise le beau langage, la finesse de l'analyse, la grâce de la conversation. Ce mouvement précieux contribue à épurer la langue française. La grammaire de Vaugelas fixe les premières règles de la langue nationale en 1647. Richelieu, qui aime la littérature (il a signé sinon composé deux tragédies), fonde en 1635 l'Académie française qui est chargée de composer un dictionnaire, de fixer les usages grammaticaux et de donner son avis sur les œuvres littéraires. Les créations de l'époque relèvent de deux sources bien différentes. L'une volontiers précieuse, baroque par ses excès, ses rebondissements, ses invraisemblances, est illustrée par les romans burlesques de Cyrano de Bergerac ou les romans précieux de Mlle de Scudéry (*Le Grand Cyrus*, 1649-1653). Ce sont aussi les pièces « à machines » et les premiers opéras qui apparaissent au temps de Mazarin. L'autre source, au contraire, est dépouillée, retenue, héroïque dans sa recherche d'une grandeur toute classique. Ce sont les tragédies de Pierre Corneille (1606-1684) qui donne *Le Cid* en 1637 et *Horace* en 1640. Ce sont aussi les œuvres philosophiques de Descartes (*Discours de la méthode,* 1637) et de Blaise Pascal.

Les architectes français sont influencés par le grand mouvement baroque qui s'épanouit alors à partir de Rome. On n'utilise d'ailleurs pas le terme baroque à l'époque, on parle plutôt d'un genre à la romaine pour évoquer la profusion des décors, les surfaces incurvées, les coupoles, les volutes, les jeux d'ombre et de lumière. Ces influences se retrouvent dans le palais du Luxembourg, édifié par Salomon de Brosse pour la reine Marie, que décore Rubens, mais aussi dans les façades de nombreuses églises parisiennes : Saint-Gervais par l'architecte Métezeau, le Val-de-Grâce par François Mansart, Saint-Paul-Saint-Louis, l'église de la Sorbonne. La tendance de l'époque à épurer, à gommer les excès donne à certaines constructions une sorte de grandeur qui annonce le classicisme, ainsi le château de Fouquet à Vaux-le-Vicomte, d'après des plans de Le Vau. Enfin, la première partie du XVIIe siècle est une période faste pour la peinture française avec les œuvres de Simon Vouet, Georges de La Tour, Philippe de Champaigne, les frères Le Nain, Nicolas Poussin, Claude Gellée et deux illustres graveurs, Jacques Callot et Abraham Bosse.

La France au XVIIᵉ siècle
La période classique

Renforcée par l'œuvre de Richelieu et de Mazarin, la France parvient à exercer sur l'Europe de la seconde moitié du XVIIᵉ siècle une évidente prépondérance. Le long règne personnel de Louis XIV (1661-1715) est caractérisé par une recherche passionnée de gloire et de grandeur qui pousse le roi à multiplier les interventions belliqueuses, à construire Versailles, à renforcer avec l'aide de ministres dévoués la mainmise sur la société. De telles actions, poursuivies dans une conjoncture économique morose, exigent de la population un effort humain et fiscal sans précédent. Après les premières années du règne (1661-1685), où tout semble réussir au roi, vient le temps des épreuves, des guerres difficiles, des crises de subsistance, des murmures de l'opinion (1685-1715).

Un pays soumis à son roi

Louis XIV

Né le 5 septembre 1638, Louis XIV a été marqué dans sa jeunesse par les tumultes de la Fronde. Si son éducation a été assez négligée, le roi doit beaucoup à sa mère, Anne d'Autriche, qui lui a inculqué le sens de la majesté, le goût du faste, de l'étiquette et à son parrain, le cardinal Mazarin, qui lui a appris concrètement la diplomatie et l'art de la dissimulation. Doté d'un esprit clair, Louis, qui a du bon sens, exerce avec sérieux et minutie son métier de roi, consacre chaque matin et chaque après-midi plusieurs heures aux affaires de l'État, multiplie les entretiens en tête-à-tête avec ses ministres. Cet homme réfléchi est également un esthète amateur de théâtre, de musique, qui joue du clavecin, de la guitare, et qui chante. Il aime passionnément le faste éblouissant mais ordonné de Versailles et de ses jardins. De taille moyenne, cet homme qui vit en constante cérémonie est d'une politesse exquise — il salue les femmes de chambre — et possède une maîtrise de soi exceptionnelle. Gros mangeur, bon chasseur, très sensuel — ses maîtresses lui donnent douze bâtards — ce roi jouit d'une santé excellente en dépit d'une denture gâtée. Les médiocres médecins du temps finiront par lui casser la mâchoire.

Le Roi-Soleil, médaille officielle (photo Bandy).

Un orgueil excessif, un sens très élevé de sa fonction l'ont amené à prendre pour emblème le soleil dès 1662. Sa devise, *Nec pluribus impar* (non inégal à plusieurs, soit supérieur à tous) résume assez bien ses idées : le roi est le lieutenant de Dieu sur terre, l'autorité royale ne peut connaître d'obstacle, les grands doivent plier, la couronne de France est la première de la chrétienté et l'Europe entière doit reconnaître cette glorieuse prééminence.

Statues, gravures et surtout médailles reprennent et diffusent sans cesse ces thèmes.

Le gouvernement central

Dès la mort de Mazarin (9 mars 1661), Louis XIV assure personnellement la direction du gouvernement de la France. La charge de « principal ministre » disparaît et c'est le roi, seul, qui décide et tranche en dernier appel. Jaloux de son autorité, le roi n'accorde l'exclusivité de sa confiance à personne, utilise au mieux les jalousies et rivalités qui opposent entre eux les ministres : le chancelier, le contrôleur des Finances, les quatre secrétaires d'État et les trois ou quatre ministres d'État.

Louis XIV en 1661, Ch. Le Brun, musée de Versailles (photo Hachette).

Louis XIV présidant le Conseil des Parties ou Conseil d'État (vers 1672), anonyme, musée de Versailles (photo Hachette).

Dès les premières années du règne, le système du Conseil royal se perfectionne, se divise en sections qui se spécialisent. En quelques années, une machine administrative assez complexe se met en place à la tête de l'État (1661-1673). Le principal Conseil reste le Conseil d'en haut ou Conseil secret où se traitent, deux ou trois fois par semaine, les grandes questions politiques ou diplomatiques en présence du roi et de trois ou quatre personnes qui seules ont le titre de ministre d'État. Louis XIV en écarte les princes du sang et les grands seigneurs au profit d'hommes d'origine moyenne, issus de la bourgeoisie de commerce ou de robe. Le Tellier, Lionne, Colbert ont droit au titre de ministre d'État ; plus tard Louvois, Pontchartrain, Croissy, Chamillart, Torcy, Desmaretz, le duc de Beauvillier... Au total, seize ministres d'État en cinquante-quatre ans de règne : on mesure la stabilité du personnel.

Deux fois par semaine siège également le Conseil des finances qui établit le budget, répartit la taille à lever dans les généralités et fixe pour les impôts indirects les baux des fermes. Ce Conseil est le plus souvent présidé par le contrôleur général des Finances. Après la chute de Fouquet, Colbert puis Pontchartrain, Chamillart, Desmaretz ont exercé cette charge.

Le Conseil des parties ou Conseil d'État est présidé par le chancelier (d'abord Séguier puis Le Tellier, Pontchartrain...) et le fauteuil du roi reste le plus souvent vide. Ce Conseil, constitué de trente conseillers d'État et de quatre-vingt-dix-huit maîtres des requêtes, fonctionne comme une haute cour de justice qui prépare les édits du roi, casse certains jugements, arbitre les conflits entre administrations. La majorité des intendants est recrutée parmi les membres de ce Conseil. Le roi assiste en personne au Conseil des dépêches qui réunit tous les quinze jours le chancelier, le contrôleur général des Finances et les quatre secrétaires d'État. Le Tellier, Louvois, Barbézieux, Chamillart, Lionne, Pomponne, Colbert, Colbert de Croissy, Colbert de Torcy, Seignelay, Louis et Jérôme Pontchartrain... ont été secrétaires d'État. Chaque secrétaire d'État suit efficacement les affaires d'un quart du royaume et possède une spécialité : les Affaires étrangères, la Guerre, la Marine, la Maison du roi. De nombreux règlements y sont élaborés. Enfin, Louis XIV assiste tous les vendredis au Conseil de conscience où, avec l'aide de l'archevêque de Paris et du père jésuite confesseur du roi, l'on évoque les questions religieuses et où l'on décide de l'attribution des bénéfices.

Le système mis en place est complexe et pêche surtout par un enchevêtrement excessif. Les cumuls de fonctions sont monnaie courante. Jean-Baptiste Colbert, par exemple, a des pouvoirs comparables à ceux de six ou huit de nos ministres. Il est à la fois surintendant des Bâtiments, Arts et Manufactures, contrôleur général des Finances, membre du Conseil d'en haut et donc, à ce titre, ministre d'État, mais aussi secrétaire d'État à la Marine et secrétaire d'État à la Maison du roi... Même observation pour Le Tellier, Louvois ou Louis de Pontchartrain. Ce personnel ministériel peu nombreux, stable, dévoué au roi, se divise vite en clans qui se jalousent. Des dynasties ministérielles se créent : le fils ou le gendre succède au père, cependant que les filles richement dotées — la fonction ministérielle enrichit vite — épousent de grands seigneurs. Le clan Pontchartrain, déjà actif sous Louis XIII avec les Phélypeaux, est représenté par le père Louis de Pontchartrain et son fils Jérôme. Le clan Colbert est représenté par son fondateur Jean-Baptiste, puis par son fils Seignelay, son frère Colbert de Croissy, son oncle Pussort, ses neveux Desmaretz et Colbert de Torcy, son gendre le duc

Colbert, gravure de R. Nanteuil, Bibl. nat., Paris (photo Hachette).

Louvois, gravure de Gaillard (photo Hachette).

de Beauvillier, tous membres de divers Conseils. Le clan Le Tellier est fondé par Michel Le Tellier qui favorise la carrière de son fils Louvois, de son petit-fils Barbézieux et d'un parent, Le Pelletier.

Derrière ces ministres, tout un monde de bureaux s'épanouit avec une foule de commis. Ainsi se met en place autour du roi une solide machine administrative et centralisatrice. La monarchie absolutiste devient vite bureaucratique et Louis XIV qui, à la différence de ses prédécesseurs, voyage assez peu en province, devient plus ou moins le prisonnier de l'immense machine et n'entrevoit la réalité de son royaume qu'à travers le prisme plus ou moins fidèle des multiples rapports préparés par ses ministres et commis.

L'application des décisions

Louis XIV, qui n'a pas oublié la Fronde, dote Paris d'un lieutenant général de police (La Reynie, puis le marquis d'Argenson) chargé, avec plusieurs centaines d'hommes et d'indicateurs — « les mouches » —, de la sécurité de la ville et surtout de sa surveillance. A Paris comme en province, les parlements enregistrent sans la moindre critique les édits. Sur ordre du roi, les registres des délibérations du temps de la Fronde sont détruits. Les états provinciaux siègent de manière irrégulière. Les charges d'échevin sont transformées en offices et vendues, les gouverneurs perdent leur fonction militaire. Surtout, les intendants rétablis après la Fronde par Mazarin s'établissent définitivement en province (le dernier est installé en Bretagne en 1689). Avec l'aide de subdélégués et de quelques commis, les trente intendants nommés, rétribués et révocables par le roi, créent ainsi une administration locale permanente et efficace qui rapidement traite de tous les problèmes : fiscalité, justice, police, armée, agriculture, artisanat, commerce, grands travaux, secours aux indigents... En poste durant de longues années, ces intendants en relation régulière avec le contrôleur général des Finances et les quatre secrétaires d'État accomplissent souvent une œuvre considérable. Ainsi Olivier d'Ormesson à Lyon, Colbert de Croissy en Alsace, Chauvelin en Franche-Comté.

Les réformes de Colbert, justice et finances

L'un des meilleurs serviteurs de Louis XIV est Jean-Baptiste Colbert (1619-1683). Issu de la bourgeoisie commerçante, Colbert est un travailleur acharné, pourvu d'une intelligence pénétrante et auteur d'une œuvre considérable.

Avec l'aide d'excellents juristes et de son oncle Pussort, Colbert tente de simplifier et d'unifier le droit. Ainsi apparaissent l'ordonnance civile ou code Louis (1667), l'ordonnance des eaux et forêts (1669), l'ordonnance criminelle (1670), l'ordonnance commerciale (1673), l'ordonnance maritime (1681) et le code noir ou ordonnance coloniale (1685).

Ayant succédé à Fouquet, Colbert s'évertue parallèlement à mettre de l'ordre dans les finances royales. Il cherche à établir une comptabilité nationale, à évaluer recettes et dépenses, à créer ainsi un budget. Il tient un livre des recettes et un livre des dépenses qu'il présente au roi tous les mois. Il reconstitue le domaine royal, engage des poursuites contre les financiers douteux. Conscient des difficultés des paysans, Colbert charge les intendants de mieux répartir la taille et préfère avoir recours aux impôts indirects — supportés par tous — pour augmenter les recettes. La gabelle, les aides, les traites sont augmentées. De nouvelles taxes indirectes sont imaginées : la taxe d'enregistrement, la marque sur les cartes à jouer, l'estampille des métaux précieux, le papier timbré, le monopole d'État de la vente du tabac. Ces impôts indirects sont affermés à des financiers privés — les fermiers généraux (1680) — qui avancent l'argent au trésor royal et assurent la levée des taxes en prélevant au passage un bénéfice souvent important. Les recettes montent vite : de 45 à 70 millions de livres dans les années 1660, de 70 à 100 millions dans les années 1670. Le budget est équilibré pendant quelques années, mais devient à nouveau déficitaire. A partir des années 1680, le déficit et la dette publique croissent dangereusement.

La politique mercantile de Colbert

Colbert, qui a vécu dans une période de relative aisance céréalière, s'est peu intéressé à l'agriculture. Du moins, celle-ci a-t-elle bénéficié en partie des efforts réalisés en faveur des transports et d'une relative amélioration des échanges. Riquet achève le canal des Deux-Mers (1681). Colbert fait percer des routes en région parisienne, s'intéresse beaucoup aux fleuves, réduit les péages, unifie les douanes intérieures dans une bonne partie du royaume. Dans un contexte économique européen difficile, alors que la masse monétaire n'augmente plus que de façon infime, Colbert conçoit une politique industrielle et commerciale ambitieuse. Le ministre d'État est persuadé que l'abondance de numéraire fait la force d'un État, que le commerce européen est stable car la consommation ne progresse plus, qu'il appartient donc à l'État, par voie de règlements, d'intervenir pour développer l'industrie nationale, accroître les ventes et réduire les achats à l'étranger, afin de provo-

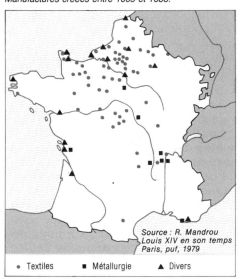

Manufactures créées entre 1665 et 1683.

Source : R. Mandrou
Louis XIV en son temps
Paris, puf, 1979

● Textiles   ■ Métallurgie   ▲ Divers

quer des entrées de numéraire qui enrichiront la France. Toute l'action de Colbert aboutit à créer une emprise de l'État sur la vie économique.

En 1664 et en 1667, les taxes d'entrée sur les marchandises étrangères sont fortement augmentées. Dans l'espoir de fabriquer en France d'excellents produits, Colbert encourage par des subventions, des exemptions fiscales, des monopoles de vente ou de fabrication, voire des prêts d'État, la création de manufactures. Une trentaine d'établissements voient ainsi le jour, spécialisés dans le textile (soie, crêpe, velours, dentelle, tapisserie...), le savon, le raffinage du sucre, le verre, la métallurgie, les armes. Ce sont parfois des ateliers d'État appelés manufactures du roi (les Gobelins) ; ce sont le plus souvent des entreprises privées ou manufactures royales faisant appel à l'épargne publique (manufacture Van Robais à Abbeville).

Dans l'esprit du ministre, il s'agit d'arriver à la perfection des produits, en copiant ce qui se fait de mieux dans les Provinces-Unies et en Angleterre, en attirant des ouvriers et des artisans étrangers. La perfection est obtenue par voie de contrainte. Colbert multiplie les règlements de fabrication — 150 édits ! —, crée un corps d'inspecteurs des manufactures (1669), cherche à étendre cet encadrement aux artisans du secteur libre. L'édit de 1673 oblige les artisans des principaux secteurs à entrer dans le cadre réglementé et surveillé des corporations.

Poursuivant les efforts de Richelieu, Colbert favorise la création de cinq compagnies privées de commerce maritime par l'octroi de monopoles. Ces compagnies doivent, en théorie, rivaliser avec les compagnies hollandaises. Elles font appel à l'épargne publique et Colbert fait pression sur les courtisans, les bourgeois des villes pour souscrire des actions de ces nouveaux établissements. L'excès de contraintes a parfois des conséquences néfastes et ces compagnies de commerce ont des débuts difficiles : les souscriptions sont timides.

Il y a des échecs et une seule compagnie, celle des Indes orientales, créée en 1664, réussit à s'imposer. Par voie de subventions et de règlements, Colbert cherche aussi à reconstituer une marine marchande privée. Le ministre favorise les chantiers de construction navale, la culture du chanvre, les travaux portuaires. Les ambitions de Colbert ne sont pas toujours comprises, trop de bourgeois se méfient, hésitent à se tourner vers le grand commerce. Vers 1680, la flotte de commerce française compte 500 bateaux... contre 15 000 pour les Provinces-Unies ! Du moins, l'impulsion est donnée et la France accroît peu à peu sa présence outre-mer. La colonisation française au Canada passe de 2 000 à 12 000 personnes entre 1660 et 1680. La culture de la canne à sucre et l'implantation d'esclaves noirs se poursuivent dans les îles françaises des Antilles. Sur le continent américain, Cavelier de la Salle descend le Mississippi (1682) et fonde une immense colonie qui prend à revers les installations anglaises, la Louisiane. Aux Indes, un comptoir est ouvert à Pondichéry en 1674.

La réforme des armées

Une galère
(photo Hachette).

Fantassin français
(1696), gravure de
Manesson (photo
Hachette).

Les Invalides
(porte centrale)
[photo René-Jacques].

On doit encore à Colbert et à son fils Seignelay d'avoir relevé la marine de guerre. Des travaux font de Brest, de Rochefort et de Toulon des ports militaires sûrs. Un vaste programme de constructions dote le royaume, en 1677, de 116 vaisseaux de ligne et de 83 petits bâtiments. Pour se procurer les équipages nécessaires, Colbert recommande aux juges de condamner les criminels aux galères. En 1702, on compte 12 000 galériens servant sur quarante galères. Pour les vaisseaux de ligne, on imagine le système de l'inscription maritime. Les hommes des paroisses côtières doivent servir une année sur trois sur les vaisseaux du roi en échange d'une solde et d'avantages matériels. L'effort porte aussi sur la formation des officiers avec la création d'écoles d'hydrographie et de pilotage. Des hommes comme Tourville et Duquesne ont été d'excellents amiraux, souvent redoutés des marins anglais ou hollandais. Le système de la guerre de course est utilisé surtout à la fin du règne. Jean Bart, Duguay-Trouin sont des corsaires célèbres.

L'armée de terre est réformée en profondeur grâce à une dynastie ministérielle : Le Tellier, son fils Louvois et son petit-fils Barbézieux. C'est à cette époque que l'armée se discipline et s'unifie, cesse d'être la propriété privée de tel ou tel grand seigneur pour devenir une armée nationale et soumise au roi. Le Tellier et Louvois créent autour de l'armée une machine administrative avec ses inspecteurs en mission, ses intendants, ses nombreux commis qui réussissent à plier les nobles à la discipline, à lutter contre l'absentéisme. A côté des grades de capitaine et de colonel, dont on peut toujours acheter le brevet, on crée de nouveaux grades destinés à récompenser les services d'officiers pauvres : major, lieutenant-colonel, brigadier. La hiérarchie des grades et l'avancement sont désormais déterminés par l'ordre du tableau (1675). Des écoles militaires sont ouvertes pour la formation des jeunes officiers. La croix de Saint-Louis (1693) récompense les dévouements.

Le Tellier et Louvois s'occupent aussi de la troupe, prescrivent aux capitaines de verser très régulièrement le prêt de cinq sous par jour (1670), font la chasse aux déserteurs menacés d'avoir le nez et les oreilles coupés ! Le port de l'uniforme devient général. On songe aux soldats âgés ou blessés en créant à Paris l'Hôtel des Invalides (1670-1674). Les effectifs des armées recrutées surtout par racolage augmentent : 65 000 soldats en 1667, 280 000 en 1678, de 300 à 400 000 à la fin du règne. Pour arriver à de tels nombres, il a fallu inventer un nouveau système de recrutement, la milice (1688). Louvois décide que chaque paroisse doit désigner, pour l'armée royale et par tirage au sort, un célibataire équipé aux frais de la communauté. Le système qui annonce le service militaire fonctionne assez mal mais permet, à la fin du règne, de résister à l'invasion.

Le Tellier et Louvois accomplissent également un travail de modernisation, dotent l'armée d'un service de chariots, créent des magasins de vivres dans les régions frontalières, font

Vauban,
dessin de Rigaud
(photo Hachette).

construire les premières casernes à Paris, Lille, Strasbourg et Metz. De cette époque datent l'apparition des dragons (soldats de cavalerie), l'usage du sabre dans la cavalerie, la réduction du nombre des calibres dans l'artillerie. Inventée par Vauban pour combiner l'usage de la pique avec l'arme à feu, la baïonnette à douille est utilisée dès 1693 sur les champs de bataille. Vers 1700, l'emploi du fusil à pierre à la place du mousquet à mèche se généralise.

La création du génie militaire constitue également une nouveauté. Vauban (inventeur du tir à ricochet, du boulet creux), dont l'habileté est venue à bout de cinquante sièges, reçoit en 1678 la direction générale des fortifications. Avec l'aide de 130 ingénieurs militaires, il fait construire durant le règne près de 300 ouvrages dont les fortifications sont enterrées. Une ceinture de pierre protège ainsi les frontières du Nord et de l'Est.

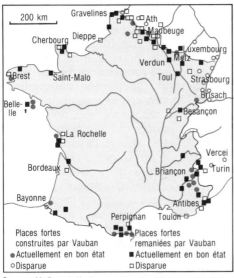

Source : M. Parent, Vauban un encyclopédiste avant la lettre, Paris, Berger-Levrault, 1982.

Places fortes construites ou remaniées par Vauban.

Neuf-Brisach, ville fortifiée par Vauban (photothèque française).

Des lacunes et des ombres

Toutes ces mesures ont réformé le royaume mais ont rencontré aussi des résistances techniques et humaines, elles s'inscrivent dans une conjoncture nettement défavorable.

L'absence d'un bon réseau routier ralentit les échanges et la transmission des ordres. Le brigandage, exercé par de petits nobles, fait encore des ravages en Auvergne vers 1660. Si la machine absolutiste est perfectionnée au sommet, en province les trente intendants avec leurs maigres bureaux rencontrent souvent de rudes difficultés à transmettre les ordres en bas de la pyramide sociale. Le pays est encore loin d'être unifié, le quadrillage administratif reste bien fragile. Les révoltes populaires, bien que moins graves que sous Louis XIII, demeurent. Celle de 1675 contre le papier timbré en Bretagne est assez vigoureuse. Le système fiscal demeure profondément injuste : en effet, l'essentiel de l'effort pèse sur les roturiers et surtout sur les paysans. Le manque de dynamisme des milieux bourgeois est évident, d'où leurs réticences à engager des capitaux dans l'aventure maritime ou manufacturière. Acquérir une terre, un office, et, par ces moyens se faire exempter de la taille, parvenir ainsi à se glisser dans le monde de la noblesse, ce sont là les étapes courantes de l'ascension sociale.

Trente-sept années de guerre sur cinquante-quatre ans de règne ont obligé le gouvernement à pratiquer de multiples expédients fiscaux et monétaires. La guerre dévore la moitié du budget de la France vers 1680, et près des trois quarts à la fin du règne. Dès lors, il reste peu d'argent pour subventionner manufactures et compagnies de commerce (0,3 % du budget en 1680 !). Il faut aussi tenir compte du climat économique difficile qui règne en Europe de 1650 à 1730. Durant ces années de dépression économique, les prix sont à la baisse et la pénurie monétaire s'aggrave de plus en plus du fait de la chute de la production des mines américaines.

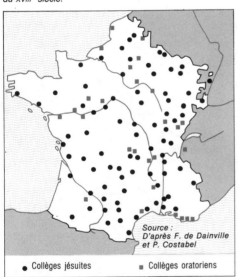

Les collèges au début du XVIIIe siècle.

Source :
D'après F. de Dainville et P. Costabel

● Collèges jésuites   ■ Collèges oratoriens

Enfin, si le règne de Louis XIV coïncide avec l'épanouissement de l'art classique et l'apparition du modèle de l'honnête homme, il n'en reste pas moins que, vers 1690, 70 % des hommes et 86 % des femmes sont encore analphabètes et n'ont, le plus souvent, comme univers mental que le monde merveilleux des légendes, des contes, voire des superstitions. Certes, des efforts tardifs se manifestent. Un édit prévoit l'installation d'une école par village dès 1698. A la fin du règne, la scolarisation des enfants progresse sensiblement surtout au nord d'une ligne Saint-Malo-Genève, mais les collèges jésuites et oratoriens, à quelques exceptions près, recrutent dans les familles fortunées.

Les belles années (1661-1685)

La cour jeune et libertine

Les premières années du règne de Louis XIV bénéficient d'un heureux concours de circonstances. Las des troubles de la Fronde, le royaume accepte facilement le resserrement du carcan administratif. Passé la crise violente de 1660-1662, les récoltes deviennent plus abondantes. Le prix des céréales baisse et les foules citadines se nourrissent plus facilement. Le mouvement démographique connaît une phase de récupération. Dans les frontières de l'époque, la population du royaume doit retrouver le chiffre de vingt millions vers 1675. Économiquement, les vingt-cinq premières années du règne sont les plus actives en dépit d'une conjoncture maussade. A la cour souffle alors un vent de gaieté. C'est le temps des audaces. Molière représente *Tartuffe* grâce à la protection du roi (1664). Cette gaieté frise le libertinage ou la licence. Louis XIV, qui a eu six enfants de la reine Marie-Thérèse, semble l'esclave d'une sensualité débordante. C'est le temps des grandes favorites : Mlle de la Vallière, Mme de Montespan, la duchesse de Fontanges. Des passions du Roi Très Chrétien naissent ainsi douze bâtards et la cour prend parfois des allures de harem. Autour du roi, il y a son frère Philippe — Monsieur — bon soldat, aux allures étrangement efféminées. Marié à Henriette d'Angleterre, Monsieur est veuf en 1670. « Madame se meurt, Madame est morte... » s'écrie Bossuet. Monsieur épouse alors la princesse palatine, Liselotte, seconde Madame qui donne le jour au futur duc d'Orléans. Le fils du roi, Monseigneur, a trois fils : le duc de Bourgogne (1682), le duc d'Anjou (1683) et le duc de Berry (1686).

Le bal à la française, Bibl. nat., Paris (photo Hachette).

La marquise de Montespan, P. Mignard, musée de Bourges (photo Bulloz).

Versailles est en construction. La cour est encore itinérante, tantôt à Saint-Germain, tantôt aux Tuileries, au Louvre ou à Vincennes. Du grand seigneur au laquais, de 7 à 8 000 personnes au total vivent selon le rythme éblouissant des fêtes, des ballets, des opéras, des représentations théâtrales. La cour forme un monde qui a ses passions : le jeu de cartes, les ragots, les luttes d'influence. L'Affaire des poisons (1670-1679) sur fond de messes noires et de pratiques magiques éclabousse Mme de Montespan. Éblouie par ce décor grandiose, la noblesse se soumet à l'étiquette, plie devant les volontés du monarque et engloutit des fortunes pour maintenir son rang. En 1678, Mme de Maintenon estime qu'il faut un minimum annuel de 12 000 livres pour assurer à un gentilhomme un train de vie moyen.

L'éclat des arts

Les premières années du règne sont également les plus fécondes sur le plan artistique. Apparue sous Louis XIII, la tendance à la maîtrise de l'expression, à la mesure, au respect de la grandeur antique, dans les domaines de l'art et de l'esprit, se confirme. Ainsi s'épanouit vers 1660 le classicisme qui va exercer sur l'Europe entière un étonnant rayonnement. Dérivant de l'Antiquité et de la Renaissance, le classicisme se veut mesuré et harmonieux, entend soumettre les forces de l'imagination à la raison, recherche une vérité universelle. Il s'écarte ainsi des tendances extrêmes du courant baroque sans toutefois rompre définitivement avec lui. Bien des œuvres classiques ont des réminiscences baroques et vice versa.

Homme de goût, persuadé que l'éclat des arts rehausse la gloire de son règne, Louis XIV cherche à étendre son pouvoir aux choses de l'esprit et de l'art. Le mécénat royal est parfois synonyme de fonctionnarisation du talent. Avec l'aide de Colbert, le roi invite des artistes et des savants étrangers (le Bernin, Cassini, Huyghens) et multiplie les institutions d'accueil : Académie des inscriptions et belles-lettres, Académies des sciences, d'architecture, de musique, Observatoire du roi, Jardin des plantes et fondation de la Comédie-Française. Dès 1663, le poète Chapelain tient une liste des pensions accordées aux écrivains. Les sommes distribuées sont d'ailleurs assez modestes : 2 000 livres à Pierre Corneille, 1 000 livres à Molière, 800 à Racine... Du moins, la protection du roi favorise l'éclosion, entre 1660 et 1680, des grands chefs-d'œuvre classiques : les comédies de Molière, les plus grandes tragédies de Racine, mais aussi les oraisons de Bossuet, l'*Art poétique* de Boileau, le roman de Mme de Lafayette, les *Fables* de La Fontaine, les *Lettres* de Mme de Sévigné...

Le souci d'ordonner le génie conduit Louis XIV et Colbert à donner à Lully la haute main sur les écoles de musique, l'organisation des fêtes chantées et dansées. Le peintre Le Brun au style monumental reçoit le pouvoir de diriger le monde des graveurs, des tapissiers, des sculpteurs et des ébénistes. Louis XIV entend inscrire dans la pierre la gloire de son règne. L'architecture classique évolue vers un style dépouillé, utilise systématiquement la ligne droite, les ordres antiques et cherche à créer un sentiment d'harmonieuse grandeur. Le roi fait construire une terrasse à Saint-Germain. A Paris, deux arcs de triomphe sont érigés, porte Saint-Denis et porte Saint-Martin. La colonnade élevée au Louvre par Claude Perrault illustre bien la tendance nouvelle de l'art.

Libéral Bruant édifie l'église et l'hôpital de la Salpêtrière. Jules Hardouin-Mansart construit la chapelle des Invalides, aménage la place Vendôme et la place des Victoires où une statue équestre du roi est élevée. Le principal chantier reste Versailles. Le roi, qui se méfie de Paris, entreprend de transformer ce petit pavillon de chasse en magnifique résidence. Les travaux commencent en 1661 sous la direction de Le Vau puis, après 1676, de Jules Hardouin-Mansart. Le Brun assure la décoration, en particulier celle de l'étonnante galerie des Glaces (73 mètres de long). Le Nôtre dessine parcs, jardins, bassins et fontaines. Pendant des années, de 20 à 30 000 ouvriers — le roi pensionne les veuves d'ouvriers tués sur le chantier — accomplissent une œuvre gigantesque. La cour ne s'installe qu'en 1682 dans un château à peine achevé.

Vue aérienne du château de Versailles (photo Henrard).

Le salon de la Guerre, château de Versailles (photo Éditions Mondiales).

La colonnade du Louvre, Perrault (photo Hachette).

La prépondérance française

Comme beaucoup de souverains de l'époque, Louis XIV voit dans la guerre l'activité ordinaire d'un grand roi. Il cherche à agrandir le royaume sans jamais être prisonnier d'une quelconque théorie des frontières naturelles. Il pense principalement tirer profit de l'affaiblissement des Habsbourg. La branche de Vienne connaît alors de rudes difficultés avec l'avance turque. Vis-à-vis de la branche espagnole, Louis XIV exploite rapidement le non-paiement de la dot de la reine Marie-Thérèse et spécule sur la faiblesse dynastique. En 1665, à la mort de Philippe IV d'Espagne, le trône revient à un enfant de quatre ans — Charles II — dont la santé est mauvaise et qui mourra sans descendant en 1700. Colbert, impressionné par la puissance marchande des Hollandais, pousse le roi à rompre l'alliance avec les Provinces-Unies et à tenter un moment d'annexer ce pays. De 1661 à 1684, le roi engage deux guerres, multiplie les actes de grandeur ou d'intimidation et exerce sur l'Europe une prépondérance qui se heurte cependant à de vives résistances. Ce sont les belles années de gloire militaire et diplomatique de Louis le Grand (titre décerné au roi en 1679).

Louis XIV inaugure son règne par des actes de grandeur. Il cherche à faire accepter aux souverains étrangers l'idée d'une prééminence de la couronne de France. De petits incidents diplomatiques — une querelle de préséance, une rixe entre laquais... — sont exploités habilement pour exiger excuses et reconnaissance. Le roi d'Espagne, le pape, l'Angleterre admettent non sans mal la prééminence française (1662-1664). Louis XIV se fait aussi le champion de la chrétienté en

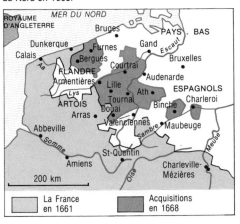

La nouvelle frontière du Nord en 1668.

envoyant des contingents français combattre les Turcs à Candie et en Hongrie (1664). En mai 1667, le roi envahit la Flandre espagnole. En utilisant habilement le droit de dévolution qui, en Brabant (province espagnole), réserve l'héritage aux enfants nés d'un premier mariage (ce qui est le cas de Marie-Thérèse et non de Charles II), Louis XIV entend défendre les droits de la reine de France à la succession d'Espagne. Le roi, Turenne et Vauban l'emportent aisément. Sous la pression hollandaise, la guerre s'arrête. Le traité d'Aix-la-Chapelle (2 mai 1668) rattache douze villes flamandes à la France dont Lille, Douai, Armentières.

En 1672, la guerre reprend mais cette fois contre les Provinces-Unies. Avec l'Angleterre et de nombreux princes allemands pour alliés, les troupes du grand Condé et de Turenne franchissent le Rhin le 12 juin 1672, surprennent les Hollandais, atteignent Utrecht. Écrasés, les Hollandais ouvrent les écluses de Muiden ; les eaux du Zuyderzee inondent une partie du pays. Sur les conseils de Louvois, Louis XIV repousse les propositions de paix très avantageuses des

Turenne,
Ph. de Champaigne,
musée de Chartres
(photo Bulloz).

Hollandais. Une révolution nationale éclate à La Haye en août 1672 et amène au pouvoir un protestant intransigeant, Guillaume d'Orange. Les inondations se multiplient, la résistance hollandaise s'organise, les Français piétinent (1673); les alliés de la France se retirent ou changent de camp. L'Angleterre, l'Espagne, les princes allemands, l'Empire s'unissent à la Hollande contre la France (1674)! La guerre change de terrain. Les Français s'emparent de la Franche-Comté (printemps 1674). A Seneffe — près de Charleroi — le prince de Condé repousse Guillaume d'Orange (août 1674). L'Alsace est envahie mais Turenne retourne la situation par une expédition surprise en plein hiver (victoire de Turckheim, le 5 janvier 1675) et repasse le Rhin.

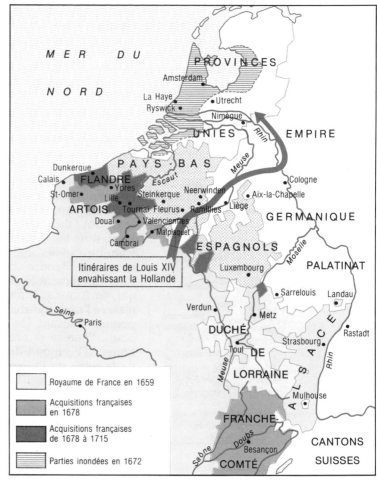

La guerre de Hollande.

Turenne trouve la mort, fauché par un boulet de canon, à Salzbach le 27 juillet 1675. La situation redressée, les troupes de Condé et de Vauban s'emparent petit à petit de nouvelles villes dans les Pays-Bas espagnols. En Méditerranée, Duquesne bat à plusieurs reprises l'amiral Ruyter (1676). On négocie au congrès de Nimègue (août 1678-février 1679). Les Provinces-Unies sauvegardent intégralement leur territoire. C'est le pays le plus faible, l'Espagne, qui fait les frais de la guerre. La France reçoit la Franche-Comté et une série de villes du Nord : Valenciennes, Maubeuge, Saint-Omer, Cassel.

Dans les années qui suivent, Louis XIV exploite l'imprécision des traités pour annexer les domaines environnant les nouvelles possessions. Ainsi Strasbourg est occupé en septembre 1681. Ces « réunions » à la couronne de France inquiètent les États européens. L'Espagne entre en guerre en 1683 et en 1684. La riposte française est brutale : prise de Luxembourg, bombardement de Gênes, alliée de l'Espagne. Pour empêcher une nouvelle guerre européenne, les princes allemands offrent leur médiation. La trêve de Ratisbonne (15 août 1684) laisse à la France ses dernières annexions. Louis XIV atteint alors le sommet de sa puissance.

Les problèmes religieux

Partisan du gallicanisme — mouvement qui vise à réduire l'influence du pape sur l'Église de France — le Roi Très Chrétien entre en conflit avec Innocent XI. En 1673, Louis XIV étend le droit de régale à cinquante-neuf diocèses. Ce droit permet au roi de France de percevoir les bénéfices du diocèse en cas de vacance. Deux évêques jansénistes, Pavillon et Caulet, protestent et font appel au pape qui les soutient. Louis XIV, menacé d'excommunication (1679), réplique en réunissant une assemblée du clergé de France qui approuve en mars 1682 la Déclaration des quatre articles. Cette déclaration, aussitôt enseignée dans les séminaires, rappelle que le pape n'est pas infaillible, que le concile lui est supérieur, que l'autorité pontificale est limitée. C'est dès lors la crise ouverte avec Rome, Innocent XI refuse l'investiture canonique aux nouveaux évêques, excommunie l'ambassadeur de France à Rome (1687). Louis XIV n'est pas loin du schisme.

Bien des raisons ont poussé Louis XIV à lutter contre ses sujets protestants : ses convictions profondes, le rôle de son entourage, l'opinion du temps qui ignore la tolérance, le conflit avec le pape (de façon à montrer son zèle catholique), le désir de rivaliser dans la lutte contre l'hérésie avec l'empereur Léopold, vainqueur des Turcs en 1683. Les protestants français (5 000 pasteurs, un million de fidèles sans doute) sont cependant d'une parfaite loyauté à l'égard de la monarchie depuis 1629. Ils constituent une élite dont le poids économique (banque, manufactures, artisanat) et culturel (académies, sociétés savantes, médecine) est considérable. Pour les détourner de la R.P.R. (religion prétendue réformée), on crée en 1676 une caisse des conversions. Chaque converti reçoit trois livres. On multiplie les interprétations restrictives des édits de tolérance. Certaines professions leur sont interdites, les cortèges de noces sont limités, des écoles et des lieux de culte fermés. Contre les « tutoyeurs de Dieu » on imagine les « missions bottées ». Dès 1680, en Poitou, des dragons sont logés chez des protestants, l'autorité ferme les yeux sur les vols, les brutalités et les viols commis par les soldats. 30 000 protestants se convertissent sous la contrainte. Les dragonnades se multiplient alors. Impressionné par les longues listes de convertis qu'on lui présente, Louis XIV révoque l'édit de Nantes le 18 octobre 1685. Les pasteurs doivent s'exiler, les temples sont détruits, mais il est interdit aux protestants de quitter le royaume. Bravant la menace — 1 450 protestants iront croupir aux galères — de 170 000 à 200 000 huguenots, parmi les plus riches, réussissent à s'expatrier. La perte pour l'économie et la culture françaises est considérable.

Un Dragon « missionnaire » (1686), Bibl. nat., Paris (photo Hachette).

Le déclin (1685-1715)

La cour solennelle et dévote

Dans le courant des années 1680, un tournant essentiel s'amorce. La cour se fixe à Versailles (6 mai 1682) et se plie désormais à une étiquette solennelle et lourde. Le climat alerte et libertin des premières années disparaît. Définitivement domestiquée, surveillée de près par le lieutenant général de police, l'aristocratie se perd en infimes querelles, implore humblement une pension, le privilège de tenir le bougeoir dans la chambre du roi ou la faveur de séjourner à Marly. Le roi vieillit majestueusement, s'inquiète de son salut, se fait dévot. Le 30 juillet 1683, la reine Marie-Thérèse s'éteint. Secrètement le roi épouse (en septembre 1683, sans doute) Françoise d'Aubigné, veuve du poète Scarron, marquise de Maintenon. Un parti dévot se forme et exerce une influence discrète sur le roi. Le père jésuite La Chaise est très écouté, la pieuse Mme de Maintenon assiste parfois aux conseils de gouvernement.

L'orgueil du monarque ne cède pas, bien au contraire. Au moment où Louis XIV perd ses meilleurs serviteurs (Turenne, le grand Condé, Jean-Baptiste Colbert), l'influence du brutal et fougueux Louvois se renforce. Le roi tend à se départir de sa prudence, à être excessivement confiant en ses possibilités, à sous-estimer ses adversaires. Si, à Versailles, les constructions se poursuivent (Trianon, la Chapelle), le rayonnement culturel de la cour faiblit. Bien des grands auteurs classiques sont morts (Molière, Corneille) ou se taisent (Racine, La Fontaine), la faveur va désormais aux auteurs modernes. La querelle des Anciens et des Modernes date de 1687. Faute d'argent, le mécénat royal fléchit. De 100 000 livres en 1663, les gratifications aux écrivains tombent à 50 000 en 1687 puis à 12 000 en 1690. La vie culturelle se déplace peu à peu vers Paris, vers les salons privés où les mécènes de la finance protègent des talents nouveaux, ainsi Crozat, protecteur du peintre Watteau. La tragédie et ses modèles universels touchent moins le public dont la faveur va de plus en plus aux comédies de mœurs, d'où le succès du *Légataire universel* de Regnard en 1708, de *Turcaret* de Lesage en 1709.

La famille royale vers 1709 : Louis XIV avec son fils (appuyé au fauteuil), l'un de ses petits-fils, le duc de Bourgogne (à droite) et un de ses arrières-petits-fils (à gauche avec sa gouvernante), Largillière, Wallace Collection, Londres (photo Crown).

La marquise de Maintenon, Ch. Lebrun, Bibl. des Beaux-Arts, Paris (photo Giraudon).

Des adversaires déterminés

Les « réunions », la politique d'intimidation de Louis XIV poussent peu à peu les grandes puissances européennes à se coaliser pour lui faire obstacle. Le temps des guerres foudroyantes et des victoires faciles est révolu. Des adversaires déterminés et redoutables vont s'opposer à Louis XIV. L'empereur Léopold a redressé la situation dans l'Empire, écrasé les Turcs en 1683 et entend bien récupérer l'héritage des Habsbourg de Madrid pour son fils cadet Charles. En Allemagne, un vif sentiment antifrançais se lève. Dans les États protestants, la révocation de l'édit de Nantes et l'arrivée des premiers réfugiés huguenots soulèvent l'opinion. En juillet 1686 se forme à Augsbourg une ligue pour imposer à la France le strict respect des traités de Nimègue. La Suède, les princes allemands, l'empereur, l'Espagne, la Bavière et plus tard la Savoie y participent. Guillaume d'Orange, à la suite d'une nouvelle révolution, devient roi d'Angleterre (1688). Les deux puissances européennes économiquement les plus évoluées du temps, les Provinces-Unies et l'Angleterre, font ainsi cause commune. Pour la première fois, les objectifs coloniaux et commerciaux vont jouer un rôle dans la poursuite du conflit.

La guerre de la Ligue d'Augsbourg (1688-1697)

Les hostilités commencent en septembre 1688. Sur les conseils de Louvois, Louis XIV ordonne la dévastation systématique du Palatinat pour mettre l'Alsace à l'abri d'une invasion. Les incendies et les ravages commis par les Français scandalisent l'Allemagne. Les armées royales passent ensuite à l'offensive et maintiennent partout — sauf sur mer — l'avantage au Roi-Soleil. Aux Pays-Bas espagnols, le maréchal de Luxembourg l'emporte à Fleurus (juillet 1690), Steinkerque (août 1692) et Neerwinden (juillet 1693). Dès 1690, Catinat pénètre en Savoie. A La Marsaille, près de Mondovi, il écrase les troupes du duc Victor-Amédée de Savoie (octobre 1693). On se bat au Canada entre colons français et anglais. En revanche, sur mer, l'escadre de Tourville est sérieusement touchée à la Hougue (juin 1692). La crise de subsistance et de surmortalité de 1693-1694 interrompt les opérations. Elles reprennent ensuite, mais à un rythme plus lent. Les Français concluent une paix séparée avec la Savoie (1696) et prennent Barcelone (1697). Épuisés, les adversaires concluent la paix de Ryswick. En dépit du succès de ses armées, Louis XIV, pour la première fois, fait preuve de modération. Il songe sans doute à la santé déclinante du roi d'Espagne, Charles II, qui va rendre probable l'ouverture de la succession à Madrid. Louis XIV accepte de reconnaître Guillaume d'Orange roi d'Angleterre, restitue la ville de Luxembourg à l'Espagne, renonce à toutes les réunions réalisées depuis Nimègue, sauf Strasbourg, et accepte que les Hollandais installent des garnisons aux Pays-Bas espagnols en créant ainsi une barrière.

La guerre de la Succession d'Espagne (1702-1713)

Charles II, qui règne sur l'Espagne mais aussi sur Milan, Naples, une partie des Pays-Bas et les colonies espagnoles, n'a pas d'enfant. La branche Habsbourg de Madrid va s'éteindre. Les héritiers les plus directs sont en France le Grand Dauphin ou l'un de ses fils (Charles II est le demi-frère de la reine Marie-Thérèse) ou, dans la branche Habsbourg de Vienne, l'archiduc Charles, second fils de l'empereur Léopold. L'immensité de l'héritage suscite en Europe des inquiétudes : ne risque-t-on pas de voir émerger une super-puissance ? Louis XIV négocie avec l'Angleterre un arrangement et un découpage des domaines espagnols. Cet accord, qui satisfait Londres et La Haye et avantage la France, est refusé par Léopold et son fils et provoque, surtout, un sursaut national en Espagne. L'opinion espagnole est hostile au démembrement. Avant de mourir, Charles II signe un testament qui laisse l'intégralité des possessions espagnoles à Philippe d'Anjou, second fils du Grand Dauphin. Ce testament bouleverse les accords passés. Louis XIV hésite, le Conseil d'en haut siège longuement. Finalement, le roi de France accepte le testament espagnol et Philippe d'Anjou devient Philippe V d'Espagne (16 novembre 1700).

La majorité des États européens — à l'exception de l'Empire — reconnaissent le nouveau roi, bien accueilli en Espagne. Cependant, Louis XIV multiplie les imprudences. Des troupes françaises prennent position au nom de l'Espagne dans les forts de la barrière, des négociants français prennent la place des commerçants hollandais dans le trafic sud-américain. Philippe V maintient ses droits à la succession de France. Pour l'Angleterre, c'est une provocation : l'Espagne apparaît comme un satellite de la France. Une puissante coalition dirigée contre la France se forme. La Grande Alliance de La Haye (septembre 1701) regroupe l'Angleterre, les Provinces-Unies, l'Empire, la plupart des princes allemands, plus tard la Savoie et le Portugal. Dirigée par le Hollandais Heinsius et deux militaires de valeur, John Churchill, duc de Marlborough, pour l'Angleterre (Guillaume d'Orange est mort en 1702), et le prince Eugène de Savoie, la Grande Alliance va infliger à la France et à ses alliées, l'Espagne et la Bavière, de terribles revers.

Dès juillet 1702, les Impériaux envahissent le Milanais. Louis XIV riposte en lançant des offensives : Villars passe le Rhin pour secourir la Bavière et l'emporte à Friedlingen (octobre 1702) et Hochstädt (septembre 1703). La France connaît ensuite une longue période de difficultés. En août 1704, les Anglais s'emparent de Gibraltar au moment où le prince Eugène défait les Franco-Bavarois à Blenheim : il faut abandonner la Bavière. En 1705, la Catalogne se soulève contre Philippe V, accueille les Anglais et l'archiduc Charles. En juin 1706, l'archiduc Charles entre à Madrid au moment où Marlborough bat le maréchal de Villeroy à Ramillies. Les armées franco-espagnoles évacuent les Pays-Bas. En juillet 1708, les ducs de Bourgogne et de Vendôme sont battus à Audenarde, la France est dès lors menacée d'invasion. Marlborough et le prince Eugène s'emparent de Lille (octobre 1708). Les défaites et la terrible crise de surmortalité de 1709 obligent Louis XIV à solliciter une trêve et à négocier à deux reprises (été 1709, puis été 1710). Les exigences démesurées d'Heinsius empêchent tout accord cependant qu'un redressement franco-espagnol est visible. En septembre 1709, Villars inflige de lourdes pertes aux alliés à Malplaquet (près de Maubeuge). En décembre 1710, le duc de Vendôme bat les Anglo-Autrichiens à Villaviciosa en Espagne. Sur mer, Duguay-Trouin occasionne de grosses pertes aux Anglo-Hollandais. En octobre 1711, les Anglais se retirent du conflit. En juillet 1712, Villars défait le prince Eugène à Denain.

Les traités d'Utrecht (1713) avec l'Angleterre et les Provinces-Unies, de Rastadt (1714) avec l'archiduc Charles, qui est devenu empereur à la suite du décès de son frère, mettent fin à la guerre. Le petit-fils de Louis XIV demeure roi d'Espagne, conserve ses colonies, mais renonce à ses droits à la succession de France. En compensation, le nouvel empereur Charles VI reçoit les Pays-Bas espagnols, le Milanais, le royaume de Naples, la Sardaigne. L'Angleterre obtient le monopole de la traite des nègres en Amérique du Sud, Minorque, Gibraltar, Terre-Neuve, l'Acadie, la baie d'Hudson, l'île de Saint-Christophe. La France sauve l'essentiel, ses adversaires n'ont pu l'abattre. La frontière reste au nord celle de 1678, à l'est longe le Rhin et la crête des Alpes, mais Nice reste à la Savoie.

Une situation financière désastreuse

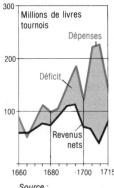

Millions de livres tournois

Dépenses

Déficit

Revenus nets

1660   1680   1700   1715

Source :
A. Guéry, A.E.S.C., 1978.

Dépenses et revenus de l'État sous Louis XIV.

Les guerres coûtent cher. Pour armer la marine, s'assurer la fidélité de quelques alliés, entretenir et équiper les 300 à 400 000 soldats engagés, la dépense se situe sans doute entre 100 et 130 millions de livres vers 1705 ! Dans une conjoncture économique très médiocre, les rentrées fiscales sont maigres, les villages avec des arriérés de taille sont nombreux. Les contrôleurs généraux des Finances Pontchartrain, Chamillart, Desmaretz multiplient les expédients sur une vaste échelle. A partir de 1700, les revenus fiscaux sont dépensés avant d'avoir été collectés. En 1715, le produit des impôts de 1715, 1716, 1717 a déjà été englouti ! On emprunte tout en jouant une quarantaine de fois sur la valeur des monnaies dont on baisse le cours au moment de payer les rentes et dont on rehausse le cours à la veille de percevoir les impôts... On imagine de nouveaux moyens pour augmenter la monnaie en circulation. Les vaisselles d'or doivent être fondues en 1689, le roi montrant l'exemple. Dès 1701, sont lancés — sans grande réussite — des billets de monnaie. Pontchartrain, qui a de l'imagination, multiplie les ventes d'offices. On frise le ridicule avec la création d'offices de juré crieur d'enterrement, de vendeur d'huîtres, de visiteur de beurre frais, de contrôleur de perruques... On en vient à porter atteinte, pour la première fois, aux privilèges et à créer de nouveaux impôts. En 1695, est lancée la capitation que paie toute la population divisée en vingt-deux classes. En 1710, est lancé le dixième. Les Français, invités à déclarer leurs revenus, versent au roi un dixième de ceux-ci. Rapidement, le clergé et les gens les plus fortunés échappent à ces impôts en « s'abonnant » par le versement d'une somme modérée. A la mort de Louis XIV, le Trésor royal frôle la banqueroute, la dette atteint 2 800 millions de livres !

La crise de la fin du règne

La situation économique empire à la fin du règne. La rareté de la monnaie, la médiocrité des subventions aux compagnies de commerce, la guerre, tout concourt à ralentir les échanges et à faire baisser la production. La majorité des compagnies de commerce imaginées par Colbert fait faillite. Les manufactures connaissent un marasme évident et le chômage est impressionnant. Une phase climatique froide entre 1690 et 1710 explique en partie les très mauvaises récoltes et les poussées de surmortalité de 1691, 1698, 1705. A deux reprises, le royaume est paralysé par deux épouvantables crises. En 1693-1694, un printemps et un été pourris, un hiver froid donnent une récolte très mauvaise, les prix s'envolent. Les foules avalent des nourritures infectes. Près de 2 millions d'habitants succombent ! En janvier 1709, un froid très violent s'abat sur le pays : la Seine est prise par les glaces de Paris au Havre, la banquise se forme sur la côte de la mer du Nord... Après le redoux, une nouvelle vague de froid détruit cultures et plantations. Environ 1 400 000 Français ont dû mourir de froid et de faim cette année-là... Dans le cadre des frontières de l'époque, la population du royaume est sans doute retombée à 19 millions d'habitants vers 1717. La crise de la fin du règne appauvrit bien des bourgeois et des petits nobles, elle jette sur les routes des bandes de vagabonds. Vauban estime en 1698 que ceux-ci représentent le dixième de la population du royaume. Les vols alimentaires se multiplient. Ici ou là des émeutes éclatent. Seuls, les ports de l'Atlantique et de la Méditerranée échappent à cette crise et connaissent au contraire une prospère activité.

Les dernières années du règne voient également se lever une opposition au régime absolutiste. Si le roi s'est réconcilié avec le pape (1693), les difficultés religieuses demeurent : affaire du quiétisme (1695-1699), guérilla des camisards (1702-1705, 1710), reconstitution d'une Église réformée clandestine. La querelle janséniste reprend. Port-Royal est détruit et, à la demande de Louis XIV, le pape condamne le jansénisme dans la bulle Unigenitus (1713). Des représentants de la France active des ports de commerce — ainsi Boisguillebert — critiquent le système étatiste de Colbert, plaident en faveur du libéralisme économique. Vauban en 1707, dans son *Projet d'une dîme royale,* propose une réforme fiscale instaurant l'égalité de tous devant l'impôt. Le succès des œuvres de La Bruyère, de Fontenelle et du dictionnaire de Bayle (1697) illustre les progrès de l'esprit critique et sceptique. Une opposition aristocratique réapparaît autour du duc de Bourgogne et de Fénelon. Les critiques et les audaces se multiplient.

A la suite de nombreux deuils survenus dans la famille royale, la monarchie, en apparence si solide, n'est pas loin de la crise dynastique. En 1711, le Grand Dauphin meurt ; en 1712, le duc et la duchesse de Bourgogne et leur fils, le petit duc de Bretagne, décèdent ; en 1714, le duc de Berry. En 1715, l'héritier direct du Roi-Soleil est donc le dernier fils du duc de Bourgogne, l'arrière-petit-fils du roi, un enfant né en 1710, le futur Louis XV. En août 1715, Louis XIV ressent des douleurs à la jambe. Les médecins ordonnent des bains au lait d'ânesse. La fièvre gagne le roi, la jambe, touchée par la gangrène, noircit. Le roi se prépare à mourir, fait venir le Petit Dauphin et s'éteint le 1er septembre 1715. Une nuée de pamphlets, de couplets méchants saluent l'événement et Massillon conclut ainsi l'oraison funèbre du Roi-Soleil : « Dieu seul est grand... »

PROJET
D'UNE
DIXME
ROYALE:
QUI SUPPRIMANT LA TAILLE, les *Aydes*, les *Douanes* d'une Province à l'autre, les *Décimes* du Clergé, les *affaires* extraordinaires ; & tous autres *Impôts* onereux & non volontaires : Et diminuant le prix du *sel* de moitié & plus, produiroit au Roy un REVENU CERTAIN ET SUFFISANT, sans frais, & sans être à charge à l'un de ses Sujets plus qu'à l'autre, qui s'augmenteroit considérablement par la meilleure Culture des Terres.

M. DCC VII

Première page du livre de Vauban (Archives Seuil).

La France sous Louis XV

Le long règne de Louis XV coïncide avec le retour à la prospérité, un redressement économique brillant, l'éclat d'une civilisation prestigieuse, une influence militaire et diplomatique toujours importante. Pourtant, la monarchie parvient difficilement à se réformer et le fléchissement de l'autorité est en voie de menacer la survie même du régime.

La Régence (1715-1723)

Un climat nouveau

Le 1er septembre 1715, le trône revient à un enfant de cinq ans et demi, Louis XV, arrière-petit-fils du Roi-Soleil. Louis XIV avait préparé la régence en la confiant à son neveu, Philippe, duc d'Orléans, mais en créant aussi un Conseil de régence qui devait limiter les pouvoirs du duc d'Orléans au profit des bâtards légitimés du roi, le comte de Toulouse et le duc du Maine. Dès le 2 septembre, Philippe d'Orléans fait casser le testament du roi par le parlement de Paris et reçoit ainsi les pleins pouvoirs. Le Régent a dû négocier et accepter de rendre aux magistrats leur droit de remontrances.

Le Régent et le petit Louis XV, anonyme, musée de Versailles (photo Musées nationaux).

A l'atmosphère solennelle et dévote qui entourait le vieux roi succède vite une ambiance nouvelle où la gaieté et les audaces abondent. Philippe d'Orléans, fils de Monsieur et de la Palatine, a quarante et un ans. Ce myope, légèrement empâté, est bon soldat, cultivé, musicien, intelligent. Il a pour conseiller principal l'abbé Dubois. C'est aussi un homme de plaisir qui lance la mode des bals masqués à l'opéra, s'entoure de libertins — les « roués » — qu'il convie à des soupers joyeux dans sa demeure du Palais-Royal. A bien des égards, la Régence correspond à une période de libération et de réaction contre les lourdeurs du règne précédent. La cour abandonne Versailles et revient aux Tuileries. La haute société accueille avec ferveur le nouveau style « rocaille », multiplie les bals, les fêtes. La peinture de Watteau illustre bien ce climat nouveau. Acquis aux idées aristocratiques formulées par son ami le duc de Saint-Simon, le Régent bouleverse le gouvernement, remplace les secrétaires d'État d'origine roturière par huit conseils où siègent de grands seigneurs qui retrouvent ainsi un rôle politique. Les jansénistes ne sont plus inquiétés. Avec l'aide de Dubois, le Régent opte pour une diplomatie pacifique, se rapproche de l'Angleterre et des Provinces-Unies (accord de 1717). Aucune invasion étrangère ne vient troubler la paix du royaume.

Le système de Law

En 1715, la situation financière est désastreuse (voir p. 168). Dans l'espoir d'alléger la dette publique et de lutter contre la pénurie monétaire, le Régent soutient l'expérience audacieuse proposée en 1716 par un Écossais, John Law. Bon connaisseur de la technique bancaire, Law explique que, si l'on parvient à augmenter la masse monétaire, l'activité commerciale reprendra, amenant la prospérité et, avec celle-ci, l'extinction progressive de l'énorme dette publique. Il imagine de créer une banque privée qui recevrait des dépôts métalliques et émettrait en retour des billets de banque. Law aimerait parvenir à substituer complètement la monnaie de papier à la monnaie métallique. Cette banque serait couplée à une compagnie de commerce chargée de la mise en valeur de la Louisiane (la compagnie d'Occident) qui émettrait des actions payables éventuellement en reconnaissances de dettes de l'État. Les créanciers de l'État deviendraient ainsi actionnaires, la dette pourrait être dégonflée.

Billet de banque en 1719, Bibl. nat., Paris (photo Bibl. nat.).

Law ouvre une banque privée à Paris en 1716, le papier-monnaie commence par être bien accepté. En août 1717, est lancée la compagnie de commerce, tandis qu'on accélère la colonisation de la Louisiane (fondation de La Nouvelle-Orléans). La banque devient Banque royale et l'État en devient l'unique actionnaire (décembre 1718). Law devient contrôleur des Finances (janvier 1720). Hélas ! le système se dérègle vite. La banque émet un nombre trop élevé de billets par rapport à son encaisse métallique. Surtout, un engouement excessif bouleverse le marché des actions de la compagnie de commerce. Grisé par les promesses d'enrichissement, le public, rue Quincampoix, s'arrache les actions du « Mississippi » qui passent de 500 livres l'action à... 18 000 livres ! Lorsque les porteurs de ces titres touchent les maigres dividendes (2 %), c'est la déception (début 1720). Le duc de Bourbon se hâte de vendre ses actions et donne le signal de la crise. Le cours des actions s'effondre. La banque cherche à soutenir les cours, mais la méfiance publique se retourne contre elle. On exige rapidement le remboursement des billets de banque en monnaie métallique. Law ne peut y faire face et, ruiné, doit s'enfuir à Bruxelles (décembre 1720). Des milliers d'actionnaires et de porteurs de billets de banque ont perdu leur fortune. Toutefois, le système a donné à certains particuliers l'occasion de se dégager à bon compte de vieilles dettes, il a aussi permis d'alléger la dette publique, d'activer la circulation monétaire et ainsi de réveiller l'activité économique. Dans ses dernières années, la Régence revient à davantage de sagesse. Le système des conseils aristocratiques est abandonné (1720), les secrétaires d'État réapparaissent. La cour revient à Versailles (1722). La fonction de Premier ministre réapparaît avec d'abord Dubois, ensuite le duc d'Orléans lui-même qui meurt brusquement le 2 décembre 1723.

Le cardinal Dubois (photo Hachette).

Les belles années de la jeunesse (1723-1743)

Le ministère du duc de Bourbon (1723-1726)

Le cardinal de Fleury, H. Rigaud (photo Giraudon).

Louis XV est proclamé majeur en janvier 1723 mais, à la mort du Régent, il a à peine quatorze ans. Il confie le poste de Premier ministre à un membre de la famille royale, le duc de Bourbon. Des maladresses (création de nouveaux impôts, persécution des protestants) le rendent vite impopulaire. Inquiet de l'avenir de la monarchie, le duc de Bourbon hâte le mariage de Louis XV avec une princesse polonaise, Marie Leszczynska (septembre 1725), qui donne au jeune roi d'abord des filles, enfin un fils en 1729. Jaloux de l'influence de l'ancien précepteur du roi, Hercule de Fleury, évêque de Fréjus, le duc de Bourbon cherche à écarter ce dernier. Brusquement, le jeune roi se révèle et, par un billet très sec, disgracie le duc (11 juin 1726).

Le ministère du cardinal de Fleury (1726-1743)

A soixante-treize ans, Fleury devient Premier ministre — sans le titre officiel — et bientôt cardinal. Ce Méridional d'origine assez modeste, aux goûts simples, est un homme tenace sous des dehors affables, inspirateur d'une politique prudente. Louis XV lui est profondément attaché. Pendant plus de seize ans — Fleury est aussi un phénomène de longévité — la France va connaître un long intermède de prospérité et de remise en ordre. Des hommes de valeur entourent Fleury : le chancelier d'Aguesseau, les contrôleurs des Finances Le Pelletier et Orry, les secrétaires d'État d'Angervilliers, Breteuil, Maurepas, Saint-Florentin. En province, d'excellents intendants accomplissent une œuvre considérable : Trudaine, Tourny, Bertin...

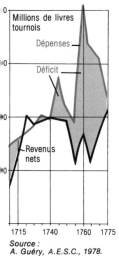

Millions de livres tournois

Dépenses

Déficit

Revenus nets

1715   1740   1760   1775

Source :
A. Guéry, A.E.S.C., 1978.

Le déficit budgétaire 1715-1744.

En matière financière, le contrôleur général Le Pelletier accomplit une réforme essentielle en stabilisant définitivement la monnaie (juin 1726). Le louis est fixé à 24 livres tournois, l'écu à 6 livres. Cette stabilisation de la monnaie met fin aux expédients précédents, elle inspire confiance et facilite la reprise des échanges et de l'activité. Par souci d'efficacité, Le Pelletier reconstitue la ferme générale. Son successeur Orry est un excellent gestionnaire qui lutte contre le gaspillage et qui équilibre le budget en 1738. Orry suscite des grands travaux (achèvement du canal de Picardie) et encourage le mouvement général de prospérité (première extraction de houille, nette expansion du commerce maritime). Le pays se modernise et s'enrichit.

A l'intérieur, le gouvernement du cardinal se heurte à une agitation janséniste et parlementaire. Depuis la Régence, le mouvement janséniste s'est développé et a touché un public populaire. Beaucoup voient dans le jansénisme une sorte de mouvement gallican de résistance à Rome et aux jésuites de plus en plus critiqués. Le parlement de Paris, devenu audacieux par le droit de remontrances, (cf. p.170) soutient le mouvement et combat l'application en France de la bulle Unigenitus (voir p. 169). Avec fermeté, Fleury s'emploie à réduire le jansénisme, fait déposer l'évêque de Senez (1726), nomme à l'archevêché de Paris Mgr de Vintimille (1729) qui relève de leurs fonctions près de 300 prêtres jansénistes et, par la déclaration de mars 1730, confirme la bulle Unigenitus comme loi de l'Église et de l'État. Dès lors, c'est l'épreuve de force avec le parlement (1730-1732) : remontrances, lit de justice*, protestations nouvelles, exil... La crise parlementaire se double d'une agitation populaire et morbide au cimetière Saint-Médard à Paris. Fleury ne fléchit pas, l'ordre revient (1733).

A l'extérieur, le cardinal fait preuve de la plus grande prudence, prolonge les relations pacifiques avec l'Angleterre. Contraint par les événements, le cardinal se résout à une intervention militaire (1733-1738) pour soutenir Stanislas Leszczynski, beau-père de Louis XV. Leszczynski, élu roi de Pologne, est chassé de son trône par la Russie et l'Autriche. La France intervient avec mesure (combats sur le Rhin et en Italie) et avec succès. En 1738, le traité de Vienne aboutit à un arrangement : Stanislas Leszczynski ne retrouve pas la Pologne, mais devient duc de Lorraine et la Lorraine deviendra terre française à sa mort. La prudence de Fleury ne parvient pas toutefois à s'opposer au parti antiautrichien animé à la cour par le maréchal de Belle-Isle. Lorsque, à la mort de l'empereur d'Autriche, en octobre 1740, sa fille

* Séance du parlement présidée par le Roi au cours de laquelle les magistrats sont contraints d'enregistrer les édits sans formuler les habituelles remontrances.

Marie-Thérèse monte sur le trône, Belle-Isle pousse la France à intervenir pour soutenir le roi de Prusse, Frédéric II, dans l'espoir d'abattre définitivement la puissance autrichienne. Fleury ne peut empêcher l'entrée en guerre de la France dans la guerre de la Succession d'Autriche. Belle-Isle s'empare de Prague (novembre 1741). Agé de quatre-vingt-dix ans, le cardinal de Fleury meurt le 29 janvier 1743. Le décès de Fleury affecte profondément le roi et marque en même temps un tournant dans l'histoire du règne, en mettant fin à une longue période de stabilité et de relative tranquillité.

L'absolutisme à éclipses (1743-1774)

Louis XV

Né le 15 février 1710, orphelin très jeune, Louis XV est un roi difficile à juger. Une légende noire entoure ce souverain à la belle prestance, mais paraissant exercer son métier de roi de façon détachée et sceptique. Esclave de ses passions charnelles, Louis XV aurait eu vingt-deux bâtards de ses multiples aventures. Au-delà de cette mauvaise réputation, apparaît un autre Louis XV. C'est un homme timide, volontiers froid et solennel en public, sujet à des crises d'abattement, qui supporte mal la lourde étiquette de la vie de cour, mais qui n'ose pas bouleverser l'ordre de la monarchie. C'est un homme qui a le goût de l'intimité ; il fait aménager de petits appartements sous les combles de Versailles où il convie quelques privilégiés dans une grande simplicité. Il aime le café, les discussions entre intimes, les oiseaux et un gros

Louis XV vers 1740, G. Lundberg, musée de Versailles (photo Bulloz).

Madame de Pompadour, pastel de M. Quentin de la Tour, musée du Louvre (photo Hachette).

chat blanc angora. Il est capable de délicatesse et reste très attaché à ses enfants. Avec Mme de Pompadour qui règne sur la cour de 1745 à 1764, il trouve enfin la confidente dévouée. C'est aussi un roi plus sérieux qu'on ne l'a dit. Cultivé, il achète l'*Encyclopédie*. Il a le goût du secret, de la minutie et suit plus régulièrement qu'on ne le croit les affaires du royaume. Il est capable de brusques éclats, peut renvoyer sèchement un ministre ou flétrir en termes sévères le parlement. La constance est la qualité qui lui fait le plus défaut : Louis XV est un monarque absolu par éclipses.

Autour du roi, il y a la reine Marie Leszczynska qui lui donne dix enfants dont sept survivent, son fils, le Dauphin, meurt en 1765, ses filles, Mesdames de France, protègent le parti dévot et ont de l'influence. Le roi a de nombreuses maîtresses : Mme de Mailly, la duchesse de Châteauroux au début du règne, Mme du Barry à la fin. La femme qui a exercé la plus vive influence reste la marquise de Pompadour. D'origine roturière, née dans le milieu de la finance, Jeanne-Antoinette Le Normant d'Étioles, née Poisson (1721-1764), protège le mouvement philosophique, contribue avec son frère, le marquis de Marigny, à lancer vers 1750 le nouveau style néo-classique — nous lui devons l'actuel palais de l'Élysée —, favorise le renversement des alliances — Frédéric II la surnomme « Sa Majesté Cotillon ». Elle contribue au renvoi de Machault en 1757 et favorise la carrière de Choiseul.

Les problèmes se multiplient, l'autorité fléchit

A la mort de Fleury, Louis XV, qui a trente-trois ans, supprime la fonction de Premier ministre et annonce qu'il gouvernera désormais seul. Le gouvernement royal revient donc au modèle louis-quatorzien, sans toutefois la régulière majesté, la fermeté, l'application qui caractérisaient le Roi-Soleil. Les personnalités les plus marquantes sont le contrôleur général Machault d'Arnouville et, comme secrétaires d'État, le marquis d'Argenson et son frère, le comte d'Argenson, le comte de Saint-Florentin, le comte de Maurepas. Un cinquième secrétariat d'État, créé en 1763, est confié à Bertin, chargé de l'Agriculture, du Commerce, des Mines. Cependant, à la tête du gouvernement, l'autorité est hésitante, l'unité de vues disparaît. Le roi est absent de bien des conseils et les ministres prennent l'habitude de se réunir en comités, d'intriguer. En province, les intendants mal soutenus par le pouvoir rencontrent bien des difficultés.

Au même moment se posent de graves problèmes auxquels il aurait fallu faire face avec une autorité qui fait cruellement défaut. Il y a d'abord la rivalité croissante avec l'Angleterre. Depuis la Régence, la paix avec l'Angleterre a permis une vigoureuse reprise du trafic maritime et un essor brillant de la colonisation outre-mer. En Amérique, un immense territoire — du Canada à la Louisiane — où vivent de 70 à 80 000 Français encercle les colonies anglaises littorales fortes de un million de colons. Aux Indes, Dupleix réalise, entre 1742 et 1753, une belle expansion territoriale et établit un protectorat français sur le Carnatic, vaste région autour de Pondichéry. Cet essor inquiète vite l'Angleterre. Des rixes locales opposent colons français et anglais. Au Canada, la guerre éclate en 1740 alors que la marine de guerre française est désorganisée.

Il y a ensuite le problème fiscal. Alors que le pays s'enrichit lentement, les finances de l'État sont en perpétuel déficit. Le système fiscal en place est archaïque et peu satisfaisant. La fiscalité indirecte joue un rôle excessif. Les impôts directs — principalement la taille — épargnent les nobles, le clergé et retombent avec beaucoup d'inégalité d'ailleurs, faute de cadastre, sur les paysans. La monarchie multiplie les emprunts et ce sont souvent les privilégiés, nobles d'épée, de robe, d'Église, qui avancent à l'État l'argent nécessaire. Les impôts servent en partie à rembourser ces prêteurs privilégiés (24 % des dépenses de l'État en 1774 servent au paiement de la dette). Tous les projets de réformes partent de la même idée : établir l'égalité de tous devant l'impôt, créer un impôt sur le revenu de toutes les propriétés, établir un cadastre général et un corps de contrôleurs fiscaux. Les dépenses nouvelles créées par les guerres rendent plus urgente une réforme à laquelle s'opposent avec fermeté les milieux privilégiés, en particulier les parlements. Les prétentions excessives des parlements constituent enfin une redoutable menace pour la monarchie. Ces parlements, qui sont des cours supérieures de justice, profitent de leur droit d'enregistrer les édits royaux — un édit n'est applicable que s'il est enregistré — pour se faire les porte-parole de la nation et pour discuter, remontrer, faire modifier les lois nouvelles. Réduits au silence sous Louis XIV, les 2 200 membres des diverses cours souveraines ont retrouvé leur arrogance depuis que le Régent leur a rendu leur droit de remontrances. Face à un roi hésitant, ceux-ci jouent les pères du peuple, se permettent toutes les audaces, font à plusieurs reprises grève de la justice, sapent l'autorité royale et, sous prétexte de protéger le peuple de nouveaux impôts, retardent toute réforme fiscale. Travaillée par les premières critiques lancées par les philosophes, l'opinion publique sensible à certains arguments démagogiques soutient les parlements contre l' « arbitraire », oubliant que ces magistrats, au demeurant nobles, sont avant tout de riches privilégiés pour qui l'exercice de la justice est fréquemment une activité secondaire, qu'ils pratiquent souvent mal ou avec partialité. Des procès célèbres (affaires Calas, Sirven, La Barre, Lally-Tollendal) soulignent le fanatisme et la partialité des « grandes robes ».

Grammes d'argent

Source : N. de Wailly et Doc. Photographique.

La stabilisation de la livre tournois.

Un magistrat au XVIIIᵉ siècle, le président de Jousse, J.-B. Perronneau, musée des Beaux-Arts, Orléans (photo Giraudon).

L'agitation religieuse et parlementaire (1743-1757)

Conscient de la nécessité de réformer la fiscalité, le contrôleur général Machault d'Arnouville, homme intègre et volontaire, crée, en 1749, un impôt nouveau : le vingtième. Cette taxe de 5 % doit être perçue sur tous les revenus, elle ouvre donc une brèche dans le mur des privilèges. Voltaire soutient

Machault, mais le clergé, les pays d'états* à la fiscalité plus douce, les parlements se déchaînent, refusent de payer. Brutalement, Louis XV suspend la levée du nouvel impôt sur le clergé (décembre 1751). Dès lors, le vingtième est vite dénaturé et la courageuse réforme de Machault échoue.

Enhardis par le recul de la monarchie, les parlementaires relancent l'agitation et soutiennent la cause janséniste contre l'archevêque de Paris et la cour (1752-1757). Ainsi se succèdent remontrances des magistrats, lit de justice, exil du parlement, grève de la justice, puis laborieuses négociations et retour du parlement sous les applaudissements d'un public abusé. La perte d'autorité de la monarchie est manifeste. Dans ce climat de malaise, un domestique déséquilibré, Damiens, porte un coup de canif au roi le 5 janvier 1757. Damiens est écartelé. Louis XV survit à l'attentat mais, pour plaire à l'opinion, renvoie Machault et le comte d'Argenson. Ces départs affaiblissent un peu plus la monarchie.

Les revers de la politique extérieure

En 1740, la France entre en guerre contre l'Angleterre. Aux Indes, La Bourdonnais prend Madras (1746). Engagée dans la guerre de la Succession d'Autriche (1740-1747), avec pour alliée inconstante la Prusse de Frédéric II, la France connaît des revers. Le maréchal de Belle-Isle doit évacuer Prague (décembre 1742) dans des conditions très difficiles. L'Alsace est menacée mais les troupes françaises commandées par le maréchal de Saxe redressent la situation en attaquant les Anglo-Hollandais aux Pays-Bas. Le 11 mai 1745, à Fontenoy, Maurice de Saxe et Louis XV battent les Anglais (9 000 morts sans doute). Les Français envahissent les Pays-Bas autrichiens : victoires de Raucoux (1746) et de Lawfeld (1747). Ostende, Bruges, Gand, Bruxelles sont occupés. Alors que la France est en position de dicter ses conditions, la paix d'Aix-la-Chapelle (1748) est déconcertante. Marie-Thérèse est reconnue impératrice, Frédéric II reçoit la Silésie, mais Louis XV renonce à toutes ses conquêtes. L'opinion française, surprise, ne comprend pas la magnanimité du roi et estime que la France s'est battue pour le seul profit du roi de Prusse.

La même politique aboutit au rappel de Dupleix en Inde et à l'abandon du Carnatic (1754), au plus grand profit de l'Angleterre. En Amérique du Nord, les embuscades entre Anglais et Français se poursuivent. En juin 1755, sans déclaration de guerre, l'Angleterre reprend les hostilités. En Europe, la tension entre la Prusse et l'Autriche reprend. Entre 1756 et 1757, un spectaculaire renversement des alliances s'opère : Frédéric II de Prusse s'allie à l'Angleterre en guerre contre la France cependant que, sur les conseils de l'abbé de Bernis et de la Pompadour, Louis XV accepte l'alliance autrichienne. Le pacte de famille (1761) permet à la France de compter sur l'aide navale espagnole. La guerre de Sept Ans (1756-1763) inflige à la France de terribles revers outre-

* Provinces rattachées tardivement à la France possédant des assemblées régionales votant l'impôt.

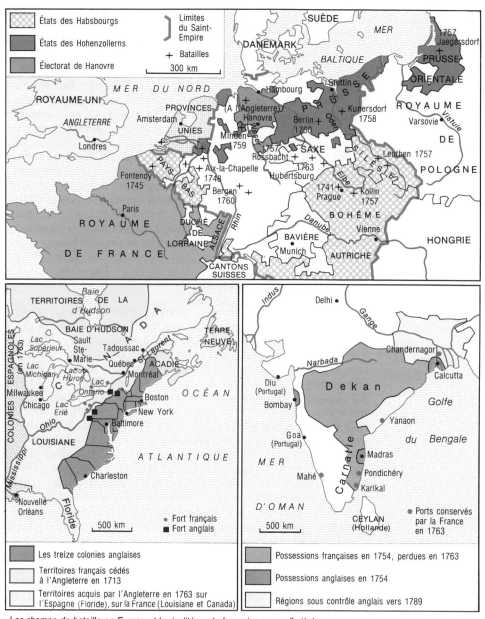

Les champs de bataille en Europe et la rivalité anglo-française au XVIIIᵉ siècle.

mer. Au Canada, Montcalm est tué en septembre 1759. Aux Indes, Lally-Tollendal doit capituler à Pondichéry en 1761. Sur terre, le génie stratégique de Frédéric II fait merveille. A Rossbach, le 5 novembre 1757, l'armée de Soubise est battue. Des traités (1763) mettent fin aux hostilités. Frédéric II conserve la Silésie, la France doit céder à l'Angleterre presque toutes ses colonies : le Sénégal, le Canada, la rive gauche du Mississippi. La Louisiane est cédée à l'Espagne à titre de compensation. La France ne conserve que les Antilles et cinq comptoirs en Inde : Mahé, Karikal, Pondichéry, Yanaon, Chandernagor.

En 1758, le marquis de Stainville, duc de Choiseul, entre au gouvernement. Avec son cousin, Choiseul-Praslin, il cumule vite trois secrétariats d'État : les Affaires étrangères, la Guerre, la Marine. Grand seigneur, spirituel, souvent insouciant, bien vu des milieux « éclairés » mais dépourvu de fermeté, Choiseul fait figure de Premier ministre pendant douze ans sans en porter le titre.

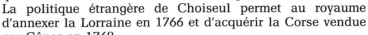

Désireux de prendre une revanche sur l'Angleterre, Choiseul s'emploie à reconstituer et à réformer l'armée. De gros efforts aboutissent à la renaissance de la marine de guerre. En 1771, la France peut aligner 109 vaisseaux, ses arsenaux ont été réformés, des bases navales créées à Saint-Domingue, la Martinique, l'île de France.

Affiche de recrutement vers 1757, Bibl. des Arts Décoratifs (photo J.-L. Charmet).

De l'académie de Brest sortent des officiers nobles de valeur. La France dispose enfin d'un instrument pour protéger, voire étendre ses colonies. L'armée de terre devient, par l'ordonnance de 1762, une armée permanente. Les soldats sont recrutés directement par le roi et non par les capitaines, la solde est augmentée, une pension est versée après vingt-quatre ans de service. Le collège de La Flèche devient collège militaire. Créée à Paris depuis 1752, l'École militaire donne à de jeunes nobles une instruction de qualité. L'ingénieur Gribeauval perfectionne et allège l'artillerie française (1765) qui devient l'une des meilleures d'Europe.

L'École militaire, achevée en 1773 (extrait de l'*Histoire de France* par M. Reinhard, (Larousse).

La politique étrangère de Choiseul permet au royaume d'annexer la Lorraine en 1766 et d'acquérir la Corse vendue par Gênes en 1768.

Cependant, l'opposition parlementaire ne faiblit pas. Aucune réforme fiscale sérieuse (création d'un second vingtième) ne peut aboutir. Les contrôleurs généraux se succèdent. En matière économique, une politique d'inspiration libérale s'esquisse. Les monopoles maritimes sont assouplis ou supprimés. L'initiative privée triomphe dans les ports. Le carcan réglementaire imaginé par Colbert est desserré : des produits étrangers pénètrent en France, sont imités et stimulent la création de manufactures privées. L'esprit physiocratique gagne le gouvernement. Bertin encourage les sociétés d'agriculture (1760), les écoles vétérinaires (1761). En 1763-1764, il tente une libération du commerce des grains qui se heurte toutefois à une vive opposition populaire et est finalement abandonnée (1770).

Mais Choiseul ne parvient pas à désarmer la fronde parlementaire. Il cherche la conciliation face aux magistrats et tente de les calmer en leur sacrifiant les jésuites. Ayant profité d'un procès où est impliqué le père jésuite La Valette, le parlement de Paris, d'esprit gallican et hostile aux jésuites, prononce leur expulsion le 6 août 1762. Choiseul conseille à Louis XV de suivre l'avis du parlement : en novembre 1764, la Compagnie de Jésus est dissoute. Loin de calmer l'opposition parlementaire, cette concession royale accroît l'agitation. Une nouvelle et violente crise éclate en Bretagne entre le procureur général La Chalotais et le duc d'Aiguillon, gouverneur de la province (1763-1770). Le parlement de Bretagne, mené par La Chalotais, harcèle le duc d'Aiguillon et s'oppose aux mesures qu'il prend. La Chalotais arrêté, le parlement de Rennes cesse ses fonctions, bientôt rejoint par les autres parlements. En dépit de dures déclarations (*discours de la flagellation,* 3 mars 1766), Louis XV temporise, mais les magistrats ne connaissent plus de bornes à leur arrogance et exigent le procès du duc d'Aiguillon (1770). Brusquement, le 27 juin 1770, le roi met fin à l'affaire et, excédé par la faiblesse de son ministre, renvoie Choiseul (24 décembre 1770).

Un redressement tardif (1770-1774)

Le chancelier de Maupeou, gravure de Hubert, Bibl. de l'Arsenal, Paris (photo Hachette).

Tardivement, Louis XV fait preuve de fermeté. Avec l'aide d'hommes déterminés et lucides, le chancelier de Maupeou, l'abbé Terray, contrôleur général des Finances, et le duc d'Aiguillon aux Affaires étrangères, la monarchie tente un redressement et une série de réformes.

Les mesures financières proposées par l'abbé Terray provoquent une nouvelle grève du parlement de Paris en décembre 1770. Le chancelier de Maupeou saisit l'occasion. Dans la nuit du 19 au 20 janvier 1771, des mousquetaires somment les magistrats grévistes de reprendre leur service. La majorité refuse : 130 magistrats sont exilés. Le 23 février 1771, Louis XV rend public un édit rédigé par Maupeou. C'est une réforme profonde et moderne de la justice, approuvée par Voltaire. Le ressort du parlement de Paris est brisé et découpé en six conseils supérieurs formés de juges désormais nommés, payés et révocables par le roi. La justice devient gratuite, une brèche est ouverte dans la vénalité des charges. La réforme est étendue à des parlements frondeurs (Douai, Rouen). Maupeou affronte les protestations, ne fléchit pas, et parvient à faire fonctionner efficacement les nouveaux conseils.

Débarrassé de l'opposition des parlements, l'abbé Terray redresse en partie la situation financière. Pour réduire le déficit, le contrôleur général n'hésite pas à suspendre un temps les paiements de l'État, à réduire les rentes. En novembre 1771, il reprend la réforme fiscale, consolide les deux impôts du vingtième, exige leur perception en proportion de tous les revenus. Un corps de contrôleurs est créé, ainsi qu'un bureau officiel des statistiques qui doit permettre un dénombrement précis de la population et la confection d'un cadastre. Les réformes de Terray donnent un sursis au régime.

A soixante-quatre ans, Louis XV est soudain frappé par la variole. Après quelques jours de souffrance, le roi s'éteint le 10 mai 1774, alors que l'œuvre de redressement menée par Maupeou et Terray est encore fragile. Il est bien possible que la mort précoce de Louis XV ait hâté la crise finale de la monarchie.

Un vent de prospérité

Des hommes plus nombreux

L'arrivée des nourrices (détail), E. Jeaurat, musée Carnavalet, Paris (photo Lauros-Giraudon).

Le règne de Louis XV est placé sous le signe de la croissance démographique et économique. Entre 1717 et 1770, la population du royaume est probablement passée d'environ 19 millions d'habitants à 25 millions ou un peu plus. L'annexion de la Corse et de la Lorraine a fourni un million d'habitants, le reste provient du simple excédent des naissances sur les décès. La période est en effet marquée par le fléchissement des grandes causes de surmortalité. Sous Louis XV, le royaume n'est pas envahi, les guerres hors des frontières font moins de ravages. La peste se manifeste une dernière fois de façon violente à Marseille, en 1720, puis disparaît.

Enfin, les crises de surmortalité liées aux récoltes désastreuses, aux hivers rigoureux et aux famines reculent nettement. La tendance est au réchauffement et les accidents climatiques deviennent plus rares. Il convient cependant d'être prudent car la mortalité reste encore élevée. Des maladies comme la typhoïde, la grippe (épidémies de 1763 et de 1767), les maladies broncho-pulmonaires, la variole, la tuberculose et la dysenterie sont redoutables. L'hygiène reste souvent déplorable et les possibilités médicales limitées. La mise en nourrice de jeunes enfants entraîne une surmortalité infantile effrayante. Vers 1750, un enfant sur quatre ne dépasse pas l'âge de un an.

Les couples du XVIIIe siècle continuent d'avoir beaucoup d'enfants, mais prennent aussi l'habitude de se marier tard, à 24-25 ans pour les femmes, à 27-28 ans pour les hommes. Si la très haute société a déjà recours à des pratiques contraceptives, en revanche le menu peuple semble encore à l'abri du malthusianisme.

Cette croissance démographique a d'importantes conséquences urbaines. Nombreuses sont les villes à connaître une forte expansion. Nîmes, Bordeaux, Brest, Nantes doublent leur population au fil du siècle. A la veille de la Révolution, Paris, avec environ 700 000 habitants, est une des plus grandes villes du monde. Sous Louis XV, la capitale change de visage, des quartiers nouveaux apparaissent : le faubourg Saint-Honoré, le faubourg Saint-Germain, la place Louis XV (la Concorde), la Chaussée d'Antin. En province, Bordeaux, Rouen, Reims, Nantes, Valenciennes, Nancy, subissent de grands travaux d'urbanisme, souvent menés par les intendants. Les remparts sont souvent rasés et remplacés par des mails, des jardins ; des places sont aménagées, des fontaines, des statues érigées, des théâtres construits ; l'éclairage des rues et la numérotation des maisons apparaissent à cette époque.

Le port de Bordeaux en 1759, J. Vernet, musée de la Marine, Paris (photo Hachette).

La croissance économique

La conjoncture économique évolue. Dès la Régence, la tendance est à l'expansion. A partir de 1733, la France entre dans une longue période de hausse des prix — une phase d'expansion économique qui dure jusqu'en 1817. On peut estimer que, au cours du XVIIIe siècle, sous les règnes de Louis XV et de Louis XVI, les prix agricoles augmentent en moyenne de 60 à 70 %, les prix des produits artisanaux et industriels de 20 à 40 % et les fermages de 80 à 90 %. La hausse générale des prix dynamise l'activité économique.

La production agricole durant tout le siècle a dû augmenter d'environ 40 %, alors que la croissance démographique du royaume se situe autour de 30 %. Cela explique le recul des famines et la lente augmentation du niveau de vie. En 1789, la ration alimentaire moyenne atteint, sans doute, de 1 800 à 2 000 calories par jour et par Français. Cette hausse quantitative provient du labeur paysan, de l'extension maximale des aires de culture car, en dépit des physiocrates, il est difficile de parler d'une révolution agricole. L'outillage stagne, le rendement reste bas (de 8 à 9 quintaux à l'hectare pour les grains) et, en l'absence de fumier et d'engrais, la jachère est importante. Ce dynamisme de l'agriculture accompagne le développement de la production artisanale qui demeure le premier secteur d'activité. Sur toute la durée du siècle, le commerce extérieur français quintuple et la croissance est encore plus vive pour le seul commerce colonial. Le café, le sucre, le chocolat font l'objet d'un vif engouement dans la France de Louis XV. Deux ports illustrent cet essor par leur prospérité : Bordeaux et Nantes. Les négociants nantais, spécialisés dans le « commerce triangulaire », ont dû transporter 414 000 esclaves noirs aux Antilles. Après la vente des Noirs dans les îles, les négociants achètent du sucre, du café, de l'indigo dont ils assurent le transport vers la métropole.

Manufacture d'Orange vers 1765 (photo Hubert Josse).

Un vent de libéralisme économique souffle sur le royaume. L'ouvrage de Quesnay, *Le Tableau économique* (1758), connaît un vif succès dans une société qui se veut « éclairée », qui croit au progrès et s'intéresse aux statistiques. Sous Louis XV apparaissent des manufactures privées utilisant des machines anglaises d'un grand modernisme, ainsi celle de John Holker à Rouen (1751), ou la manufacture construite sur 15 hectares à Jouy-en-Josas par Oberkampf (1760). Pour exploiter la houille, des sociétés par actions sont fondées, ainsi à Litry (1747) et à Anzin (1756). A Paris, une Bourse des valeurs fonctionne depuis 1724. Le chevalier de Jars enquête sur les nouvelles techniques métallurgiques en Angleterre dès 1764.

L'administration royale progresse et favorise discrètement ce mouvement d'expansion. C'est vers 1750 que la monarchie met au point le système moderne du fonctionnaire nommé, payé et révocable par le roi. Le corps des officiers décline et la notion de service public apparaît. Il existait déjà des intendants, des commissaires, des commis, Trudaine organise le corps des Ponts et Chaussées (1747), puis le corps des Mines, dont les membres sont recrutés par concours et formés dans une école d'État. Trudaine prend l'initiative de la construction d'un vaste réseau de routes royales, organisant autour de Versailles une vaste toile d'araignée. En 1772, 12 000 lieues (environ 48 000 km) sont déjà construites et autant sont en chantier. Ce sont les ancêtres de nos routes nationales.

Les routes de poste à la fin du XVIIIe siècle.

Source : E. Lavisse, Histoire de France, 1903.

Dans l'ensemble, la société connaît sous Louis XV une certaine hausse du niveau de vie. De nombreux signes peuvent en témoigner. Ainsi l'alphabétisation des milieux populaires est en essor. Elle est très avancée à Paris qui compte 500 établissements d'instruction élémentaire. A la fin du XVIIIe siècle, on estime que 47 % des Français et 27 % des Françaises savent lire et écrire. Dans les inventaires du temps, on remarque une aisance plus grande. En milieu populaire apparaissent miroirs et faïences. Les meubles se multiplient. Pour les puissants, superbes meubles en acajou ou en marqueterie, comme ceux réalisés par Cressent ou Oeben. Dans les milieux plus modestes on trouve déjà des armoires (de 15 à 30 livres pièce) et parfois des commodes (de 20 à 40 livres pièce). Les Parisiens utilisent couramment la montre et la ville de Genève en fabrique plus de 100 000 par an. La consommation de café ou de chocolat progresse dans les milieux modestes citadins. La haute société recherche le confort, l'intimité, se fait construire des salles de bains. Dans les belles demeures, les couloirs se multiplient, isolant les salons des chambres.

La douceur de vivre de l'époque possède ses limites. Certaines provinces (la Bretagne, le Massif central), et certaines villes (Aix, Angers, Toulon, Avignon) restent à l'écart de la croissance. En fait, la prospérité favorise les propriétaires de terres qui reçoivent des fermages en forte croissance durant tout le siècle (80 à 90 %), alors que les salaires sont à la traîne. Si les prix agricoles augmentent de 60 à 70 %, les salaires n'ont dû augmenter que de 20 à 25 %, mais il faut aussi tenir compte des nombreux avantages en nature qui font partie du salaire. Si les grandes famines disparaissent, il arrive que le niveau trop élevé des prix entraîne encore des émeutes comme en 1750-1752, par exemple. Enfin, ces signes de détresse que sont les abandons d'enfants (encore très nombreux pendant cette période) ne doivent pas être négligés. A Paris, on peut estimer qu'en moyenne 5 000 bébés sont abandonnés chaque année et promis à un destin cruel.

La pourvoyeuse, J.B.S. Chardin (1739), musée du Louvre (photo Hachette).

Salon de l'hôtel particulier de J.-S. Bernard (vers 1740), musée de Jérusalem (photo C.D.A.-Hinars-Edimedia).

Le petit Trianon par Gabriel (1762-1768) (photo C.N.M.H.S.).

La langue, le goût, l'art français font alors en Europe l'objet d'un engouement général.

La première partie du XVIIIe siècle voit s'épanouir le style « rocaille » ou « rococo » qui introduit le charme, la grâce, l'invention dans la décoration : des contours déchiquetés, des boiseries aux couleurs tendres bordées d'un liséré d'or, des glaces, des bouquets de fleurs, des amours, des meubles à la ligne galbée... Les hôtels particuliers construits à cette époque illustrent cette tendance : ainsi, à Paris, les hôtels de Rohan et de Soubise. Vers 1750, le goût évolue. A la suite de fouilles réalisées à Paestum et à Herculanum, les architectes et les décorateurs français reviennent au goût antique, à la sobriété, à la ligne droite, à une certaine solennité : c'est le style néo-classique, appelé plus tard style Louis XVI. Cet esprit est visible dans la façade de l'église Saint-Sulpice achevée, en 1745, à Paris par Servandoni et dans les travaux d'Ange-Jacques Gabriel : l'École militaire (1752), l'opéra de Versailles (1753), la place Louis-XV (la Concorde), le petit Trianon (1762-1768). Soufflot édifie l'église Sainte-Geneviève (le Panthéon) dans ce goût néo-antique (1757-1780). La musique est essentiellement représentée par Rameau, la peinture par Watteau, Chardin, Quentin La Tour, Lancret, Greuze, Boucher, Fragonard...

Des œuvres capitales marquent le mouvement des idées et ouvrent l'ère des Lumières. Ainsi apparaissent l'*Esprit des lois* de Montesquieu (1748), l'*Histoire naturelle* de Buffon (1749). Deux philosophes exercent une influence prépondérante sur l'opinion cultivée. Voltaire publie les *Lettres anglaises* (1734), *Le Siècle de Louis XIV* (1751) et multiplie les touches ironiques dans *Zadig* (1747) et *Candide* (1759). Jean-Jacques Rousseau acquiert la célébrité par le *Discours sur les sciences et les arts* (1750), puis publie le *Discours sur l'origine de l'inégalité* (1755), *La Nouvelle Héloïse* (1761), l'*Émile*, le *Contrat social* (1762), toutes œuvres qui laissent une empreinte profonde sur les jeunes générations cultivées de l'époque. Un ouvrage tiré à 25 000 exemplaires illustre l'esprit nouveau : croyance au progrès, à la bonté de la nature, explication rationnelle et positive du monde, c'est l'*Encyclopédie* dirigée par Diderot et dont le premier tome paraît en 1751. Derrière les philosophes se forme peu à peu une opinion « éclairée » grâce aux académies de province, aux loges de la franc-maçonnerie. Des critiques naissent à l'encontre de l'Église, de la monarchie. Des aspirations à des réformes apparaissent mais d'une façon encore sage et mesurée. Les philosophes sont souvent prudents, volontiers conservateurs en matière politique (Montesquieu, Voltaire), tout comme les acheteurs de l'*Encyclopédie* qui sont souvent des privilégiés, des hommes de loi, des médecins et plus rarement des négociants ou des entrepreneurs modernes.

Page de titre de l'*Encyclopédie*, édition de 1751, Bibl. nat., Paris (photo Hachette).

La crise
de la monarchie
sous Louis XVI

Le climat du règne

Louis XVI et son entourage

A vingt ans, Louis XVI, petit-fils de Louis XV, accède au trône. Ce jeune homme empâté, aux goûts simples, de bonne disposition, possède de l'instruction mais est timide et dépourvu d'énergie et de volonté. Charitable, menant une vie irréprochable, ce roi affectionnant la chasse et le travail du fer, est peu doué pour diriger les affaires complexes d'un royaume qu'il connaît d'ailleurs fort mal, faute d'avoir voyagé. Il subit vite l'influence de sa femme la reine Marie-Antoinette, d'origine autrichienne. D'une grande beauté, la reine est gracieuse mais frivole, irréfléchie, dépensière. Elle devient rapidement impopulaire et fait l'objet de nombreuses attaques. L'Affaire du collier (1785-1786) dans laquelle la reine, parfaitement innocente au demeurant, est impliquée, éclabousse la cour. La famille royale est loin d'aider le timide et hésitant Louis XVI dans sa tâche. Les frères du roi, le comte de Provence et le comte d'Artois, mènent une vie frivole, s'opposent aux réformes et participent souvent aux nombreuses cabales. Le cousin du roi, le duc d'Orléans, immensément riche, joue les princes éclairés, multiplie les intrigues, les critiques et entretient un groupe de pamphlétaires à sa solde.

Louis XVI, Duplessis, musée de Versailles (photo Hachette).

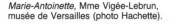

Marie-Antoinette, Mme Vigée-Lebrun, musée de Versailles (photo Hachette).

La conjoncture économique

Les progrès industriels et scientifiques s'accélèrent. En 1779, James Watt fournit aux frères Perier une puissante machine à vapeur installée à Chaillot et destinée à alimenter les fontaines de Paris en eau courante. Les manufactures modernes se multiplient : manufacture de produits chimiques à Javel (1777), société des forges du Creusot créée par de Wendel (1782). En 1783, Jouffroy d'Abbans parvient à faire remonter la Saône à un navire à vapeur. La même année, Lavoisier réalise l'analyse de l'eau et les premiers essais d'aérostation sont effectués par les frères Montgolfier, Pilâtre de Rozier et le marquis d'Arlande.

Ces progrès s'effectuent toutefois dans une conjoncture plus difficile. Au sein d'une longue phase d'expansion (1733-1817), s'ouvre brusquement une parenthèse dépressive (1778-1787). A partir de 1778, d'excellentes vendanges entraînent, durant plusieurs années, une baisse sensible des cours du vin. Bientôt ce sont les prix des grains qui fléchissent sous le coup de récoltes généreuses. En 1785, une sécheresse provoque la mort de nombreuses bêtes. Pendant plusieurs années, le pouvoir d'achat des paysans baisse alors que la pression fiscale, et surtout les exigences seigneuriales, augmentent. Le ralentissement des achats ruraux amène une baisse de l'activité artisanale et manufacturière dans les villes. Le règne de Louis XVI est, de ce fait, moins heureux que celui de son grand-père : faillites, chômage (il y a sans doute 120 000 indigents à Paris en 1789), vagabondage deviennent monnaie courante. Cette dépression est cependant passagère. Des récoltes médiocres inversent la tendance à partir de 1787. Les prix agricoles brusquement montent en flèche, multipliant les émeutes alimentaires. Cette conjoncture extrêmement contrastée est accompagnée d'accidents climatiques violents : inondations de 1784, grandes pluies de 1787, violent orage du 13 juillet 1788 qui dévaste une partie de la France, rudesse de l'hiver 1788-1789. En dépit d'épidémies broncho-pulmonaires, la population du royaume atteint probablement de 27 à 28 millions d'habitants en 1789.

Les Académies de province au XVIIIᵉ siècle.

Source : D. Roche, le siècle des lumières en province, Paris-La-Haye, Mouton 1978.

La pompe à feu de Chaillot, gravure d'après Testard, musée Carnavalet, Paris (photo Jean-Loup Charmet).

Lavoisier et sa femme, L. David (1788) [photo Bulloz].

Désir réformateur et opposition aristocratique

Louis XVI hérite d'une monarchie affaiblie par les multiples attaques des parlements et dont le redressement est encore fragile (réformes de Maupeou et de Terray, voir p.180). La grande question de la réforme fiscale n'a pas reçu de solution, et 24 % des dépenses budgétaires en 1774 servent au paiement des intérêts de la dette. Le roi doit compter avec l'existence d'une opinion publique qui, par le biais de libelles, brochures, cabales, commence à se faire entendre. Deux tendances antagonistes se dessinent, entre lesquelles le roi hésitera sans cesse. Dans les milieux philosophiques, mais aussi parmi quelques nobles libéraux, s'est constitué un mouvement réformateur qui prône l'égalité de tous devant l'impôt, la suppression des règlements et des entraves au nom du libéralisme économique ; il réclame aussi des réformes de la justice, des hôpitaux, de l'enseignement au nom du progrès. A l'opposé, les milieux privilégiés, le haut clergé, la noblesse d'épée, la noblesse de robe des magistrats, hostiles aux réformes fiscales, sont toujours puissants et font valoir qu'ils sont les soutiens naturels et fidèles de la monarchie. Une sorte de réaction seigneuriale se profile durant tout le règne. Les privilégiés, possesseurs de fiefs, prennent l'habitude de percevoir de vieux droits seigneuriaux tombés en désuétude, exigent souvent des paysans des années d'arrérages. Les fils de famille aristocratique investissent largement les charges administratives, militaires et épiscopales. En 1781, l'édit du maréchal de Ségur réserve la carrière d'officier aux fils de nobles justifiant d'au moins quatre quartiers de noblesse. En 1789, tous les évêques, tous les intendants, la majorité des officiers sont issus de la noblesse.

Les premiers choix

Au cours des premiers mois de son règne, Louis XVI jouit d'une popularité extrême et suscite bien des espérances. Soucieux de bien faire et de plaire, Louis XVI prend des décisions contradictoires. Il renvoie Maupeou et Terray jugés impopulaires (août 1774) et prend la décision capitale d'annuler la réforme judiciaire en rappelant les anciens parlements (12 novembre 1774). Aussitôt les remontrances réapparaissent et le redressement, constaté à la fin du règne de Louis XV, s'écroule. Manquant d'expérience, désireux de constituer un gouvernement d'honnêtes gens, Louis XVI cherche un conseiller, une sorte de Premier ministre sans le titre. Sa tante, Mme Adélaïde, lui recommande le comte de Maurepas qui, à soixante-treize ans, revient aux affaires du royaume (1774-1781). Maurepas réussit à constituer un gouvernement où les talents et les qualités ne manquent pas : Turgot, Vergennes, Miromesnil, Sartine, Malesherbes, Saint-Germain.

Des expériences sans lendemain (1774-1781)

L'expérience de Turgot (1774-1776)

Turgot à l'âge de quarante-huit ans, Bibl. nat., Paris (photo Hachette).

Un homme de grande valeur devient contrôleur général des Finances : Jacques Turgot (1727-1781). Tolérant, cultivé, collaborateur de l'*Encyclopédie*, Turgot a été intendant en Limousin où il a pu expérimenter quelques-unes de ses idées physiocratiques* et libérales. Entré au gouvernement, il met au point un programme ambitieux où de sérieuses économies budgétaires se mêlent à d'amples projets de réformes.

Pour résorber le déficit, Turgot cherche à établir un budget en équilibre. Il impose de sévères restrictions, supprime de nombreux offices inutiles, mais dont il faut payer les gages. Il lutte contre les abus des fermiers généraux, obtient de Louis XVI une réduction de ses dépenses personnelles. Turgot envisage des réformes fiscales : la suppression de la dîme et de nombreux droits seigneuriaux, la collecte directe par l'État des impôts, la constitution d'un cadastre général. En matière économique et sociale, de vastes réformes sont lancées. Hostile aux entraves, partisan du libéralisme économique, Turgot accorde la libération du commerce des grains (septembre 1774), supprime les corporations et les corvées pour l'entretien des routes au profit d'un impôt payable par tous : la subvention territoriale (janvier 1776). Le contrôleur général imagine également la création d'un système d'assemblées locales élues, les municipalités, pour faire connaître au roi les vœux de ses sujets et pour assister l'intendant dans sa tâche. Turgot crée enfin un Conseil de l'instruction nationale chargé d'encourager et de contrôler les écoles.

Cette poussée réformatrice inquiète par son ampleur et, rapidement, Turgot doit faire face à une opposition violente et hétéroclite. La libération du commerce des grains coïncide avec des récoltes médiocres, et les milieux populaires rendent Turgot responsable de la cherté du pain. La « guerre des farines » (printemps 1775) entraîne de nombreuses émeutes : le contrôleur général reste ferme. Les maîtres artisans, les fermiers généraux, les milieux privilégiés, possesseurs de terres, les courtisans s'inquiètent et s'agitent. Une cabale se forme pour faire pression sur le roi. Marie-Antoinette et le comte de Maurepas en prennent la tête. D'un naturel peu souple, Turgot est disgracié le 12 mai 1776.

L'expérience de Necker (1776-1781)

Les projets de Turgot sont abandonnés durant l'été 1776. En octobre, un étranger originaire de Genève devient directeur des Finances. Jacques Necker (1732-1804), riche banquier, est un homme habile, modéré, qui se dit « éclairé », volontiers philanthrope — il vient de fonder à Paris un hôpital.

* Physiocratie : doctrine économique qui voit dans l'agriculture la seule source des richesses.

Necker, Bibl. nat.,
Paris (photo Hachette).

Par économie, Necker poursuit la suppression des offices inutiles et coûteux. Mais l'entrée de la France dans la guerre d'Amérique engage de fortes dépenses auxquelles il fait face, non par une augmentation des impôts mais par le moyen, sur le moment indolore, de l'emprunt. Necker émet sept gros emprunts qui rapportent au total 530 millions de livres. Cependant, le procédé est dangereux car il faut emprunter à 8,5 % puis à 10 % — taux élevés pour l'époque —, ce qui ne fait qu'accroître le volume de la dette et donc la charge annuelle de remboursement. En choisissant la facilité, Necker jouit d'une popularité extrême mais ne résout rien et hypothèque gravement l'avenir. Il esquisse quelques changements, affranchit les derniers serfs, réforme les hôpitaux, les prisons, supprime la « question préalable » (torture). S'inspirant de Turgot, il tente en Berry et en haute Guyenne l'expérience d'assemblées provinciales chargées d'assister l'intendant.

Le scénario se répète vite. A partir de 1780, les projets de Necker inquiètent certains ministres, les privilégiés, les courtisans, les intendants, les fermiers généraux et provoquent la formation d'une nouvelle conjuration qui assiège le roi toujours hésitant. Habile, Necker réplique en essayant de se concilier l'opinion publique. En février 1781, il fait publier le Compte rendu qui dévoile à un vaste public — 100 000 exemplaires sont vendus ! — l'état des recettes et des dépenses, avec notamment l'état précis des pensions accordées aux membres de la cour. L'opinion se délecte, la cour est furieuse. Necker, très populaire mais abandonné du roi, doit démissionner (19 mai 1781).

Le redressement diplomatique

Vergennes, la guerre d'Amérique

Vergennes, Bibl. nat.,
Paris (photo Hachette).

Pendant de longues années (1774-1787), la diplomatie française est dirigée par le comte de Vergennes qui, avec l'aide du comte de Saint-Germain (la Guerre) et de Sartine (la Marine), rend possible un net redressement à l'extérieur. Se souvenant de l'humiliant traité de 1763 (cf. p.178), Vergennes oriente toute la politique extérieure contre l'Angleterre. L'armée, la marine de guerre sont entretenues de façon à tirer parti de la première faiblesse anglaise. Cette politique anti-anglaise conduit Vergennes à refuser toute aventure militaire en Europe continentale et à y maintenir le *statu quo*.

Le soulèvement, en 1775, des colonies anglaises d'Amérique du Nord contre Londres fournit à la France l'occasion d'une revanche. Dès 1776, Vergennes conseille à Louis XVI de soutenir les « insurgents ». La France encourage le départ en Amérique de jeunes nobles désireux de combattre les Anglais (La Fayette, Ségur), reçoit Benjamin Franklin et reconnaît l'indépendance des États-Unis (6 février 1778). Avec l'aide de l'Espagne et des Provinces-Unies, la France entre alors en

guerre contre l'Angleterre. Sur les côtes de l'Inde avec le bailli de Suffren, dans les eaux américaines avec les amiraux de Grasse, d'Estaing, la marine française bat à plusieurs reprises les Anglais. A la tête de 6 000 hommes, le comte de Rochambeau participe aux côtés des insurgents à la bataille décisive de Yorktown (octobre 1781). Le traité de Versailles, signé en 1783, reconnaît l'indépendance des États-Unis et oblige l'Angleterre à restituer à la France des territoires perdus en 1763 : ses comptoirs du Sénégal, les îles antillaises de Sainte-Lucie et Tabago. La victoire est nette mais le gain reste modeste.

La Fayette, Bibl. nat., Paris (photo Hachette).

Paradoxalement, le redressement militaire et diplomatique de la France survient au moment où la monarchie semble s'enliser dans des difficultés intérieures graves. Ce relèvement diplomatique accélère d'ailleurs la crise intérieure dans la mesure où les fortes dépenses (près de deux milliards de livres !) entraînées par la guerre viennent s'ajouter à la dette. D'Amérique, enfin, souffle un vent libéral : de grands textes constitutionnels où il est question de liberté, de droits, de souveraineté du peuple, de limitation et de séparation des pouvoirs... circulent dans les milieux éclairés.

La monarchie dans l'impasse (1781-1789)

Pour résorber la dette publique, il faut augmenter les ressources de l'État et cela passe par une réforme fiscale qui amènerait les privilégiés, propriétaires de terres, à payer leur juste part. La réforme, sans cesse esquissée, est invariablement repoussée par des groupes de pression qui viennent aisément à bout de la faible volonté de Louis XVI. Peu à peu, la monarchie s'achemine vers la banqueroute et la paralysie politique.

Calonne aux finances (1783-1787)

En 1783, la reine Marie-Antoinette impose au contrôle général des Finances un intendant de province, connu pour sa souplesse et ses talents de gestionnaire, Charles Alexandre de Calonne. Profitant du climat optimiste qui règne dans les milieux fortunés après la guerre d'Amérique, Calonne recourt aux emprunts et trouve facilement des prêteurs. La dette augmente, mais le contrôleur général estime que l'essor économique continu du royaume permettra de réduire plus tard le fardeau. Pour entretenir cette prospérité, Calonne n'hésite pas à multiplier les dépenses. Il fait aménager le port de Cherbourg, construire des canaux en Bourgogne et ferme les yeux sur les gros besoins d'argent de la reine et du comte de Provence. Un traité conclu avec l'Angleterre en 1786

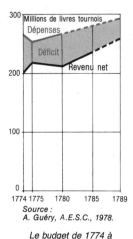

300 ┬ Millions de livres tournois

Dépenses

Déficit

200 ┤ Revenu net

100 ┤

0 ┴

1774 1775   1780   1785   1789

Source :
A. Guéry, A.E.S.C., 1978.

Le budget de 1774 à 1789.

permet l'échange de produits industriels anglais contre des grains et des vins français.

Le recours à l'emprunt a ses limites. A l'été 1786, Calonne ne trouve plus de prêteurs. La situation est intenable. Les derniers budgets montrent que l'État consacre près de 50 % de ses dépenses au seul paiement des intérêts de l'écrasante dette ! En août, le contrôleur général propose à Louis XVI un plan de réformes fiscales. Une nouvelle fois ce sont les mêmes idées réformatrices (créer un impôt en nature, payable par tous les propriétaires du sol et réparti par des assemblées provinciales élues) qui se heurtent aux mêmes oppositions des privilégiés et des parlements. Pour faire aboutir ses projets, Calonne les présente à une assemblée de 144 notables nommés par le roi (février-mars 1787). Ces notables, tous privilégiés, refusent le nouvel impôt. Objet d'attaques violentes, Calonne est renvoyé par Louis XVI le 8 avril 1787.

Brienne, Necker, la convocation des États généraux

L'archevêque de Toulouse, Loménie de Brienne succède à Calonne. Il renvoie les notables (mai 1787) et propose à son tour des réformes lucides (impôt sur la terre, assemblées locales) auxquelles les privilégiés s'opposent une nouvelle fois. Cette fois, c'est le parlement de Paris, puis ceux de province, qui partent à l'attaque en s'abritant derrière une opinion abusée. Les magistrats multiplient les remontrances, exigent la convocation des États généraux (juillet 1787), sapent le peu d'autorité de Louis XVI. Une révolte parlementaire naît. Lors d'une séance houleuse au parlement, le roi a beau s'écrier : « C'est légal parce que je le veux ! » (19 novembre 1787), il est évident que la monarchie souffre d'un manque d'autorité qui la ronge peu à peu. Remontrances, lit de justice, exil du parlement de Paris, humiliantes négociations se succèdent dans un climat inquiétant. Les magistrats sabotent toute réforme fiscale sérieuse. Le brutal renversement de la conjoncture qui suit 1787, la cherté du pain, les prix en hausse rendent les foules nerveuses ; des émeutes éclatent, les forces de l'ordre apparaissent incertaines. En mai 1788, le chancelier Lamoignon tente de briser l'opposition des parlements en remettant en usage l'ancienne réforme Maupeou. Aussitôt, la foule, qui voit dans les magistrats les protecteurs du peuple contre l'arbitraire fiscal, manifeste avec violence à Rennes, et surtout à Grenoble où elle impose par la force le maintien du vieux parlement. Partout on réclame les États généraux, mais avec des arrière-pensées différentes. Le 8 août 1788, Loménie de Brienne obtient du roi leur convocation. Le 16 août, le Trésor étant vide, il faut suspendre les paiements de l'État. Le 25 août, Brienne démissionne alors que les pillages et les émeutes se multiplient.

Louis XVI croit satisfaire l'opinion en rappelant le populaire Necker. Celui-ci évite la banqueroute en réussissant quelques emprunts. En septembre, l'État reprend ses paiements.

Impressionné par l'agitation populaire, Necker cherche un arrangement, suspend la réforme judiciaire, congédie Lamoignon (23 septembre) et rappelle le parlement à Paris. Pour l'instant, la réforme fiscale est reportée à l'ouverture, prévue en mai 1789, des États généraux. La question électorale passe désormais au premier plan. L'opinion se divise. Les « patriotes » aimeraient voir doubler le nombre de sièges accordés au Tiers État et procéder à des votes par tête (une tête = une voix, le Tiers État représenterait alors la moitié des voix). Les privilégiés ne l'entendent pas ainsi. Le 25 septembre 1788, le parlement de Paris se prononce en faveur du vieux système du vote par ordre (un ordre = une voix, les deux ordres privilégiés ont alors la majorité automatique). Tardivement, l'opinion prend conscience du jeu égoïste du parlement dont le crédit s'effondre brutalement. Le 27 décembre 1788, Louis XVI accorde le doublement du Tiers État, mais ne se prononce pas sur la question du vote par tête ou par ordre.

Durant l'hiver et le printemps 1789, les élections des députés aux États généraux ont lieu selon un système démocratique, des cahiers de doléances sont rédigés. C'est avec enthousiasme que la France se prépare aux États généraux. Les premiers « clubs » politiques s'ouvrent. Cependant, la situation économique et politique ne cesse de se dégrader : flambée des prix, émeutes, pillages se succèdent alors que les forces de l'ordre sont d'une inquiétante passivité. Dans les faubourgs parisiens, le 28 avril 1789, une émeute fait près de 300 morts ! L'enthousiasme, la confiance dans l'avenir, mais aussi les rumeurs les plus folles, la peur des débordements, les premières poussées de violence constituent le climat contrasté du printemps 1789 qui voit les derniers jours de la monarchie absolue.

L'émeute du 28 avril 1789, Bibl. nat., Paris (photo Hachette).

La Révolution

La Révolution bouleverse en profondeur la société française. Elle jette à bas l'Ancien Régime, proclame la République, expérimente les premiers gouvernements constitutionnels, réforme l'administration, permet l'ascension d'hommes nouveaux ainsi qu'un vaste transfert de la propriété du sol. Le tout, cependant, dans une atmosphère où l'enthousiasme alterne avec des poussées de violence, des déchirements sanglants, des guerres aux frontières. La Révolution s'ouvre par la convocation des États généraux. Parce que l'État est, en 1789, au bord de la banqueroute, Louis XVI a dû se résoudre à cette extrémité. En réalité, le malaise est profond et bien des raisons complexes se conjuguent (cf. p. 188 et suivantes) : affaiblissement de l'autorité monarchique, fronde des parlements, révolte des privilégiés interdisant toute réforme fiscale, essor des idées philosophiques, impact des événements d'Amérique, ascension de larges couches de la bourgeoisie, tensions soudaines du climat économique...

[annotation manuscrite : quelque raisons pour la Rév.]

La monarchie devient constitutionnelle

Les États généraux

Mirabeau, J. Boze, musée de Versailles (photo Hachette).
Authentique noble, élu député du Tiers État car rejeté par ses pairs, Mirabeau (1749-1791) est intelligent, éloquent mais sans scrupule. Il loue facilement sa plume et noue vite des intrigues avec la Cour qui l'achète. Il meurt au moment où son crédit est en perte de vitesse.

A Versailles, le 5 mai 1789, les États généraux sont ouverts en présence de Louis XVI et de Necker. Les 1 139 députés s'opposent tout de suite sur la question du vote par ordre ou par tête (cf. p. 193). Formant un groupe homogène, issus de la bourgeoisie cultivée, les députés du Tiers État exigent le vote par tête et paralysent le fonctionnement des États. Des orateurs de talent se font déjà entendre : Bailly, Mirabeau, Sieyès, Barnave. Le 17 juin, le Tiers État, soutenu par quelques curés et considérant qu'il représente les « 96/100 de la Nation », se proclame Assemblée nationale et décide que, désormais, aucun impôt ne sera perçu sans son consentement.

Louis XVI réagit à ce coup de force institutionnel. Le 20 juin, les députés du Tiers État trouvent leur salle de réunion fermée sur ordre du roi. Ils s'installent alors au Jeu de Paume où ils prêtent serment de ne pas se séparer avant d'avoir rédigé une constitution. Le 23 juin, lors d'une séance solennelle en présence des trois ordres, Louis XVI casse les décisions prises par le Tiers État et intime aux ordres de délibérer à part. Les députés du Tiers refusent de se retirer. Bailly s'écrie : « La Nation assemblée ne peut recevoir d'ordres. » Les troupes royales sont peu sûres, les habitants de Paris et de Versailles tout dévoués au Tiers État. La majorité des députés du clergé et déjà quelques nobles ont rejoint le Tiers État. Louis XVI fléchit. Le 27 juin, le roi ordonne le vote par tête en une chambre unique. Le 9 juillet, l'Assemblée nationale se proclame Assemblée constituante et entreprend la rédaction d'une constitution du royaume.

La violence à Paris et en province

La cour cherche une revanche. Début juillet, près de 30 000 soldats sont cantonnés entre Paris et Versailles. Des rumeurs font état d'un coup de force du roi contre l'Assemblée. Dans un Paris enfiévré, où, la crise économique aidant, les chômeurs abondent et où le prix du pain atteint des sommets historiques, l'opinion suit avec passion les événements et redoute le « complot aristocratique ». Le 11 juillet, Louis XVI renvoie le populaire Necker. La nouvelle du renvoi de Necker, connue à Paris le 12, provoque des manifestations d'indignation et des discours enflammés. La foule, effrayée par les rumeurs, s'imagine encerclée par les troupes royales. Une milice bourgeoise est constituée. Le 13, la foule recherche des armes, pille des boutiques. Le 14 juillet, toujours à la recherche de fusils, la foule constituée d'ouvriers et d'artisans, se dirige vers la Bastille, prison d'État où sont enfermés sept prisonniers gardés par 110 hommes. Une fusillade éclate, un long combat (100 morts sans doute) aboutit à la capitulation de la garnison. Le gouverneur de la Bastille, Launay, est traîné dans les rues par la foule puis abattu. Sa tête est fichée au bout d'une pique. La prise de la Bastille entraîne un nouveau recul du roi qui renvoie les soldats et rappelle Necker. Deux délégués de l'Assemblée constituante venus à Paris reçoivent un accueil triomphal : Bailly est élu maire de Paris, La Fayette devient commandant de la milice devenue garde nationale (16 juillet). Effrayés, les premiers nobles (le comte d'Artois, les princes de Condé et de Conti) prennent le chemin de l'émigration.

Prise de la Bastille, gravure de Berthault d'après Prieur, Bibl. nat., Paris (photo Hachette).

Le mouvement révolutionnaire gagne la province, déjà secouée par des émeutes au printemps de 1788 (cf. p. 192). Comme Paris, les grandes villes constituent de nouvelles municipalités et des gardes nationales. Les villes s'unissent entre elles par des pactes de fédération. L'autorité royale s'évanouit, les intendants et les forces de l'ordre laissent faire. Les campagnes en ébullition sont en proie courant juillet au phénomène complexe de la Grande Peur. Des groupes de paysans se forment, pillent les châteaux, brûlent les chartes et registres des droits seigneuriaux. Cette révolte provoque des phénomènes de panique. Redoutant l'arrivée de prétendus « brigands » à la solde des nobles, les paysans barricadent leurs villages. Le mouvement atteint vite une ampleur impressionnante qui inquiète les députés de l'Assemblée constituante.

Afin d'éviter un soulèvement général des campagnes, les députés réunis dans la nuit du 4 août 1789 décident la suppression des privilèges et de nombreux droits féodaux. Les décisions du 4 août prises dans l'enthousiasme mettent à bas l'ancien système social. L'Assemblée rédige ensuite une Déclaration des droits de l'homme et du citoyen (26 août). Dans un style précis et sobre, dix-sept articles jettent les fondements d'une société nouvelle où l'égalité de tous devant la loi, les libertés de travail, de la presse, de conscience, le droit à la propriété sont reconnus et codifiés. En revanche, rien n'est dit de l'esclavage ni de la grève.

Les journées d'octobre 1789

Alors que l'Assemblée rédige la constitution, Louis XVI en septembre appelle des troupes à Versailles et refuse d'entériner les décrets de l'Assemblée issus de la nuit du 4 août. A Paris, c'est une nouvelle fois la fièvre alors que de nombreux journaux apparaissent (Marat fonde l'*Ami du peuple*) et que le pain est toujours aussi cher. Le 1er octobre, à la fin d'un banquet à Versailles, des officiers acclament la famille royale et foulent aux pieds la cocarde tricolore qui symbolisait la bonne entente entre la ville de Paris, dont les couleurs étaient le bleu et le rouge, et la monarchie, attachée au drapeau blanc. L'incident rapporté à Paris lance l'émeute. Le 5 octobre, un cortège se forme, mené par les femmes du faubourg Saint-Antoine. Le cortège imposant prend la direction de Versailles en criant : « Du pain ! » La garde nationale suit. Arrivées à Versailles, les femmes sont reçues par le roi qui accepte de ratifier les décrets en suspens. Le cortège (30 000 personnes, probablement) passe la nuit sur la place d'armes. A l'aube du 6, un ouvrier du cortège est tué par un garde du corps de Louis XVI. Dès lors, c'est l'émeute. Le château est envahi, La Fayette cherche à protéger la famille royale et à calmer la foule déchaînée qui exige et obtient le retour du roi à Paris. Le 6 octobre 1789, Versailles se vide, un immense cortège ramène la famille royale à Paris, suivie quelques jours plus tard de l'Assemblée constituante. Paris devient désormais le principal théâtre de la Révolution.

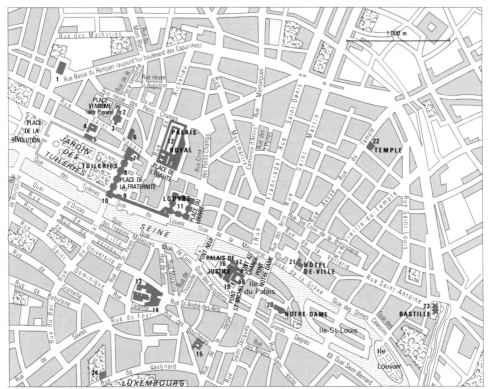

Paris sous la Révolution. Ce plan très simplifié a été dessiné d'après un plan exécuté en 1794. On voit, tout à gauche, la place de la Révolution (appelée place de la Concorde depuis 1795). — 1. Église de la Madeleine. — 2. Couvent des jacobins. — 3. Club des jacobins. — 4. Club des feuillants. — 5. Salle du Manège. — 6. Église Saint-Roch. — 7. Pavillon de Marsan. — 8. Salle des Tuileries où siègea la Convention à partir de mars 1793. — 9. Galerie du Bord de l'eau. — 10. Pavillon de Flore. — 11. La partie la plus ancienne du Louvre. — 12. Palais-Royal. — 13. Église Saint-Germain-des-Prés. — 14. Prison. — 15. Club des cordeliers. — 16. 17. 18. Palais de Justice. — 19. Église de la Sainte-Chapelle. — 20. Cathédrale Notre-Dame. — 21. Hôtel de Ville. — 22. Tour du Temple (où fut enfermé Louis XVI en 1792). — 23. La Bastille. — 24. Couvent des Carmes.

Le répit et la réorganisation du royaume

L'agitation retombe et le royaume connaît une période de répit de l'automne 1789 au printemps 1791. Une récolte convenable en 1790 calme le mouvement populaire, l'espoir d'un compromis entre l'Ancien Régime et l'Assemblée se profile. Louis XVI installé aux Tuileries commence à jouer le rôle d'un roi constitutionnel. Necker quitte le gouvernement dans l'indifférence générale (juillet 1790). Sous les regards et les interpellations du public, l'Assemblée adopte les premières coutumes de la vie parlementaire. Les députés « aristocrates », « monarchiens », « patriotes » prennent l'habitude de siéger à droite ou à gauche de la tribune centrale. D'habiles orateurs se font remarquer : Robespierre, Lameth, Duport, Sieyès et surtout Mirabeau. Des clubs politiques sont fondés, tel celui des jacobins, de sensibilité patriote, qui possède 450 filiales en province. A Paris, le 14 juillet 1790, la fête de la Fédération célèbre l'unité de la nation française. Les députés réforment le royaume. La France devient une monarchie constitutionnelle. Louis XVI, désormais « roi des Français », devra prêter serment, disposera d'une liste civile pour ses dépenses, nommera ses ministres et pourra s'opposer aux décisions de l'Assemblée en utilisant son droit de *veto* (droit de refus). Il est prévu l'élection tous les deux ans, au suffrage censitaire, par les « citoyens actifs » possesseurs de quelque bien (4 millions d'électeurs environ), d'une Assemblée législative qui seule pourra voter les lois, le budget, déclarer la guerre. La future Assemblée, élue selon un système relativement démocratique pour l'époque, sera le porte-parole de la petite bourgeoisie.

Une séance au Club des jacobins en 1791, Bibl. nat., Paris (photo Hachette).

L'administration du royaume est réformée. Des cadres territoriaux nouveaux sont dessinés. 83 départements et leurs subdivisions (cantons, communes) apparaissent ; leur gestion est confiée à des citoyens élus : le maire pour la commune, les membres du conseil général pour le département. La Révolution permet d'expérimenter une vaste décentralisation. Les juges sont également élus, les procès deviennent publics, la sentence est rendue par un jury qui représente la nation. Des possibilités de cassation sont conçues, déjà on travaille à unifier les lois. Pour éviter des souffrances inutiles, le député Guillotin propose l'utilisation d'une machine à décapiter. Hommes des Lumières, acquis aux thèses du libéralisme économique, les députés abolissent les entraves et les monopoles. Les corporations disparaissent, l'initiative privée peut s'épanouir. Le député Le Chapelier obtient l'interdiction des grèves.

Des problèmes mal résolus

Reste le point essentiel, motif de la réunion des États généraux : le déficit des finances et l'existence d'une dette proche de 5 milliards de livres. Pour éviter la banqueroute,

Un assignat de 1790,
Bibl. nat., Paris
(photo Hachette).

les députés prononcent, le 2 novembre 1789, la nationalisation des propriétés du clergé (estimées à 3 milliards de livres). L'État s'engage à assurer l'instruction et l'assistance publiques et à subvenir aux besoins du clergé privé de ses biens devenus « biens nationaux ». Pour trouver immédiatement de l'argent, l'Assemblée émet des bons du Trésor remboursables en biens nationaux, les assignats. Ces bons — d'abord des coupures de 500 livres, puis des petites coupures de 50 ou 5 livres — deviennent, en août 1790, une nouvelle monnaie de papier qui ne rencontre qu'un succès moyen. Très vite, un double cours des marchandises s'instaure selon que l'on paie en monnaie métallique ou en papier. Les assignats, émis en trop grande quantité, ont une valeur inférieure à leur cours nominal. Cet excès de monnaie en papier lance un grand mouvement d'inflation, mais permet aussi à un vaste public — beaucoup de bourgeois, de riches paysans et même quelques nobles — d'échanger leurs assignats dépréciés contre les belles propriétés du clergé mises petit à petit en vente. Un vaste transfert de propriété — le clergé possédait 8 % du sol en 1789 — se réalise qui enchaîne solidement à la Révolution tous les acquéreurs de biens nationaux.

En 1791, l'Assemblée abolit l'ancien système fiscal et invente les « contributions ». Trois contributions apparaissent, payables par tous, la contribution foncière, la contribution mobilière et, pour les artisans et commerçants, la patente. Des anciens impôts indirects, il ne reste plus que les droits de douane, de timbre et d'enregistrement. Ce nouveau système fiscal, plus moderne et plus juste, est malheureusement peu efficace. En effet, la perception de ces contributions est confiée à des corps de citoyens élus qui résistent mal aux protestations et pressions de leurs concitoyens. Les rentrées fiscales traînent et le problème du déficit n'est pas résolu.

Un autre écueil guette la Révolution : le problème religieux. Au début des États généraux, quelques députés du bas clergé ont soutenu le Tiers État, la nationalisation des biens de l'Église a été admise. La réorganisation religieuse qui découle de cette mesure provoque un déchirement entre l'Église catholique et la Révolution. Par la Constitution civile du clergé (12 juillet 1790), les députés décident que les évêques et les curés seront désormais élus et salariés de l'État, que l'investiture spirituelle par le pape ne sera plus nécessaire. Devenus fonctionnaires religieux indépendants de Rome, les ecclésiastiques devront prêter serment de fidélité à la Constitution. Le serment devient obligatoire à partir de janvier 1791. Dès lors, pris entre l'obéissance au pape et la fidélité à la nation, beaucoup hésitent. La moitié sans doute des curés prête serment, ce sont les « jureurs ». L'autre moitié des curés et la quasi-totalité des évêques refusent, ce sont les « réfractaires ». En mars 1791, le pape Pie VI condamne l'œuvre de la Révolution et particulièrement la Constitution civile du clergé. C'est donc la rupture entre le catholicisme et la Révolution, bien des « jureurs » se rétractent, bien des patriotes assimilent les prêtres à des agents contre-révolutionnaires.

L'impossible compromis

Le compromis entre l'Ancien Régime et la Révolution ne résiste pas longtemps aux difficultés qui, à partir de 1791, s'accumulent. En octobre 1791, l'assignat a déjà perdu 16 % de sa valeur, la hausse des prix multiplie les grèves en ville. En province, les nouvelles administrations décentralisées et élues sont souvent incapables de se faire obéir. La récolte de 1791 est mauvaise. Jadis soudés entre eux, les anciens députés du Tiers État se divisent. Un nouveau club politique parisien, les cordeliers, lance des idées « avancées » — suffrage universel, partage des terres, république — qui reçoivent un accueil favorable dans le monde des petits artisans et commerçants des faubourgs. Avec de telles idées, Danton, Hébert, Marat deviennent vite populaires. En revanche, beaucoup de députés modérés prennent peur et, derrière Barnave, se rapprochent du roi et du parti aristocrate.

Avec l'étranger les difficultés apparaissent. Des princes allemands, possesseurs de fiefs en Alsace, s'estiment lésés par les décrets du 4 août 1789. Les habitants d'Avignon, jusque-là sujets du pape, se soulèvent, demandent leur rattachement à la France et l'obtiennent par un plébiscite organisé en septembre 1791. Peu à peu, la Révolution inquiète les souverains étrangers de plus en plus réceptifs aux plaintes des émigrés. En Allemagne, en Italie, un mouvement contre-révolutionnaire s'organise autour des frères du roi, les comtes de Provence et d'Artois. Dans le Midi, les aristocrates suscitent des émeutes. Louis XVI noue une correspondance secrète avec les cours étrangères.

Varennes, le Champ-de-Mars, la fin de la Constituante

L'arrestation de Louis XVI à Varennes (détail), gravure de Berthault d'après Prieur, musée Carnavalet, Paris (photo Hachette).

C'est à contrecœur que Louis XVI a accepté la nouvelle organisation du royaume. En mars 1791, la condamnation de la Révolution par le pape l'a vivement touché ; en avril une émeute populaire l'a empêché d'aller chasser à Saint-Cloud. Le roi se sent l'otage, le prisonnier d'une Révolution qu'il condamne. Le 20 juin 1791, la famille royale s'évade des Tuileries et, dans une berline, tente de rejoindre à Metz les troupes du marquis de Bouillé pour marcher sur Paris et restaurer le pouvoir monarchique. Mal préparée, la fuite échoue. A Varennes, le 21 juin, le roi est reconnu et retenu par la foule. A Paris, l'émotion est intense, le retour du roi s'effectue dans un climat hostile. Les thèses républicaines progressent.

L'Assemblée suspend le roi mais se divise. Face aux partisans de la déposition définitive, députés aristocrates et modérés imposent la fiction d'un « enlèvement » du roi qui retrouve finalement ses pouvoirs (15 juillet). Cette décision relance l'agitation populaire. Le Club des cordeliers invite les Parisiens à venir signer au Champ-de-Mars une pétition demandant la déposition et le jugement du roi. L'Assemblée effrayée par la montée des idées républicaines décrète la loi martiale. Le 17 juillet 1791, la garde nationale sur ordre de La Fayette disperse dans le sang la manifestation (de 50 à 100 morts).

C'est dans ce contexte très lourd que l'Assemblée constituante achève ses travaux. Le mouvement patriote est profondément divisé, le roi a perdu son crédit, les difficultés religieuses et fiscales ne sont pas résolues, un mouvement républicain s'est constitué. En septembre 1791, Louis XVI prête serment à la nouvelle constitution tandis que de nouvelles élections amènent à Paris de nouveaux députés.

La guerre, la République

L'Assemblée législative déclare la guerre

Le 1ᵉʳ octobre 1791, les nouveaux députés élus au suffrage censitaire entament les travaux de l'Assemblée législative. A droite siègent 260 députés modérés ou « feuillants » — du nom du Club des feuillants. A gauche, se constitue un bloc où dominent des orateurs fougueux comme Guadet, Gensonné, Vergniaud, Brissot. Ces 140 « brissotins » plus tard appelés « girondins » (car beaucoup viennent de Bordeaux) reçoivent souvent l'appui d'un centre politique qui compte plus de 300 députés. Hors de l'Assemblée, dans les clubs, des orateurs exercent sur la foule parisienne une vive influence : Robespierre au Club des jacobins, Danton et Marat à celui des cordeliers.

La situation se dégrade. Dans les villes, l'envolée des prix provoque des incidents. Des troubles contre-révolutionnaires apparaissent en province. Les souverains étrangers, qui craignent une contagion révolutionnaire, manifestent leur solidarité à l'égard de Louis XVI et acceptent l'installation aux frontières de la France de foyers d'agitation émigrée. En France, des calculs très différents aboutissent au même résultat : la guerre. Les députés n'aiment pas ces foyers d'émigrés aux portes du royaume. Les feuillants estiment qu'une guerre victorieuse permettra de mettre au pas la gauche jacobine ; les girondins voient dans la guerre une croisade de libération des peuples européens. Louis XVI souhaite la guerre avec l'espoir secret que la défaite amènera une restauration monarchique. En mars 1792, Louis XVI fait entrer au gouvernement le ministre girondin Roland et le général Dumouriez. Le 20 avril 1792, sur proposition du roi, l'Assemblée vote avec enthousiasme la déclaration de guerre à l'empereur d'Autriche, François II. La Révolution prend ainsi un virage essentiel : la guerre, qui fera rage dans le pays jusqu'en 1815, va précipiter les événements et contribuer à la radicalisation de la Révolution.

Les défaites accroissent les tensions

Un sans-culotte, Bibl. nat., Paris (photo Hachette). Peu nombreux mais remuants, ces hommes dénoncent vigoureusement les aristocrates (qui portent la culotte) et sont animés d'une passion égalitariste. Favorables au vote à haute voix et à l'intensification de la Terreur, ils se reconnaissent à leurs vêtements (le pantalon, le bonnet phrygien, le gilet ou carmagnole), à leurs armes et à leur langage (le tutoiement).

La France part en guerre contre l'Autriche et bientôt la Prusse dans de mauvaises conditions. A l'intérieur, c'est la crise économique. L'effondrement de l'assignat, qui a perdu 40 % de sa valeur, provoque une terrible hausse des prix et amène beaucoup de paysans à refuser de vendre leurs grains. Des émeutes éclatent au printemps 1792. Très souvent, les foules citadines exigent que les autorités procèdent à la taxation des prix. Ainsi se forme dans les villes le mouvement « sans-culotte », qui s'oppose vite à l'Assemblée jugée trop timide, se méfie du roi accusé de trahir et exige l'abolition du droit de veto et l'imposition de mesures dictatoriales. Le mouvement sans-culotte, issu du milieu des boutiquiers, des artisans, des ouvriers, monopolise la vie politique de ces assemblées électorales de base que sont les 48 sections parisiennes. Le mouvement possède des ramifications en province, se fait remarquer par son attitude provocante, utilise les manifestations de rue pour faire pression sur les autorités. L'état de désorganisation de l'armée française est impressionnant : 6 000 officiers de l'armée royale sur 9 000 ont émigré ! La discipline s'est effondrée, beaucoup de soldats ont pris goût à la politique et siègent dans les clubs. Les volontaires, hâtivement recrutés, n'ont pas d'expérience. Le roi et la reine communiquent secrètement à l'étranger les plans des opérations en cours. Dans ces conditions, le plan d'invasion des Pays-Bas autrichiens préparé par Dumouriez échoue complètement (mai 1792). Dès le premier contact avec les Autrichiens, des régiments se débandent et massacrent leur chef, le général Dillon ! La Fayette arrête la marche de son armée, négocie avec les Autrichiens une éventuelle trêve qui permettrait de retourner cette armée contre les foules parisiennes sans-culottes.

gauchistes

Les députés girondins réagissent fermement. Entre le 27 mai et le 8 juin, l'Assemblée législative vote des décrets permettant la déportation des prêtres réfractaires, la dissolution de la garde personnelle de Louis XVI, la création à Paris d'un camp de 20 000 gardes nationaux venant de province, les « fédérés ». Le 12 juin, le roi met son veto et renvoie les ministres girondins. A l'initiative d'un artisan du faubourg Saint-Antoine, Santerre, les sans-culottes armés descendent dans la rue, envahissent les Tuileries pour protester contre le veto. Louis XVI, acculé contre une fenêtre, est menacé, insulté, doit coiffer le bonnet rouge mais, courageux face au soulèvement, refuse de céder. L'émeute échoue.

La patrie en danger, le 10 août 1792

La France est menacée d'invasion. En juillet, une armée prussienne dirigée par le duc de Brunswick se masse à l'est tandis que se multiplient les pétitions et discours demandant la déchéance de Louis XVI, accusé de faire cause commune avec l'ennemi. Le 11 juillet, l'Assemblée proclame la patrie en danger et suscite ainsi un large mouvement patriotique et révolutionnaire. Les jeunes s'engagent dans l'armée en grand nombre. Bravant le veto du roi, de nombreux fédérés à l'esprit combatif et révolutionnaire quittent leur province et se mettent en route vers Paris. Les fédérés de Marseille popularisent vite un hymne nouveau composé en Alsace par le capitaine Rouget de Lisle : *La Marseillaise.*

Le 25 juillet, le duc de Brunswick, à la demande des émigrés, publie un manifeste violent menaçant les Parisiens d'une terrible répression s'ils insultent une nouvelle fois la famille royale. Diffusé à Paris le 1er août, le manifeste provoque l'effet contraire. Aux yeux des milieux populaires, il est désormais clair que le roi est complice de l'étranger. L'agitation devient extrême. L'Assemblée législative perd le contrôle des événements. Ce sont les sections parisiennes dominées par les sans-culottes, les jacobins, les cordeliers, les fédérés venus de province, qui désormais mènent le jeu.

Dans la nuit du 9 au 10 août 1792, la fièvre règne dans la

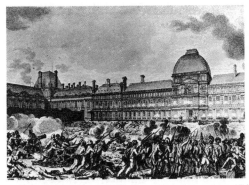

La prise des Tuileries, le 10 août 1792 (détail), gravure de Helman, Bibl. nat., Paris (photo Hachette).

La bataille de Valmy, le 20 septembre 1792 (détail), Bibl. nat., Paris (photo Hachette).

capitale. Les représentants des 48 sections s'installent à l'Hôtel de Ville et constituent une nouvelle municipalité. Santerre devient commandant de la garde nationale. Des milliers de Parisiens avec l'aide de fédérés s'arment et convergent vers les Tuileries. Des combats violents éclatent entre la foule, les soldats suisses et quelques gentilshommes dévoués au roi. Les défenseurs des Tuileries succombent et le roi et sa famille se réfugient à l'Assemblée législative, vite envahie. Sous la pression de la foule, les députés suspendent Louis XVI, créent un conseil provisoire de six membres dominé par Danton, acceptent l'élection rapide au suffrage universel d'une nouvelle assemblée, la Convention. La journée du 10 août 1792 consacre donc la chute de la monarchie et l'échec d'une révolution modérée telle que la souhaitaient les feuillants. La Fayette tente en vain de lancer son armée sur Paris et doit en définitive demander asile aux Autrichiens.

La première Terreur et Valmy (août-septembre 1792)

Les événements du 10 août ont été violents (plus de 400 morts sans doute). Le sang versé, les mauvaises nouvelles qui viennent des frontières, l'obsession du complot aristocratique et de la trahison, accroissent l'inquiétude. Parce qu'elle a peur, parce qu'elle se sent menacée de toutes parts, la foule parisienne exige et impose vite des mesures de répression qui violent les principes libéraux de 1789. En août et en septembre 1792 surgit ainsi, à l'instigation de la nouvelle municipalité sans-culotte de Paris, une première Terreur : des journaux royalistes sont interdits, on lance les premières réquisitions et taxations, les sections forment des comités de surveillance, perquisitionnent, quadrillent la capitale, arrêtent près de 500 « suspects ». Un tribunal populaire d'exception apparaît. L'Assemblée législative dépassée par les événements vote, sous la contrainte, le bannissement des prêtres réfractaires, l'interdiction des cérémonies religieuses, l'instauration du divorce. La Révolution devient populaire et se radicalise. Le 19 août, les Prussiens forcent la frontière. Verdun tombe le 3 septembre : la route de Paris est ouverte. La nouvelle municipalité parisienne, la Commune, appelle à la mobilisation générale. Le tocsin sonne sans relâche. Dès le 2 septembre, des centaines de Parisiens viennent s'enrôler mais, avant de marcher au front, décident de purger les prisons des « traîtres », comme le leur conseille Marat. Ainsi, entre le 2 et le 6 septembre 1792, de 1 100 à 1 400 prisonniers, hâtivement jugés, sont massacrés dans des conditions souvent atroces. Les victimes sont des prêtres réfractaires et surtout des détenus de droit commun. Une sorte de délire sanguinaire s'empare des assaillants — les « septembriseurs » —, gardes nationaux, boutiquiers, artisans, obsédés par la crainte du complot aristocratique. Quelques jours plus tard, les généraux Dumouriez et Kellermann arrêtent l'invasion prussienne à la bataille de Valmy le 20 septembre 1792. Le duc de Brunswick repasse la frontière en octobre.

La Convention proclame la République

La Convention abolit la royauté (21 septembre 1792), Archives nationales (photo Hachette).

Appelée à rédiger une nouvelle constitution (pays de façon provisoire, la nouvelle assem suffrage universel, ou Convention, se réunit à tembre 1792. Le taux d'abstention est très él citoyens modérés ont pris peur et n'ont pas osé où sont élus des députés « montagnards », le v haute voix. Les 749 nouveaux députés sont donc les élus d'une minorité politiquement engagée. Le 21 septembre, la Convention abolit la monarchie. La République est proclamée le 22.

La Convention travaille dans des conditions difficiles. Elle doit composer en permanence avec la pression de la rue parisienne, une rue toute dévouée au mouvement sans-culotte, qui contrôle la Commune, possède ses chefs, les « enragés » : Roux, Hébert, Chaumette. Au sein de la nouvelle assemblée, le virage à gauche est net, au point de faire apparaître rapidement les girondins comme des hommes de droite. Les tensions sont vives et les députés soumis en permanence à de vives attaques se divisent, nouent d'éphémères alliances.

Deux courants — la Gironde et la Montagne — s'affrontent violemment tandis qu'un large groupe charnière, indécis en action — le Marais ou la Plaine — accorde ses faveurs tantôt à l'un, tantôt à l'autre. De septembre 1792 à juin 1793, ce sont les 160 députés girondins qui dominent, mais de plus en plus difficilement, la Convention. A partir de juin 1793, le Marais, avec ses chefs Barère, Sieyès, vote avec la centaine de députés montagnards et permet à cette faction de régner sur la vie politique jusqu'en juillet 1794.

Grâce à des orateurs fougueux comme Isnard, Guadet, Brissot, Pétion et Vergniaud, la Gironde jouit d'une solide réputation en province. Inquiets des débordements de l'été 1792, les girondins redoutent les sans-culottes parisiens, s'appuient sur les administrations départementales, cherchent à réduire l'influence de Paris à « 1/83 de la nation ». Les girondins refusent la taxation et optent pour le libéralisme économique. Devenus modérés, ils freinent la première Terreur (suppression du tribunal d'exception en novembre 1792) et tentent de sauver la tête du roi.

Brissot, musée Carnavalet, Paris (photo Bulloz).

L'hostilité du petit peuple sans-culotte ne fait que grandir à leur encontre. Jeunes et ambitieux, les girondins s'emparent des postes de commande mais blessent souvent la susceptibilité des centristes du Marais et perdent ainsi bon nombre de leurs alliés.

A l'opposé, les montagnards (au demeurant, issus des mêmes milieux sociaux que les girondins), derrière Marat, Danton, Robespierre, Couthon sont des hommes d'action, partisans de mesures énergiques, voire dictatoriales. Ils justifient le droit à l'insurrection, associent la liberté à l'égalité, rêvent d'une société de petits propriétaires. Relativement méfiants à l'égard du mouvement sans-culotte, les montagnards savent cependant nouer les alliances et accepter les concessions nécessaires au nom du « salut public ».

Après Valmy, la Convention ordonne aux armées françaises de franchir les frontières. La Savoie, la région de Nice, le Palatinat et la Belgique (victoire de Jemmapes, novembre 1792) sont envahis. Les députés s'enferment vite dans un certain romantisme révolutionnaire. On parle de croisade de la liberté, de libération des peuples. Dans les faits, la croisade devient une annexion pure et simple des régions conquises au nom de la théorie des frontières naturelles et les peuples annexés se soulèvent.

En novembre 1792, la Convention décide de juger elle-même le roi. Le procès (décembre-janvier 1793) provoque la rupture définitive entre montagnards et girondins. Avec Robespierre, la Montagne estime que Louis XVI est coupable et que sa mort, en interdisant tout retour en arrière, consolidera la Révolution. Inversement, les girondins cherchent une solution modérée, proposent de faire ratifier la sentence par le peuple. Les 16 et 17 janvier, une majorité de députés (387 contre 334) vote la peine de mort. Louis XVI est exécuté le 21 janvier 1793.

Exécution de Louis XVI, musée Carnavalet, Paris (photo Lauros-Giraudon).

Page du procès-verbal des votes de condamnation de Louis XVI par les députés, Archives nationales (photo Société française du microfilm).

L'exécution du roi provoque la colère des monarchies européennes. L'Angleterre, dirigée par le Premier ministre William Pitt, prend la tête d'une coalition contre la France. Le 1er février 1793, la Convention déclare la guerre à l'Angleterre et aux Pays-Bas. La coalition grossit. L'Autriche, la Prusse, les princes allemands, la Russie, l'Espagne, la papauté, les princes italiens... c'est toute l'Europe qui entre en guerre contre la France. La riposte des alliés est rapide. Le 18 mars 1793, à Neerwinden, le prince de Cobourg et les Autrichiens battent Dumouriez. La Belgique est perdue. Menacé d'arrestation, Dumouriez passe à l'ennemi le 5 avril. A l'Est, il faut aussi abandonner les conquêtes. Au Sud, les Espagnols envahissent le Roussillon. Les désertions se multiplient. La situation aux frontières s'annonce désespérée au moment même où la guerre civile éclate à l'intérieur.

Des soulèvements royalistes embrasent la vallée du Rhône, le Midi et, à partir du 10 mars 1793, le sud du Maine-et-Loire, de la Loire-Inférieure (c'est son nom de l'époque) et toute la Vendée. Ce dernier soulèvement d'origine paysanne, dirigé contre la levée de 300 000 soldats décrétée avec maladresse par la Convention, atteint vite des proportions considérables. Entre mai et juin, Thouars, Parthenay, Saumur, Angers tombent aux mains des « blancs » qui, sous les ordres de chefs de modeste origine comme Cathelineau et Stofflet, ou de nobles comme Charette et La Rochejaquelein, constituent une armée catholique et royale. Pour les ministres girondins (Roland, Clavière, Lebrun) et la majorité girondine, les défaites militaires et les soulèvements constituent de graves échecs. Le petit peuple parisien très patriote, mais souffrant de la dépréciation de l'assignat et de la détérioration de son pouvoir d'achat, redouble ses attaques contre les girondins qui deviennent de plus en plus isolés.

La chute de la Gironde

En mars et en avril 1793, les montagnards, soutenus par les sans-culottes et la Plaine, réussissent à imposer à la Convention les premières mesures dictatoriales de salut public. Le Tribunal révolutionnaire réapparaît. Le 6 avril est constitué un Comité de salut public de neuf membres. Doté de larges pouvoirs le Comité, que dirige d'abord Danton, se substitue dans les faits aux différents ministres girondins. Il décide de lever un emprunt forcé sur les riches, de taxer le prix du grain. La Convention décrète l'envoi en province de quatre-vingt-deux députés, les représentants en mission, chargés de faciliter la levée des 300 000 hommes et investis de la lourde responsabilité de combattre la contre-révolution. Dans chaque commune apparaît un comité de surveillance.

Maximin Isnard, Bibl. nat., Paris (photo Giraudon). Isnard s'écrie à la Convention le 25 mai 1793 : « S'il arrivait qu'on portât atteinte à la représentation nationale, Paris serait anéanti, bientôt on chercherait sur les rives de la Seine si Paris a existé. »

Ces mesures, qui vont à l'encontre des principes de 1789, inquiètent la Gironde décidée à tenter une reprise en main du pouvoir. En mai 1793, les girondins dénoncent le « caractère anarchique » de la Commune de Paris, proposent sa dissolution, font arrêter Hébert et imaginent de faire venir des départements fidèles à l'esprit de la Révolution une armée pour mettre au pas Paris. Le 25 mai, Isnard menace les Parisiens avec pour seul résultat d'exciter la colère sans-culotte. Le 2 juin 1793, une foule de 80 000 personnes encercle la Convention et exige la mise en accusation des chefs girondins. Lorsque les députés tentent de sortir, le nouveau chef de la garde nationale, Hanriot, menace de faire tirer au canon sur eux. Sous la contrainte, les députés votent alors l'arrestation de vingt-neuf députés et de deux ministres girondins. La défaite des girondins à Paris provoque à Bordeaux, à Lyon, en Normandie et dans le Midi des insurrections « fédéralistes ». Nombre de girondins doivent se cacher, d'autres sont exécutés cependant qu'un des chefs montagnards, Marat, est assassiné par Charlotte Corday.

L'apogée de la Révolution (1793-1794)

La dictature montagnarde

M. de Robespierre,
coll. Jubinal de Saint-
Allin
(photo Hachette).

Un comité
révolutionnaire
(détail), Bibl. nat.,
Paris (photo Hachette).

En juillet 1793, Danton quitte le Comité de salut public qui est alors réorganisé. Pendant un an, les montagnards dirigent le Comité et imposent à la Convention le vote de mesures dictatoriales. Couthon, Saint-Just, Robespierre, Billaud Varenne, Collot d'Herbois, Carnot, Prieur de la Côte-d'Or, Prieur de la Marne, Lindet, Jean Bon Saint-André forment une équipe énergique, dont la moyenne d'âge se situe autour de trente ans.

La personnalité qui émerge est Maximilien de Robespierre (1758-1794). Avocat, originaire d'Arras, fervent lecteur de Rousseau, l' « Incorruptible » mène une vie austère. Conscient de la force du mouvement populaire, Robespierre comprend la nécessité d'une alliance avec les sans-culottes, esquisse les premières lois sociales, mais cherche aussi à freiner les débordements de la foule. Sous des aspects cassants, Robespierre doit aussi négocier avec le bloc du Marais les appuis nécessaires à sa politique. Celle-ci rend possible un redressement, toutefois au prix de l'établissement d'une dictature et de la Terreur.

Le 24 juin, la Convention vote une nouvelle constitution d'allure très démocratique, mais dont la mise en vigueur est repoussée du fait des circonstances. La Convention reste donc en place et un régime dictatorial et centralisateur — « le gouvernement révolutionnaire » — apparaît. Dans chaque district et chaque commune, un fonctionnaire, l'Agent national, prend les mesures nécessaires souvent en liaison avec les 3 000 sociétés populaires révolutionnaires. Aux armées, dans les grandes villes, des députés — les représentants en mission — reçoivent de larges pouvoirs. Certains font vite figure de proconsuls et acquièrent la célébrité par leurs excès : Tallien à Bordeaux, Lebon à Lille, Fouché et Collot d'Herbois à Lyon, Carrier à Nantes... La Convention ordonne au général Turreau d'exterminer les « brigands »

vendéens et d'incendier récoltes et maisons. En août, l'Assemblée décrète la « levée en masse », c'est-à-dire la mobilisation générale des hommes de 18 à 25 ans.

Carnot reconstitue la discipline, réussit l'amalgame entre troupes d'Ancien Régime et nouvelles recrues. Des perquisitions permettent d'équiper sommairement une armée qui atteint 630 000 hommes à la fin de 1793 et 800 000 pendant l'été de 1794.

La France assiégée (juillet-août 1793).

La Terreur et la Vertu

La pression sans-culotte ne fléchit pas. Une émeute violente, le 5 septembre 1793, conduit le Comité de salut public et la Convention à satisfaire deux exigences fondamentales des « enragés » : la taxation et l'instauration de la Terreur. A Paris, le prix du pain est fixé autoritairement à un bas niveau, des secours sont distribués aux indigents. Les biens nationaux sont désormais vendus en lots de petite taille.

L'économie est dirigée. La peine de mort punit quiconque refuse un paiement en assignat au cours officiel ; une tarification générale des prix et des salaires — le « maximum » — est décrétée en septembre. Les perquisitions à domicile, les réquisitions se multiplient tandis que des primes excitent le zèle des délateurs. Paysans et commerçants doivent remettre aux autorités une déclaration de leurs récoltes et marchandises.

Pendant un an, un vent de fanatisme et de terreur secoue le pays. Les droits du citoyen ne sont plus respectés, les pouvoirs législatif et exécutif sont confondus. Le 17 septembre, une loi rend possible l'arrestation des « suspects ». A partir d'octobre, la machine terroriste devient redoutable. Au sommet, la Convention établit un Comité de sûreté générale qui supervise les décisions. Localement, les comités révolutionnaires et les représentants en mission surveillent la population, reçoivent les dénonciations, exigent des certificats de civisme et lancent les arrestations. On compte 4 525 suspects emprisonnés en décembre à Paris et de 300 à 800 000 pour toute la France : il faut ouvrir de nouvelles prisons. Les tribunaux jugent de façon expéditive. A Paris, le procureur Fouquier-Tinville devient célèbre par la sévérité de ses réquisitoires. La reine Marie-Antoinette, le duc d'Orléans, Mme du Barry sont exécutés en octobre, les chefs girondins en novembre. On utilise le plus souvent la guillotine, mais il arrive que l'on mitraille ou que l'on fusille comme à Lyon, ou que l'on noie comme à Nantes. La vague semble fléchir au printemps 1794, mais les tentatives d'assassinat contre Robespierre, les déchirements entre députés amènent la Convention à voter la loi du 10 juin 1794 qui établit la Grande Terreur : suppression de l'assistance d'un avocat et de l'audition de témoins, réduction des sentences à deux verdicts : l'acquittement ou la mort.

A côté de cette Terreur organisée, acceptée par les montagnards dans l'espoir de contenter les sans-culottes, de faire la part du feu, une Terreur plus sommaire et plus expéditive s'abat sur les régions révoltées contre la Convention : Ouest, Midi, vallée du Rhône. Au total, on peut estimer que de 40 à 50 000 personnes furent victimes de la Terreur durant cette période. A ce chiffre, il faudrait ajouter le nombre plus élevé des victimes des « colonnes infernales » républicaines qui dévastent l'Ouest du pays (140 000 morts environ entre 1793 et 1796).

La Terreur possède enfin une dimension religieuse qui se manifeste par la persécution des prêtres réfractaires et des prêtres « jureurs », la fermeture des églises. Les passions sans-culottes aboutissent souvent à des destructions d'œuvres d'art ou à la multiplication de mascarades antireligieuses. Inquiets de ces débordements, les montagnards imposent des mesures laïques et tentent un retour à l'ordre. Ainsi apparaissent le calendrier républicain (octobre 1793), la laïcisation du nom de quelques villes et l'instauration en mai 1794 du culte de l'Être suprême. Les tripots sont fermés, Robespierre tente d'établir une religion républicaine célébrant la Raison et la Vertu.

Les victoires, les divisions, la chute

Dès la fin de 1793, les signes de redressement sont visibles. A l'intérieur, les troupes de la Convention reprennent Marseille, Bordeaux (septembre), Lyon (octobre) et Toulon grâce au plan d'attaque du capitaine Bonaparte (décembre). Dans l'Ouest, Nantes repousse les « blancs » (juin). Le général Kléber reprend Cholet et, après une longue poursuite, écrase les Vendéens à Savenay, le 21 décembre 1793. Carnot inspire une tactique militaire fondée sur l'offensive. Une nouvelle génération d'officiers jeunes et dévoués à la République s'affirme avec Hoche, Jourdan, Pichegru, Moreau, Davout. Aux frontières, les armées françaises reprises en main arrêtent l'invasion : victoires de Wattignies (octobre) et de Wissembourg (décembre). Au printemps de 1794, les troupes françaises envahissent à nouveau la Belgique. L'armée autrichienne est battue à Fleurus (26 juin) par le général Jourdan. En juillet, les Français atteignent Bruxelles, Anvers, Liège et le butin raflé est considérable.

Ces signes de redressement renforcent la position politique du Comité de salut public et des montagnards. Robespierre estime dès la fin de 1793 que le moment est venu d'arrêter les concessions aux sans-culottes, de freiner l'activité des sociétés populaires. Un groupe de montagnards, les « indulgents », prêche derrière Danton et Desmoulins la clémence, la paix avec l'étranger. De rudes polémiques opposent les « indulgents » aux hébertistes et aux « enragés » de Jacques Roux. Exploitant la position très minoritaire de Roux et de Hébert, Robespierre fait arrêter les « enragés » le 24 mars 1794. La mise au pas se précise : la Commune de Paris passe sous le contrôle du Comité de salut public, une libéralisation économique s'esquisse en avril. La loi sur le maximum — dont l'efficacité a été moyenne — est assouplie, les réquisitions et perquisitions diminuent. Les prix de nouveau augmentent sans que les salaires bougent. Saint-Just fait incarcérer des ouvriers en grève. En dépit des décrets de Ventôse (février-mars) prévoyant des allocations, des distributions de terre aux indigents et un plan d'éducation nationale, Robespierre et ses amis perdent le soutien des éléments les plus déterminés de la sans-culotterie. Fin mars, Robespierre fait arrêter — non sans avoir hésité — Danton et les « indulgents » qui sont exécutés le 5 avril. La Convention vit dans la hantise de l'épuration. La Terreur se renforce en juin (de 1 200 à 1 300 exécutions à Paris de juin à juillet 1794).

Danton, musée Carnavalet, Paris (photo Hachette).

L'opinion, qui assiste aux victoires militaires à l'étranger, est lasse de la Terreur et aspire à retrouver l'usage de ses libertés. Bien des députés de la Plaine et de la Montagne critiquent Robespierre, l'accusent de tyrannie et tremblent pour leur vie.

Très isolé, critiqué au sein même du Comité de salut public, Robespierre annonce à la Convention le 26 juillet 1794 une nouvelle épuration. Des représentants en mission rappelés à Paris pour s'expliquer sur les excès commis s'effraient. Tallien, Fouché, Barras complotent contre l' « Incorruptible » avec l'aide de la Plaine. Le 27 juillet 1794 (9 thermidor an II), Robespierre, mis en difficulté à la Convention, est arrêté avec son frère Augustin, ses amis Saint-Just, Couthon et Lebas. Les cinq députés sont délivrés par la Commune et quelques maigres troupes sans-culottes. Le gros du Paris populaire ne bouge pas. Barras réussit dans la nuit à prendre d'assaut l'Hôtel de Ville, Robespierre et ses compagnons sont guillotinés le 28.

Le reflux (1794-1799)

La Convention thermidorienne

Le 9 Thermidor marque le début d'une longue phase de reflux. La vague révolutionnaire et populaire s'épuise tandis qu'une opposition royaliste réapparaît et que de larges couches sociales aspirent à l'ordre.

La Convention survit quinze mois à la chute de Robespierre. Les députés de la Plaine sortent de leur silence (Sieyès, Cambacérès, Boissy d'Anglas) et s'allient avec des montagnards repentis (Barras, Tallien, Fréron). L'opinion force ceux que l'on appelle désormais les « thermidoriens » à prendre des mesures d'apaisement. Les pouvoirs du Comité de salut public sont limités. Les députés se hâtent d'enrayer un nouveau péril sans-culotte, suppriment la Commune, ferment le Club des jacobins et de nombreuses sociétés populaires. Début août, la Convention fait relâcher les suspects. Peu à peu, les prisons s'ouvrent. Les rescapés de la guillotine, dès leur liberté recouvrée, se ruent sur les bals, les fêtes, s'étourdissent de plaisir. Un climat licencieux imprègne la fin de la Révolution. Une nouvelle droite composée de jeunes gens élégants, la « jeunesse dorée », se manifeste, clame bien haut ses opinions, fait la chasse aux jacobins. En septembre 1794, la découverte de l'ampleur des noyades (3 000 victimes sans doute) ordonnées à Nantes par Carrier provoque son inculpation et jette le discrédit sur le mouvement jacobin. Carrier et Fouquier-Tinville sont exécutés, Collot d'Herbois et Billaud-Varenne sont déportés en Guyane. Des massacres de jacobins ont lieu dans le Midi. Les modérés s'affirment, imposent au début de 1795 le retour des rescapés girondins à l'Assemblée, la restitution des biens aux familles des victimes de la Terreur. Les thermidoriens négocient avec les royalistes qui continuent la guérilla dans l'Ouest. Le traité de La Jaunaye (15 février 1795) accorde à Charette une paix avantageuse au moment même du rétablissement de la liberté des cultes. Avec l'étranger, les thermidoriens nouent une négociation qui aboutit aux traités de Bâle (avril-juillet 1795) conclus avec la Prusse et l'Espagne. La France obtient la rive gauche du Rhin, l'île de Saint-Domingue. En mai 1795, un protectorat français est établi sur la république « sœur » de Hollande, la République batave.

En décembre 1794, la Convention abolit le maximum, mais ce retour à la liberté économique provoque, au cours de l'hiver 1794-1795, une formidable envolée des prix alors que les gens pauvres souffrent de faim et de froid et s'irritent du spectacle des nouveaux riches. Dans un climat d'anarchie où fleurissent les trafics, l'assignat achève sa courbe descendante. En mai 1795, la monnaie-papier a perdu près de 90 % de sa valeur ! Les paysans cessent leurs ventes. La foule parisienne, qui a relativement bien accepté la chute de Robespierre, gronde à nouveau et regrette vite le temps du maximum. Le 20 mai 1795, le peuple des faubourgs envahit la Convention en réclamant : « Du pain et la Constitution de 93 ! » Un député est abattu, mais la foule sans chef — de nombreux meneurs ont été arrêtés dès avril — ne parvient pas à exploiter son succès et l'armée finit par rétablir l'ordre après trois jours de troubles. Les 20-23 mai 1795 constituent les dernières journées populaires de la Révolution. Effrayés, les députés thermidoriens se vengent, font arrêter 60 députés montagnards et 1 200 sans-culottes. Les sections populaires sont désarmées, la garde nationale est désormais exclusivement composée de bourgeois.

Le renouveau de la vie de société sous le Directoire : le bal de l'Opéra, Bosio, musée Carnavalet, Paris (photo Lauros-Giraudon).

La menace de gauche écartée, le péril renaît à droite condamnant la République affaiblie à un incessant jeu de bascule. Profitant de l'apaisement, des émigrés rentrent en France au début de 1795. Le courant royaliste renaît. En juin, après la mort en prison du dernier fils de Louis XVI, le comte de Provence, frère du dernier souverain, prend le nom de Louis XVIII et signe un manifeste très dur contre les républicains. En juillet, un débarquement anglo-émigré a lieu à Quiberon, mais le général Hoche écrase les assaillants (748 émigrés fusillés). Le 5 octobre 1795, une émeute royaliste secoue Paris. Barras charge un général en disponibilité, Napoléon Bonarparte, de rétablir l'ordre. Aux Tuileries et sur le parvis de l'église Saint-Roch, les troupes républicaines mitraillent les émeutiers (300 morts). En 1796, Charette qui a repris la guérilla, est capturé et fusillé à Nantes.

Émeute royaliste devant l'église Saint-Roch à Paris (octobre 1795), Bibl. nat., Paris (photo Hachette).

La renaissance du royalisme incite les thermidoriens à freiner leur zèle antijacobin ; ils décident que les électeurs de la nouvelle assemblée seront tenus de choisir les deux tiers des députés parmi les thermidoriens !

Le Directoire

Les thermidoriens ont rédigé en effet une nouvelle constitution qui entre en vigueur en octobre 1795. Le nouveau régime créé, le Directoire (octobre 1795-novembre 1799), se veut modéré : il défend la propriété, s'appuie sur les notables, et se méfie également du peuple jacobin et du danger royaliste. Le vote est secret — pour éviter les pressions — à deux degrés et censitaire. Tout citoyen payant une contribution, même modeste, participe à la désignation des électeurs. En revanche, le nombre des électeurs est très limité (30 000 personnes) car on exige d'eux le versement d'un impôt élevé. Les électeurs désignent les députés qui sont renouvelés par tiers chaque année. Le Conseil des Cinq-Cents propose les lois, le Conseil des Anciens les adopte. Redoutant les excès d'une assemblée unique, les thermidoriens introduisent ainsi le premier régime bicaméral : une assemblée peut désormais corriger les excès de l'autre. Les thermidoriens réintroduisent aussi le principe de la séparation des pouvoirs : le pouvoir exécutif est confié à cinq directeurs — dont l'un est remplacé chaque année par tirage au sort — les assemblées ne peuvent renverser les directeurs et ceux-ci ne peuvent dissoudre les assemblées. Les directeurs sont assistés de ministres. Toutefois aucun système d'arbitrage entre l'exécutif et le législatif n'est prévu.

Les hommes politiques qui dominent le Directoire sont des hommes d'expérience : ce sont Sieyès, Reubell, Talleyrand (modérés), La Révellière-Lépeaux (girondin), Barras, Carnot (montagnards). Le Directoire connaît les mêmes difficultés que la Convention thermidorienne. Ce régime faible, attaqué sans cesse sur sa droite et sur sa gauche, doit affronter des complots, faire face à une situation financière désastreuse tout en poursuivant la guerre contre l'Angleterre et l'Autriche.

Barras en costume de Directeur, dessin de H. Le Dru, Bibl. nat., Paris (photo Hachette).

Un régime instable

L'assignat, qui a désormais perdu 99 % de sa valeur, est supprimé en février 1796. Le Directoire imagine des expédients pour réduire l'énorme masse monétaire en circulation (40 milliards de livres en assignats) : échange des assignats contre des « mandats territoriaux », puis banqueroute partielle. Le 30 septembre 1797, la banqueroute des deux tiers amène le Directoire à ne reconnaître qu'un tiers des dettes de l'État. Le ministre Ramel réintroduit la monnaie métallique, améliore la perception des contributions, crée l'impôt sur les portes et fenêtres. Pour le reste, les républiques « sœurs » sont mises à contribution. La guerre et ses pillages permettent au Directoire d'augmenter ses recettes.

Les temps sont durs. La crise financière a désorganisé les services publics. Le brigandage réapparaît, des bandes attaquent les fermes et les diligences. L'armée reste mal équipée et connaît une terrible crise de désertion. Une poignée de spéculateurs, souvent en relation avec le personnel politique, profite de l'effondrement de l'assignat pour acheter à vil prix quantité de biens nationaux. Les fournitures militaires permettent de spéculer. Les contrastes sociaux s'accentuent entre une minorité de parvenus et le petit peuple citadin qui souffre de la faim. Les bonnes récoltes de 1796-1798 limitent heureusement la détresse.

L'opinion, lasse, méprise vite ce nouveau régime. Les oppositions renaissent. En mai 1796, un complot d'extrême gauche dirigé par Gracchus Babeuf est déjoué. La « conspiration des Égaux » préparait un coup de force et visait l'instauration d'un régime économique et social annonçant le communisme. Au printemps 1797, les élections partielles aux Conseils voient les députés royalistes entrer en force dans les assemblées. Les directeurs Barras, Reubell, La Révellière-Lépeaux, prennent peur et font appel à l'armée. Bonaparte envoie d'Italie Augereau qui procède — le 4 septembre 1797 — à une série d'arrestations, encercle les Conseils et, sous la menace de ses soldats et de ses canons, obtient l'annulation des élections dans 49 départements ! L'armée devient ainsi l'arbitre des conflits politiques, multiplie les coups d'État au fur et à mesure que le péril renaît à droite ou à gauche. En mai 1798, un nouveau coup d'État permet de « rectifier » en faveur des anciens thermidoriens les résultats d'élections favorables à la gauche jacobine. La légalité est ainsi régulièrement bafouée, les élections dénaturées. Peu à peu, l'armée, infiniment plus dévouée à ses chefs qu'aux directeurs qu'elle méprise, mesure l'importance de sa force, aspire au pouvoir.

La montée de Bonaparte

Si la première coalition s'est disloquée au printemps 1795, l'Angleterre et l'Autriche poursuivent la lutte contre la France. Le Directoire réagit en tentant vainement un débarquement en Irlande en décembre 1795. Au printemps 1796, Carnot conçoit une vaste offensive contre l'Autriche. Deux

armées principales tentent de traverser l'Allemagne mais
échouent. C'est dans ce contexte qu'une armée secondaire
(37 000 hommes) chargée de réaliser en Italie du Nord une
diversion, remporte une série stupéfiante de victoires sous
les ordres d'un général de vingt-huit ans : Napoléon Bonaparte. Battant les Piémontais et les Autrichiens, l'armée
d'Italie par une tactique très mobile l'emporte à Mondovi,
Lodi (mai 1796), entre à Milan, gagne encore à Arcole
(novembre), Rivoli (janvier 1797), s'approche de Vienne.
Bonaparte se comporte vite en proconsul, négocie avec les
Autrichiens le traité avantageux de Campoformio (octobre
1797) par lequel l'Autriche abandonne à la France le Milanais et les Pays-Bas autrichiens. Bonaparte constitue deux
nouvelles républiques sœurs qui fournissent à la France
d'importantes contributions.

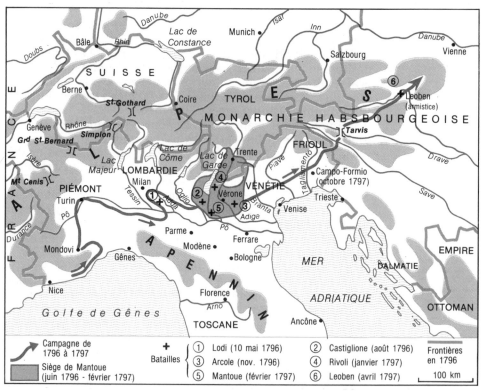

La campagne d'Italie (1796).

Devenu très populaire, Bonaparte prend la direction en
mai 1798 de l'expédition d'Égypte dans le but de contrer les
intérêts anglais et de doter la France d'une riche colonie.
Avec 38 000 soldats et un groupe de savants, le général
débarque à Aboukir, écrase les Mameluks du pacha d'Égypte
à la bataille des Pyramides (21 juillet). Alors que le pays
passe sous contrôle français, l'amiral Nelson détruit l'essentiel de la flotte française à Aboukir le 1er août. Prisonnier du

Moyen-Orient, Bonaparte repousse les contre-offensives du sultan turc, mais ne parvient pas à s'emparer de Saint-Jean-d'Acre. En août 1799, les nouvelles inquiétantes qui parviennent de France conduisent Bonaparte — brusquement et sans ordre — à quitter l'Égypte en laissant son armée sous les ordres de Kléber.

La situation s'est en effet détériorée en France. Les annexions territoriales ordonnées par le Directoire en 1798 entraînent la formation d'une seconde coalition regroupant l'Angleterre, la Russie, l'Autriche, la Sardaigne, le royaume de Naples, la Turquie. Les revers s'accumulent, les Français sont chassés d'Italie. En septembre 1799, Masséna arrête l'invasion russo-autrichienne à Zurich. Depuis mai-juin 1799, les jacobins ont progressé aux élections et ont imposé des mesures sévères (loi sur les otages, emprunt forcé, mobilisation générale). Deux directeurs modérés ont démissionné. Les députés modérés se regroupent alors derrière Sieyès qui propose la révision de la constitution. Pour arrêter la poussée jacobine et réformer le régime, Sieyès accepte l'idée d'un nouveau coup d'État. Revenu en France depuis octobre, jouissant d'une importante popularité, Bonaparte, nommé commandant des troupes de Paris, entre dans le complot qui bénéficie de la complicité de trois directeurs, Barras, Ducos, Sieyès, et des ministres Talleyrand, Fouché, Cambacérès. Le frère du général, Lucien Bonaparte, est président des Cinq-Cents. Le complot débute le 18 brumaire an VIII (9 novembre 1799). Les conjurés parviennent à convaincre les députés des deux Conseils de s'installer à Saint-Cloud de façon à se soustraire à un prétendu coup de force populaire. Le 19 brumaire (10 novembre), les choses traînent, les députés refusent de réviser la constitution, s'alarment de la présence de troupes nombreuses, prennent violemment à partie Bonaparte qui connaît de durs moments. Son frère Lucien sauve la situation, retarde la mise hors la loi du général, fait appel aux soldats de Murat qui procèdent à une expulsion brutale des députés. Le soir du 19 brumaire, les conjurés obtiennent de quelques députés — que l'on a rattrapés de justesse — le vote d'un texte confiant le pouvoir exécutif à trois consuls provisoires : Sieyès, Ducos, Bonaparte.

Proclamation de Bonaparte le 10 novembre 1799, Archives nationales (photo Hachette).

Le Consulat, l'Empire

Après dix ans de révolution, le pays, las des divisions et des troubles, accepte sans grande difficulté le coup d'État du 18 brumaire an VIII qui porte au pouvoir Bonaparte. Jeune et populaire, le général se présente vite comme le sauveur du pays et le rassembleur des Français. Il jette les bases d'un régime autoritaire, réforme en profondeur le pays. Au fil des ans, la tendance autoritaire du régime se renforce, l'Empire est proclamé, cependant qu'une série de brillantes victoires amène la France à dominer — mais de façon éphémère — l'Europe.

La Révolution est terminée

Napoléon Bonaparte

Napoléon Bonaparte est né à Ajaccio le 15 août 1769 dans une vieille famille — ce qui suffit pour être noble en Corse — d'origine toscane et assez aisée. La famille est nombreuse — huit enfants vivants — et connaît des difficultés matérielles à la mort du père qui était avocat (1785). Très jeune, Napoléon, second fils de la famille, est mis en pension dans des collèges militaires. S'il reçoit une formation solide, il ne brille pas par son rang de sortie de l'École militaire de Paris (42e sur 58), ni par ses premières années de vie en garnison dans le Midi où il s'ennuie, tente de rédiger des romans, multiplie les demandes de congés. Il doit également prendre en main la direction de sa famille — le « clan » Bonaparte. La Révolution permet une ascension prodigieuse à cet officier petit, maigre, au teint olivâtre. Il tente de faire carrière dans la garde nationale corse, échoue mais s'affirme sur le continent lors du siège de Toulon (1793). Ce général, qui a eu quelques sympathies jacobines, a été aussi le témoin des grandes journées révolutionnaires et a appris à se méfier des foules. Doué d'une intelligence claire, d'une mémoire exceptionnelle, cet homme nerveux, souvent coléreux et anxieux, est aussi un grand travailleur. L'ambition le pousse souvent à la démesure, à une confiance excessive en soi, à un certain mépris envers les hommes. Sa vie harassante le conduit à un vieillissement précoce. Si la silhouette s'empâte, le vêtement reste toujours très simple — la redingote grise et le chapeau noir — ce qui lui vaut une grande popularité. Sa première femme — une jolie veuve, Joséphine de Beauharnais — ne pouvant lui donner d'enfant, il divorce en 1809 pour épouser Marie-Louise, fille de l'empereur d'Autriche. Un fils, le roi de Rome, naît en 1811.

La constitution nouvelle

*Les trois consuls :
Lebrun, Bonaparte,
Cambacérès,* Couder,
musée de Versailles
(photo Hachette).

Au soir du 19 brumaire (10 novembre 1799), Ducos, Sieyès et Bonaparte nommés consuls provisoires avaient obtenu, non sans mal, mandat pour rédiger une nouvelle constitution de la République. Très vite, le général Bonaparte, qui s'entend mal avec Sieyès, impose ses vues et fait rédiger une constitution qui renforce nettement le pouvoir exécutif. Dès le 13 décembre 1799, cette constitution de l'an VIII est appliquée... avant même sa ratification par le plébiscite du 7 février 1800 !

Retouchée légèrement en 1802 et en 1804, cette constitution reste en place quinze ans. Fortement influencé par le modèle antique (l'Antiquité est alors à la mode), le texte confie le pouvoir exécutif à trois consuls (Bonaparte, Lebrun, Cambacérès) élus pour dix ans par le Sénat. Seul, le Premier consul (Bonaparte) dispose de pouvoirs immenses, les deux autres n'ont qu'un rôle consultatif. Inversement, la constitution de l'an VIII prend soin de morceler et d'affaiblir le pouvoir législatif. Elle crée le Conseil d'État composé d'une cinquantaine de hauts fonctionnaires nommés par le gouvernement et chargés de rédiger les projets de loi. Elle crée ensuite trois assemblées élues, aux pouvoirs inégaux : le Tribunat chargé de la discussion des projets, le Corps législatif responsable du vote sans discussion des projets et le Sénat, gardien de la constitution. Derrière une façade démocratique, le régime est d'inspiration nettement césarienne : il n'y a plus de déclaration des droits, le principe de séparation des pouvoirs est abandonné, le pouvoir exécutif est très puissant. Le suffrage universel est établi, mais il ne concerne que les plébiscites. Pour les élections, un curieux système de filtrage (le peuple élit des notables communaux, ceux-ci élisent des notables départementaux, etc.) renforce le pouvoir des citoyens les plus fortunés.

Des adversaires écartés

Si Bonaparte souhaite rassembler et réconcilier les Français, s'il possède l'appui d'une partie de l'armée, celui d'une partie du petit peuple sensible au prestige du général, et enfin celui de la majorité des notables qui voient en lui un rempart contre le désordre, il doit aussi compter avec de nombreux adversaires.

Une partie de l'armée, restée très jacobine, se méfie. Certains généraux comme Moreau, Augereau, Bernadotte, Brune prennent ombrage de l'ascension rapide d'un des leurs. Une opposition libérale se constitue au Tribunat derrière Benjamin Constant, M. J. Chénier, Isnard et Jean-Baptiste Say. Bien des réformes du Consulat (la Légion d'honneur, par exemple) sont votées à une faible majorité. Les royalistes restent toujours actifs. En juin 1800, le comte de Provence a demandé à Bonaparte de s'effacer. A deux reprises, les royalistes tentent d'abattre le Premier consul. Le 24 décembre 1800, rue Nicaise à Paris, une machine infernale explose sur le passage de Bonaparte, mais celui-ci est indemne. Le 9 mars 1804, la police arrête Cadoudal venu d'Angleterre pour fomenter un nouveau complot avec le général Pichegru. Bonaparte riposte et, par des moyens expéditifs, élimine rapidement ses adversaires. Il est aidé par Joseph Fouché qui réorganise la police et en fait rapidement un instrument redoutable. Le Premier consul soigne sa popularité, achète des journalistes, inspire des articles flatteurs. Des gravures aimables sont répandues dans les campagnes. Dès 1800, la censure réapparaît et la police de Fouché surveille de près les journaux opposants dont beaucoup disparaissent. Bien des anomalies accompagnent les plébiscites de 1800, 1802 et 1804. Si le vote se fait au suffrage universel, il est à peu près certain que les résultats de février 1800 ont été truqués par le ministre de l'Intérieur, Lucien Bonaparte (il y aurait eu 1,5 million de oui et non pas 3 millions). Dans les autres cas, on est frappé par la vague d'abstentions (sur 6 à 7 millions d'électeurs, la moitié vote) et par la très faible ampleur du non : en 1802, 8 374 non et 3,6 millions de oui ; en 1804, 2 659 non et 3,5 millions de oui. Tout s'explique lorsque l'on sait que le vote n'est plus secret et que chaque électeur doit inscrire son choix sur un registre et signer !... Contre les opposants qui murmurent au Tribunat, Bonaparte impose en 1802 la diminution du nombre des tribuns, réussit à faire exclure les opposants les plus marqués. Le Tribunat finit par être fondu dans le Corps législatif en 1807. A ceux qui acceptent la main tendue, le régime ouvre la porte des honneurs et de la réussite. Beaucoup de révolutionnaires, de nobles d'Ancien Régime, achèvent leur carrière en devenant préfets, magistrats, sénateurs... Pour ceux qui refusent, la répression est impitoyable. Le complot de la rue Nicaise se solde par une série d'exécutions. L'affaire Cadoudal entraîne le suicide de Pichegru, l'exil de Moreau et pousse le Premier consul à frapper fort en autorisant l'enlèvement en pays neutre du jeune duc d'Enghien, jugé sommairement et exécuté à Vincennes (21 mars 1804).

Registre du Plébiscite de l'an X à Paris (détail), Archives de France (photo Hachette).

Le sacre, Napoléon couronne lui-même Joséphine, David, musée du Louvre (photo Hachette).

Influencé par son encombrante famille qui le pousse à établir un régime monarchique, Bonaparte renforce rapidement sa mainmise sur l'État. En août 1802, par plébiscite, il est nommé Consul à vie. En mai 1804, profitant de l'émoi suscité par le complot de Cadoudal, le Sénat propose l'établissement de l'Empire : un régime héréditaire semble être la meilleure façon de décourager les activités royalistes. Le plébiscite de novembre approuve. Le 2 décembre 1804, Napoléon Ier est sacré empereur en présence du pape Pie VII.

Apaiser, rassurer, rassembler

Les années du Consulat (1800-1804) permettent à Bonaparte de réaliser ses idées essentielles : rétablir l'ordre et la paix, rassembler les Français, réformer le pays, consolider l'œuvre de la Révolution.

En 1799, la France est encore en guerre contre l'Autriche et l'Angleterre. Dès 1800, par des attaques rapides, le Consulat amène l'Autriche à négocier. Au printemps, Bonaparte en personne dirige la seconde campagne d'Italie, fait franchir à son armée le col du Grand-Saint-Bernard, attaque les Autrichiens à Marengo (14 juin 1800). L'arrivée des renforts de Desaix (tué dans la bataille) tire Bonaparte d'un mauvais pas. Les Autrichiens sont battus. En Allemagne, une seconde offensive menée par Moreau aboutit à la victoire d'Hohenlinden (3 décembre 1800). Par le traité de Lunéville (9 février 1801), la France retrouve ses positions en Italie du Nord et la frontière sur le Rhin. L'Angleterre qui a amené l'armée française d'Égypte à capituler (1801) accepte de négocier. Le traité d'Amiens (27 mars 1802) rétablit la paix entre la France et l'Angleterre, mais ne résout pas les problèmes épineux (l'entrée des marchandises anglaises en France, l'annexion de la Belgique par la France). La popularité du Premier consul est alors à son zénith.

Pour effacer le souvenir des anciennes divisions, le régime multiplie les initiatives : il encourage le retour des émigrés (40 % d'entre eux sont revenus en 1802), amnistie les chouans et d'anciens montagnards, pensionne la sœur de Robespierre. Le ministre de l'Intérieur, Lucien Bonaparte, écrit aux préfets : « Le gouvernement ne veut plus, ne connaît plus de partis : il ne voit plus en France que des Français. » C'est dans cet état d'esprit que Bonaparte, aidé par Bernier, un curé angevin, négocie avec Pie VII la paix religieuse. Le 16 juillet 1801, le Concordat est signé entre le Premier consul et le représentant du pape. La liberté de culte est rétablie, le catholicisme reconnu « religion de la grande majorité des Français », les églises sont restituées au clergé. Le gouvernement nomme les évêques (en partie des réfractaires, en partie des jureurs) et le pape leur accorde l'investiture spirituelle. Si Pie VII reconnaît la confiscation des biens du clergé, Bonaparte s'engage à verser un traitement aux ecclésiastiques qui acceptent de prêter serment de fidélité au gouvernement. Appliqué non sans mal, du fait des réticences des républicains, le Concordat permet la reconstitution d'une Église de France et instaure un apaisement religieux qui devait durer jusqu'à la Belle Époque. De nos jours, le Concordat reste toujours appliqué en Alsace-Lorraine.

Réorganiser, reconstruire

Le Premier consul entend reconstruire sur des « masses de granit » l'administration du pays affaiblie par le Directoire. La loi du 17 février 1800 impose le retour à la centralisation. Les cadres territoriaux révolutionnaires (département, arrondissement, commune) sont conservés ; toutefois, la loi concentre à chaque échelon les pouvoirs entre les mains d'un administrateur, non plus élu, mais nommé et révocable par le gouvernement. A la place de l'intendant, avec des pouvoirs encore accrus, apparaît le préfet qui dirige le département. Le sous-préfet administre l'arrondissement, le maire désigné par le préfet ou par le gouvernement gère la commune.

Page de titre du Code civil des Français, 1804, Bibl. nat., Paris (photo Hachette).

La loi du 18 mars 1800 réorganise la justice. Le jury, le procès public sont conservés mais le principe d'élection des juges disparaît. Les juges sont désormais nommés et rétribués par l'État mais ils sont inamovibles. Vingt-neuf tribunaux d'appel et une Cour de cassation s'ajoutent aux tribunaux courants. Après des années de travail, une commission de juristes dirigée par Cambacérès rend public en mars 1804 le Code civil. Dans un style clair, précis, 2 281 articles unifient le droit français et réalisent une synthèse entre l'héritage de l'Ancien Régime (l'homme est le chef de la famille, la femme doit obéissance à son mari...) et les principes issus de la Révolution (l'égalité de tous devant la loi, le partage égal des successions...). L'opinion bourgeoise accueille favorablement un code qui garantit la propriété, reconnaît le principe de la libre entreprise et interdit les grèves.

Revers

Avers

Franc germinal argent de l'an XI à l'effigie de Bonaparte, Premier consul, Bibl. nat. médailles, Paris (photo Hachette).

Le ministre des Finances Gaudin inspire bien des mesures de redressement. Le Consulat conserve les quatre contributions nées sous la Révolution, mais innove en ressuscitant les impôts indirects (ainsi les taxes sur les boissons), en mettant au point une solide administration d'État (contrôleurs, inspecteurs, percepteurs) chargée de lever les impôts à la place des citoyens élus, enfin en décidant la constitution en 1802 d'un cadastre des propriétés. Dès 1800, une banque privée, la Banque de France, est instituée. Elle reçoit du gouvernement la tâche d'aider les commerçants et les entrepreneurs en leur accordant des prêts, en retour l'État lui accorde le privilège d'émettre des billets de banque que l'on peut échanger à tout moment contre des pièces. La Banque de France gagne peu à peu la confiance des Français. La loi du 28 mars 1803 (7 germinal an XI) instaure un nouvel étalon monétaire : le franc ou « franc germinal » dont la valeur est fixée à 5 grammes d'argent ou 0,32 gramme d'or, soit à peu près la valeur de la livre fixée sous Louis XV. Le franc germinal devait connaître une longue stabilité de 1803 à 1928.

Si on ajoute à ces réformes, dont beaucoup sont encore en place, la création de la Légion d'honneur (1802) et des lycées (1803), on mesure l'ampleur du travail accompli. Le Consulat correspond à une sorte de stabilisation — dans un sens conservateur et autoritaire — de l'héritage révolutionnaire.

La France domine l'Europe

Les grandes victoires continentales

Hâtivement négociée, la paix d'Amiens (1802) est très fragile. Peu à peu, les relations entre l'Angleterre et la France se détériorent. En 1805, la guerre reprend et ne va pas cesser jusqu'en 1815.

A l'été 1805, l'empereur prépare un débarquement en Angleterre, masse des troupes au camp de Boulogne, attend une occasion propice pour franchir le Pas de Calais. Hélas ! le 21 octobre 1805, l'amiral Nelson écrase la flotte franco-espagnole commandée par Villeneuve à Trafalgar. Prisonnier du continent, Napoléon lance immédiatement ses troupes vers l'est contre les alliés autrichiens et russes de l'Angleterre. Ulm capitule, Vienne est occupée. Le 2 décembre 1805, près du village d'Austerlitz, l'empereur écrase les Russes et les Autrichiens. Les Français perdent 8 000 hommes, les Austro-Russes 27 000. Vaincue, l'Autriche cède à la France le Tyrol, la Vénétie, la Dalmatie (traité de Presbourg).

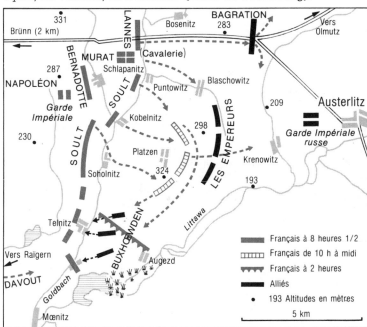

Plan de la bataille d'Austerlitz.

L'expansion française en Europe se poursuit durant l'année 1806. L'Italie du Sud passe alors sous contrôle français, les Bourbons de Naples sont chassés et Napoléon confie le trône vacant à son frère Joseph, puis plus tard à son beau-frère Murat. Au nord, la République batave, jadis « république sœur », devient royaume de Hollande avec, à sa tête, Louis Bonaparte (le père du futur Napoléon III). A l'est, les principautés allemandes reconnaissent Napoléon « protecteur » de la Confédération du Rhin et deviennent des États vassaux qui fournissent des contingents. La Prusse n'admet pas ces ingérences flagrantes de la France en Europe. Avec la Russie pour alliée, la Prusse entre en guerre à son tour, mais deux désastres militaires survenus à Iéna contre Napoléon et à Auerstaedt contre l'armée de Davout le même jour (14 octobre 1806) brisent la résistance prussienne. Les Français entrent à Berlin le 27 octobre. Contre les Russes, la campagne se poursuit dans des conditions difficiles. Dans un décor enneigé, Napoléon est victorieux à Eylau, le 8 février 1807, mais au prix de 43 000 morts (25 000 Russes, 18 000 Français). Lefebvre s'empare de Dantzig en mai. Le 14 juin 1807, le maréchal Ney écrase les Russes à Friedland (25 000 Russes tués). Le tsar Alexandre Ier accepte de rencontrer Napoléon à Tilsit sur un radeau au milieu du Niemen. Le traité de Tilsit (25 juin 1807) fait de l'ennemi russe un allié et la Prusse assume les frais de la guerre. Jérôme Bonaparte

Les campagnes d'Allemagne.

devient roi de Westphalie, un grand-duché de Varsovie est créé sur les décombres des territoires occupés par la Prusse en Pologne. L'Empire apparaît alors au sommet de sa force et l'armée française semble invulnérable.

L'instrument des conquêtes, l'armée

De 1805 à 1814, près de 1,5 million de jeunes Français sont appelés sous les drapeaux. Le recrutement repose sur la loi Jourdan de 1798 qui établit que tout citoyen doit effectuer son service militaire entre vingt et vingt-cinq ans. Des dispenses existent à l'égard des chargés de famille, des séminaristes et surtout des hommes mariés. Une partie seulement de la classe d'âge part à l'armée (80 000, puis 120 000 hommes par an). On procède au tirage au sort : le jeune homme qui a tiré un « mauvais numéro » peut toujours s'offrir les services d'un « remplaçant ». La gendarmerie traque insoumis et déserteurs. Avec la multiplication des guerres, on discerne des signes de lassitude et de refus du devoir militaire. Le taux de nuptialité grimpe nettement après 1809 et il arrive même que des hommes se mutilent volontairement pour échapper à la conscription. Très vite, l'empereur doit exiger des contingents des États vassaux et alliés de la France. L'armée impériale s'internationalise au fur et à mesure qu'elle grossit (580 000 soldats en 1806, 675 000 en 1812). Les trois quarts des soldats servent dans l'infanterie et accomplissent des marches souvent considérables. Le reste sert dans la cavalerie (cuirassiers, hussards, chasseurs), l'artillerie et les corps spécialisés comme les sapeurs du génie ou les pontonniers du général Eblé. Un corps d'élite, la Garde impériale, regroupe les meilleurs soldats, arbore des uniformes somptueux et intervient dans les batailles au moment décisif.

L'armement n'a guère évolué depuis la fin du XVIIIᵉ siècle. L'armée utilise les canons Gribeauval et le fusil modèle 1777 qui tire quatre balles en trois minutes et est précis jusqu'à près de 200 mètres. Conservateur, l'empereur supprime les ballons d'observation à air chaud. Les services sont médiocres. L'intendance suit mal les mouvements des troupes. La solde (cinq sous par jour) est payée aux soldats avec retard et l'empereur tolère les pillages en pays ennemi. Généraux et maréchaux donnent souvent le mauvais exemple. Les services de santé sont rudimentaires, malgré le dévouement d'excellents chirurgiens comme Larrey ou Percy. On a pu calculer que, sur les 916 000 soldats français disparus entre 1800 et 1815, 430 000 avaient été tués sur les champs de bataille, mais plus de la moitié (486 000) étaient morts de maladie ou en captivité.

A l'exception de Masséna et de Davout, les maréchaux et les généraux sont surtout des entraîneurs d'hommes (Ney, Murat, Lefebvre...) au talent tactique limité. C'est sur Napoléon que repose la conduite des opérations. La stratégie de l'empereur est fondée sur la rapidité, la mobilité, l'offensive. Se glisser entre les différentes armées ennemies, fractionner les forces adverses avant de les écraser : ce sont les principes constants de Napoléon. Cette stratégie stupéfie et déroute les contemporains habitués aux batailles en ligne mais, après 1806, les adversaires de Napoléon apprennent à résister aux Français, d'où la belle tenue des Autrichiens et de l'archiduc Charles à Wagram en 1809, d'où la résistance opiniâtre des Anglais commandés par Wellington au Portugal et à Waterloo.

L'Empire français en 1812.

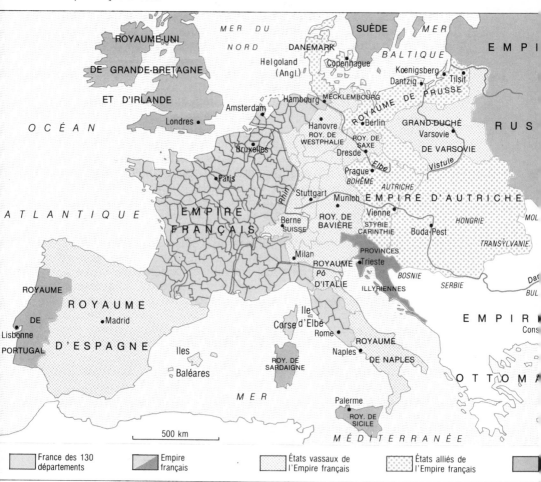

L'Empire, régime autoritaire

L'Empire forme un ensemble vaste et complexe. Au cœur, il y a la France grossie à l'extrême et dont l'empereur a repoussé très loin les limites. Hambourg, Amsterdam, Liège, Turin, Gênes, Florence, Rome forment quelques-uns des chefs-lieux de cette France des 130 départements qui rassemble ainsi 42 millions de personnes parlant cinq ou six langues. Le régime s'appuie aussi sur des États vassaux : royaumes de Westphalie, de Saxe, de Bavière, d'Italie, de Naples, d'Espagne, grands-duchés de Varsovie, de Hesse, de Bade... Napoléon règne donc sur près de 80 millions d'Européens ; il peut, de surcroît, compter sur l'aide plus ou moins fidèle des alliés autrichiens et prussiens.

Talleyrand, Prud'hon, musée Carnavalet, Paris (photo Hachette).

Napoléon, en despote éclairé, règne en maître sur ce vaste empire, laissant une faible marge de manœuvre à ses ministres. Le chancelier d'Empire, Cambacérès, duc de Parme, est un serviteur docile et avisé. Deux ministres jouent un rôle important à côté de l'empereur et font preuve de caractère. Talleyrand, prince de Bénévent, ministre des Affaires étrangères, déconcerte l'empereur par son aplomb de grand seigneur ; il ne croit pas à la survie de l'Empire et très vite intrigue avec l'étranger. Fouché, duc d'Otrante, ministre de la Police jusqu'en 1810, mène aussi un jeu personnel et n'hésite pas à résister aux colères de son maître. Avec le retour massif des émigrés et l'instauration d'une noblesse d'Empire, le régime oublie ses origines républicaines. Une cour réapparaît avec son étiquette et ses fêtes.

La tendance autoritaire du régime se renforce. La province passe sous la tutelle pesante des préfets qui interviennent dans tous les domaines : agriculture, industrie, artisanat, construction de routes, ouverture de lycées, conscription... La police est très efficace. Un décret de 1810 lui permet d'arrêter et d'interner « toute personne dangereuse ». 2 500 personnes sont ainsi emprisonnées en 1814. Le régime cherche même à contrôler les esprits. Le catéchisme impérial prêche l'obéissance à l'empereur cependant que les curés doivent lire en chaire les bulletins de la Grande Armée. Devant le succès limité des lycées (qui ne comprennent que la moitié des élèves du secondaire), le régime confie à l'Université d'État le monopole de l'enseignement ; le baccalauréat est créé en 1809.

Fouché, C.M. Dubufe, musée de Versailles (photo Hachette).

L'opposition est plus ou moins contenue. Mme de Staël, soumise à des tracasseries, doit vivre à l'écart. Avec le temps, la popularité de l'Empire décline, l'opinion gronde devant les difficultés économiques qui accompagnent le blocus (cf. p. 231) et redoute les excès de la conscription, les catholiques soutiennent le pape contre l'empereur. Des réfractaires prennent le maquis dans le Var. En 1812, profitant des revers de Napoléon en Russie, le général Malet réussit à prendre le contrôle de Paris pendant quelques heures.

L'économie, les arts

L'activité économique reste prospère assez longtemps. Jusqu'en 1810, les récoltes sont convenables et permettent aux campagnes de jouir d'une certaine aisance. Les commandes militaires suscitent la prospérité de nombreux viticulteurs, éleveurs, planteurs de tabac. Le monde rural évolue peu : la faucille l'emporte encore sur la faux, la pomme de terre n'est utilisée que pour l'alimentation du bétail. Les superficies utilisées pour cultiver la betterave à sucre sont encore bien limitées et l'essai tenté dans le Midi pour acclimater le coton échoue. L'empereur, de tempérament dirigiste, multiplie les mesures d'encouragement à l'agriculture et à l'industrie. Apparaissent ainsi les chambres d'agriculture, de commerce, le Code de commerce (1807), la Bourse de Paris, les expositions industrielles... L'industrie chimique et l'armement connaissent alors une forte activité. L'artisanat urbain semble prospère et souffre même d'une pénurie de main-d'œuvre. Les prisonniers de guerre sont employés à creuser des canaux ; des routes sont percées en Vendée et dans les Alpes.

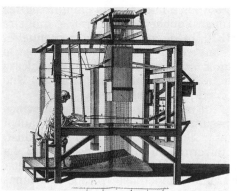

Le métier à tisser Jacquard (photo Hachette).

La chambre à coucher de Napoléon à Fontainebleau (photo Esparcieux).

L'arc de triomphe du Carrousel, aquarelle de Charles Percier, Bibl. nat., Paris (photo Hachette).

Cependant, deux activités économiques essentielles, le textile et le grand commerce maritime, subissent les effets pervers de la politique impériale. Les premières années de l'Empire sont fastes pour la filature et le tissage, le progrès industriel s'accélère. Des industriels comme Oberkampf, Petitpierre, Ternaux, Richard et Lenoir, construisent de grandes fabriques, achètent des machines anglaises. Jacquard invente un métier à tisser la soie, Philippe de Girard une machine à filer le lin. A partir de 1807-1808, la lutte avec l'Angleterre et la difficulté à se procurer du coton entament le dynamisme de cette branche. Les grands ports de l'Atlantique ont pu conserver jusqu'à cette date une petite activité en ayant recours à des bateaux neutres (scandinaves ou américains), le renforcement du blocus leur porte alors un coup terrible. Si le blocus continental transforme l'Europe en chasse gardée pour les produits français, il freine également la modernisation de l'appareil productif, pousse nombre d'entrepreneurs des façades maritimes à se reconvertir dans l'agriculture. L'Empire amène ainsi une modification de la carte économique de la France au profit de l'essor de la vallée du Rhône et de la Seine, des régions du Nord et de l'Est.

En revanche, la vie de la cour impériale, par ses commandes, a pu reconstituer un mouvement artistique intéressant. Certes, les grandes œuvres littéraires sont peu nombreuses du fait de la censure, mais la peinture française, grâce aux œuvres de David, Gros, Gérard, Géricault, brille à nouveau. Le sculpteur italien Canova est justement célèbre, de même que les édifices néo-classiques de Chalgrin (l'Odéon, l'Arc de Triomphe), Brongniart (la Bourse), Fontaine (arc de triomphe du Carrousel). Le style Empire est fortement influencé par l'Antiquité et la mythologie et multiplie les meubles sombres d'acajou rehaussés de bronzes ciselés. Jacob Desmalter est le plus célèbre ébéniste de l'époque.

La société

En prenant comme frontières celles de 1861, on peut estimer que la France compte 29,5 millions d'habitants en 1806 et 30,1 millions en 1810. Apparue sous Louis XV, la tendance malthusienne à la limitation des naissances touche, sous l'Empire, des couches sociales plus vastes. Le taux de natalité fléchit (34,6 ‰ en 1806, 31,5 ‰ en 1810) en même temps que s'opère un recul de la mortalité (31,5 ‰ en 1805, 26,3 ‰ en 1810). La Révolution et l'Empire constituent un tournant essentiel dans l'histoire démographique de la France. En l'espace d'une vingtaine d'années, les tendances s'accentuent, les couples changent de comportement. Si on se marie davantage du fait de la conscription et aussi du divorce, on a moins d'enfants. On prend l'habitude de calculer, de moduler la taille de sa famille en fonction de sa richesse cependant que progressent nettement les naissances illégitimes (6,5 % des naissances en 1812).

Affectée par la tourmente révolutionnaire, la société française se stabilise sous l'Empire. Une synthèse entre l'ordre ancien et les principes nouveaux s'esquisse. Si la société reconnaît désormais l'égalité de tous devant la loi, l'impôt, le partage égal des successions, on remarque que ce sont des nobles qui possèdent souvent les plus grosses fortunes et exercent les fonctions les plus prestigieuses et les mieux rétribuées.

Les émigrés sont rentrés en France en grand nombre et ont pu récupérer une bonne partie de leurs domaines. Bien des préfets et des administrateurs impériaux sont issus de l'Ancien Régime (les Ségur, La Rochefoucauld, Cossé-Brissac...).

Une nouvelle noblesse, la noblesse d'Empire, est apparue pour récompenser le personnel révolutionnaire rallié à l'empereur. Certaines fortunes d'Empire sont énormes (Ney, Masséna, Berthier). Quelques banquiers et industriels amassent sous l'Empire des fortunes supérieures au million de francs (Robillard, Perier, Delessert, Hottinguer, Say) mais la grande nouveauté, c'est l'émergence d'un groupe nommé et rétribué par l'État : les fonctionnaires. Au sommet de la fonction publique, les carrières de préfet (de 8 000 à 30 000 F par an), de chef de division (12 000 F par an) ou de chef de bureau (6 000 F par an) confèrent à leur titulaire à la fois l'aisance et la considération.

Au bas de l'échelle, bien des gens modestes rêvent de voir leurs fils accéder à des emplois stables, dotés de retraites acceptables : un employé gagne 1 200 F par an, un commis de 2 à 3 000 F par an ; avec 3 400 F, un rédacteur atteint la marge de la petite bourgeoisie.

Dans les campagnes, la confirmation de l'abolition des droits féodaux et de la vente des biens nationaux, la répartition plus juste des impôts, la hausse du prix des céréales (+ 18 % entre 1798 et 1815) et du vin expliquent l'attachement de nombreux paysans à l'empereur. Beaucoup de journaliers réussissent à acquérir une parcelle et à se glisser dans la catégorie tant recherchée des propriétaires.

Dans les villes, la condition de l'ouvrier s'est juridiquement aggravée. Les corporations n'existent plus et l'Empire oblige chaque ouvrier à avoir en sa possession un livret rempli par le patron et visé par la gendarmerie. Lorsqu'il y a conflit, les tribunaux reconnaissent toujours la supériorité du témoignage patronal.

Bien qu'interdites, les grèves ont été assez nombreuses, en particulier sur les grands chantiers parisiens. Les excès de la conscription provoquent une pénurie de main-d'œuvre, les salaires en profitent pour prendre un peu d'avance (+ 25 % entre 1798 et 1815) sur le prix du pain qui reste souvent taxé à un niveau modeste. L'ouvrier parisien gagne environ de 3 à 4 francs par jour, mais en province les salaires sont médiocres (de 1,20 F à 2 F par jour) et les conditions de travail des premiers ouvriers de l'ère industrielle (mineurs, ouvriers des fabriques textiles) sont atroces et provoquent une surmortalité effrayante.

Le dérapage, la chute

Premières imprudences, premières difficultés

De tous les adversaires de la France, un seul reste invaincu : l'Angleterre. Dans l'impossibilité de remporter sur le gouvernement de Londres une victoire militaire, Napoléon imagine d'utiliser l'arme économique. En interdisant aux marchandises anglaises l'accès du vaste marché européen, le gouvernement impérial espère provoquer outre-Manche des faillites et des troubles sociaux si importants que Londres en viendra à négocier. A la suite d'une maladresse anglaise, Napoléon instaure le 21 novembre 1806, puis le 23 décembre 1807, un sévère blocus des côtes. Le blocus continental provoque des difficultés sociales en Angleterre, mais la volonté du gouvernement britannique reste entière dans sa lutte contre la France. En revanche, le blocus entraîne vite dans l'Empire des effets pervers et inattendus. Les convois de coton, de sucre, de café sont interceptés par les Anglais en représailles. L'essor des industries textiles est brisé. Une gigantesque contrebande se met en place, cependant que la logique du blocus amène l'empereur à étendre ses conquêtes pour mieux contrôler les côtes européennes. L'armée française est ainsi amenée à envahir les États du pape (1808) ainsi que le Portugal.

Principaux champs de bataille d'Espagne et du Portugal.

Dès 1807, après accord du gouvernement espagnol, les troupes françaises occupent le Portugal. La multiplication des passages de troupes françaises sur le sol espagnol provoque une réaction nationale inattendue. Le conflit qui oppose le vieux roi Charles IV, son ministre Godoy à l'infant Ferdinand atteint un point crucial. L'émeute d'Aranjuez amène le vieux roi à abdiquer au profit de l'infant devenu Ferdinand VII (mars 1808). Le 2 mai 1808, les Madrilènes se soulèvent contre les troupes de Murat qui bivouaquent dans les environs, la répression est sévère (3 mai). Napoléon convoque alors à Bayonne toute la famille royale espagnole et, sous la pression, obtient l'abdication du fils et du père à son profit. Napoléon nomme son frère Joseph roi d'Espagne au moment où une vaste guérilla antifrançaise embrase le royaume. En juillet 1808, à Baylen, en Andalousie, le général Dupont se rend. En août, c'est Junot qui capitule au Portugal face à l'armée de Wellington. Ces défaites françaises ont un immense retentissement en Europe. Bien des peuples vaincus et soumis reprennent espoir. Napoléon réagit, rencontre une seconde fois le tsar à Erfurt pour renforcer l'alliance franco-russe, puis à la tête d'une armée de 200 000 soldats entre à Burgos le 10 novembre. Après la bataille du col de Somosierra (4 décembre 1808), l'armée impériale reprend Madrid. L'empereur réorganise le pays, multiplie les réformes éclairées, mais son génie stratégique est impuissant à venir à bout de la guérilla. Napoléon rentre en France dès janvier 1809. De 1808 à 1814, des combats épuisants et démoralisants usent les effectifs français sans qu'aucune victoire décisive soit remportée. Le siège de Saragosse par l'armée de Lannes s'achève en boucherie en février 1809 (près de 100 000 morts sans doute). L'armée française s'enlise en Espagne.

1809-1811, les premiers signes de faiblesse

A partir de 1809, on observe dans l'Empire les premiers signes de faiblesse. Les difficultés françaises poussent l'Autriche à conclure une nouvelle alliance avec les insurgés espagnols et l'Angleterre. Au printemps 1809, les Autrichiens attaquent les troupes françaises cantonnées en Bavière. De sérieuses difficultés d'effectifs et d'équipement freinent la riposte française. Désormais les combats vont être plus équilibrés, les victoires françaises plus difficiles face à des adversaires ardents, fortifiés par le sentiment national et résistant mieux à la stratégie napoléonienne. En avril 1809, Davout l'emporte à Eckmühl, Napoléon occupe à nouveau Vienne (12 mai) mais l'emporte difficilement à Wagram les 5 et 6 juillet 1809 (50 000 Autrichiens tués). La paix de Vienne (octobre 1809) est sévère. En 1810, l'empereur épouse Marie-Louise, fille de l'empereur François d'Autriche.
C'est en 1811 que l'Empire atteint sa taille maximale, mais c'est aussi le moment où une crise économique sérieuse entraîne de nombreuses difficultés intérieures. Les récoltes de 1811 sont désastreuses et, au cours de l'hiver 1811-1812, le prix du blé s'envole (l'hectolitre passe de 15 F à 48 F). La disette à nouveau ravage certaines campagnes, on doit manger des herbes cuites, du pain d'avoine. L'activité artisanale et industrielle fléchit également. Des émeutes populaires éclatent à Arras, Montauban, Issoudun. Celles de Caen (mars 1812) se soldent par huit exécutions.
L'opinion commence à se détacher du régime, murmure contre la conscription qui appelle les jeunes de plus en plus tôt et en plus grand nombre. Le conflit qui éclate entre Pie VII et Napoléon amène beaucoup de catholiques à prendre leurs distances avec le régime. Dès 1808, les troupes françaises ont envahi les États pontificaux pour contrôler les côtes, le pape riposte en excommuniant l'empereur. En 1809,

Murat prend l'initiative d'arrêter Pie VII. Le pape, prisonnier, refuse d'admettre le divorce de l'empereur, refuse de donner son investiture aux nouveaux évêques. Un concile réuni en 1811 sur ordre de l'empereur tourne au désavantage de Napoléon. Prisonnier à Fontainebleau (1812-1814), Pie VII résiste avec opiniâtreté cependant qu'en Prusse, dans le Tyrol, en Westphalie éclatent des mouvements nationaux dirigés contre la France.

Les difficultés françaises amènent le tsar Alexandre à évoluer. En 1810, les marchands anglais reçoivent l'autorisation d'écouler leurs produits en Russie. En 1811, Alexandre Ier conclut un accord avec l'Angleterre et dénonce l'alliance française.

La campagne de Russie (1812)

Sans bien mesurer les difficultés géographiques et climatiques d'une offensive dans la plaine russe, Napoléon décide d'attaquer la Russie. Il regroupe une armée gigantesque au printemps 1812. Plus de 650 000 soldats venus de toute l'Europe, parlant douze langues ou dialectes, vont s'opposer à 230 000 Russes commandés par Koutouzov. Le 24 juin 1812, la Grande Armée envahit la Russie. Son hétérogénéité la rend vite peu maniable. Aucune bataille décisive n'a lieu. Les Français s'engagent de plus en plus loin dans l'immensité russe, prennent Vitebsk (29 juillet), Smolensk (18 août). Koutouzov, qui a reculé, engage le combat de Borodino le 7 septembre 1812 pour sauver Moscou. Napoléon l'emporte, mais 45 000 Russes et 50 000 Français ont été tués. Le 15 septembre 1812, Napoléon entre à Moscou, dont les habitants ont fui, alors que le gros de l'armée russe n'a toujours pas été écrasé. L'empereur ne dispose plus alors que de 110 000 soldats. L'effectif de la Grande Armée a fondu ; en effet, il a fallu installer des garnisons dans les villes conquises et, de plus, la maladie, le mauvais ravitaillement, l'indiscipline provoquent une hémorragie de 5 à 6 000 soldats par jour ! Les Russes incendient leur capitale : Moscou détruite aux deux tiers devient une mauvaise base d'hivernage. Le 19 octobre, Napoléon ordonne la retraite sur

Le passage de la Berezina, lithogravure d'Adam (photo Hachette).

Smolensk. La retraite se fait dans d'épouvantables conditions dues au froid (−10°C le 5 novembre, −30°C le 29 novembre), à la faim et surtout au harcèlement des cosaques. L'arrière-garde commandée par Ney passe de 36 000 soldats en juin à 600 le 21 novembre. Les 26-28 novembre, le passage de la Berezina dont les eaux ne sont pas prises par les glaces — ce qui prouve que l'hiver n'est pas exceptionnel — s'effectue tragiquement. C'est une armée affamée, en guenilles qui atteint péniblement Vilna en décembre. Au total, la Grande Armée a perdu 380 000 soldats (décès, désertions, captivité) : c'est un désastre.

L'écroulement

Au début de 1813, le tsar prend la tête d'une sorte de croisade contre l'Empire français. Dès le 17 mars, la Prusse se joint aux troupes russes dans leur poursuite. A Lützen et Bautzen, Napoléon défait ses adversaires (mai 1813), mais ne peut empêcher le ralliement de l'Autriche à la nouvelle coalition contre la France. Renforcée par les troupes anglaises, suédoises et autrichiennes, la coalition dispose d'une supériorité numérique importante. A Leipzig, du 16 au 19 octobre 1813, les 320 000 soldats alliés battent les 160 000 Français de l'armée de Napoléon. En novembre, l'empereur repasse le Rhin. Dès lors, c'est l'écroulement du grand Empire : l'Allemagne et l'Espagne se libèrent, l'Italie se soulève... Les alliés sont aux portes de la France.
En janvier 1814, les alliés envahissent la France par la Belgique, la Lorraine et la Suisse. Avec de maigres troupes, manquant de chevaux, Napoléon livre avec habileté ses derniers combats à Champaubert, Montmirail (février) et retarde la jonction des armées alliées. Mais, le 30 mars 1814, Joseph Bonaparte décide la capitulation de Paris. Pris de court, Napoléon ne peut sauver la capitale, gagne Fontainebleau où Ney à la tête des maréchaux le force à abdiquer sans condition le 6 avril 1814.
Les alliés sont à Paris depuis le 31 mars. Le premier traité de Paris (31 mai 1814) est assez modéré : la France retrouve ses frontières de 1789 agrandies de quelques villes. Les Bourbons sont de retour et le comte de Provence monte sur le trône sous le nom de Louis XVIII. Assez vite, les armées alliées évacuent le territoire.

Les Cent-Jours

Relégué dans la petite île d'Elbe, Napoléon suit les événements, remarque les multiples maladresses qui suivent la Restauration. La popularité de l'empereur connaît un vif redressement au début de 1815. Avec audace, Napoléon s'échappe de l'île d'Elbe en février, débarque à Golfe-Juan le 1er mars. Avec 1 100 soldats, l'empereur déchu entreprend alors la reconquête du pays et marche vers Paris. La nouvelle se répand vite, les ralliements affluent. Le 17 mars, à Auxerre, Ney venu arrêter l'empereur au nom de Louis XVIII

Napoléon à Laffrey (7 mars 1815) : les soldats envoyés l'arrêter se rallient à l'empereur, H. Bellangé, Bibl. nat., Paris (photo Hachette).

Premier des huit codicilles du testament de Napoléon, écrit de sa main, « signé et scellé de ses armes », le 15 avril 1821, Archives nationales (photo Hachette).

se rallie ! Le 26 mars 1815, Napoléon arrive à Paris, porté en triomphe. Louis XVIII a gagné la Belgique. La constitution impériale est révisée dans un sens libéral. Les alliés réunis en congrès à Vienne reprennent la lutte et assemblent des troupes importantes. En Belgique, Wellington prend la tête d'une armée anglo-hollandaise, Blücher d'une armée prussienne. Avec de jeunes conscrits, Napoléon reconstitue une armée de 500 000 soldats mais dont de nombreux effectifs sont détachés pour la défense de l'Ouest, de l'Est et du Midi. C'est avec 126 000 soldats que Napoléon pénètre en Belgique le 15 juin dans l'espoir d'éviter la jonction entre les armées de Wellington et de Blücher. Blücher est repoussé le 16, Grouchy reçoit l'ordre de le poursuivre. Le 18 juin 1815 commence la bataille de Waterloo. Après des heures de combat, au moment où l'armée de Wellington (100 000 hommes) faiblit, l'armée de Blücher (110 000 hommes) qui a échappé à Grouchy intervient. Dès lors, c'est la débandade des troupes françaises. De retour à Paris, Napoléon abdique une seconde fois le 22 juin 1815, gagne Rochefort et se livre aux Anglais qui l'internent dans l'île de Sainte-Hélène. Précocement vieilli, Napoléon meurt le 5 mai 1821.

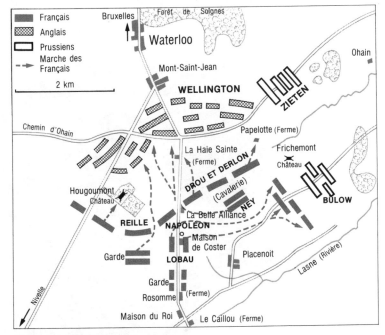

Plan de la bataille de Waterloo.

La France
sous ses derniers rois

A la chute de Napoléon, la France retrouve la paix extérieure et la monarchie est restaurée au profit des Bourbons. Dans une société et une économie en mutation, des tensions politiques et sociales apparaissent rapidement. En préférant le plus souvent la rigidité et la résistance à l'ouverture et à la réforme, le régime apparaît vite incapable d'évoluer et de s'adapter.

De la Restauration à la monarchie de Juillet

La défaite, la Restauration, la « Terreur blanche »

Après Waterloo, les troupes alliées envahissent à nouveau la France. Par le second traité de Paris (20 novembre 1815), l'Angleterre, la Russie, la Prusse, l'Autriche imposent à la France vaincue de rudes conditions : retour aux frontières d'Ancien Régime, versement d'une indemnité de guerre de 700 millions de francs, prise en charge des frais d'occupation (130 millions de F par an). 150 000 soldats commandés par Wellington occupent 53 départements et se livrent à de nombreux pillages. Le gouvernement français est mis pendant quelque temps sous tutelle des alliés, ses actes contrôlés par les ambassadeurs alliés. La famine touche les campagnes en 1817.

Louis XVIII assiste du balcon des Tuileries au retour des troupes d'Espagne, (voir p. 239) musée de Versailles (photo Hachette).

Le 8 juillet 1815, Louis XVIII rentre de son second exil alors que Fouché et Talleyrand dirigent un gouvernement provisoire. La Charte « octroyée » en 1814 est rétablie, le drapeau blanc réapparaît. La défaite de Napoléon, l'occupation du pays, l'effondrement des autorités en place, le retour d'exil des royalistes les plus déterminés — les « ultras » — provoquent pendant quelques mois des troubles et des règlements de comptes. C'est la « Terreur blanche ». De juillet à octobre 1815, la Terreur est d'abord spontanée, populaire. On signale des massacres de bonapartistes et de Mameluks* à Marseille, de protestants à Nîmes. Le maréchal Brune à Avignon, le général Ramel à Toulouse, sont assassinés. Dans ce climat, les élections d'août 1815 constituent un triomphe pour les ultras (350 députés sur 402 !). Beaucoup de bourgeois libéraux n'ont pas osé voter ; on parle de la « Chambre introuvable ». Avec le temps, la Terreur devient organisée. La Chambre des députés impose le renvoi de Talleyrand et de Fouché. Le duc de Richelieu devient président du Conseil en septembre. 70 000 « suspects » sont arrêtés, le quart environ des fonctionnaires est révoqué. Le divorce est supprimé. En 1815 et en 1816, des procès aboutissent à l'exécution du maréchal Ney et des généraux La Bédoyère et Mouton-Duvernet. Le zèle de la Chambre introuvable inquiète vite le duc de Richelieu et Louis XVIII. Le 5 septembre 1816, le roi dissout la Chambre. De nouvelles élections en octobre marquent un net recul des ultras (100 sièges) au profit des modérés.

L'apprentissage de la vie parlementaire

De 1815 à 1848, trois rois Bourbons montent sur le trône : d'abord les deux frères de Louis XVI : Louis XVIII, roi de 1815 à 1824, Charles X, roi de 1824 à 1830, et après la révolution de juillet 1830, un autre membre de la famille Bourbon, Louis-Philippe, duc d'Orléans, descendant du frère de Louis XIV et du Régent. Si, durant cette période, le pays connaît la paix extérieure, la vie politique intérieure est loin d'être calme. A plusieurs reprises (1815, 1816, 1820, 1830, 1839-1840...), les débats sont particulièrement houleux. Deux révolutions secouent le pays : en juillet 1830 et en février 1848. Des attentats sont commis. Le 13 février 1820, le cordonnier Louvel assassine le duc de Berry, seul Bourbon direct capable d'avoir une descendance. Et, le 28 juillet 1835, la bombe, qui vise Louis-Philippe fauche dix-huit personnes mais épargne le roi (attentat de Fieschi).

Au cours de cette période, c'est la Charte qui, avec une retouche en 1830, régit la vie politique française. Ce texte rétablit en France la monarchie, mais prend soin de garantir certaines conquêtes issues de la Révolution : la liberté, l'égalité, le Code civil, la jouissance des biens nationaux. Le pouvoir exécutif appartient au roi. Il choisit ses ministres

* Soldats musulmans originaires d'Égypte ayant servi Napoléon Ier.

qui, jusqu'en 1830, ont seuls l'initiative des lois et ne sont pas responsables devant les Chambres. L'article 14 de la Charte permet au roi de légiférer par ordonnances, c'est-à-dire sans le vote des députés. C'est d'ailleurs l'utilisation maladroite de cet article qui provoque la chute de Charles X. Dans ses débuts, le régime n'est donc pas vraiment parlementaire. Il le devient après la révolution de 1830 qui supprime ce fameux article et partage l'initiative des lois entre gouvernement et parlementaires.

Deux assemblées apparaissent : l'une nommée par le roi, la Chambre des pairs, l'autre élue au suffrage censitaire masculin, la Chambre des députés. Elles votent les lois et le budget annuel. Chaque année les députés, en réponse au discours du trône, discutent une « adresse » dont les termes soigneusement pesés — les discours sont souvent d'une grande éloquence — indiquent le degré de confiance dont bénéficie le gouvernement. Cependant, Charles X et surtout Louis-Philippe n'acceptent pas aisément un effacement de leur rôle politique. Les rois intriguent, font pression sur les députés — dont beaucoup sont fonctionnaires — et parviennent souvent à imposer dans les gouvernements les hommes de leur choix (Villèle et Polignac sous Charles X, Soult et Guizot sous Louis-Philippe).

Si le régime est désormais défini par une constitution, il est loin d'être démocratique et n'évolue que sous la pression de la rue. En 1815, pour être électeur il faut avoir trente ans et payer au moins 300 F de contribution, on ne relève alors que 110 000 électeurs. La monarchie de Juillet n'améliore les choses que timidement : on devient électeur à partir de vingt-cinq ans mais il faut payer 200 F de contribution. Le « pays légal » reste donc infiniment inférieur au « pays réel » : 166 000 électeurs en 1831, 240 983 en 1846 pour plus de 35 millions d'habitants. Alors qu'une presse politique de grande qualité s'épanouit (*La Gazette de France, Le Courrier Français, Le Constitutionnel, Le National, Le Populaire...*), de larges couches sociales sont ainsi tenues à l'écart de la vie politique.

Quelques partis politiques à la structure encore bien lâche se constituent, mènent campagne, nouent des alliances entre eux ou s'opposent. Peu à peu, les grandes tendances de la vie politique moderne se dessinent : la droite, la gauche, le centre. Sous Louis XVIII et Charles X, le jeu politique est triangulaire entre un groupe royaliste marqué très à droite — les ultras — que dirigent Villèle et La Bourdonnaye, un groupe centriste — les « constitutionnels » — qu'animent de Serre et Guizot, et enfin un groupe qui préfigure la gauche, regroupant des indépendants, des républicains, des libéraux derrière Benjamin Constant et Manuel. Sous Louis-Philippe, le jeu politique se complique. Bien des royalistes, anciens ultras, restent fidèles à Charles X et à son héritier, le comte de Chambord, ce sont les « légitimistes » qui, derrière Berryer, forment l'opposition de droite. A gauche, les « radicaux » regroupent républicains modérés et jacobins pour exiger des réformes. Le régime de Juillet bénéficie de l'appui d'un vaste groupe orléaniste qui bien vite se scinde en deux

La question dynastique
Les deux branches Bourbons sont confrontées toutes les deux à un problème dynastique. Dans la branche aînée, Louis XVIII n'a pas de descendance, le chef de la maison légitimiste est donc le comte d'Artois, frère de Louis XVI et de Louis XVIII, futur Charles X. Des deux fils du comte d'Artois, l'aîné n'a pas d'héritier, le cadet — le duc de Berry — est assassiné en février 1820, mais la duchesse de Berry met au monde peu de temps après le comte de Chambord, « l'enfant du miracle », qui devient ainsi le chef des légitimistes jusqu'à sa mort en 1883. Dans la branche cadette, le fils aîné de Louis-Philippe, le duc d'Orléans, meurt accidentellement en 1842. C'est donc son fils, le comte de Paris — un enfant né en 1838 — qui devient alors l'héritier de la maison d'Orléans. Le comte de Paris meurt en 1894.

tendances : l'une plutôt libérale et ouverte à l'idée de réforme, ce sont les orléanistes « du Mouvement » (Laffitte, Odilon Barrot) ; l'autre plus conservatrice, partisane de la politique du « juste-milieu », ce sont les orléanistes « de la Résistance » (Perier, Thiers, de Broglie, Guizot, Soult).

La Restauration (1815-1830)

De 1816 à 1820, le gouvernement est dirigé par des modérés — les constitutionnels — sous la direction du duc de Richelieu, puis du marquis Dessoles. Le ministre le plus influent reste Decazes, ministre de l'Intérieur. La situation financière est rétablie grâce au baron Louis et à Corvetto. La prospérité revient. Le duc de Richelieu obtient l'évacuation du territoire par les alliés dès 1818. La loi Gouvion-Saint-Cyr de 1818 rétablit le service militaire (durée 6 ans, puis 7 ans), mais avec tirage au sort et possibilité de remplacement. Le ministre de la Justice, de Serre, fait voter en 1819 une loi sur la presse particulièrement libérale. Aux élections partielles de 1819, les libéraux progressent (35 sièges sur les 54 à pourvoir) et, à Grenoble, l'ancien évêque Grégoire, régicide, est élu ! Les ultras dénoncent la politique néfaste de Decazes, le « laxisme » ambiant. L'assassinat du duc de Berry en février 1820 annonce un virage conservateur.

De 1820 à 1828, les ultras reviennent au pouvoir. Le gouvernement, dirigé par le comte de Villèle (1821-1828), gère convenablement les finances mais multiplie les mesures conservatrices sinon réactionnaires. L'accession au trône de Charles X en septembre 1824 — dernier souverain à se faire sacrer — accélère ce virage. Pour faire obstacle aux libéraux, le gouvernement fait voter en juin 1820 la loi du double vote permettant aux électeurs les plus riches de voter deux fois. Des conspirations républicaines sont écrasées (1822), les lois sur la presse suspendues. Le gouvernement apporte un appui voyant au clergé catholique, encourage les « missions ». Les évêques reçoivent le pouvoir d'inspecter les collèges, l'École normale supérieure est fermée, des cours jugés trop libéraux sont suspendus à la Sorbonne. En 1823, une expédition militaire française est envoyée en Espagne contre des insurgés libéraux (prise du Trocadéro). En 1825, Villèle fait voter la loi du « milliard des émigrés » permettant d'indemniser les anciens émigrés. L'opposition libérale ne désarme pas, reçoit l'appui de quelques royalistes dissidents. Aux élections de novembre 1827, bien des électeurs bourgeois de sensibilité libérale votent en faveur de l'opposition. Sans majorité, Villèle démissionne. Charles X cherche à ignorer le résultat des élections, impose un gouvernement Polignac (1829-1830) très impopulaire. En mars 1830, 221 députés votent une adresse de défiance au gouvernement Polignac. Charles X dissout la Chambre.

Au moment où la France s'empare d'Alger (4 juillet), les élections sont un triomphe pour l'opposition (274 députés contre 143 députés gouvernementaux). Charles X ne fléchit pas, promulgue le 25 juillet quatre ordonnances qui rétablissent notamment la censure. Paris se soulève et se couvre de barricades. Les « Trois Glorieuses » (27, 28, 29 juillet 1830) consacrent le renversement de Charles X à l'issue de combats qui font un millier de morts.

La Liberté guidant le peuple, Delacroix, musée du Louvre (photo Hachette).

La monarchie de Juillet (1830-1848)

Louis-Philippe en 1846, Winterhalter, musée de Versailles (photo Bulloz).

Ce sont des boutiquiers, des ouvriers, quelques étudiants qui composent la masse des insurgés de juillet 1830 : des insurgés qui attendent des réformes et l'établissement de la République. Encore prisonniers des souvenirs de 1793, bien des hommes politiques cherchent à freiner le mouvement. Thiers et Talleyrand présentent alors la candidature d'un prince réputé libéral, Louis-Philippe, duc d'Orléans. Le 31 juillet, au balcon de l'Hôtel de Ville, le duc reçoit l'accolade de La Fayette, cependant que le drapeau tricolore devient l'emblème national. Les députés élus en juillet se rallient. Devenu « roi des Français », Louis-Philippe prête serment et la Charte est révisée.

Les premières années de la monarchie de Juillet sont difficiles. Alors que le pays est secoué par une crise économique sévère (1829-1832), l'agitation s'étend. Le peuple s'en prend souvent au « parti prêtre » accusé d'avoir fait le jeu des ultras. En février 1831, une église et l'archevêché de Paris sont mis à sac. Chef des orléanistes « du Mouvement », le banquier Laffitte devient président du Conseil mais ne parvient pas à rétablir l'ordre. En mars 1831, il est remplacé

Un régime contesté
La monarchie de Juillet a connu des débuts très difficiles. En 1832, la duchesse de Berry, débarquée secrètement, tente — vainement — de soulever les paysans de l'Ouest en faveur des légitimistes. A gauche, fleurissent de nombreuses sociétés secrètes républicaines. Lors des obsèques du général Lamarque à Paris, les 5 et 6 juin 1832, a lieu une insurrection que la garde nationale écrase (800 morts). En 1834, les canuts lyonnais se soulèvent une seconde fois et sont à nouveau vaincus (300 morts), cependant qu'à Paris des soldats effrayés par des coups de feu massacrent tous les habitants d'une maison, rue Transnonain. Fieschi tente d'assassiner Louis-Philippe, le 28 juillet 1835. A deux reprises (en 1836 et en 1840), le prétendant bonapartiste, Louis-Napoléon, tente un soulèvement...

par un autre banquier, chef des orléanistes « de la Résistance », Casimir Perier, qui se concilie une partie de la petite bourgeoisie par quelques réformes libérales (lois sur les conseils municipaux, sur la garde nationale, sur le suffrage censitaire), mais résiste aux pressions des républicains et déçoit les milieux ouvriers. L'ouverture au changement reste limitée. Une émeute organisée par les canuts* lyonnais est écrasée (décembre 1831, environ 1 000 morts). Perier meurt en mai 1832, victime de la grande épidémie de choléra (20 000 morts à Paris). Entre 1832 et 1835, l'agitation persiste : mouvements légitimiste, républicain, bonapartiste, attentat de Fieschi...

Peu à peu, l'ordre revient. Le régime se consolide et s'enferme dans un cadre conservateur. Les orléanistes « de la Résistance » dominent mais Louis-Philippe se sert des querelles entre les différents chefs pour mener un jeu personnel. Entre 1832 et 1840, les gouvernements (de Broglie, Thiers, Molé, Guizot...) se succèdent sans grande stabilité. En 1839-1840, une crise parlementaire de près de dix-huit mois secoue la monarchie, cependant qu'une large fraction de l'opinion réclame une réforme électorale. La monarchie retrouve la stabilité à partir d'octobre 1840 lorsqu'un gouvernement Soult-Guizot, conservateur et dévoué au roi, est constitué. La conquête de l'Algérie se poursuit sous la direction du maréchal Bugeaud, du duc d'Aumale et du général Lamoricière. En 1847, l'émir Abdel-Kader est vaincu et déjà 109 000 Européens se sont installés en Algérie.

En multipliant les honneurs et les promotions aux fonctionnaires députés (40 % des députés !), les élections d'août 1846 sont un triomphe pour le gouvernement. A la fin de l'année, une crise économique violente éclate ; elle atteint son paroxysme en 1847 et réveille les forces d'opposition qui relancent la question de la réforme électorale. Manquant de souplesse, Guizot, devenu seul chef du gouvernement, refuse toute concession. Faute de savoir évoluer, la monarchie ne résiste pas à la révolution de février 1848.

L'évolution économique et sociale

La population

La France compte 35,4 millions d'habitants en 1846 mais natalité et mortalité continuent à fléchir lentement (taux de natalité en 1846 : 27 ‰, taux de mortalité : 21 ‰). C'est sous la monarchie de Juillet que certains départements ruraux atteignent leur population maximale. A partir des zones rurales surpeuplées du Massif central ou de la Savoie, apparaissent des mouvements migratoires saisonniers en

* Ouvriers et artisans travaillant la soie.

direction de Paris ou des grandes villes. D'autres migrations sont définitives et expliquent en partie l'accroissement de la population de Marseille (186 000 habitants en 1846) et surtout de Paris (1 054 000 habitants en 1846), qui voit dans les arrondissements du centre s'entasser une population misérable qui à la fois inquiète et fascine les contemporains (Eugène Sue publie *Les Mystères de Paris* en 1842, Hugo prépare la rédaction des *Misérables*). Les accidents démographiques sont désormais d'une intensité moins forte : disette ou crise alimentaire en 1817, 1829, 1847, choléra de 1832. Toutefois, ces accidents accélèrent l'accroissement des classes les plus pauvres de la société, les « classes dangereuses », et la multiplication des tensions sociales et des peurs. La loi Guizot de 1833 sur l'instruction publique accélère le recul de l'analphabétisme en obligeant chaque commune à entretenir une école et un instituteur, en prévoyant l'ouverture des premières écoles normales. En 1848, 64 % des conscrits savent lire et 3,5 millions d'enfants sont scolarisés, bien que l'école ne soit encore ni laïque, ni gratuite, ni obligatoire. La presse trouve ainsi une audience grandissante. En 1836, Émile de Girardin innove en lançant le premier journal à grand tirage et faible prix d'achat, *La Presse*. En 1846, les journaux parisiens disposent dans toute la France de 200 000 abonnés.

Guizot, lithographie de M. Alophe d'après Paul Delaroche, Bibl. nat., Paris (photo Hachette).

Les transports

Maquette de la locomotive à chaudière tubulaire fabriquée par Marc Seguin en 1829, Conservatoire des arts et métiers (photo Hachette).

Tant l'initiative privée que certaines décisions gouvernementales permettent d'améliorer le réseau des transports. Au cours de cette période, les voyages deviennent plus sûrs et un peu plus rapides (120 heures pour faire en berline Paris-Bordeaux en 1816, 72 heures en diligence en 1831). Le ministère des Travaux publics est créé en 1831. Le mouvement d'échange des idées, des hommes et des biens connaît une première accélération. La loi Thiers de 1836 sur les chemins vicinaux permet de désenclaver de nombreux villages et régions jusque-là isolés. Près de 1 500 kilomètres de canaux sont creusés cependant que prospèrent des compagnies fluviales de bateaux à vapeur. En 1826, 27 bateaux à vapeur naviguent sur la Seine, 10 sur la Garonne, 7 sur la Loire. Marc Seguin construit sur le Rhône le premier pont suspendu. Avec retard, faute souvent de capitaux, la France entre alors dans l'ère du chemin de fer. Les premières lignes sont construites grâce à des intérêts privés autour de Saint-Étienne (1828-1832). La loi de 1842 hâte le rythme de construction. L'État finance les travaux d'infrastructure, mais confie à des compagnies privées la concession du réseau et la fourniture du matériel roulant. En 1848, la France compte 1 930 km de voies ferrées, la principale ligne confiée à la compagnie du Nord (dominée par James de Rothschild) relie Paris à Lille et à la Belgique. L'essor est donné mais le réseau français est très loin du réseau anglais (11 000 km).

Les activités

En dépit d'une conjoncture médiocre, d'une tendance à la baisse des prix entre 1817 et 1852, la France réussit à augmenter sa production globale, à se moderniser et à s'engager dans la révolution industrielle.

Au cours de cette période, la production du blé double, le cheptel bovin est reconstitué et augmente d'un tiers, la culture de la pomme de terre, de la betterave à sucre, de la garance et l'élevage des vers à soie se développent brillamment. Les progrès techniques qui touchent les campagnes au nord de la Loire sont loin d'être négligeables. L'usage de la faux continue de progresser. Les prairies artificielles se multiplient. Le guano ou les résidus de sucrerie commencent à être utilisés comme engrais. L'agronome Mathieu de Dombasle met au point une charrue perfectionnée et encourage la pratique du chaulage des terres (apport de chaux sur des terres acides). Bien des ultras, de retour sur leurs terres après 1830, se révèlent être d'excellents agronomes. De son côté, le gouvernement encourage la modernisation, multiplie les sociétés d'agriculture, les comices agricoles, fonde l'École forestière de Nancy en 1824, le ministère du Commerce et de l'Agriculture en 1836.

Le fait essentiel de la période reste l'épanouissement d'une grande industrie à côté de l'artisanat. Les innovations techniques d'origine française sont cependant limitées (Thimonnier invente la machine à coudre, Marc Seguin la chaudière tubulaire, Niepce et Daguerre la photographie...) et l'apport des techniques anglaises est de ce fait prépondérant. Sous la Restauration, nombreux sont les contremaîtres et mécaniciens anglais employés dans les « fabriques » françaises. L'utilisation de l'énergie à vapeur (615 machines en 1830, 4 835 en 1847) met à la disposition des industriels de la métallurgie (de Wendel, Cail, Schneider, Talabot) ou du textile (Dollfuss, Koechlin, Grandin) une énergie bon marché, fiable, pouvant fonctionner en toutes saisons et qui, grâce à un jeu de courroies, peut actionner des centaines de machines ou de métiers. Dès lors, la production augmente, les prix de revient baissent, les produits industriels rivalisent avec les produits artisanaux. A Saint-Étienne, au Creusot, à Decazeville, Fourchambault, Mulhouse, Rouen, Elbeuf, Lille, Roubaix, Sedan, Paris... se constituent les grands foyers de l'industrie moderne. Un nouveau paysage sort de terre : usines de briques rouges surmontées de grandes cheminées. La fonte au bois recule au profit des hauts fourneaux modernes (107 en 1847) utilisant le coke (45 % de la fonte en 1847). Ces progrès restent cependant très inégaux. Les régions du Nord et de l'Est accentuent leur avance cependant que bien des obstacles freinent le mouvement général : rareté et médiocrité du charbon français, rareté des capitaux faute d'un système bancaire moderne, attraction prépondérante exercée par la terre ou la rente d'État sur les épargnants, ultra-protectionnisme français qui limite la concurrence et freine la modernisation (taxes de 70 à 110 % sur les fers et tissus anglais !).

Usine textile dans les Vosges, 1842, Bibl. nat., Paris (photo J.-L. Charmet).

Contrastes sociaux et romantisme

La propriété de la terre continue en effet à exercer sur les hommes de l'époque une fascination irrésistible. A force de travail, bien des petits paysans réussissent à augmenter leur patrimoine. Pour de nombreuses familles bourgeoises, la possession d'une propriété rurale apporte le prestige indispensable à toute réussite. La terre permet de faire illusion, de se fondre dans le groupe des nobles authentiques qui, après 1830, regagnent en masse leurs châteaux. La majorité des plus grosses fortunes d'alors sont ou se prétendent nobles. Cette époque voit le triomphe dans les campagnes des « notables », grands propriétaires qui jouent aux châtelains, influencent la vie locale, dominent la vie politique nationale, et que décrit avec minutie Balzac dans ses romans. Les représentants de la grande bourgeoisie moderne d'affaires forment un groupe finalement assez restreint. A côté de la petite bourgeoisie artisanale ou commerçante, que les revenus mettent à la frontière du droit de vote, se développe le monde modeste et laborieux des employés, des petits fonctionnaires. A l'opposé, les professions libérales s'affirment. Bien des avocats (Ledru-Rollin) entament de belles carrières politiques. Le médecin devient un notable respecté et admiré (Laennec, Dupuytrens).

La principale nouveauté sociale du temps est l'apparition puis l'essor du prolétariat industriel, dont les conditions de vie sont infiniment plus dures que celles des ouvriers du secteur artisanal. En 1848, sur un total de 5 à 6 millions d'ouvriers, 1,3 million travaillent dans les usines modernes. Ces hommes, ces femmes, mais aussi ces enfants — dans l'Est, les fabriques textiles emploient des enfants de cinq ou six ans —, transplantés brutalement de la campagne à l'usine, analphabètes sans tradition d'organisation, connaissent une vie effrayante. Les salaires industriels (à peine 2 F par jour le plus souvent), inférieurs à ceux pratiqués dans le monde artisanal, tendent même à baisser. Au fronton de l'usine, l'horloge rythme les longues journées d'un travail répétitif (de 13 à 15 heures) surveillé par des contremaîtres. Les conditions de logement, l'alimentation sont le plus souvent détestables. L'humidité et la fatigue amènent des déformations osseuses chez les enfants, la tuberculose chez les adultes. Les accidents du travail sont nombreux alors que la législation sociale est quasi inexistante. La loi de 1841 sur le travail des enfants est peu appliquée. L'opinion découvre alors l'existence d'une « question sociale ». Les premiers théoriciens socialistes (Fourier, Louis Blanc, Proudhon, Cabet, Considérant, Blanqui, Saint-Simon) multiplient les plans de réforme de la société, encouragent la formation de sociétés de secours mutuel et le regroupement des ouvriers en associations. Du monde artisanal plus évolué sortent les premiers militants et organisateurs ouvriers, le cordonnier Efrahen, le tailleur Grignon. Des grèves importantes éclatent comme en 1826, 1832, 1833, 1834 ou 1840, parfois pour s'opposer à l'implantation de machines modernes, le plus souvent pour exiger des conditions de vie décentes. Chaque fois, les gouvernements font rétablir l'ordre — souvent brutalement — et sous-estiment gravement l'ampleur d'un malaise social grandissant au fil des ans.

Le romantisme, courant intellectuel qui domine alors la peinture (Géricault, Delacroix), la musique (Berlioz), la littérature (Hugo, Musset, Lamartine, Vigny, George Sand...), ne reste pas insensible à la question sociale. Après 1830, les grands romantiques, souvent d'anciens royalistes ultras, découvrent le chemin de l'engagement libéral, voire républicain. Leur mépris du bourgeois, leur âme inquiète, leur sensibilité lyrique les amènent parfois à exalter le peuple. A côté de cette fougue romantique, des créateurs plus classiques s'illustrent également : Balzac et Stendhal en littérature, Alexis de Tocqueville et ses réflexions politiques, Ingres en peinture...

Groupe d'ouvriers sortant d'une usine vers 1850 (détail), Ronot (photo C.N.M.H.S.).

La IIᵉ République (1848-1851)

Comme dans de nombreux pays d'Europe, une vague révolutionnaire sur fond de crise économique secoue la France en 1848. La République est pour la seconde fois proclamée. Le climat d'enthousiasme qui entoure les premiers jours du nouveau régime ne dure pas longtemps. Les aspirations sociales et politiques des uns suscitent la crainte des autres. Très vite, le sang coule à nouveau et un reflux conservateur apparaît. Un coup d'État organisé par le président de la République même met fin à cette IIᵉ République chargée de contradictions.

Des barricades de février aux barricades de juin

La révolution de février 1848

A force de repousser l'examen des deux grands problèmes intérieurs que sont la question sociale et la question électorale (cf. p. 238), Louis-Philippe et son ministre Guizot ont enfermé la monarchie de Juillet dans l'immobilisme. La crise économique qui éclate en 1846, en réveillant les tensions politiques et sociales, provoque la chute du régime. La maladie de la pomme de terre et de grandes sécheresses amènent des récoltes désastreuses à l'automne 1846. Le prix du pain monte en flèche, des émeutes alimentaires éclatent à Buzançais. L'arrêt des achats paysans provoque l'extension de la crise au monde artisanal, industriel, bancaire et boursier (1847). Les grands chantiers de construction ferroviaire s'arrêtent, le chômage croît. La crise redonne vigueur au courant socialiste qui milite en faveur de réformes sociales. L'opposition parlementaire (les républicains et quelques orléanistes d'opposition) se regroupe et lance à partir de juillet 1847 une campagne de banquets politiques en faveur de la réforme électorale.

Le 22 février 1848, Guizot interdit un banquet prévu à Paris. Le directeur du *National,* Marrast, invite la foule à manifester. Les premiers rassemblements ont lieu aux cris de : « A bas Guizot, vive la réforme ! » La garde nationale, formée de petits bourgeois, intervient mollement. Le 23, les manifestations reprennent et la garde nationale s'associe cette fois au mouvement dirigé par des étudiants, des ouvriers en chômage, des boutiquiers, des artisans... Louis-Philippe prend conscience du danger, renvoie Guizot et confie le gouvernement à Molé. La foule se dirige alors vers le boulevard des Capucines pour conspuer une dernière fois Guizot. Une fusillade éclate entre soldats et manifestants. On relève 52 morts. Les corps promenés dans les rues de Paris par des militants républicains suscitent, durant la nuit, la colère des Parisiens.

La capitale se couvre de près de 500 barricades. Le 24, Louis-Philippe tente en vain d'éviter la révolution, cherche à constituer un gouvernement plus libéral. Le maréchal Bugeaud ne parvient pas à rétablir l'ordre et bat en retraite. Découragé, le vieux roi se résout à abdiquer en faveur de son petit-fils, le comte de Paris, âgé à peine de dix ans. La duchesse d'Orléans, mère du comte de Paris, tente de se faire confier la régence du royaume par les députés orléanistes, mais la foule envahit soudain l'Assemblée et provoque la fuite de la duchesse et des députés. La foule se dirige ensuite vers l'Hôtel de Ville où un gouvernement provisoire se constitue.

Le gouvernement provisoire

Lamartine, le 25 février 1848, place de l'Hôtel de Ville :
« Le drapeau tricolore a fait le tour du monde avec le nom, la gloire et la liberté de la patrie », musée Carnavalet, Paris (photo Hachette).

Dans l'improvisation, sous les applaudissements de la foule, un gouvernement provisoire s'est en effet constitué à l'Hôtel de Ville. Ce gouvernement est né de la fusion de deux listes. La première est constituée au journal modéré *Le National,* elle regroupe des députés ou hommes politiques républicains libéraux mais méfiants à l'égard du socialisme : les avocats Marie et Crémieux, l'astronome Arago, le vieux député Dupont de l'Eure, le négociant Garnier-Pagès, le député et poète Lamartine. Seul Ledru-Rollin, riche avocat aux idées « avancées », fait exception. La seconde liste est constituée au journal *La Réforme,* elle rassemble des hommes sensiblement plus à gauche et souvent proches du socialisme : les journalistes Marrast et Flocon, Louis Blanc, théoricien socialiste, et un ouvrier mécanicien de trente ans, Albert.

Dans la nuit du 24 au 25 février 1848, le gouvernement proclame la République. Devant la foule assemblée place de l'Hôtel de Ville, Lamartine, par un discours vibrant, fait rejeter l'adoption du drapeau rouge comme certains socialistes le proposaient. On annonce l'élection prochaine d'une Assemblée constituante. Le 2 mars, le suffrage universel masculin est institué. Une indemnité parlementaire de 25 francs par jour permettra désormais aux gens modestes d'exercer un mandat électif. Le gouvernement provisoire libère totalement la presse, les réunions sont libres, l'esclavage est aboli aux colonies et la peine de mort est supprimée, pour ce qui touche les délits politiques.

La province, qui assiste sans broncher à la chute de Louis-Philippe (il est entendu que : qui tient Paris, tient la France), voit arriver de nouveaux préfets républicains portant le titre de commissaires de la République. Partout, la vie politique se réveille. La République apparaît bien accueillie et les prêtres viennent bénir les arbres de la liberté que l'on plante. Toute une génération marquée par le romantisme, l'idéalisme, l'exaltation lyrique du peuple, rêve au bonheur, à la fraternité, à l'extinction de la misère. Des centaines de journaux et de clubs politiques apparaissent durant ce printemps 1848.

Les difficultés et les divisions

Alors que les réformes décrétées font de la France une démocratie exemplaire, le gouvernement connaît ses premières divisions à propos de la question sociale. Dès le 25 février, le droit au travail est proclamé et la durée de la journée de travail est ramenée à dix heures à Paris, onze heures en province. Pour lutter contre le chômage (de 20 à 30 % des ouvriers des grandes usines textiles ou métallurgiques ont été débauchés), Louis Blanc propose la réalisation d'Ateliers sociaux, dans lesquels les chômeurs pourraient exercer leur spécialité grâce à l'intervention de l'État (fourniture d'un local, allocations, commandes). Les modérés du gouvernement repoussent cette solution trop socialiste, confient à Louis Blanc la présidence d'une vague commission pour les travailleurs, mais préfèrent adopter le projet de Marie. Les Ateliers nationaux, qui apparaissent alors à Paris (113 000 ouvriers en mai 1848), sont chargés de simples travaux d'utilité publique : terrassement, nivellement. L'État accorde une indemnité de 2 francs par jour.

Louis Blanc, Bibl. nat., Paris (photo Hachette).

Ces mesures coûtent cher et le gouvernement est vite confronté à une situation délicate. La crise économique se poursuit, la rente baisse. Il faut se résoudre à imposer le cours forcé des billets et à procéder à une forte hausse des impôts (+ 45 %) qui mécontente les provinciaux et effraie les gens fortunés. A l'opposé, l'extrême gauche socialiste multiplie les déclarations fracassantes et les manifestations. Méfiants à l'égard d'une province jugée conservatrice, favorables à l'établissement d'une dictature jacobine et populaire, les socialistes font pression sur le gouvernement provisoire pour retarder la date des élections. Inversement, les modérés se regroupent dans un grand parti républicain et souhaitent voir procéder le plus vite possible aux élections qui finalement ont lieu les 23 et 24 avril.

Les modérés rompent avec les socialistes

Les élections consacrent le triomphe des républicains modérés (500 députés), l'échec des socialistes (100 députés et les chefs socialistes Barbès et Blanqui battus) et le maintien d'un courant monarchiste important (130 légitimistes et 170 orléanistes). Le corps électoral s'est donc prononcé en faveur de la république, mais d'une république sage, sans révolution sociale. Le 4 mai, les 900 députés se réunissent à Paris, le gouvernement provisoire est remanié dans un sens plus conservateur. Louis Blanc et Albert s'en vont.

Malgré son échec électoral, l'extrême gauche ne désarme pas. Le 15 mai, une grande manifestation populaire en faveur d'une aide militaire à la Pologne révoltée la conduit à envahir l'Assemblée. Le précédent de 1793 ne se répète cependant pas. La garde nationale intervient avec énergie et les chefs socialistes Barbès, Blanqui, Raspail sont arrêtés. Effrayés, les députés répliquent en supprimant la commission pour les travailleurs et en décidant la dissolution des Ateliers nationaux, accusés de coûter cher et d'être des foyers d'agitation. Le 21 juin, on décide que les jeunes ouvriers célibataires devront s'engager dans l'armée, les autres, organisés en brigades, iront défricher la Sologne. La décision révolte les ouvriers qui ont le sentiment d'avoir joué un rôle essentiel en février et d'être bernés. On prétend que les chantiers de Sologne sont des bagnes. Aux cris de : « La liberté ou la mort », les ouvriers des Ateliers nationaux avec l'aide de chômeurs, de petits boutiquiers, de quelques gardes nationaux érigent des barricades (22 juin). Du 23 au 26, les combats font rage entre le Paris populaire de l'est (40 000 combattants privés des principaux chefs socialistes) et le Paris de l'ouest, plus bourgeois, défendu par l'armée et les gardes nationaux restés fidèles. Les villes de province envoient des renforts. Le général Cavaignac dirige les forces de l'ordre. L'archevêque de Paris, Mgr Affre, tente une conciliation mais est tué par une balle perdue. Une à une, les barricades tombent, on relève environ 4 000 morts chez les manifestants, un millier dans les rangs des forces de l'ordre. Près de 4 000 ouvriers sont déportés en Algérie. Le général Cavaignac prend en charge la direction du gouvernement de juin à décembre 1848.

Scène de barricade, le 25 juin 1848 : la mort de Mgr Affre, archevêque de Paris, lithographie d'après V. Adam, Bibl. nat., Paris (photo Hachette).

Le virage conservateur

Les institutions et les nouvelles élections

Alors qu'apparaissent les premiers signes d'un virage conservateur (fermeture des clubs, constitution dès juillet d'un parti de l'ordre autour du Comité de la rue de Poitiers), l'Assemblée rédige la constitution votée définitivement le 12 novembre. Les grandes libertés sont reconnues, mais — fait significatif — le droit au travail disparaît. La constitution de 1848 établit une chambre unique élue au suffrage universel pour trois ans, siégeant en permanence. Les constituants innovent en confiant le pouvoir exécutif à un président de la République élu au suffrage universel pour quatre ans mais non immédiatement rééligible. Le statut du président français est assez proche de celui du président des États-Unis : il est à la fois chef d'État et de gouvernement, ses ministres ne sont pas responsables devant l'Assemblée, mais le président ne peut pas la dissoudre. Faille importante dans la constitution : aucune cour suprême n'est prévue pour arbitrer un éventuel conflit entre les deux pouvoirs.

La mise en place des nouvelles institutions provoque de nouvelles élections qui témoignent d'une évolution des courants politiques. Les élections présidentielles du 10 décembre 1848 — les premières de notre histoire — voient la défaite de Cavaignac, candidat des républicains modérés, et le triomphe de Louis-Napoléon Bonaparte. De nombreuses raisons expliquent le succès de ce neveu de Napoléon Ier : le nom prestigieux qu'il porte, la propagande habile qu'il a menée, les appuis de courants opposés qui ont convergé vers sa candidature. Parce que Louis-Napoléon a rédigé en 1844 une brochure socialisante, L'Extinction du paupérisme, bien des socialistes ont voté pour lui. A droite, les conservateurs du Comité de la rue de Poitiers (monarchistes et quelques républicains) ont suivi les conseils de Thiers qui voit en Louis-Napoléon un homme de paille que l'on manœuvrera facilement. Louis-Napoléon semble leur donner raison. Élu, il forme un gouvernement dont les principaux ministres sont Odilon Barrot, le comte de Falloux et Alexis de Tocqueville. Le 13 mai 1849, les élections législatives voient l'effondrement des républicains modérés (80 sièges), une renaissance de la gauche socialisante derrière Ledru-Rollin — les démocrates socialistes ou « démocsocs » ont 180 sièges — et le triomphe des conservateurs (490 députés répartis en 200 légitimistes, 200 orléanistes et 90 bonapartistes).

La réaction puis la division

Dans cette étrange république où le président est un prince et où les monarchistes dominent le gouvernement et l'Assemblée, les signes de retour en arrière se multiplient. Le gouvernement n'hésite pas à envoyer des troupes en Italie combattre les républicains romains. Cette décision amène la gauche socialiste à protester et à descendre à nouveau dans la rue le 13 juin 1849. Pendant quelques heures, les manifestants tentent de constituer un gouvernement provisoire, mais le général Changarnier rétablit l'ordre. Ledru-Rollin et Victor Considérant doivent s'enfuir à l'étranger.

Les conservateurs mettent en application leur programme. En mars 1850, l'Assemblée vote la loi Falloux qui institue la liberté de l'enseignement (l'Université perd son monopole, l'ouverture des établissements privés est facilitée), mais accentue l'influence de l'Église catholique sur l'enseignement

Cinq candidats briguent les suffrages des citoyens aux élections présidentielles du 10 décembre 1848. Lamartine, candidat indépendant, échoue sévèrement (17 910 voix). Les deux candidats de gauche sont battus également : Raspail, porte-parole des socialistes, réunit 37 000 voix, et Ledru-Rollin, représentant des « républicains avancés », 371 000 voix. La surprise provient de l'échec du candidat des républicains modérés, le général Cavaignac (1 448 107 voix, 19,5 % des suffrages exprimés) et du triomphe de Louis-Napoléon Bonaparte (5 434 286 voix, 74,2 % des suffrages exprimés) qui obtient la majorité dans tous les départements à l'exception de six d'entre eux.

Louis-Napoléon,
Bibl. nat., Paris
(photo Hachette).

(surveillance des écoles par le curé, des collèges par l'évêque). Alors que la propagande « démocsoc » reprend et parvient à s'infiltrer dans les campagnes, et que l'écrivain Eugène Sue parvient à battre le candidat conservateur lors d'une élection partielle, l'Assemblée réagit en votant la loi du 31 mai 1850 qui limite le suffrage universel. Le recul est de taille : pour être désormais électeur, on exige le paiement d'une contribution et une ancienneté de résidence de trois ans dans la même commune. 2 800 000 citoyens, parmi les plus pauvres, sont ainsi exclus du droit de vote. Les lois de juillet et d'août 1850 sur la liberté de la presse et l'état de siège ont le même parfum réactionnaire.

Aux yeux du président comme de la majorité de l'Assemblée, la république n'est qu'un pis-aller, une solution de transition. Dès l'été 1849, on voit Louis-Napoléon soigner sa popularité, multiplier les voyages en province durant lesquels on entend crier : « Vive Napoléon ! » Une propagande adroite gagne des couches de plus en plus larges à la cause bonapartiste. A droite, Louis-Napoléon apparaît comme le garant de la prospérité, de l'ordre, de la grandeur. A gauche, le président souligne son aspect réformateur. Derrière Persigny, Morny, Rouher, Baroche, un parti bonapartiste émerge peu à peu. Il contrôle des journaux *(Le 10 Décembre, Le Napoléon...),* recrute et obtient l'appui d'une petite partie des députés conservateurs. Chez les orléanistes et les légitimistes, la grande affaire est le rétablissement de la monarchie. Il faut préalablement résoudre la question dynastique (cf. p. 238). Des négociations ont lieu entre les deux branches, on propose au comte de Chambord, chef des légitimistes, né en 1820, d'adopter le jeune comte de Paris, né en 1838 et chef des orléanistes. En août 1850, le comte de Chambord repousse l'accord. Pour les monarchistes, c'est la consternation. Il faut désormais gagner du temps, tenter de préserver les positions politiques acquises.

Cependant, les échéances électorales se profilent déjà. Politiquement, le parti de l'ordre semble sur le déclin. Les élections partielles sont souvent favorables aux démocrates socialistes, beaucoup craignent un raz de marée « rouge » aux législatives de 1852. De même, c'est en mai 1852 que s'achèvera le mandat du président, or celui-ci n'est pas immédiatement rééligible. En juillet 1851, un projet de révision de la constitution sur ce point n'obtient pas la majorité des trois quarts de l'Assemblée. Dès lors, c'est l'impasse. Louis-Napoléon n'a le choix qu'entre la retraite politique ou le coup de force.

Le 2 décembre 1851

A l'automne 1851, le président prépare un complot, constitue un gouvernement d'hommes dévoués (le général Saint-Arnaud, Fortoul, Lacrosse, Thorigny...) et nomme un préfet de police zélé (Maupas). La propagande bonapartiste fait valoir à l'électorat de gauche le caractère réactionnaire de l'Assemblée, le président se déclare partisan du rétablissement du suffrage universel. A l'électorat de droite, la propagande montre la progression régulière des « rouges » aux élections, la nécessité d'un pouvoir fort... Dans la nuit du 1ᵉʳ au 2 décembre 1851 (jour anniversaire du couronnement de Napoléon Iᵉʳ, et aussi d'Austerlitz), des troupes sûres occupent Paris cependant que l'on procède à une série d'arrestations (Cavaignac, Thiers, Changarnier...). Le texte d'un décret signé par le président est affiché dans les rues. On y lit que le président dissout l'Assemblée, qu'il abolit la loi restreignant le suffrage universel, qu'il organisera bientôt un plébiscite. Le coup d'État, bien mené, provoque à Paris des réactions limitées (3 et 4 décembre). Odilon Barrot et de nombreux députés monarchistes tentent de résister mais sont vite dispersés. Les républicains tentent de soulever le peuple. Le député Baudin est tué sur une barricade. La réaction populaire reste peu vive. Des fusillades sur les boulevards font cependant 400 morts. En province, la réaction est beaucoup plus vigoureuse, surtout dans le Centre, le Bassin aquitain et le Midi. Des combats violents ont lieu, 32 départements sont mis en état de siège. La répression contre les républicains et les démocrates socialistes est sévère : 26 884 arrestations dont 9 530 hommes déportés en Algérie et 239 personnes envoyées au bagne de Cayenne.

Un jour de revue, Ratapoil et son état-major : « Vive l'Empereur ! », litho. d'H. Daumier, Bibl. nat., Paris (photo Hachette).

Le Second Empire

Parce qu'il est issu d'un coup d'État et qu'il s'est écroulé sous le choc de l'invasion allemande, dans une guerre mal préparée et mal conduite, le Second Empire a été l'objet de jugements sévères. Ce régime à la façade brillante, qui abuse des procédés expéditifs, possède cependant quelques qualités : une certaine souplesse qui amène son chef, Napoléon III, à savoir évoluer et libéraliser peu à peu le régime, une ouverture d'esprit qui favorise les initiatives économiques et sociales. Entre 1852 et 1859-1860, le Second Empire connaît sa période la plus faste, ce sont les « beaux jours » ; viennent ensuite, sous le coup des critiques, puis des échecs, les « jours difficiles » (1859-1870). La guerre de 1870-1871 contre l'Allemagne provoque l'écroulement du régime et la naissance de la IIIᵉ République.

Les beaux jours

De la République à l'Empire

A l'issue du coup d'État du 2 décembre 1851, Louis-Napoléon Bonaparte, président de la République, exerce sur l'ensemble du pays une autorité sans faille. De décembre 1851 à mars 1852, une sévère répression s'abat, surtout en direction des milieux républicains et socialistes. Dans ces conditions, le plébiscite organisé les 21 et 22 décembre 1851 est un triomphe. Par 7 439 216 oui, contre 647 737 non, le corps électoral approuve le coup d'État : Louis-Napoléon devient président pour dix ans. Au pas de charge, il fait rédiger une constitution calquée sur celle de l'an VIII.
Promulguée le 15 janvier 1852, la constitution rédigée par Rouher et Troplong privilégie le pouvoir exécutif et affaiblit à l'extrême le pouvoir législatif. A la fois chef d'État et de gouvernement — il n'y a pas de Premier ministre — le président dispose d'immenses pouvoirs : nomination des ministres, négociation des traités, déclaration de guerre, initiative et promulgation des lois... Le régime est déséquilibré et les pouvoirs ne sont pas séparés. Très peu parlementaire, le régime combine curieusement l'autorité d'un homme — auquel fonctionnaires et députés doivent prêter serment — avec le suffrage universel restitué aux Français. Entre ce monarque républicain et le peuple s'établit, au-dessus des

partis politiques, un dialogue inégal par le biais des plébiscites : c'est la « démocratie dirigée ».

Le Conseil d'État, dont les membres sont nommés par le président, reçoit mission de préparer les projets de loi. Le Sénat ne dispose d'aucun rôle législatif jusqu'en 1870, il surveille et modifie la constitution. La seule assemblée élue au suffrage universel, le Corps législatif, est mise en tutelle et humiliée. Les députés, élus pour six ans, ne possèdent en effet ni l'initiative des lois, ni les droits d'amendement, d'adresse, d'interpellation... Leur seule fonction est de voter les lois proposées par le président. La tribune est supprimée, et donc les débats : les ministres ne sont pas responsables et n'assistent même pas aux séances. Le président du Corps législatif (le duc de Morny, puis Eugène Schneider) n'est pas élu par ses pairs, mais désigné par le président de la République.

L'empereur, l'impératrice Eugénie et le Prince impérial en 1869 (photo Hachette).

Les élections législatives de février 1852, soigneusement préparées par les préfets, sont sans surprise : 253 députés bonapartistes sont élus face à 5 députés royalistes et 3 députés républicains ! L'ordre solidement intallé, le président cherche à rétablir l'Empire. En septembre et en octobre 1852, Louis-Napoléon entreprend un vaste voyage en province pour éprouver sa popularité. Le Centre, la vallée du Rhône, régions plutôt hostiles, l'accueillent favorablement. Recrutés par le ministre de l'Intérieur Persigny, des hommes de paille partout crient : « Vive Napoléon III ! Vive l'Empire ! » La foule suit et le voyage est un succès. A Bordeaux, Louis-Napoléon annonce le rétablissement de l'Empire. Le Sénat approuve (7 novembre) et un plébiscite organisé le 20 novembre 1852 donne une écrasante majorité de oui à l'Empire (7 824 189 oui, contre 253 145 non). Par respect pour le fils de Napoléon Ier, le président prend le nom de Napoléon III.

L'empereur

Né en 1808, fils de Louis Bonaparte et d'Hortense de Beauharnais, Napoléon III est élevé en Suisse et connaît une jeunesse aventureuse qui l'amène très tôt à conspirer en Italie, puis en France (1836 et 1840), mais aussi à connaître la prison (il est condamné à la détention à vie en 1840), l'évasion (1846) et à multiplier les voyages. Il acquiert ainsi une bonne connaissance de la plus grande puissance industrielle de l'époque, le Royaume-Uni. Durant sa captivité au fort de Ham (1840-1846), il lit de nombreux ouvrages économiques et techniques, approfondit sa réflexion sur la société. Napoléon III est sans doute le souverain français le plus pénétré des réalités économiques et sociales de son temps. Il reste toute sa vie sensible aux idées d'expansion économique formulées par d'anciens saint-simoniens (les Pereire, Michel Chevalier), ainsi qu'à certaines idées de gauche (les nationalités, la question sociale). Doté d'une intelligence vive, Napoléon III possède cependant une éloquence et une prestance médiocres. Le souverain parle peu, aime la dissimulation, les négociations souterraines. Ses paupières lourdes, son air énigmatique le font souvent comparer au sphinx. Son demi-frère, le duc de Morny, Walewski, fils naturel de Napoléon Ier, son cousin, le prince Jérôme-Napoléon, ses fidèles, Persigny, Baroche, Rouher, Fould, exercent sur lui une influence limitée. S'il aime agir en solitaire, l'empereur souffre aussi d'irrésolution chronique. Après avoir mené une vie désordonnée, Napoléon III épouse en 1853 une jeune et très belle Espagnole, Eugénie de Montijo. Un fils naît en 1856.

Les succès de la période autoritaire

La mise au pas de l'opposition
Tout est prétexte à limiter l'influence de l'opposition. Suspecté de pencher pour la gauche républicaine, le corps enseignant est mis au pas par le ministre Fortoul qui interdit aux professeurs le port de la barbe, « dernier vestige de l'anarchie » ! La presse est soumise à de lourdes charges et à la pesante surveillance de l'administration qui inflige des avertissements. Légitimistes et orléanistes boudent le régime mais ne bougent pas. Une nouvelle génération de jeunes républicains, plus réalistes que leurs aînés de 1848, s'organise dans la clandestinité, lit les œuvres interdites de V. Hugo réfugié à Guernesey (*Histoire d'un crime*, 1852 ; *Les Châtiments*, 1853).

En province, les préfets avec l'aide de la police et de la gendarmerie font régner l'ordre et nomment les maires. Dans chaque circonscription, habilement découpée, le préfet recrute puis recommande un candidat officiel qui seul a droit à une affiche blanche et à l'impression de bulletins de vote à son nom. Aucune réunion politique n'est tolérée, mille entraves empêchent l'opposition de s'exprimer. Dans ces conditions, les élections législatives sont des élections quasi administratives, boudées d'ailleurs par une fraction notable des électeurs (taux d'abstention en 1852 : 36,7 %, en 1857 : 35,5 %). Le Corps législatif élu en 1857 ne compte que 22 députés d'opposition, dont 10 républicains. L'opposition est bâillonnée, la presse surveillée.

Porté par une conjoncture économique qui, à partir de 1852, devient faste, le Second Empire bénéficie dans ses premières années d'une popularité évidente. La prospérité, l'ordre, les succès militaires, la hausse des salaires amènent de larges fractions de la population à rallier le bonapartisme : les milieux catholiques, le monde paysan, la bourgeoisie, l'armée, une partie du monde ouvrier... La crise, amorcée par l'attentat perpétré contre l'empereur par Orsini en janvier 1858 (8 morts, 150 blessés), est vite dominée, mais la répression est à nouveau sévère.

En quête de prestige, désireux d'effacer le souvenir de 1815, le Second Empire mène une politique ambitieuse d'intervention à l'étranger. Avec l'aide de l'Angleterre, la France attaque la Russie pour défendre les droits du sultan de Turquie. La guerre de Crimée (1854-1855) permet à l'armée française de

Sous-officiers et zouaves de retour de Crimée, H. Bellangé, coll. du Prince Murat (photo Hachette).

remporter quelques victoires (l'Alma, siège et prise de Sébastopol), toutefois au prix de 90 000 morts. Le Congrès de Paris, en 1856, met fin à cette guerre et consacre le renouveau diplomatique et militaire français. L'expansion coloniale se poursuit : en Algérie avec la conquête de la Kabylie (1857) ; en Afrique occidentale où Faidherbe fait du Sénégal une colonie prospère ; en Indochine où des soldats français apparaissent à Saigon dès 1858 ; en Nouvelle-Calédonie où Nouméa est fondée en 1854. Sensible aux arguments des nationalistes italiens, Napoléon III rêve d'une confédération italienne débarrassée de l'occupant autrichien et présidée par le pape. Les événements se précipitent et rendent caduc le projet français. Napoléon III décide de soutenir le royaume de Piémont-Sardaigne attaqué par l'Autriche de François-Joseph. Les armées françaises remportent les victoires de Magenta et de Solférino (juin 1859). En retour, la France obtient le rattachement de Nice et de la Savoie (1860).

L'accélération des mutations économiques et sociales

Un environnement favorable

Le Second Empire correspond à une période brillante de modernisation des structures et d'expansion économique. Le régime bonapartiste bénéficie d'une conjoncture heureuse qui, en dépit de quelques crises passagères (1854, 1857, 1866), oriente l'économie mondiale vers la croissance. Un stimulant matériel efficace, l'arrivée en Europe de l'or californien et australien dont 44 % passent par la France, stimule cette reprise et permet une croissance de la masse monétaire, tandis que la Banque de France émet les premiers billets de 100 francs et de 50 francs. Le chèque bancaire est légalisé en 1865. On frappe 6 152 millions de francs de pièces d'or entre 1850 et 1870, soit quatre fois le volume frappé entre 1792 et 1850 ! L'expansion est aussi favorisée par le gouvernement impérial qui estime que l'État doit jouer un rôle d'incitateur auprès des intérêts privés. Napoléon III et Morny suivent de près les questions économiques et industrielles.

La modernisation du système bancaire favorise grandement le mouvement. C'est en effet à cette époque que voient le jour les banques nouvelles reposant, non pas sur la fortune d'une grande famille comme la banque Rothschild, mais sur la collecte des économies des particuliers. Ainsi apparaissent les premières banques d'affaires (le Crédit mobilier des frères Pereire date de 1852) et les premières banques de dépôt qui multiplient les ouvertures de succursales (Crédit lyonnais en 1863, Société générale en 1864). Les banques proposent à leurs clients de souscrire des actions et des obligations accompagnées de substantiels coupons (les profits sont élevés). Une clientèle bourgeoise s'intéresse à la Bourse (à Paris, le nombre des valeurs cotées a triplé) et découvre qu'à côté de la rente foncière aux maigres revenus existe une source d'enrichissement plus rapide, mais aussi plus risquée. Le gouvernement lève les obstacles à la constitution des sociétés par actions par les lois de 1863 et de 1867.

Le réseau ferroviaire français en 1870.

Au même moment, la modernisation du réseau de communication permet une accélération des voyages et des échanges d'idées et de biens. Le timbre-poste date de 1848, le réseau télégraphique est ouvert au public en 1850. L'apparition de paquebots et de cargos à vapeur et à coque métallique (522 navires en 1870, soit 15 % de la flotte française) incite des compagnies privées (les Messageries maritimes, la Compagnie Paquet, la Compagnie générale transatlantique) à ouvrir des lignes régulières vers New York, l'Amérique du Sud, l'Asie. Un port moderne, Saint-Nazaire, est créé à l'embouchure de la Loire. Grâce au soutien de l'empereur, Ferdinand de Lesseps réussit à construire en Égypte le canal de Suez inauguré en 1869.

Les travaux reprennent sur les chantiers ferroviaires. Dès 1858, les grands axes sont achevés (8 675 km), formant autour de Paris un réseau étoilé qui accentue vite l'exode rural et la domination de la capitale sur la province. L'État intervient pour accélérer la fusion des sociétés de chemin de fer, réduites à six, et encourager la construction d'un second réseau. En 1870, la France dispose d'un réseau de 17 300 km.

La modernisation de l'économie

Les campagnes ont bénéficié du mouvement de modernisation. L'État donne l'exemple en prenant l'initiative de grands travaux de drainage en Sologne ou de reboisement dans les Landes, en ouvrant des écoles d'agriculture. L'abaissement du coût des transports permet aux paysans d'utiliser les nitrates et le guano du Chili, de procéder au chaulage des terres, de commencer à se spécialiser dans certaines productions. Les progrès de la métallurgie permettent la vente des premières machines agricoles (une charrue vaut de 70 à 100 F, une petite faucheuse 300 F, une moissonneuse 1 000 F : on en utilise 8 900 en 1862). Grâce aux engrais et surtout à l'extension des surfaces cultivées (le rendement du blé ne dépasse pas 11 quintaux à l'hectare), le volume des récoltes progresse sensiblement (+ 22 % pour le blé). Désormais, les récoltes acquièrent une certaine régularité, des stocks se constituent, les mauvaises récoltes ou la maladie de la vigne, l'*oïdium,* n'entraînent plus disette ou crise économique. Le paysan apprend, au contraire, à redouter les récoltes trop abondantes qui font chuter les cours. L'agriculture française entre peu à peu dans l'ère commerciale.

En 1869, l'industrie française assure 9 % de la production industrielle mondiale, elle monte en puissance, mais reste toujours loin derrière celle du Royaume-Uni. La multiplication des machines à vapeur françaises (26 200 en 1869) provoque un triplement de la production de charbon (13 millions de tonnes en 1869, mais 26 millions en Allemagne et 110 millions au Royaume-Uni). Si la principale industrie reste le textile, l'industrie sidérurgique et métallurgique progresse très rapidement, coule déjà de l'acier grâce au procédé Bessemer, multiplie les fabrications soignées et tend ainsi à jouer le rôle d'industrie-pilote. En 1869, les hauts fourneaux français ont produit 1,38 million de tonnes de fonte contre 5,9 au Royaume-Uni. D'autres industries modernes se développent : l'horlogerie, les industries alimentaires... Paris, dont l'activité productrice est encore orientée vers l'artisanat ou les vieux métiers (bâtiment, confection, métiers d'art), est le théâtre de la première révolution du commerce de détail. Avec le « Bon Marché » fondé en 1852, Boucicaut crée le premier grand magasin offrant une vaste gamme d'articles adroitement mis en valeur par l'éclairage au gaz et vendus à prix fixe. Suivent ensuite la « Belle Jardinière », le « Printemps », la « Samaritaine »... Par goût du prestige, par souci d'égaler Londres, de donner du travail aux ouvriers, de remodeler une ville dont les rues étroites facilitent la construction de barricades, le Second Empire confie à Haussmann, préfet de la Seine (1853-1869), la direction de vastes travaux d'urbanisme à Paris.

Les transformations de Paris
Réalisés par des entreprises privées, les travaux organisés par Haussmann bouleversent le visage de Paris. De vastes boulevards et avenues rectilignes apparaissent, le long desquels on construit, selon des plans stéréotypés, des immeubles cossus, loués en appartements à des familles bourgeoises. Les pauvres refluent désormais vers les banlieues. Un gros effort d'équipement améliore la salubrité d'une capitale énorme (1,85 million d'habitants en 1866) : 600 km d'égouts, l'eau courante, l'éclairage au gaz des rues, création de grands espaces verts, plantation de 100 000 arbres. L'architecte Baltard construit de nouvelles halles en utilisant des poutrelles de fer, Charles Garnier entreprend la construction de l'Opéra.

La société

Au sein d'une société qui désormais n'augmente que lentement (38,5 millions d'habitants en 1870 y compris les populations rattachées), les signes d'une évolution qualitative sont nets. Les Français tendent à être plus instruits. On relève que 72 % des hommes et 55 % des femmes savent lire et écrire en 1872. Les Français tendent aussi à être plus robustes, le nombre de réformés au service militaire pour petite taille diminue. Il est vrai qu'on mange plus et un peu mieux, la ration alimentaire moyenne passe de 2 480 calories par jour et par habitant, en 1850, à 2 875, en 1869. L'obsession de la faim recule et une petite révolution alimentaire marque le Second Empire qui met d'ailleurs le restaurant à la mode et introduit dans notre vocabulaire les mots « rumsteck », « escalope »... et aussi « alcoolisme ». On mange désormais davantage de pain blanc que de pain noir, plus de sucre, de viande, mais on boit de plus en plus (1,6 litre de vin par jour et par habitant en moyenne).

Cette hausse du niveau de vie provient des progrès de l'agriculture et aussi de la hausse des salaires. L'ouvrier gagne de 1,50 F à 4 F par jour en 1853 (salaire moyen 1,89 F) et de 2,50 F à 5 F en 1869 (salaire moyen 2,65 F). Toutefois, il faut nuancer : la société reste très contrastée et la « question sociale » est loin d'être résolue. En 1862, Haussmann estime que 70 % des Parisiens vivent dans la gêne ou dans la misère. A Bordeaux, en 1873, 76 % des habitants meurent sans laisser d'héritage. Une petite et moyenne bourgeoisie se détache de cette couche misérable, travaille avec acharnement, épargne et se détend en lisant les romans suaves d'Octave Feuillet. Au sommet de l'échelle sociale, le « grand monde » réunit dans un climat de plaisir, qui souvent frise la licence, des nobles, des hommes d'affaires, des jeunes gens riches et oisifs, des actrices en vue, des demi-mondaines... C'est la « fête impériale ». L'opérette d'Offenbach, *La Vie parisienne,* illustre bien ce monde insouciant et quelque peu dévergondé. En marge de l'art officiel, le peintre Manet, le romancier Flaubert, le poète Baudelaire doivent affronter les mesquineries de la censure pour imposer leurs œuvres.

Le Grand Hôtel, boulevard des Capucines, gravure de Cosson-Smecton (photo Hachette).

Les jours difficiles

Défections à droite, demi-tour à gauche

A partir de 1859-1860, le Second Empire enregistre la défection de ses puissants soutiens conservateurs. Malgré l'intervention française au Liban pour secourir les chrétiens (1860), les milieux catholiques dénoncent la politique italienne de l'empereur qui a abouti à favoriser la constitution d'un royaume italien au détriment des intérêts du pape. Les catholiques prennent leurs distances, beaucoup renouent avec les monarchistes. Négocié secrètement avec l'Angleterre, le traité de commerce du 23 janvier 1860, qui abaisse considérablement les taxes entre les deux pays, provoque l'hostilité la plus vive des milieux d'affaires, persuadés que la concurrence anglaise va tuer l'industrie française. Le traité de libre-échange, bientôt étendu à d'autres pays, ne provoque en réalité aucune catastrophe, oblige les industriels à moderniser leurs entreprises, mais le monde financier et industriel conserve à l'égard du Second Empire un ressentiment durable. Conscient de la situation, Napoléon III cherche alors à rallier d'autres milieux : petite bourgeoisie, monde ouvrier. A partir de 1860, l'empereur renoue avec certaines idées libérales et cherche à gommer l'étiquette autoritaire qui recouvre son régime. Le Second Empire esquisse ainsi un « demi-tour à gauche » (Proudhon), accorde en 1859 l'amnistie aux républicains, augmente les pouvoirs du Corps législatif (droit d'adresse en 1860, publication *in extenso* des débats, présence de ministres), se montre ferme avec les catholiques, dont la position dominante en matière d'éducation est menacée par les réformes de Victor Duruy. Napoléon III lance les bases d'une politique sociale assez hardie pour l'époque. L'ancien rédacteur de *L'Extinction du paupérisme*, finance en 1862 le voyage de 200 ouvriers français à l'Exposition universelle de Londres où ceux-ci prennent contact avec les syndicats anglais. En 1864, apparaît un mouvement ouvrier français dirigé par le ciseleur en bronze Tolain. Dans les quartiers ouvriers, le gouvernement renforce l'assistance, ouvre des écoles, des cours du soir, fait construire les premiers logements sociaux, accepte l'apparition de sociétés de secours mutuel. Napoléon III encourage Émile Ollivier, républicain rallié, à défendre la loi du 25 mai 1864 qui supprime le délit de coalition et reconnaît, dans des termes assez flous, le droit de grève. L'espoir d'un dialogue entre l'Empire et le monde ouvrier naît.

Émile Ollivier, P. Petit, Bibl. nat., Paris (photo Hachette).

Le temps des déceptions

L'ouverture à gauche est décevante. Les élections législatives de 1863 voient l'opposition royaliste (15 élus) et républicaine (17 élus) sensiblement progresser (1,9 million de voix contre 5,3 millions aux candidats gouvernementaux). Les débats au Corps législatif deviennent plus animés. Le seul acquis politique reste le ralliement à l'Empire d'Ollivier qui offre ainsi au régime le soutien d'une sorte de centre gauche, le « Tiers parti ». L'usure du régime est manifeste. Beaucoup de jeunes, qui n'ont pas connu les troubles de 1848, supportent mal cet Empire, trop autoritaire à leurs yeux. L'empereur, vieilli précocement, souffre de la maladie de la pierre (lithiase) ; il devient hésitant et perd l'habile Morny en 1865. A l'opposé, l'impératrice Eugénie et Rouher font pression pour mener une politique plus autoritaire. Le Second Empire hésite entre la poursuite de l'ouverture ou le durcissement.

A l'extérieur, l'intervention française au Mexique dans l'espoir de constituer un empire catholique favorable aux intérêts français échoue lamentablement (1861-1867). Par sa politique aventureuse, la France s'est aliéné l'Angleterre au moment où se profile la menace de la Prusse qui vient de battre l'Autriche à Sadowa (1866). La conjoncture économique devient moins brillante et une crise secoue l'économie en 1867-1868. Le Crédit mobilier fait faillite. Le rapprochement avec le monde ouvrier tourne court. Des grèves violentes éclatent à Firminy et à Carmaux (1869), au Creusot (1870). Dirigé par de jeunes militants membres de l' « Internationale des travailleurs », le mouvement ouvrier se radicalise.

En difficulté, le régime se libéralise

L'agitation sociale
Les délégués ouvriers de plusieurs pays ont créé, le 20 septembre 1864, une Association internationale des travailleurs. Rapidement, les théories mutuellistes de Proudhon déclinent et la première Internationale se rapproche des théories collectivistes de Marx et des idées anarchistes de Bakounine. Dès 1867, on relève trente-deux sections de l'Internationale en France et le premier syndicat français, celui des cordonniers, apparaît. Le mouvement ouvrier français rompt avec la ligne modérée des années 1862-1864, dénonce la politique sociale de l'empereur comme paternaliste, associe syndicalisme et action révolutionnaire, rêve d'une république sociale. A la fin de 1867, les sections de l'Internationale sont interdites en France, mais l'action ouvrière reste vigoureuse.

Davantage sous la pression de l'opposition que volontairement et librement, Napoléon III accepte, à partir de 1867, un second train de réformes. Le droit d'interpellation est établi au Corps législatif en même temps que l'on réinstalle une tribune (janvier 1867). Les lois de 1868 permettent un assouplissement du régime de la presse, la réapparition des réunions publiques. La même année, l'empereur crée une caisse pour les accidents du travail et fait instituer l'égalité de témoignage entre patron et ouvrier.

Les résultats restent médiocres. Une presse d'opposition au ton mordant (*La Lanterne,* d'Henri de Rochefort) se déchaîne, les députés s'enhardissent et font échouer la réforme militaire. Derrière Gambetta, les républicains se regroupent et rédigent le *Programme de Belleville.* Aux élections de 1869, le gouvernement ne recueille que 4,4 millions de voix et a dû donner l'investiture à des candidats ouvertement libéraux (120 députés du Tiers parti élus) alliés aux bonapartistes autoritaires (92 élus seulement). L'opposition réunit 3,3 millions de suffrages, mais ne compte que 30 républicains et 41 royalistes. Avec lucidité, Napoléon III écarte du gouvernement Rouher jugé trop autoritaire, concède au Corps législatif l'initiative des lois (septembre 1869) et propose au chef du Tiers parti, Ollivier, d'entrer au gouvernement (janvier 1870). Le 20 avril 1870, sur proposition d'Ollivier qui fait figure de Premier ministre face à l'empereur vieilli, la constitution est révisée et l'Empire devient réellement parlementaire. Le Sénat reçoit des pouvoirs législatifs ; la responsabilité ministérielle devant les députés est admise.

Estimant avoir suffisamment fait preuve de souplesse, Napoléon III crée la surprise en organisant le 8 mai 1870 un plébiscite. Une question habilement posée (« Le peuple approuve les réformes libérales opérées dans la constitution depuis 1860 par l'empereur... ») amène un triomphe électoral pour Napoléon III qui redresse son image et montre qu'il ne se résout ni à une retraite dorée ni à une limitation de tous ses pouvoirs (7,35 millions oui contre 1,57 million non). L'opposition royaliste et républicaine, prise de court, subit un revers.

« L'année terrible » (V. Hugo)

Au moment où l'Empire semble se redresser, une terrible crise éclate qui, entre juillet 1870 et mai 1871, entraîne la guerre, l'écroulement du régime, l'humiliation de la défaite et les déchirements de la guerre civile.

La guerre et l'écroulement de l'Empire

Dirigée par le roi Guillaume Ier et le chancelier Bismarck, la Prusse, dont l'industrie est déjà évoluée, a entrepris d'unifier le monde allemand, vaincu l'Autriche en 1866 et créé une Confédération de l'Allemagne du Nord. Inquiet de l'apparition à la frontière française d'un grand royaume allemand, Napoléon III réagit tardivement et maladroitement, cherche à dominer politiquement les États allemands du Sud non encore unifiés (Bavière, Wurtemberg, Bade) et négocie — vainement — avec Bismarck l'éventuelle annexion à la France du Luxembourg, voire de la Belgique. Irrités par les exigences françaises, le Royaume-Uni, le royaume d'Italie, l'empire d'Autriche-Hongrie refusent tout soutien à la France. La tension diplomatique monte dangereusement entre la Confédération d'Allemagne du Nord, cherchant à achever l'unité allemande, et la France. Bien des forces poussent à la guerre : Bismarck, d'un côté ; de l'autre, certains bonapartistes autoritaires qui voient là l'occasion de consolider définitivement le régime et surestiment la valeur de l'armée française. Une crise diplomatique soudaine met le feu aux poudres.

Une révolution ayant éclaté en Espagne (1868), des négociations secrètes ont lieu en faveur de l'élection au trône espagnol du prince Léopold de Hohenzollern, proche parent du roi de Prusse. Le 3 juillet 1870, la nouvelle est rendue publique et provoque la colère du gouvernement impérial qui voit réapparaître — comme au temps de Charles Quint — la menace d'un encerclement. Le duc de Grammont, ministre des Affaires étrangères, exige le retrait de la candidature du prince Léopold. Le 12 juillet 1870, c'est chose faite mais, très vite, la crise rebondit du fait de l'entêtement des bonapartistes autoritaires et des manœuvres de Bismarck. Le 14 juillet 1870, Napoléon III accepte après bien des atermoiements la convocation des réserves militaires. L'opinion publique se déchaîne contre la Prusse en dépit des mises en garde de Thiers. La France déclare la guerre à la Confédération le 19 juillet. Très vite, les États allemands du Sud se joignent aux forces du Nord. L'Europe s'attend à une longue guerre.

En face des 500 000 soldats allemands commandés avec méthode par von Moltke, dotés d'un bon encadrement et d'un bon matériel (cartes géographiques, excellents canons Krupp en acier se chargeant par la culasse...), la France aligne avec fierté son arme secrète, la mitrailleuse, mais ne dispose que de canons démodés en bronze, de 265 000 soldats et d'un

La dépêche d'Ems
Pour confirmer le retrait Hohenzollern, l'ambassadeur Benedetti reçoit l'ordre d'obtenir du roi Guillaume Ier une renonciation officielle et un engagement pour l'avenir. Le 13 juillet au matin, dans la petite ville d'Ems où séjourne le roi, l'ambassadeur reçoit de Guillaume Ier des assurances verbales. L'après-midi, le roi refuse très courtoisement un nouvel entretien. Tenu au courant de l'entrevue par télégraphe, Bismarck condense le texte de la relation d'une manière provocante. Le texte publié entraîne la guerre : ... « Le roi a refusé de recevoir encore l'ambassadeur français et lui a fait dire par l'aide de camp de service qu'il n'avait plus rien à lui communiquer... »

commandement formé à la guerre coloniale et mal adapté à la conduite d'une guerre moderne. Dans le désordre, deux armées françaises commandées l'une par Mac-Mahon, l'autre par Bazaine, se portent aux frontières et se font battre le même jour (6 août). Malgré la charge des cuirassiers à Reichshoffen, l'armée de Mac-Mahon évacue l'Alsace (défaite de Frœschwiller), celle de Bazaine est battue à Forbach et se réfugie à Metz qu'encerclent les Allemands. Napoléon III et Mac-Mahon tentent alors une attaque à revers pour délivrer Bazaine. Les Français gagnent le nord du pays mais se font brusquement encercler à Sedan. Le 1er septembre, après quelques heures de combat, Napoléon III se rend. Près de 100 000 soldats sont faits prisonniers. La capitulation de Sedan connue à Paris dans la nuit du 3 au 4 septembre incite la foule à envahir, comme en 1848, le Corps législatif où Gambetta prononce la déchéance de l'Empire. A l'Hôtel de Ville, les députés républicains proclament la IIIe République (4 septembre 1870). Vieilli, Napoléon III se réfugie en Angleterre où il s'éteindra en 1873.

Charge de dragons à Gravelotte, 16-18 août 1870, bel exemple des combats violents (« pleuvoir comme à Gravelotte ») en Lorraine entre l'armée de Bazaine et les Prussiens, A. de Neuville (photo Harlingue-Viollet).

La Défense nationale

Les députés républicains de Paris (Gambetta, Crémieux, Simon, Ferry, Favre) forment un gouvernement provisoire, le « gouvernement de la Défense nationale » dont la direction est confiée au général Trochu. Devant les exigences de Bismarck, la négociation échoue et le gouvernement se résout à poursuivre la lutte. Le gouvernement décide de rester à Paris, défendu par des gardes nationaux et des marins, à la fois pour montrer l'exemple et pour empêcher une révolution d'extrême gauche. A partir du 19 septembre, les Allemands commencent le siège de la capitale. Jusqu'au 28 janvier 1871, l'énorme ville est assiégée et bombardée. Protégée par ses fortifications et ses forts (les Allemands ne tentent aucun assaut), Paris attend, espère du secours, mais ses habitants se divisent. La faim (le rationnement est mal organisé, il faut se résoudre à manger du cheval, du chat et même du rat) et le froid font des ravages : 1 200 morts dans la première semaine du siège, 4 400 dans la dernière semaine. La tension monte, cependant que les 340 000 gardes nationaux recrutés dans les milieux populaires, endoctrinés par la propagande socialiste et révolutionnaire, s'agitent, accusent le gouvernement de défaitisme, rêvent d'un redressement comme en 1793. Des émeutes éclatent à plusieurs reprises.

Une délégation du gouvernement provisoire est installée à Tours. Bientôt dirigée par Gambetta, qui a quitté Paris en ballon le 9 octobre, la délégation tente d'organiser un vaste sursaut patriotique en mobilisant les hommes et les armes. Thiers visite les capitales européennes, mais n'obtient aucune aide extérieure. Encerclé à Metz depuis le 18 août, Bazaine ne reconnaît pas l'autorité du nouveau gouvernement. Alors que l'étreinte allemande se relâche, il refuse de tenter une sortie et, sans raison acceptable, capitule le 27 octobre. Les Allemands capturent 173 000 soldats et font main basse sur 1 570 canons...

Gambetta quitte Paris en ballon, J. Didier, musée Carnavalet (photo Hachette).

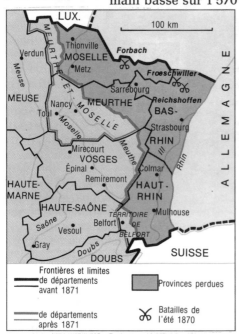

Perte de l'Alsace-Lorraine.

En libérant de nouvelles armées allemandes, la capitulation de Metz porte un rude coup aux jeunes armées de la Défense nationale. Gambetta réussit à rassembler cependant 600 000 hommes et 1 400 canons. Deux armées sont constituées sur la Loire, une troisième dans le Nord, une quatrième dans l'Est. Entre novembre 1870 et janvier 1871, Gambetta tente d'utiliser ces armées mal encadrées pour délivrer Paris, mais, en dépit de la résistance héroïque de Denfert-Rochereau à Belfort, les défaites se succèdent. En janvier 1871, la situation militaire semble sans issue, la révolution socialiste gronde à Paris, le gouvernement provisoire, formé de républicains modérés, choisit de négocier avec un adversaire qui vient de célébrer l'achèvement de l'unité allemande et de proclamer, à Versailles, l'Empire allemand (18 janvier). Le 28 janvier, Paris capitule. Les Allemands accordent l'armistice mais exigent de négocier avec un gouvernement représentatif.

Dans un climat d'abattement et d'humiliation, alors que 26 départements sont occupés, les Français élisent, le 8 février 1871, les députés de la nouvelle Assemblée nationale. Une vague de fond conservatrice amène à l'Assemblée, réunie à Bordeaux, 400 députés monarchistes (200 légitimistes, 200 orléanistes), 200 républicains, 30 bonapartistes. Apeurée, la province a massivement fait confiance à des notables ruraux ou à des bourgeois conservateurs partisans de la paix avec l'Allemagne. Gambetta et son programme de guerre à outrance sont désavoués. Seules les grandes villes et en particulier Paris ont voté républicain. L'Assemblée de Bordeaux, qui espère bien rétablir la monarchie après accord entre les deux branches (cf. p. 238), nomme Thiers chef du pouvoir exécutif de la République française. Celui-ci négocie avec Bismarck les lourdes clauses de la paix : occupation du pays jusqu'au paiement d'une indemnité de 5 milliards de francs-or, cession de l'Alsace, d'une partie de la Lorraine avec Metz au nouvel Empire allemand. Le 1er mars, l'Assemblée accepte les conditions malgré les protestations des députés d'Alsace-Lorraine. Le traité de paix est conclu officiellement à Francfort le 10 mai 1871.

La Commune

Entre Paris, favorable à la poursuite de la lutte, qui a voté à l'extrême gauche, et l'Assemblée conservatrice qui se hâte de négocier la paix, le divorce éclate bientôt. Pour la dernière fois, Paris va tenter de renverser le cours des événements en imposant à la province — cette fois vainement — une révolution ultra-républicaine, décentralisée, socialisante.

Durant le siège, alors qu'une partie de la population bourgeoise quittait Paris, une vaste clientèle populaire s'est enrôlée dans la garde nationale. L'inactivité, les hésitations du gouvernement provisoire, la propagande socialiste et révolutionnaire, le souvenir de 1792-1793 ont contribué à faire de la garde nationale un foyer d'agitation. Le 3 mars, un Comité central de la garde nationale est créé qui fait vite figure de contre-pouvoir populaire au pouvoir légal du gouvernement de Thiers. Les députés conservateurs se méfient d'une capitale réputée « rouge ». Après Bordeaux, l'Assemblée s'installe à Versailles, symbole de l'Ancien Régime, et marque vite son peu de reconnaissance des souffrances endurées par les Parisiens. La solde des gardes nationaux (1,50 F par jour) est supprimée, le moratoire des loyers et des dettes est levé alors que le travail n'a pas repris. Le 18 mars, Thiers charge un régiment de l'armée régulière de récupérer les 227 canons de la garde parqués dans les quartiers populaires. L'opération traîne en longueur, la foule accourt, proteste (les canons ont été payés par une souscription populaire), les soldats se mutinent brutalement et, rue des Rosiers, deux généraux (Lecomte et Thomas) sont fusillés. Immédiatement, Thiers et le gouvernement évacuent Paris pour se réfugier à Versailles en attendant de soumettre Paris.

Le Comité central de la garde nationale devenu le seul maître de la capitale ne songe pas à marcher sur Versailles. Le 26 mars, il organise des élections auxquelles participe seulement la moitié des Parisiens. Ainsi sont élus les 85 membres qui forment la « Commune de Paris », terme faisant référence à la Révolution française et qui désigne à la fois la nouvelle municipalité de Paris et un nouveau gouvernement révolutionnaire de la France. Dans un appel à la province, la Commune esquisse son programme : transformation de la France en une vaste fédération de communes libres, instauration d'une république décentralisée, laïque et sociale. A l'exception de quelques grandes villes ouvrières, le programme de la Commune ne rencontre guère d'écho en province. Inversement, Thiers obtient rapidement un vaste soutien, tandis que les républicains prennent leurs distances avec la révolution parisienne. Les « versaillais » entament ainsi le second siège de Paris, repoussent les sorties des « fédérés » (2 et 3 avril), s'emparent des forts d'Issy, de Vanves.

La Commune, divisée en multiples courants rivaux (jacobins rêvant à un retour à 1793, blanquistes favorables à une dictature populaire, anarchistes qui veulent une vaste décentralisation, internationaux et proudhoniens qui veulent des réformes socialistes...), se perd vite en débats confus. La révolution parisienne manque d'unité dans l'inspiration et dans la conduite des événements. Quelques militants dévoués, Frankel, Jourde, Varlin, Vaillant, Delescluze, Louise Michel, cherchent à imposer quelques mesures concrètes : gratuité de la justice, enseignement obligatoire et laïc, moratoire des loyers, restitution à leurs propriétaires des petits objets déposés au mont-de-piété, suppression du travail de nuit, nationalisation (« communalisation ») d'une dizaine d'ateliers abandonnés par leurs patrons... Les fédérés laissent cependant intacte l'encaisse-or de la Banque de France. En revanche, la défense des fortifications souffre d'une grave désorganisation, bien des gardes nationaux désertent leur poste. Tardivement, les jacobins autour de Delescluze imposent la création d'un Comité de salut public. Le 21 mai au matin, les troupes versaillaises pénètrent dans l'Ouest parisien. Durant la « Semaine sanglante » (21-28 mai 1871), des combats acharnés opposent versaillais et fédérés qui reculent peu à peu vers l'est. D'énormes incendies (les Tuileries, l'Hôtel de Ville) embrasent Paris, cependant que les versaillais fusillent les fédérés pris les armes à la main et que la Commune fait exécuter des otages, dont Mgr Darboy, archevêque de Paris. Au total, les versaillais perdent 887 hommes, les fédérés au moins 20 000. Près de 40 000 arrestations sont opérées et le gouvernement fait déporter en Nouvelle-Calédonie 7 500 communards.

Combat de la rue de Rivoli et incendie des Tuileries, le 24 mai 1871, litho. de L.-J.-B. Sabatier, musée Carnavalet (photo Hachette).

L'affirmation de la République (1870-1914)

Après les échecs de la Ire et de la IIe République, la République parvient à la fin du XIXe siècle, après une période d'incertitude, à s'implanter durablement. La IIIe République, dont la longévité est exceptionnelle (1870-1940), réalise l'enracinement de la démocratie en France. Si son œuvre économique et sociale est assez modeste, elle sait cependant surmonter de nombreuses crises grâce à sa souplesse. Le régime connaît sa période la plus brillante entre 1870 et 1914.

Quel régime pour la France ?

Monarchie ou régime présidentiel ?

Adolphe Thiers par Nadar (photo Archives photographiques).

Au printemps 1871, la France est un pays vaincu, occupé partiellement par les Allemands, amputé de l'Alsace et d'une partie de la Lorraine et dont la capitale vient d'être le théâtre d'une cruelle guerre civile. Si la République a été proclamée le 4 septembre 1870, le pays ne dispose encore d'aucune institution. L'Assemblée, élue en février 1871 avec une forte majorité conservatrice, a confié à un orléaniste, Thiers, la direction de l'exécutif. Elle s'emploie à négocier un compromis entre les prétendants avant de restaurer la monarchie (cf. p. 265). La nature républicaine du régime semble en effet très incertaine et, pour beaucoup, la république est encore synonyme d'incompétence financière, de dictature jacobine, voire de terreur. Cependant, une évolution se dessine : la république apparaît déjà bien implantée dans les grandes villes, le gouvernement en place a résisté à la Commune et a montré qu'il ne céderait pas à la dérive extrémiste. De son côté, l'aîné des prétendants, le comte de Chambord, semble peu disposé à abandonner le drapeau blanc et à adopter le régime parlementaire. Le 31 août 1871, la loi Rivet confère à Thiers le titre de président de la République.

Durant vingt-sept mois, Adolphe Thiers — à la fois chef de l'État et du gouvernement — s'emploie à redresser le pays dans le cadre toujours provisoire d'un régime conservateur et présidentiel. Deux emprunts publics permettent de verser aux Allemands l'indemnité due. Dès septembre 1873, l'occupation du territoire cesse, mais il a fallu, pour payer les intérêts de ces emprunts, augmenter les impôts indirects. Thiers réorganise l'administration, maintient la fonction préfectorale, augmente les pouvoirs des conseils généraux et prévoit l'élection des maires par les conseils municipaux dans les communes de moins de 20 000 habitants. L'armée est réorganisée sur la base du service militaire obligatoire (1872). Grâce à une gestion sérieuse, Thiers, homme âgé (soixante-treize ans en 1871), autoritaire et conservateur, rassure la province, encourage un redressement rapide du pays et bénéficie vite d'une immense popularité. Toutefois, les relations de Thiers avec la majorité monarchiste de l'Assemblée, qui siège toujours à Versailles, se dégradent. Avec le temps, Thiers se prononce en faveur d'une république conservatrice (novembre 1872), alors que les élections partielles accusent le net progrès des républicains. Les monarchistes reprochent au président de la République d'oublier la question de la restauration. Attaqué, Thiers démissionne sur un coup de tête le 24 mai 1873.

A une voix de majorité

Le comte de Chambord, Bibl. nat., Paris (photo Hachette).

Mac-Mahon (photo Hachette).

Les députés monarchistes élisent alors le maréchal de Mac-Mahon président de la République. Celui-ci confie au duc de Broglie la tâche de diriger le gouvernement. Devenu président du Conseil — désormais les fonctions de président de la République et de président du Conseil des ministres sont dissociées —, le duc de Broglie tente d'enrayer l'essor du courant républicain. La politique d' « ordre moral » provoque une épuration de l'administration au profit des monarchistes, infléchit le régime du présidentialisme vers le parlementarisme, accorde un appui évident à l'Église catholique. La construction de la basilique du Sacré-Cœur à Montmartre est engagée. Députés et préfets s'associent à de nombreux pèlerinages tandis qu'une presse catholique et conservatrice appuie le gouvernement. Durant l'été 1873, les négociations entre les deux prétendants progressent. Le comte de Paris et les orléanistes acceptent de reconnaître la prééminence de Chambord, chef des légitimistes. Un accord est en vue mais, le 27 octobre 1873, le comte de Chambord réitère sa fidélité au drapeau blanc et son refus du régime parlementaire. C'est l'impasse. Pour les monarchistes, la seule issue consiste à gagner du temps et à attendre le décès du prétendant légitimiste. Dans cet esprit et malgré le caractère provisoire du régime, les députés votent le 20 novembre 1873 la loi qui fixe la durée du mandat de Mac-Mahon à sept ans.
Le succès imprévu des bonapartistes aux élections partielles éveille l'inquiétude de nombreux députés. Alors que les légitimistes s'écartent de plus en plus des orléanistes, ces derniers se rapprochent des éléments républicains modérés pour doter enfin le pays d'institutions. De février à juillet 1875, une série de lois aux contours souvent vagues, à l'allure un peu désordonnée (pas de texte unique, pas de préambule...) jettent les bases constitutionnelles de la IIIe République. Ces lois sont le fruit d'un compromis. Les orléanistes imposent le Sénat élu au suffrage indirect qui vient ainsi contrebalancer les décisions de la Chambre des députés,

élue tous les quatre ans au suffrage universel. De leur côté, les républicains réussissent à faire voter à une voix de majorité (353 pour et 352 contre) l'amendement Wallon : « Le président de la République est élu par le Sénat et la Chambre des députés. » Très souples, ces lois peuvent aussi bien s'appliquer à une monarchie parlementaire qu'à une république modérée. Dans les textes de 1875, le président de la République dispose de pouvoirs considérables : il nomme les ministres (la fonction de président du Conseil n'est pas prévue), il est le chef de l'administration, nomme aux emplois civils et militaires, il négocie les traités, possède l'initiative des lois, peut exiger une seconde lecture des projets de loi, il promulgue les lois et enfin, après accord du Sénat, il a le droit de dissoudre la Chambre des députés...

L'impossible équilibre

De nouvelles élections ont lieu au début de 1876 alors qu'un nombre croissant de Français se prononce en faveur d'une république qui, grâce à Thiers, a fait ses preuves et cesse d'effrayer. En janvier, les monarchistes l'emportent au Sénat d'une courte avance (161 sièges contre 149). En février et mars, les élections législatives donnent la victoire aux républicains (4 millions de voix, 340 élus). Les monarchistes n'ont que 160 élus mais 3,2 millions de voix. Mac-Mahon constitue alors des gouvernements centristes et modérés dirigés par Dufaure puis Simon.
Entre le président de la République et la Chambre éclate en 1877 un grave conflit dont l'issue devait bouleverser l'équilibre des pouvoirs. La majorité républicaine ayant obligé le gouvernement Simon à accepter un ordre du jour anticlérical, Mac-Mahon renvoie le gouvernement le 16 mai 1877 et rappelle de Broglie. 363 députés signent le 18 mai un texte dénonçant le « coup d'État » de Mac-Mahon et refusent la confiance au nouveau gouvernement (21 juin). Deux logiques s'affrontent : celle de Mac-Mahon qui correspond à une lecture présidentielle de la Constitution, le président peut mener une politique personnelle car il est maître du gouvernement et sa fonction équilibre le Parlement ; celle des députés républicains pour qui l'Assemblée est la seule représentante de la nation et qui entendent bien contrôler le gouvernement et réduire l'influence du président. Le 25 juin, après accord du Sénat, Mac-Mahon prononce la dissolution de la Chambre et porte le conflit devant le peuple. La campagne électorale est passionnée. Les monarchistes regroupés derrière Mac-Mahon et le duc de Broglie n'hésitent pas à renouer avec des méthodes douteuses : candidatures officielles, révocation de 40 préfets et de plus de 1 700 maires jugés trop mous, entraves aux réunions républicaines. La campagne des républicains bénéficie de l'immense popularité de Thiers (qui meurt le 3 septembre) et de la modération soudaine de Gambetta, dont le talent oratoire permet de rallier à la république les « couches sociales nouvelles ». Mac-Mahon déclare : « La lutte est entre l'ordre et le désordre. » Gam-

betta réplique le 15 août : « Quand la France aura fait entendre sa voix souveraine, il faudra se soumettre ou se démettre... » Les élections des 14 et 28 octobre 1877 dénotent une progression monarchiste (3,6 millions de voix, 208 sièges dont 104 aux bonapartistes), mais les républicains restent majoritaires (4,2 millions de voix, 320 sièges). Le ministère de Broglie démissionne, Mac-Mahon se soumet, désigne un gouvernement modéré dirigé par Dufaure, accepte qu'une politique contraire à ses convictions soit menée.

Au début de 1879, de nouvelles élections amènent une majorité républicaine au Sénat. Désormais isolé, Mac-Mahon démissionne le 30 janvier 1879. Les deux assemblées élisent alors un nouveau président, non pas le fougueux Gambetta, mais le rassurant Jules Grévy qui, très vite, ne montre aucun zèle à défendre la fonction présidentielle. La cause est entendue, la présidence n'équilibrera pas la Chambre des députés, la IIIe République s'oriente nettement vers le régime d'assemblée. 1879 symbolise l'enracinement de la République, les assemblées quittent Versailles pour Paris, *la Marseillaise* devient l'hymne national, le 14 juillet est décrété fête nationale. Une amnistie est accordée aux vaincus de la Commune en 1880.

Léon Gambetta (photo Carjat).

Le glissement du régime s'accentue

Si, après 1879, la IIIe République s'écarte définitivement du présidentialisme, elle ne devient pas non plus parlementaire : les gouvernements ne sont pas en mesure de faire efficacement contrepoids à une Chambre des députés toute-puissante et à un Sénat parfois combatif. Le fonctionnement des institutions accentue le déséquilibre des pouvoirs et le régime évolue vers le régime d'assemblée où tout procède de la volonté des députés. Les circonstances expliquent ce glissement lourd de conséquences.

Jules Grévy, premier président républicain, a accentué de lui-même le déclin de la fonction présidentielle. Il renonce à demander une seconde lecture des projets de loi critiqués et, parce qu'il déteste Gambetta, il retarde le plus possible la venue de celui-ci à la présidence du Conseil (novembre 1881-janvier 1882). Il crée ainsi une habitude solide, celle de confier la direction du gouvernement à des personnalités de second plan, réputées pour leur docilité à l'égard de la Chambre. A l'inverse du Royaume-Uni, le chef de la majorité parlementaire n'est pas assuré de diriger le gouvernement. En écartant du pouvoir les hommes à trop forte personnalité, cette pratique accroît la faiblesse chronique des gouvernements. Les flous de la constitution profitent systématiquement aux parlementaires. Maîtres de l'ordre du jour, ceux-ci peuvent retarder ou accélérer l'examen d'un problème. Le projet de loi voté n'est jamais celui proposé par le gouvernement mais celui élaboré — déformé, restreint ou aggravé selon le cas — par la commission parlementaire spécialisée. L'échec de la dissolution tentée par Mac-Mahon rend moralement impossible le réemploi de cette arme par les autres présidents. Désormais, les députés savent qu'ils conserveront quatre années leur siège, renoncent à toute prudence, harcèlent le gouvernement à tout propos, répugnent à se plier — à la différence de leurs homologues britanniques — à toute discipline de parti. Jusqu'à la Belle Époque, les partis politiques forment des groupes mal organisés dont la dispersion en une bonne dizaine de mouvements favorise toutes sortes de combinaisons politiques, de replâtrages de majorité. De là vient la grande faiblesse du régime, l'instabilité gouvernementale chronique (49 gouvernements se succèdent entre 1876 et 1914 !). Rares sont les gouvernements qui restent en place plus de deux ans : ministère Ferry (février 1883-mars 1885), ministère Méline (avril 1896-mai 1898), ministère Waldeck-Rousseau (juin 1899-juin 1902), ministère Combes (juin 1902-janvier 1905), ministère Clemenceau (octobre 1906-juillet 1909)...

Le monde politique et les partis politiques

Jean Jaurès par Nadar (photo Archives photographiques).

Prestigieux, bien rémunéré (15 000 F par an depuis 1906), le mandat parlementaire suscite bien des vocations. Le personnel politique, recruté d'abord dans le monde restreint des grands notables ou de la grande bourgeoisie (de Broglie, Ferry, Waldeck-Rousseau, Rouvier...), se démocratise légèrement, s'ouvre à la bourgeoisie de province, attire beaucoup d'avocats (Gambetta, Briand, Poincaré, Méline, Barthou...), mais aussi des médecins (Combes, Clemenceau), des professeurs (Jaurès), des hauts fonctionnaires (Caillaux). Dotés d'une solide culture classique, les hommes politiques de l'époque tendent à privilégier les problèmes idéologiques ce qui, parce qu'ils sont souvent prisonniers d'une vision traditionnelle des faits, leur font négliger ou sous-estimer les problèmes techniques, économiques et sociaux. L'essor d'une presse à grand tirage amène la masse des Français à s'intéresser à la vie politique, à prendre parti dans les grands débats de l'époque. A Paris, *Le Petit Journal* tire chaque jour à 900 000 exemplaires, *Le Petit Parisien* atteint 1 500 000 exemplaires. En province, des journaux comme *Ouest-Éclair*, ancêtre de *Ouest-France*, *La Dépêche* ou *Le Petit Méridional* ont une audience considérable. Grâce au chemin de fer, le député garde le contact avec les habitants de sa circonscription dont il se fait volontiers le porte-parole auprès des ministères et des administrations centrales.

De 1879 à 1914, les forces politiques évoluent. A droite, les monarchistes restent durablement minoritaires, le bonapartisme décline après la mort du prince impérial en 1879. Quelques monarchistes, encouragés par le pape Léon XIII, acceptent le ralliement au régime républicain après 1890. Si le courant royaliste s'essouffle peu à peu au Parlement, il connaît à la Belle Époque un renouveau intellectuel et littéraire grâce à un théoricien, Charles Maurras, et à une ligue constituée lors de l'affaire Dreyfus, l'Action française. A gauche, les républicains se divisent. Il y a les modérés, partisans d'une application souple du programme de Belleville, ce sont les « opportunistes » que dirigent Gambetta et Ferry. Plus à gauche, il y a les « radicaux », partisans d'une application stricte du programme et qui, derrière Clemenceau, se veulent les héritiers de la tradition jacobine. Avec le temps, une évolution se dessine et les républicains doivent tenir compte des socialistes qui apparaissent à leur extrême gauche. Bien des opportunistes passent alors au centre droit, voire à droite et, à la Belle Époque, le radicalisme s'assagit, devient le porte-parole des classes moyennes, des petits paysans, des fonctionnaires, des artisans. Une extrême gauche socialiste s'est reconstituée après l'amnistie de 1880. Pendant des années, alors que les thèses marxistes commencent à se diffuser en France, le mouvement socialiste s'éparpille en multiples groupes rivaux que dirigent Guesde, Brousse, Allemane, Jaurès, Millerand. Un regroupement s'organise au début du xxᵉ siècle. En 1902, est fondé le journal socialiste *L'Humanité* qui développe la philosophie généreuse de Jaurès. En 1905, est constitué un parti socialiste unifié, la S.F.I.O. (Section française de l'Internationale ouvrière). Forte de ses 90 000 adhérents, la S.F.I.O. est le premier parti politique discipliné et moderne de l'histoire parlementaire française.

Les faits saillants (1879-1914)

Les opportunistes au pouvoir (1879-1899)

Jules Ferry
(photo Benque).

Pendant vingt ans, les républicains modérés ou opportunistes réussissent à conserver le gouvernement en remportant les élections législatives, parfois avec de fragiles majorités comme en 1885. En dépit d'une instabilité gouvernementale chronique (gouvernements Waddington, Freycinet, Ferry, Gambetta, Duclerc, Fallières, Rouvier, Méline...), les modérés consolident le régime grâce à la révision constitutionnelle de 1884. Ils mettent à la retraite nombre de généraux et de hauts fonctionnaires liés de près aux monarchistes. La nature démocratique du régime est accentuée par un ensemble de grandes lois sur les libertés. Les réunions publiques sont facilitées, la presse débarrassée de toute entrave (lois de 1881). Les associations sont reconnues et les syndicats deviennent licites, le maire est désormais élu par le conseil municipal dans toutes les communes à l'exception de Paris (lois de 1884). Alors que la crise économique touche la France entre 1882 et 1896, une grande banque d'affaires liée aux milieux catholiques, l'Union générale, fait faillite. Les prix et la production baissent, le chômage progresse. Des conflits sociaux parfois sanglants (10 morts à Fourmies en

1891 lors de la célébration — illégale — du 1ᵉʳ mai) éclatent alors que l'œuvre économique et sociale des opportunistes reste modeste, voire timide. Le plan Freycinet (juillet 1879) cherche à perfectionner le réseau de transport en développant les canaux et surtout les voies ferrées d'intérêt local. Sous l'influence de Méline, le libre-échange est abandonné et le tarif douanier fortement augmenté entre 1884 et 1892. Si la loi de 1892 limite le travail des femmes et des enfants et si la responsabilité patronale en cas d'accident du travail apparaît dans la loi de 1898, les mesures sociales votées à l'époque restent discrètes. Les conditions de vie des ouvriers demeurent difficiles.

Un grand débat idéologique entre défenseurs de l'Église catholique et anticléricaux agite la vie politique de l'époque. L'Église catholique subventionnée par l'État depuis 1801 (cf. p. 221) a plusieurs fois apporté un soutien actif et flagrant aux régimes conservateurs combattus par les républicains : la Restauration, l'Empire... Aux yeux des républicains libres penseurs, rationalistes, admirateurs des progrès de la science, l'Église marquée à droite symbolise l'Ancien Régime et l'obscurantisme. Elle constitue pour la République une menace du fait de sa richesse, de ses liens avec l'armée et la haute fonction publique, de son influence dans les campagnes et sur les jeunes, nombreux à fréquenter ses écoles et ses collèges. Sa presse, *Le Pèlerin* et surtout le journal des assomptionnistes *La Croix,* est très lue et a souvent pris parti contre la République. Entre l'Église et les républicains une lutte acharnée s'engage.

Alors que, sur proposition du radical Naquet, le divorce est rétabli (1884), Jules Ferry cherche à réduire l'influence de l'Église dans l'enseignement. Dès 1880, le monopole des diplômes est rétabli au bénéfice des facultés d'État. Les jésuites sont expulsés. Les lois de 1881 et 1882 rendent l'enseignement primaire gratuit, laïque et obligatoire de six à treize ans. Un gros effort budgétaire permet la construction de centaines d'écoles publiques, le recrutement de milliers d'instituteurs qui obtiennent le statut de fonctionnaire. Un enseignement primaire de qualité, couronné par l'examen du certificat d'études, se généralise. L'enseignement insiste sur la formation morale et patriotique des élèves. En Bretagne, l'apparition des écoles laïques provoque de vifs incidents tandis que l'opinion catholique et conservatrice s'inquiète de la création des premiers lycées de jeunes filles organisés par Camille Sée.

En politique étrangère, la France, isolée diplomatiquement depuis 1870, semble chercher une revanche dans l'expansion coloniale. Dans les années 1880, la France s'installe au Congo, au Niger, en Tunisie, au Tonkin. Cette conquête coloniale, menée de façon assez désordonnée, obéit davantage à des raisons militaires et idéologiques qu'à de puissants motifs économiques. Constituer des bases navales, rayonner sur de vastes territoires auxquels on apporte les lumières d'une « civilisation supérieure », ce sont là les motivations essentielles d'une société qui ignore la mauvaise conscience. La conquête provoque de durs combats parlementaires qui valent à Ferry le surnom de « Tonkinois ». La conclusion, entre 1891 et 1893, d'une alliance militaire défensive avec l'immense empire du tsar Alexandre III donne aux gouvernements français un peu plus d'assurance. La France n'est plus isolée, elle peut achever sa conquête coloniale et, dans les années 1890, domine toute l'Indochine, Madagascar, une partie de l'Afrique noire, songe déjà au Maroc. Une armée coloniale (1893) et un ministère des Colonies (1894) apparaissent. L'appétit français irrite le Royaume-Uni. En 1898, on frise la crise diplomatique. Parvenu à Fachoda (Soudan) bien avant Kitchener, le commandant Marchand doit abandonner la place aux Anglais.

L'empire colonial français en 1914.

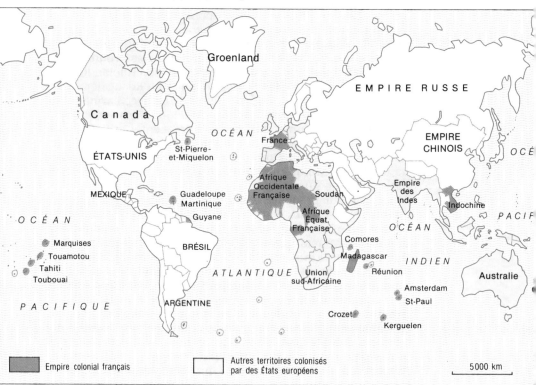

Les grandes crises (1886-1899)

La IIIe République traverse, dans les dernières années du XIXe siècle, une série de crises graves qui menacent la stabilité intérieure de la France. Ces crises surviennent dans un contexte très difficile. La « grande dépression » (1882-1896) fait rage. L'obsession de la revanche contre l'Allemagne a réveillé un vif courant nationaliste qu'illustre le succès de la Ligue des Patriotes (200 000 adhérents) créée par Déroulède en 1882. L'antisémitisme est réapparu en

Europe et trouve des propagateurs en France. Drumont touche un large public avec son livre *La France juive* (1886). Son journal *La Libre Parole* créé en 1892 se remarque par ses attaques antisémites virulentes. Alors qu'aux élections de 1885 les extrêmes ont progressé (200 élus à droite, 110 radicaux à gauche, 12 socialistes à l'extrême gauche), les opportunistes réduits à 260 sièges ont de la peine à constituer des gouvernements stables. Divers scandales éclaboussent le monde politique (scandale des décorations en 1887 et démission du président Grévy, scandale de Panama en 1889-1893) et attisent un antiparlementarisme qui s'exprime de façon souvent violente. Bien des Français en viennent à rejeter le régime en place. L'anarchiste Caserio assassine le président de la République Sadi Carnot à Lyon le 24 juin 1894. Deux crises, le boulangisme (1886-1889) et l'affaire Dreyfus (1894-1899 et 1906) atteignent une telle intensité qu'elles menacent l'avenir du régime.

En 1886, le général Boulanger — quarante-huit ans, beaucoup d'allure, barbe blonde et cheval noir — devient ministre de la Guerre dans les gouvernements de Freycinet puis de Rouvier. En quelques mois, ce général acquiert une popularité exceptionnelle. Il est vrai que Boulanger a modernisé l'armée, fait adopter le fusil Lebel, assoupli la discipline (autorisation de porter la barbe, congés agricoles pour les conscrits paysans...), soigné sa popularité (guérite tricolore, multiplication des parades), s'est montré ferme avec l'Allemagne lors d'une affaire d'espionnage, a mis à la retraite le duc d'Aumale qui était général, et même obligé les séminaristes à faire leur service militaire...

Cocarde boulangiste, Bibl. nat., Paris (photo Hachette).

Le « brave général » ou encore le « général revanche » devient le héros d'un vaste courant politique. Inquiets, les députés renversent le gouvernement Rouvier et Boulanger est nommé en poste à Clermont-Ferrand (mai 1887). Le jour de son départ, des milliers de personnes envahissent la gare pour protester. En mars 1888, les opportunistes décident la mise à la retraite du général. Ses partisans le poussent à se lancer dans la vie politique. Boulanger devient alors le point de ralliement de tous les opposants aux opportunistes. Des radicaux, des bonapartistes, des ouvriers, des petits commerçants, des monarchistes, des nationalistes voient en lui l'homme du « coup de balai ». Un vaste courant autoritaire, antiparlementaire, nationaliste, populiste se constitue derrière un programme flou. En se présentant à chaque élection partielle et en démissionnant immédiatement, Boulanger se fait plébisciter dans tout le pays (1888). Le 27 janvier 1889, Boulanger triomphe dans une élection partielle à Paris. Ses partisans le pressent de marcher sur l'Élysée, la police semble incertaine. Le général tergiverse puis refuse, préférant attendre les élections de 1889. Les opportunistes réagissent durement, interdisent les candidatures multiples, rétablissent le scrutin d'arrondissement, procèdent à des arrestations. Effrayé, Boulanger s'enfuit en Belgique alors que ses partisans mal implantés dans les campagnes n'emportent que 40 sièges aux élections de 1889. Boulanger se suicide le 30 septembre 1891.

A peine les modérés ont-ils réussi à triompher du boulangisme et à venir à bout des attentats anarchistes (1892-1894) qu'une autre crise éclate. En 1894, il apparaît que des renseignements militaires sont régulièrement transmis à l'ambassade d'Allemagne. Une enquête sommaire aboutit à l'arrestation du capitaine Dreyfus, seul officier juif en poste à l'état-major. L'acte d'accusation est maigre mais le conseil de guerre reçoit communication d'un dossier secret et condamne Dreyfus. Celui-ci est dégradé et envoyé à l'île du Diable (décembre 1894). Le courant antisémite exploite l'affaire.

Avec le temps, des doutes apparaissent sur la culpabilité de Dreyfus. Un officier courageux, le colonel Picquart, le vice-président du Sénat et la famille du capitaine tentent de faire réviser le procès. Le 13 janvier 1898, Émile Zola publie dans le journal de Clemenceau, *L'Aurore,* un article retentissant : « J'accuse ». Désormais portée à la connaissance du public, l'affaire déchaîne les passions. Deux camps se forment et s'opposent avec violence. D'un côté, les « dreyfusards » se font les défenseurs de l'individu écrasé par la raison d'État, regroupent les radicaux, les socialistes et ceux que l'on nomme pour la première fois les « intellectuels » (A. France, Péguy, Gide). De l'autre, les « antidreyfusards » veulent avant tout sauvegarder l'honneur de l'armée. Pour eux, revenir sur le procès, c'est démoraliser l'armée et affaiblir la nation face à l'Allemagne. Pour certains, c'est être les complices du « syndicat juif ». Les antidreyfusards regroupent de nombreux catholiques, des nationalistes, des antisémites, mais aussi des intellectuels : Barrès, Maurras, Paul Valéry, Léon Daudet. Si, grossièrement, les antidreyfusards apparaissent marqués à droite et les dreyfusards marqués à gauche, le clivage est plus complexe et, dans toutes les familles politiques, dans tous les milieux, il y a des divisions et des oppositions. Chaque camp constitue ses ligues. Les troubles se multiplient mais n'influent guère sur le résultat des élections de mai 1898 (254 sièges pour les modérés, 178 aux radicaux, 57 aux socialistes, 86 aux monarchistes, 10 sièges divers).

En août 1898, on découvre qu'une pièce du procès utilisée pour obtenir la condamnation de Dreyfus est un faux. Son auteur, le colonel Henry, se suicide. Désormais, la révision est inévitable.

Une crise de régime se dessine. L'État apparaît menacé par l'affrontement des factions et certains nationalistes et antisémites cherchent à exploiter l'affaire pour abattre la République. Déroulède tente vainement de s'emparer de l'Élysée le 23 février 1899. Le 4 juin, le président de la République, Émile Loubet, dont le chapeau est défoncé à coups de canne, est insulté à Auteuil par les antidreyfusards.

Le second procès Dreyfus organisé en août 1899 à Rennes cherche à apaiser les passions et aboutit à un curieux verdict. Le capitaine est reconnu coupable... avec circonstances atténuantes !

Le président de la République, en accord avec le président du Conseil Waldeck-Rousseau, gracie Dreyfus qui sera réhabilité et réintégré dans l'armée en 1906.

La réhabilitation
d'Alfred Dreyfus,
le 21 juillet 1906,
Bibl. nat., Paris
(photo Chusseau-
Flaviens).

La France radicale (1899-1914)

La crise de conscience créée par l'affaire Dreyfus n'épargne pas les opportunistes au pouvoir depuis vingt ans. Une majorité d'entre eux bascule alors vers la droite conservatrice, cléricale et nationaliste. Une minorité rejoint la gauche des radicaux et des socialistes, demeurée très anticléricale et qui désormais se méfie de l'armée. En 1899, la majorité modérée se disloque. Une nouvelle majorité orientée à gauche se constitue par alliance entre les radicaux et quelques opportunistes dreyfusards avec l'appui intermittent des socialistes. Désormais, les radicaux dominent la vie politique française. Les élections de 1902 et de 1906 confirment cette poussée à gauche, alors que réapparaissent dans un climat passionnel les affrontements religieux et que les luttes sociales deviennent plus vives.

En juin 1899, en pleine affaire Dreyfus, Waldeck-Rousseau constitue un gouvernement de « défense républicaine ». Pour la première fois, un socialiste « indépendant », Millerand, participe à un cabinet et fait voter en 1900 une loi fixant la durée maximale du travail à dix heures par jour. Le gouvernement Waldeck-Rousseau fait arrêter et juger par le Sénat quelques-uns des chefs antidreyfusards les plus extrémistes. Le général de Galliffet épure et démocratise l'armée. Parce que l'Église a soutenu les antidreyfusards, la lutte anticléricale reprend avec une nouvelle intensité. Les assomptionnistes sont interdits (mars 1900). La loi du 2 juillet 1901 sur les associations est très libérale pour les associations civiles, mais particulièrement restrictive pour les associations religieuses obligées de solliciter une autorisation. Émile Combes, nouveau chef du gouvernement à partir de juin 1902, pousse à l'extrême la politique anticléricale : application draconienne de la loi de 1901, expulsion par l'armée des congrégations religieuses non autorisées, 3 000 écoles religieuses sont fermées, les relations diplomatiques avec le Vatican sont rompues (1904)... Ces mesures provoquent bien des remous en province, dans l'armée et dans la magistrature. La découverte de l'existence de fiches, constituées sur ordre du ministère, relatives aux sentiments religieux des officiers provoque un beau scandale. Le cabinet Combes démissionne en janvier 1905.

La loi de séparation des Églises et de l'État (9 décembre 1905), rédigée par Aristide Briand, met fin à la situation privilégiée de l'Église catholique depuis le Concordat. La liberté de conscience et de culte est totale, mais « la République ne reconnaît, ni ne salarie, ni ne subventionne aucun de ces cultes ». Les prêtres cessent donc d'être salariés par l'État. L'application de la loi, condamnée par le pape en 1906, provoque de très violents incidents en province et nombre de démissions spectaculaires dans l'armée. La majorité en place — le Bloc des gauches — connaît sa première fissure. Après avoir soutenu les radicaux, les socialistes regroupés dans un parti unifié, la S.F.I.O., depuis 1905 se prononcent alors contre toute politique réformiste et cessent leur appui. Seuls, quelques socialistes « indépendants » (Viviani, Briand, Millerand) restent fidèles à l'alliance.

Aristide Briand
(photo Henri Manuel).

Aux difficultés religieuses s'ajoutent bientôt de rudes problèmes sociaux. A Courrières, près de Lens, une catastrophe minière provoque, le 10 mars 1906, plus de 1 100 morts et une importante grève. Dans le Midi, en juin 1907, les viticulteurs appauvris par la baisse des cours incendient la préfecture de Perpignan. A Narbonne, il y a 6 morts et à Béziers un régiment entier se mutine. Entre 1906 et 1910, dans le bâtiment, l'alimentation, chez les inscrits maritimes, les électriciens parisiens, les cheminots, les fonctionnaires... une série impressionnante de grèves éclatent avec parfois des violences et même des sabotages. Ces grèves sont soutenues par la C.G.T. (Confédération générale du travail, née en 1895) qui opte en octobre 1906, après le Congrès d'Amiens, pour un syndicalisme indépendant des partis politiques, offensif, révolutionnaire et qui ne cache pas son but : abattre la société bourgeoise. Le retard des salaires sur les prix et la timidité des lois sociales expliquent le succès des mots d'ordre de la C.G.T. : la journée de huit heures, un minimum de 5 francs par jour, le repos hebdomadaire, le droit syndical aux fonctionnaires. Par une étrange ironie, les grèves déferlent au moment où Clemenceau forme un gouvernement de gauche (1906-1909), résolu à « faire des réformes radicales ». Jacobin dans l'âme, Clemenceau doit passer son temps à rétablir l'ordre. Pour briser les grèves, il envoie l'armée, fait arrêter deux fois Griffuelhes, secrétaire général de la C.G.T. Les réformes réalisées restent mesurées : le repos hebdomadaire, la loi sur les retraites ouvrières (en 1910), la journée de huit heures pour les mineurs, la création du ministère du Travail... Vivement attaqués à la Chambre par Jaurès, les radicaux se trouvent ainsi déportés vers leur droite. Après 1910, les grèves diminuent et le syndicalisme

Georges Clemenceau,
musée d'Histoire de la
Médecine, Paris
(photo J.-L. Charmet).

Grève des cheminots en 1910 à la gare de l'Est, Bibl. nat., Paris (photo Snark International).

Raymond Poincaré (photo Hachette).

révolutionnaire, dont certaines outrances ont effrayé de nombreux ouvriers (il y a eu 20 morts), décline. Griffuelhes démissionne de la direction de la C.G.T. en 1909.

A partir de 1910, les problèmes changent de nature. La majorité se déplace au centre gauche, les gouvernements deviennent plus instables. A l'extérieur, la situation se dégrade. La France conserve son alliance avec l'Empire russe et peut compter aussi sur l'alliance anglaise conclue en 1904. Des tensions vives apparaissent avec l'Allemagne de Guillaume II (crises du Maroc, incident de Saverne) alors que le nationalisme français connaît un nouvel essor (instauration en 1912 de la fête de Jeanne d'Arc). Président du Conseil en janvier 1912, puis président de la République en janvier 1913, Raymond Poincaré incarne cette montée du nationalisme, encourage une modernisation de l'armée, fait allonger la durée du service militaire. Les élections d'avril-mai 1914 marquent un net progrès de la gauche qui a fait campagne contre Poincaré, contre le service militaire de trois ans et pour la paix. 102 députés socialistes S.F.I.O., 24 députés socialistes indépendants, 263 radicaux sont élus contre 88 centristes et 120 députés de droite. Viviani, socialiste indépendant, forme un gouvernement sans grande autorité. On s'attend à l'éclatement d'une crise entre Poincaré, jugé trop autoritaire, et la majorité dominée par Caillaux et Jaurès lorsque la guerre éclate.

La France de la Belle Époque

Le contexte

Après la « grande dépression » (1882-1896), la conjoncture économique est désormais orientée vers la croissance, une croissance qui devient soutenue dans l'industrie à partir de 1904 (4 à 5 % de croissance annuelle). La France de la Belle Époque dispose d'une monnaie solide et stable, le franc-or, qui n'a connu aucune dévaluation depuis sa création en

1803. Si les prix ont baissé durant la grande dépression (− 28 % entre 1872 et 1885), l'inflation à la veille de la guerre reste mesurée (1,8 % par an en moyenne). Les placements en actions et en obligations françaises (rendement de 3 à 4 % par an) ou étrangères (rendement de 5 % par an) permettent à de nombreux épargnants de préserver leur capital, voire pour les plus riches de vivre sans travailler. De nouvelles banques d'affaires sont apparues : banques de Paris et des Pays-Bas, de l'Union parisienne, de Suez, d'Indochine. On estime que la fortune française totale est passée de 204 milliards de francs en 1878 à 303 milliards en 1911. Si la terre cesse d'attirer les épargnants, en revanche l'immobilier et surtout les placements boursiers, particulièrement à destination de l'Empire russe, attirent l'épargne. 125 milliards de francs sont placés en Bourse en 1913, dont un tiers sur des valeurs étrangères.

Les techniques ont évolué et la France joue un rôle moteur dans la seconde vague de la révolution industrielle. L'acier et la métallurgie constituent alors les industries dont l'effet d'entraînement est le plus sensible sur le reste de l'économie. Les innovations françaises sont nombreuses dans le domaine de l'énergie. Bergès invente la turbine hydroélectrique (1873), Desprez le transport électrique par câble, Rateau perfectionne la turbine à vapeur. De Dion, Peugeot, Panhard et Levassor, les frères Renault font de l'industrie automobile française (45 000 véhicules fabriqués en 1913) la seconde du monde. Blériot traverse la Manche en avion en 1909, Garros franchit la Méditerranée en 1913. Les constructions préfabriquées de Gustave Eiffel suscitent l'admiration (viaduc de Garabit en 1884, « tour Eiffel » en 1889). Fayol introduit à la veille de la guerre le travail à la chaîne. Le cinéma est inventé par les frères Lumière. Cette effervescence créatrice se retrouve aussi dans le domaine artistique et littéraire. L'impressionnisme, le fauvisme (1906), le cubisme... autant d'écoles de peinture qui renouvellent le langage esthétique. Une pléiade d'hommes de lettres — certains déjà disparus, d'autres en activité — confère à la littérature française un prestige international : Victor Hugo, Maupassant, Zola, Anatole France, Barrès, Péguy, Verlaine, Rimbaud, Mallarmé... Claudel, Valéry, Proust, Apollinaire produisent leurs premières œuvres.

Cependant, des signes inquiétants tempèrent ce bouillonnement créateur et cette vitalité. Un certain archaïsme engourdit et menace la société française à long terme. Ainsi, bien des inventeurs français de la Belle Époque rencontrent de sérieuses difficultés à trouver des commanditaires. La richesse française apparaît assez mal utilisée, trop engagée dans des placements sans risque ou trop axée vers l'étranger. L'immense empire colonial (56 millions d'habitants, 10,6 millions de km^2, le second empire colonial de la planète), mal mis en valeur, fournit péniblement 10 % des matières premières importées annuellement par la France...

La France vieillit. Avec 39,6 millions d'habitants en 1913, la France est désormais distancée par l'Empire russe (159 millions), les États-Unis (99 millions), l'Empire allemand (65 millions) et le Royaume-Uni (47 millions). Le mariage tardif observable chez les hommes (plus du tiers des mariés ont plus de trente-cinq ans), les pratiques contraceptives, l'utilisation clandestine de l'avortement, l'embourgeoisement de la société, le déclin religieux, autant d'explications partielles d'un mouvement de fond. La natalité baisse (745 000 naissances en 1913), tandis que la tuberculose, le rachitisme, l'alcoolisme accroissent anormalement la mortalité (703 000 décès en 1913). Peu à peu, le vieillissement démographique accélère les réflexes routiniers, timides, et incite la France à accueillir, dans des conditions plus ou moins convenables, un nombre considérable d'étrangers (1,2 million en 1913).

Production et société

En 1913, l'agriculture française est en état de convalescence. Elle se rétablit péniblement d'une crise qui, durant les vingt-cinq dernières années du xixᵉ siècle, a provoqué une forte baisse des prix. A cette crise, bien des raisons : le maigre dynamisme des campagnes, la maladie du phylloxéra, la révolution des transports maritimes qui amène dans les ports français des blés américain et russe, des vins algérien et italien à bas prix. Cette crise, qui accélère l'exode rural, provoque des remous dans le Midi en 1907. Elle est artificiellement résolue par la multiplication des barrières douanières. Dès lors, l'agriculture française s'assoupit à l'abri de la concurrence étrangère et repousse à plus tard sa modernisation. En 1913, les trois quarts des exploitations sont inférieures à 10 hectares et les bâtiments ruraux restent encore bien inconfortables. Inversement, les signes de nouveauté sont modestes : apparition en nombre très limité des premiers tracteurs, du fil de fer barbelé, spécialisation régionale...

La France, puissance modeste en 1913.

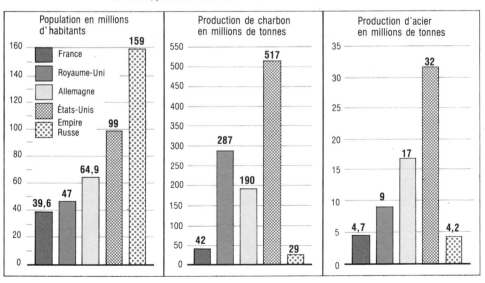

En 1913, la France est la quatrième puissance industrielle du monde, mais elle n'assure plus que 6 % de la production manufacturée mondiale contre 9 % en 1869. C'est que les entreprises américaines (35 % de la production mondiale), allemandes (15 % de la production mondiale), anglaises (14 % de la production mondiale), plus dynamiques et surtout plus puissantes, ont creusé l'écart. Les grandes entreprises sont en effet l'exception dans un pays où dominent largement des ateliers d'une dizaine d'ouvriers. Cependant, l'industrie française possède quelques points forts : le textile (coton, laine, soie et la première fibre synthétique : la rayonne), l'aluminium (3e producteur mondial), l'industrie des transports (bicyclettes, locomotives, automobiles, avions) et aussi le travail des métaux. Deux grandes sociétés métallurgiques, Schneider et de Wendel, réalisent une large gamme de fabrication : matériel ferroviaire, machines-outils, machines agricoles, blindage, armes... Toutefois, de graves lacunes limitent les performances de l'industrie nationale : insuffisance de la production de charbon, dépendance énergétique à l'égard de l'étranger, faiblesse de la production d'acier comparée à la production allemande, déficience et retard de l'industrie chimique...

La société évolue. L'alphabétisation est désormais totale. L'invention de la bicyclette, dont le prix équivaut à deux mois de salaire d'un manœuvre, le prix modéré du kilomètre-voyageur en troisième classe de chemin de fer consacrent la première démocratisation des voyages dont profite la population ouvrière des villes. De là, provient la multiplication des guinguettes à la campagne, les premières promenades dominicales assez loin des villes. Toutefois, la législation sociale reste toujours en retard par rapport au Royaume-Uni et à l'Empire allemand. En 1913, il n'y a toujours pas de sécurité sociale, pas de congés payés ; la loi sur les retraites ouvrières fonctionne très mal et la durée du travail atteint encore dix heures par jour sauf pour les mineurs. L'image d'une Belle Époque insouciante, avec ses cafés-concerts, ses restaurants de luxe, ses grands hôtels est une image aimable, mais partielle, d'une réalité plus complexe. La société demeure en effet très contrastée. L'aisance de quelques-uns, qui passent l'hiver sur la Côte d'Azur puis rentrent à Paris animer la vie mondaine, ne doit pas faire oublier les soucis, voire les difficultés, de la majorité. En 1911, le directeur général d'une grande entreprise (les mines de Carmaux) possède un revenu annuel de 67 000 francs, un professeur d'Université gagne 15 000 francs par an, un ingénieur reçoit 8 à 9 000 francs dans l'année, mais le capitaine seulement 5 000 francs, l'instituteur 2 500 francs et les salaires ouvriers s'étendent de 680 à 2 500 francs par an...

Le choc de la Première Guerre mondiale (1914-1918)

La Grande Guerre constitue une terrible épreuve pour la France. La longueur du conflit, l'ampleur des pertes humaines, le rôle essentiel des forces techniques et économiques pouvaient inspirer des craintes quant à la victoire finale de la France. Le pays sut préserver son unité, surmonter ses crises, accepter un effort humain et matériel sans précédent. Avec l'aide des Alliés, principalement du Royaume-Uni et des États-Unis, la France réussit à l'emporter, mais à un prix très élevé.

L'été 1914

La guerre éclate

L'attentat de Sarajevo,
Bibl. historique de la ville de Paris
(photo J.-L. Charmet).

Au début du xxe siècle, la tension diplomatique monte soudainement en Europe. Les rivalités commerciales, mais surtout politiques et coloniales deviennent plus vives ; une série de crises graves éclatent alors que la course aux armements s'accélère et que les sentiments nationalistes s'exaspèrent. Entre 1904 et 1913, deux crises internationales à propos du Maroc, deux crises dans les Balkans détériorent le climat. Devant la montée des tensions, les grandes puissances européennes consolident les alliances diplomatiques et militaires en place. Au cœur de l'Europe, les empires « centraux » (empires d'Allemagne et d'Autriche-Hongrie) animent la Triple-Alliance dont l'un des membres, le royaume d'Italie est d'ailleurs peu sûr. Encerclant les puissances centrales, une Triple-Entente (Empire russe, France, Royaume-Uni) a été peu à peu constituée. Cette Triple-Entente possède aussi ses faiblesses. D'une part, la Russie protège un petit État slave des Balkans, la Serbie, dont les ambitions territoriales se heurtent aux intérêts de l'empire d'Autriche-Hongrie. La France risque donc d'être entraînée malgré elle dans un conflit entre Russes et Autrichiens. D'autre part, la situation troublée qui règne en Irlande rend incertaine, en 1914, la participation militaire anglaise à une guerre continentale.

Un fait divers tragique met en route la mécanique infernale des alliances. Le 28 juin 1914, à Sarajevo, ville récemment annexée à l'Autriche-Hongrie, un étudiant assassine le prince-héritier François-Ferdinand et son épouse. L'enquête établit la responsabilité indirecte des services secrets serbes.

L'empire d'Autriche-Hongrie tient là un motif puissant pour se débarrasser d'un rival gênant, renforce son alliance avec l'Allemagne et expédie le 23 juillet au gouvernement serbe un ultimatum cassant. Le 28, l'Autriche-Hongrie déclare la guerre à la Serbie, le 30 l'armée russe mobilise. Le 31 juillet, le gouvernement allemand expédie un ultimatum à la Russie et un autre à la France. Le 1er août, la mobilisation est décrétée en France et en Allemagne. Le 3, l'Allemagne déclare la guerre à la France. Le 4, les armées allemandes violent la neutralité de la Belgique et entament un vaste mouvement tournant vers le Sud-Est. Ceci provoque l'intervention du Royaume-Uni dans le conflit.

La France contient la poussée allemande

La bataille de la Marne

Le gouverneur militaire de Paris, Gallieni s'attend à une attaque allemande imminente. A la grande surprise de Gallieni et de Joffre, les Allemands négligent la capitale et continuent leur marche vers le Sud-Est. La Marne est atteinte, les Franco-Britanniques reculent en bon ordre, mais disposent désormais d'une armée en réserve à Paris. Joffre et Gallieni exploitent cette situation pour arrêter l'avance allemande. Le 6 septembre, le gros de l'armée franco-britannique reçoit l'ordre de ne plus reculer et d'opposer une résistance farouche aux Allemands entre la Seine et la Marne. Au même moment, Gallieni réquisitionne les taxis de la capitale et fait transporter l'armée parisienne sur la vallée de l'Ourcq où elle bouscule l'aile droite allemande et l'oblige à reculer vers le Nord-Ouest. Une brèche de 40 km, puis de 80 km est ouverte dans le dispositif allemand, menacé d'être coupé en deux. Le 10 septembre, les Allemands battent en retraite et repassent la Marne pour se fixer sur l'Aisne le 13.

Lorsque la guerre éclate, Raymond Poincaré, qui passe pour autoritaire et nationaliste, est président de la République ; la majorité à la Chambre des députés est nettement orientée à gauche ; un socialiste indépendant, Viviani, dirige le gouvernement constitué essentiellement de radicaux. La gauche syndicale et socialiste est puissante, et les sentiments pacifistes de ses militants et de ses chefs inquiètent le ministre de l'Intérieur, Malvy, qui songe à opérer des arrestations préventives. La C.G.T., les militants de la S.F.I.O. ne vont-ils pas s'opposer à la mobilisation, faire la « grève de la guerre », voire saboter l'effort de guerre ? Le 27 juillet, 30 000 personnes manifestent à Paris contre la guerre tandis que Jaurès cherche à empêcher l'irréparable. Toutefois, les thèmes pacifistes rencontrent peu d'écho auprès d'une foule dont les sentiments patriotiques, voire nationalistes, sont exacerbés. Le 31 juillet, un déséquilibré assassine Jean Jaurès. Le courant pacifiste achève alors de s'épuiser et un véritable retournement s'opère au sein de la gauche. Secrétaire de la C.G.T., Jouhaux déclare sur la tombe de Jaurès, le 4 août : « Acculés à la lutte, nous nous levons pour repousser l'envahisseur (...) Nous répondons "présent" à l'ordre de mobilisation. » Le même jour, les députés S.F.I.O. votent les crédits militaires. Dans un message au Parlement, Poincaré évoque « l'union sacrée » de tous les Français face à la guerre. La mobilisation s'opère sans incident et, dans de nombreuses villes, éclatent même des manifestations de joie et de patriotisme.

C'est l'armée française qui, sur le front ouest, va subir à l'été 1914 le principal choc. L'armée anglaise reste jusqu'en 1916 une armée professionnelle de taille modeste (5 divisions en 1914). Un accord conclu avec les Russes prévoit que ceux-ci attaqueront le quinzième jour après la mobilisation. L'armée allemande est puissante (97 divisions plus la réserve), moderne (uniforme vert-de-gris, excellent casque couvrant la nuque) et surtout bien armée : fusil Mauser, mitrailleuse Maxim, 5 400 canons de campagne de type 77 mm et 2 000 pièces lourdes. A l'été 1914, la France met en ligne environ 80 divisions. Le général Joffre a opté pour une tactique fondée sur le mouvement et la rapidité, et préféré le canon de

Canon français de 75 mm, modèle 97, poids en batterie : 1 140 kg, portée extrême : 8 500 m, poids de l'obus : 7 kg (photo Hachette).

campagne de 75 mm (4 000 pièces) assez maniable et précis jusqu'à 6,5 km à l'encombrante artillerie lourde (300 pièces anciennes). On s'attend à une guerre de mouvement courte comme en 1870. Outre ses faiblesses en artillerie lourde, l'armée française souffre de plusieurs lacunes : une mitrailleuse bien moyenne et en nombre restreint, un uniforme voyant (pantalon rouge vif, vareuse bleue) et surtout l'absence de casque pour ses soldats.

En Belgique, depuis le 4 août, l'armée allemande applique le plan Schlieffen qui vise, par un mouvement tournant de grande ampleur, à prendre à revers l'armée française massée sur la frontière nord-est et à l'anéantir très vite, avant que les Russes n'attaquent en masse à la frontière orientale. L'énorme obusier « grosse Bertha » (420 mm) a fait sauter les forts belges : Liège, puis Bruxelles tombent. Les offensives françaises lancées à Charleroi et Mons échouent et les Allemands envahissent le nord de la France. Les Français reculent en bon ordre. Le 3 septembre, les troupes ennemies sont à une trentaine de kilomètres de Paris. Le gouvernement français évacue la capitale pour Bordeaux, mais annonce que Paris sera défendu. Au moment où les Russes passent à l'attaque sur le front oriental, la bataille de la Marne, gagnée par Joffre et Gallieni (6-13 septembre), fait échouer le plan Schlieffen. De septembre à novembre, les deux armées se livrent à la « course à la mer », cherchent à se déborder mutuellement et constituent rapidement un front continu qui va de la mer du Nord à la Suisse. Les tranchées apparaissent, les armées s'enterrent, la guerre de mouvement a vécu.

L'enlisement (1915-1916)

La guerre change de visage

Dès novembre 1914, il devient évident que la guerre sera longue et obéira à des formes nouvelles. L'armée française doit s'adapter à la guerre de tranchées. Creusées en lignes brisées pour limiter l'effet de souffle des obus, ces tranchées constituent un dispositif échelonné en profondeur et difficilement prenable : la tranchée de première ligne est toujours doublée d'une tranchée de seconde ligne, voire de troisième ligne. Cette organisation permet un repli rapide et une reconstitution immédiate du front en cas d'attaque. Des barbelés (on en enlèvera 375 000 km en 1919 !) en avant du front, une importante couverture d'artillerie en arrière complètent le dispositif qui, jusqu'au printemps 1918, reste d'une redoutable efficacité et explique la longue immobilité du front. Les unes après les autres, les offensives échouent. Le même scénario est sans cesse répété : l'attaque ne touche qu'une fraction du front, un déluge d'obus s'abat durant plusieurs heures ou plusieurs jours sur l'adversaire qui se replie dans ses abris. Ainsi, du 24 juin au 10 juillet 1916, les Alliés tirent 2 millions d'obus de 75 et 510 000 gros obus lors de la bataille de la Somme... Puis, au petit matin, vient l'attaque. On sort les échelles et, baïonnette au canon, les soldats s'élancent vers la tranchée adverse distante de quelques centaines de mètres. L'ennemi sort alors de ses abris, réplique à la mitrailleuse, à la grenade, au canon. Tantôt, l'attaque atteint la première ligne mais ne peut plus guère progresser. Tantôt, la riposte adverse est si vive que l'attaque est brisée dans le « no man's land ». Les pertes sont vite énormes et l'infériorité française en artillerie lourde tend à accentuer l'hémorragie humaine. La France perd 260 000 soldats en 1914, 349 000 en 1915... L'apparition des gaz de combat provoque des ravages. Les soldats doivent s'adapter à la crasse, aux ravages des poux et des rats, à la boue, au froid, à l'inconfort des abris. Soumis aux pilonnages d'artillerie qui éprouvent les nerfs, le « poilu » reçoit, au début de 1915, un casque et un uniforme bleu horizon, attend les lettres et surtout les permissions trop rares. Il arrive que le découragement, le « cafard », le gagne.

Une tranchée allemande après l'assaut (début 1915) [photo Sygma].

La guerre sans issue

Les opérations militaires n'apportent aucun succès décisif. En 1915, Joffre lance en Artois (mai) et en Champagne (septembre) deux grandes offensives qui ne parviennent pas à percer le front. La tentative montée avec l'Angleterre pour forcer le détroit des Dardanelles en Turquie et porter secours aux Russes en difficulté échoue. Les seuls succès de l'année 1915 se résument à l'installation à Salonique, en Grèce, d'un corps expéditionnaire franco-anglais et à l'ouverture d'un front alpin grâce à l'entrée en guerre de l'Italie aux côtés des Alliés (mai 1915). Le 21 février 1916, les Allemands lancent une vaste offensive sur le saillant de Verdun. Falkenhayn, nouveau chef de l'armée allemande, ne cherche pas vraiment à percer le front, mais plutôt à affaiblir le plus possible, à « user » l'armée française, en pariant que celle-ci aura à cœur de défendre la position. Des millions d'obus s'abattent sur la région de Verdun. Des renforts français sont prélevés sur tout le front et acheminés en camions. Dans des conditions horribles les soldats, commandés par les généraux Pétain, puis Nivelle, résistent dans des trous d'obus. Le 24 juin, l'attaque allemande cesse, après avoir provoqué la mort d'environ 600 000 hommes (à peu près 300 000 victimes dans chaque camp). Français et Anglais (dont l'armée atteint 70 divisions en 1916) répliquent par une série d'offensives sans grand succès sur la Somme (juillet-août 1916). Les forces des deux blocs s'équilibrent et la guerre apparaît sans issue. Des gains partiels sont obtenus ici ou là, mais aucune bataille décisive n'a permis de rompre cet équilibre dans l'horreur.

Carte du front dans la France du Nord.

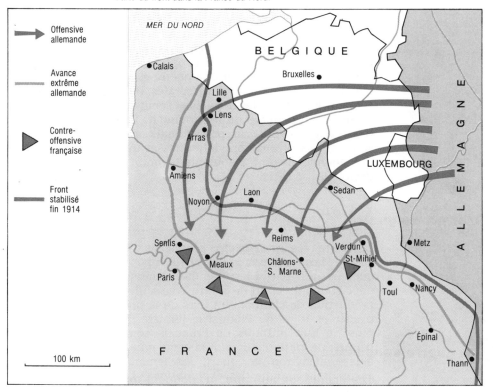

La conduite de la guerre

La prolongation de la guerre pose vite de nombreux problèmes. Un régime d'assemblée est-il bien armé pour assurer sans faiblesse la direction d'une guerre longue ? La crise de l'été 1914 amène dans un premier temps un renforcement du régime. Les discordes en suspens disparaissent et la majorité parlementaire se renforce dans le cadre de « l'union sacrée ». Le 26 août, Viviani fait entrer au gouvernement Delcassé, Briand, Millerand et, surtout, donne à deux membres de la S.F.I.O. (Guesde et Sembat) des responsabilités ministérielles. Le gouvernement dispose des pleins pouvoirs entre septembre et décembre 1914. Dès 1915, le Parlement se réveille et aspire à retrouver ses droits de contrôle. A plusieurs reprises, les députés demandent à constituer des commissions d'enquête au front, demandes que Joffre repousse au nom du secret militaire. Attaqué, Viviani démissionne en octobre 1915, il est remplacé par un cabinet Briand (octobre 1915-décembre 1916) puis Ribot (mars-septembre 1917). « L'union sacrée » est toujours de mise et le gouvernement accueille dans ses rangs un député catholique mais, avec l'enlisement du conflit, des signes de tension apparaissent. Une minorité socialiste représentée par le syndicaliste Merrheim critique la participation de la S.F.I.O. au gouvernement et envoie des délégués aux congrès socialistes de Zimmerwald (septembre 1915) et Kienthal (avril 1916) où l'on parle de paix sans annexion ni indemnité. En juin 1916, le gouvernement doit accepter que la conduite de la guerre fasse l'objet de débats à la Chambre siégeant en comité secret. A la fin de 1916, « l'union sacrée » est en crise et la S.F.I.O. penche de plus en plus vers le passage à l'opposition. La démocratie est amenée aussi à s'adapter à la guerre et à fermer les yeux sur quelques entorses aux règles libérales. Il est difficile d'organiser des élections et les députés et sénateurs décident en 1917 de proroger la durée de leur mandat. La censure est apparue : elle surveille la presse mais aussi les lettres des soldats. Les grèves sont interdites et un service officiel de propagande cherche à soutenir le moral des combattants et des civils.

L'effort de guerre

La guerre crée aussi de gros problèmes d'ordre économique et social. Les Allemands occupent dix départements, dont quelques-uns parmi les plus industrialisés de France. Il faut donc soutenir l'effort de guerre avec seulement la moitié de la production de charbon, un tiers de la production de fonte et d'acier et 10 % de l'industrie lainière. Entre 1914 et 1918, plus de huit millions de Français sont mobilisés. Il y a pénurie de main-d'œuvre. A la campagne, où la récolte de blé baisse d'environ un quart, les femmes et les vieillards assurent la marche des exploitations. La suprématie maritime de l'Entente permet cependant de conserver un approvisionnement convenable en denrées coloniales. Ici ou là, les prisonniers de guerre sont utilisés. Les usines embauchent des femmes (300 000 dans les seules usines d'armement) et reçoivent des « affectés spéciaux », ouvriers spécialisés détachés du front.

Char léger Renault FT, 6,5 tonnes, 6 km/h, blindage 16 à 22 mm, deux hommes (document L'Illustration).

Il faut improviser une industrie de l'armement. Des industriels reçoivent mission du gouvernement de coordonner la production dans divers secteurs. D'autres innovent : Citroën avec sa fabrique d'obus, ou Louis Renault qui met au point le premier char d'assaut fiable. La guerre amène l'État à jouer un rôle accru dans l'industrie, tandis que les entreprises adoptent par souci d'efficacité des procédés rationnels de fabrication. Une sorte « d'industrialisation de la guerre » se profile et, au fil des mois, l'armée française devient de mieux en mieux équipée. A partir de 1916 et de 1917, les usines françaises sortent en série des canons lourds de 105 et 155 mm capables d'expédier de gros obus à près de 13 km. L'effort est également sensible dans la construction des blindés et des avions.

De tels efforts coûtent cher et provoquent vite l'apparition d'un gros déficit budgétaire. Malgré l'apparition de l'impôt sur le revenu, les recettes fiscales en 1917 s'élèvent à 6,2 milliards de francs pour 37 milliards de dépenses. Pour combler l'immense déficit, les gouvernements multiplient les emprunts intérieurs et extérieurs, particulièrement aux États-Unis. Le cours forcé du franc est instauré, mais la masse monétaire croît sans que les réserves en or augmentent. Dès lors, les prix s'envolent tandis que les salaires ou les revenus des rentiers stagnent. La guerre provoque aussi des difficultés à l'arrière (baisse des revenus, pénurie, instauration tardive du rationnement, inquiétude pour celui qui est au front...) et donne naissance à de nouveaux contrastes sociaux.

La crise, puis le redressement (1917-1918)

1917, année critique

Philippe Pétain
(photo Henri Manuel).

Alors que l'on commence à douter d'une victoire rapide, Joffre est relevé de son commandement (décembre 1916) et remplacé par Nivelle qui estime possible de percer le front. Avec l'aide des Anglais, une vaste opération est préparée dans la région de Bapaume-Vimy (près d'Arras), et entre la Somme et l'Oise. Les lignes adverses sont soumises à un énorme pilonnage (4 millions d'obus de 75). Entre le 9 et le 19 avril 1917, les Franco-Britanniques passent à l'attaque mais enregistrent d'énormes pertes. 40 000 Français sont tués et 80 000 sont blessés entre le 16 et le 19 avril ! C'est l'échec. Les Allemands repliés sur des lignes arrière profondes ont résisté au pilonnage. Dans les jours qui suivent, une série de mutineries éclate. Le 16 mai, Nivelle est remplacé par Pétain qui s'emploie à guérir un phénomène né surtout des souffrances des soldats, du sentiment de l'inutilité des attaques, et dont l'ampleur est impressionnante : 30 à 40 000 soldats se livrent à des actes plus ou moins graves d'indiscipline, deux régiments tentent même de marcher sur Paris. Le sommet de la crise se situe en mai et juin. Pétain décide alors l'arrêt des offensives, améliore le système des permissions. Les conseils de guerre condamnent à mort 554 soldats, dont

49 sont exécutés, et 2 900 soldats sont condamnés à des peines de prison.

Au cours de l'été, l'ordre revient au front. Pétain fonde désormais tous ses espoirs sur l'entrée en service de la nouvelle arme, le char d'assaut, et l'arrivée prochaine de renforts américains. En effet, depuis le 2 avril 1917, les États-Unis, excédés par les pertes que leur occasionnent les sous-marins allemands, sont entrés en guerre aux côtés de l'Entente. Mais ce pays de 99 millions d'habitants, disposant de la première industrie du monde, ne possède pas d'armée moderne. Si l'aide financière américaine est rapide, l'aide militaire n'est sensible qu'au début de 1918. Entre-temps, la situation militaire de deux alliés de la France, l'Italie et la Russie, s'est dégradée. En octobre, après la percée austro-allemande dans les Alpes, la France a dû envoyer des renforts en Italie. A l'Est, après les révolutions de février et surtout d'octobre, les Russes négocient avec l'Allemagne leur retrait de la guerre.

Ces échecs ou déceptions militaires provoquent des tiraillements à l'arrière. La fatigue, la lassitude, le doute gagnent aussi les civils soumis à des conditions d'existence difficiles. Les partisans d'une paix sans annexion ni indemnité deviennent nombreux à la S.F.I.O. et à la C.G.T. Des grèves touchent près de 300 000 personnes en juin. Certains hommes politiques modérés comme Briand et Caillaux parlent de négocier une paix de compromis. « L'union sacrée » se décompose. En septembre, le gouvernement Painlevé est formé sans la participation de la S.F.I.O., le 16 novembre les socialistes se joignent à la droite pour renverser le gouvernement.

Le redressement, la victoire

Le 20 novembre 1917, Clemenceau devient président du Conseil. A soixante-seize ans, cet homme, qui personnifie le jacobinisme et l'esprit de salut public, forme un gouvernement énergique, fait taire les opposants socialistes et pacifistes, ordonne l'arrestation de Caillaux, se fait voter des pouvoirs spéciaux pour mieux diriger l'économie et les opérations militaires. Son programme, « Je fais la guerre », inspire un retour à la confiance et ses nombreuses visites au front valent bientôt au « Tigre » une forte popularité. Les progrès des industries d'armement permettent à la France de disposer en 1918 de 5 500 canons de 75 mm, de plus de 5 000 canons lourds, d'une aviation importante et surtout de chars d'assaut lourds et légers (3 000 exemplaires du char Renault FT). Commandé par Pershing, un corps expéditionnaire américain est désormais présent sur le sol français. La balance des forces humaines et économiques penche largement du côté de l'Entente.

Exploitant la défection russe, l'Allemagne rapatrie sur le front occidental les troupes engagées à l'Est. Avec des divisions d'élite et la recherche systématique de l'effet de surprise, les Allemands percent le front ouest à quatre reprises : en mars 1918 à Saint-Quentin où l'avance atteint

60 km, en avril à Armentières, en mai au Chemin des Dames avec une nouvelle avance de 60 km, les 15-18 juillet en Champagne. Paris est bombardé par un canon allemand géant. Les troupes alliées sont ébranlées mais tiennent bon. Pour mieux coordonner la riposte, Foch est nommé général en chef des armées alliées le 17 avril.

Le 24 juillet 1918, Foch passe à la contre-offensive. Les chars d'assaut accompagnent le mouvement de l'infanterie. Une série d'offensives de dégagement menées sur tout le front harcèlent en août et en septembre les troupes allemandes épuisées qui, peu à peu, reculent mais en bon ordre. A partir du 27 septembre, c'est l'offensive générale. Soissons, Craonne, Saint-Quentin, Cambrai, Valenciennes, Lille, la Flandre sont libérés. Les généraux allemands Hindenburg et Ludendorff, l'empereur Guillaume II se décident à négocier et contactent le président américain Wilson. Les Alliés exigent que l'armistice soit négocié non par le gouvernement impérial mais par des représentants élus du peuple allemand. Alors que la révolution gronde en Allemagne, le 7 novembre, une délégation allemande conduite par le député Erzberger franchit les lignes et vient négocier à Rethondes près de Compiègne. Le 9, Guillaume II abdique. Les négociations menées entre les représentants allemands et Foch aboutissent à la conclusion de l'armistice le 11 novembre 1918. L'Allemagne s'engage à évacuer les territoires qu'elle occupe encore et à livrer l'essentiel de son matériel de guerre. Sitôt la nouvelle connue, des manifestations émouvantes éclatent dans toute la France.

Ferdinand Foch (photo Henri Manuel).

Le général Weygand, l'amiral Wemys et le maréchal Foch au carrefour de Rethondes, devant le wagon où fut signée la capitulation allemande, le 11 novembre 1918 (photo Roger-Viollet).

L'entre-deux-guerres

Sortie victorieuse de la Première Guerre mondiale, la France maîtrise de plus en plus mal les nouveaux problèmes qui se multiplient entre 1919 et 1939. Peu à peu, un lent déclin s'installe dans le régime républicain.

Les années 20

La victoire, mais à quel prix?

En 1919, la France célèbre avec éclat sa victoire. Le pays sort en apparence grandi et renforcé du premier conflit mondial. Son armée est alors la première du monde. Son régime démocratique a su mener à bien la conduite de la guerre. Son rôle central dans l'offensive finale lui vaut de substantiels gains territoriaux : le Liban, la Syrie, une partie du Cameroun et, surtout, le rattachement des provinces perdues en 1871. Le drapeau français flotte à nouveau sur les départements industrialisés et peuplés d'Alsace-Lorraine.

La réalité est moins brillante. La victoire a été acquise au prix d'efforts démesurés qui font de la France d'après-guerre un pays démographiquement épuisé, à la monnaie chancelante et dont les capacités productrices sont atteintes. Proportionnellement à sa taille, c'est en effet la France qui a acquitté le plus lourd tribut à la guerre : 1 325 000 morts, 2 800 000 blessés, un lourd déficit des naissances qui transforme les classes d'âges 1914-1918 en « classes creuses ». Malgré le retour de l'Alsace-Lorraine, la France ne compte que 38,7 millions d'habitants en 1919. Elle doit désormais verser aux orphelins, aux veuves et aux invalides des pensions. Les charges augmentent alors que la population active a baissé de 10,5 %. Touchée dans ses forces vives, la France devient une terre d'immigration. Italiens, Polonais, Belges, Espagnols affluent. En 1931, on dénombre 2,9 millions d'étrangers.

Les pertes matérielles sont également considérables. Les départements du Nord ont été dévastés, le matériel industriel et agricole n'a pas été renouvelé et s'est usé. L'économiste Alfred Sauvy chiffre le total des pertes matérielles subies par la France à 55 milliards de francs-or, soit quinze mois de revenu national d'avant-guerre. La production industrielle représente en 1919 à peine 60 % de celle de 1913. Les dépenses de guerre ont créé un déficit budgétaire de plus de 100 milliards de francs. Les gouvernements ont multiplié les emprunts intérieurs. A l'égard des Alliés, la dette française atteint 32 milliards de francs. Les finances françaises sont également en piteux état. La masse des billets en circulation (38 milliards) est excessive par rapport à l'encaisse-or (5,5 milliards). Dès lors, les prix flambent et des menaces de dépréciation se profilent contre le franc, désormais dépourvu de tout soutien allié.

Une société différente dans une économie modernisée

L'opinion publique, habituée avant 1914 à la stabilité des prix et de la monnaie, s'adapte mal à la nouvelle situation. Bien des petits rentiers, qui ont prêté à faible taux d'intérêt leur argent à l'État durant la guerre, s'estiment lésés. La « vie chère » ronge leur capital. Les emprunts russes se sont effondrés. Le ministre Klotz déclare que « l'Allemagne paiera », mais les versements tardent. Les salaires ont pris du retard sur les prix. Le blocage des loyers provoque une grave crise du logement dont souffrent surtout les ouvriers aux conditions de vie médiocres. La législation sociale d'après-guerre évolue lentement : journée de huit heures en 1919, premières « assurances sociales » en 1930, allocations familiales en 1932.

L'après-guerre multiplie les contrastes sociaux. Ici la gêne, là l'enrichissement. Ici des larmes, des deuils ; là une explosion de joie et un besoin irrésistible de liberté. Pour une minorité, les années 20 constituent des « années folles » où l'on découvre le tango, le jazz, le charleston, le whisky, les films muets. Montparnasse connaît son heure de gloire. Le mouvement Dada et le surréalisme bouleversent le monde littéraire et artistique. Une émancipation de la femme se dessine timidement. Sa silhouette change, elle revendique davantage de responsabilités, mais le Sénat lui refuse le droit de vote.

La mode féminine en 1925, gravure de G. Lepape *in Vogue* (photo Edimedia).

Dans une économie désormais soumise aux turbulences monétaires et à l'inflation (indice des prix de détail en 1913 : 100, en 1920 : 366, en 1926 : 532), l'industrie française réussit néanmoins un rétablissement brillant. S'il faut attendre janvier 1924 pour retrouver le volume de la production de 1913, les années qui s'écoulent entre 1924 et 1930 sont prospères (indice de production en 1913 : 100, en 1930 : 140). La reconstruction s'accompagne souvent de modernisation et d'automatisation, mais la vulgarisation du travail à la chaîne fait naître un type nouveau d'ouvrier, l' « O.S. » (ouvrier spécialisé). En 1931, 18 % des ouvriers travaillent dans des entreprises de plus de 500 personnes. Quelques industries connaissent alors une expansion hors du commun. C'est le cas de la chimie, des industries de l'électricité, du pétrole et de l'automobile. Dans le commerce apparaissent les premiers magasins à prix unique en 1927. La réussite d'ingénieurs comme Ernest Mercier ou André Citroën illustre la prospérité et l'expansion de ces années 20.

Une usine moderne : l'usine Citroën de Javel en 1927 (photo Citroën).

Les données de la vie politique changent

Avant 1914, les grands débats politiques étaient de nature idéologique. Après la guerre, ce sont des questions différentes qui animent le Parlement : questions de politique étrangère, problèmes financiers, économiques et sociaux.

A propos du problème allemand, la France connaît des difficultés avec ses alliés. Le traité de Versailles (28 juin 1919) est le fruit d'un compromis imparfait entre les Alliés. La proposition française visant à créer un État rhénan indépendant a été rejetée. Le traité humilie l'Allemagne, sépare la Prusse-Orientale du reste du pays, confie à la Pologne un accès à la mer, le « corridor ». Il impose à l'Allemagne de lourdes réparations financières tout en laissant intact l'essentiel de son potentiel économique. Les Français souhaitent lier le remboursement des dettes interalliées au paiement régulier des réparations allemandes. Anglais et Américains ne l'entendent pas ainsi. De son côté, l'Allemagne, vaincue et humiliée, ressent durement les clauses du traité, éprouve vite des difficultés à verser les énormes sommes exigées. Dès lors, l'opinion française se partage entre partisans de la fermeté et de l'application stricte du traité (Poincaré) et partisans d'un arrangement, voire d'une réconciliation avec une Allemagne républicaine et démocratique (Briand).

Le régime d'assemblée vieillit et s'adapte mal aux problèmes financiers et économiques apparus après la guerre. Mal infor-

Lorsque les nombreux
porteurs de bons du
Trésor exigent le
remboursement de
leurs titres, la crise de
trésorerie éclate, le
gouvernement doit
alors quémander une
avance auprès de la
Banque de France,
voire d'autres
banques. Ces
établissements, tous
privés, peuvent
refuser l'avance.
Lorsque les capitaux
gagnent l'étranger et
qu'un vaste
mouvement de vente
du franc se déclare, la
crise des changes
éclate. La livre
échangée contre
25,20 F avant-guerre
peut atteindre 116 F
(11 mars 1923), voire
243 F (21 juillet
1926). Dans les deux
cas, la crise possède
une dimension
psychologique, elle
traduit la défiance de
l'opinion et des milieux
d'affaires français ou
étrangers à l'égard du
gouvernement. La
presse peut facilement
aggraver cette
situation par la
coloration de ses
articles.

més (il n'y a pas d'organisme central de statistiques), mal armés (le contrôle des changes n'existe pas, la Banque de France est privée), députés et ministres ont de la peine à maîtriser ces questions nouvelles et se tournent volontiers vers les rares hommes politiques disposant de quelques lumières : Poincaré, Tardieu, Caillaux et, plus tard, Reynaud auxquels ils confient des pouvoirs étendus (pratique des décrets-lois). Le gonflement excessif de la masse monétaire a lancé l'inflation. Le lourd endettement intérieur et extérieur de l'État, le déficit permanent du budget, l'existence dans le public d'une quantité considérable de bons du Trésor et l'arrêt de l'aide financière alliée créent dès 1919 de graves difficultés monétaires. Les gouvernements d'après-guerre vivent en permanence sous la menace d'une crise de trésorerie et d'une crise des changes.

« L'union nationale » ne se reconstitue pas après la guerre. Au contraire, tout indique une détérioration du climat politique. Le clivage ne se fait plus entre partisans et adversaires de la République, mais entre l'ordre établi (la droite) et le mouvement (la gauche). La droite parlementaire fait d'ailleurs un effort d'organisation, copie les méthodes de la gauche, apprend à organiser des défilés, des manifestations pour défendre, par exemple, les écoles libres ou les congrégations religieuses (1924-1926). L'opposition gauche-droite devient de plus en plus tranchée et, dans les deux familles, des extrêmes apparaissent. A l'extrême gauche, sous l'influence des événements de Russie, les communistes français se regroupent en décembre 1920, se séparent des socialistes S.F.I.O. qu'ils dénoncent durement et mènent des campagnes d'agitation parfois rudes. A l'extrême droite, le modèle fasciste italien suscite des vocations et l'on voit apparaître en 1924 et 1925 — la gauche étant au pouvoir — des ligues politiques à l'allure martiale : les Jeunesses patriotes, le Faisceau des combattants et des producteurs.

Les faits saillants

Clemenceau dirige le gouvernement jusqu'au 18 janvier 1920, date à laquelle le « Père la Victoire », après avoir été battu à l'élection présidentielle, se retire de la vie politique. Il a eu le temps de négocier le traité de Versailles et de faire voter la loi limitant à huit heures la journée de travail. En novembre 1919, les élections législatives amènent à la Chambre des députés une majorité conservatrice, catholique et nationaliste : le Bloc national. Les gouvernements, soutenus par cette majorité de droite, sont relativement stables. Les présidents du Conseil les plus importants sont Millerand, ancien socialiste rallié au Bloc national (janvier 1920-janvier 1921), bientôt élu à la présidence de la République, Briand (janvier 1921-janvier 1922) et Poincaré, qui entame alors une seconde carrière ministérielle (janvier 1922-mars 1924). Le Bloc national réprime avec fermeté les grèves ouvrières du printemps et de l'été 1920. Le patronat licencie 18 000 cheminots. Une politique de réconciliation avec l'Église catholique est engagée : les relations diplomatiques sont renouées avec le Vatican, la loi de 1905 n'est pas appliquée en Alsace-Lorraine et de nombreux congréganistes (cf. p. 278) et religieux qui ont fait la guerre reçoivent l'autorisation de rester en France. A l'égard de l'Allemagne, le gouvernement Poincaré choisit la fermeté. Avec l'aide de la Belgique, les troupes françaises occupent la Ruhr en janvier 1923 pour contraindre le gouvernement allemand à payer les réparations. Devant l'irritation des Anglo-Saxons, Poincaré accepte le plan Dawes d'échelonnement de la dette allemande. En novembre 1923 éclate une crise monétaire sérieuse (crise de trésorerie, puis crise des changes). Poincaré réagit en majorant de 20 % les impôts, en réduisant les dépenses et en ayant recours à un prêt de la banque américaine Morgan.

Les élections de mai 1924 donnent la majorité des sièges au Cartel des gauches, alliance politique regroupant le parti radical et la S.F.I.O., mais maintenant le parti communiste à l'écart. Dès le mois de juin, la gauche obtient la démission du président de la République Millerand, jugé trop autoritaire et accusé de partialité. Président du Conseil, le radical Herriot esquisse les grandes lignes d'une politique de gauche : reconnaissance diplomatique de l'U.R.S.S., transfert des cendres de Jaurès au Panthéon, réforme scolaire (« l'école unique »), épuration de l'administration, reconnaissance du droit syndical aux fonctionnaires. Des mesures fiscales (le contrôle des revenus des placements boursiers), et surtout la reprise de la politique anticléricale (projet de rupture avec le Vatican, projet d'extension de la loi de 1905 à l'Alsace-Lorraine, voire d'expulsion des congréganistes), provoquent de vigoureuses réactions à droite, cependant qu'une nouvelle et inquiétante crise financière éclate (début 1925-juillet 1926). Les épargnants se méfient, retirent leurs dépôts des caisses d'épargne et exigent le remboursement des bons du Trésor. Les capitaux quittent le pays, les grandes banques se méfient, la crise des changes complique le problème. Herriot accuse le « mur d'argent » de comploter contre le Cartel.

La situation amène vite des tiraillements dans la majorité entre socialistes, qui réclament des mesures sociales et économiques avancées (impôt sur le capital), et radicaux qui, au contraire, freinent le mouvement. Les différents plans de redressement financier proposés par la dizaine de ministres qui se succèdent aux finances de 1924 à 1926 échouent tous. Les gouvernements dirigés par Herriot (juin 1924-avril 1925), Painlevé et Briand sont éphémères et instables. En juillet 1926, la situation devient dramatique, le Trésor public est vide, le franc au plus bas. Élue pour quatre ans, la majorité de gauche se disloque, une bonne partie des radicaux abandonne les socialistes et s'associe avec le centre et la droite au sein d'un gouvernement d'union que dirige Poincaré.

Dès sa constitution, le 23 juillet 1926, le gouvernement Poincaré bénéficie du retour de la confiance. La vente des bons du Trésor cesse, les capitaux rentrent et le cours du franc se rétablit. Durant l'été, Poincaré fait voter un plan d'austérité qui enraye la crise : hausse des impôts, rétablissement de l'équilibre budgétaire, réduction du nombre des

Édouard Herriot
(photo S.A.F.A.R.A.).

fonctionnaires et fermeture d'une centaine de sous-préfectures. Le gouvernement va plus loin en mettant au point une série de mesures permettant la stabilisation du franc. Ces mesures sont adoptées le 24 juin 1928 après les élections d'avril qui ont donné la majorité au centre et à la droite. Le franc est stabilisé par rapport à la livre (1 £ = 122,5 F contre 25,20 F en 1913 et 243 F le 21 juillet 1926) et subit une forte dévaluation (1 franc germinal = 322 mg d'or à 9/10, 1 franc Poincaré = 65,5 mg d'or à 9/10). La mesure difficile à prendre lèse les intérêts des rentiers mais stimule les exportations et allège considérablement les dettes de l'État. La convertibilité du franc en or est rétablie partiellement. La loi oblige la Banque de France à vendre une partie de ses réserves en livres et en dollars pour acheter de l'or. Rapidement, la Banque de France contrôle près du quart du stock d'or mondial. Républicain, laïc, ancien dreyfusard, mais aussi nationaliste et bien vu par la droite, Poincaré jouit d'un grand prestige. En mauvaise santé, il quitte le gouvernement en juillet 1929. La fin de la législature (1929-1932) est plus instable (7 gouvernements) mais permet à Tardieu de lancer une politique originale de modernisation de l'industrie. Maginot, ministre de la Défense, lance la construction d'une ligne de fortifications. Des lois sociales (assurances sociales, allocations familiales) sont votées. Aristide Briand, ministre des Affaires étrangères depuis 1925, achève en 1931 une carrière brillante qui a permis un rapprochement avec l'Allemagne (pacte de Locarno, 1925), tenté de faire progresser l'idée de paix (pacte Briand-Kellog, 1928) et transformé la Société des Nations en Parlement de la planète.

*Aristide Briand
(photo Edimedia).*

Les années 30

La France touchée par la crise

C'est à la fin de 1931 que la crise économique mondiale touche la France. La crise française est originale. Elle se manifeste tardivement bien que certains signes (légère baisse des prix) aient été perceptibles dès 1928-1929. Comparée à la violence de la crise américaine ou allemande, la crise française semble d'une ampleur plus faible : l'activité industrielle fléchit de 20 à 25 % en moyenne, les prix baissent, des faillites touchent de nombreuses entreprises (la B.N.C.I.*, l'Aéropostale). Le nombre de chômeurs secourus semble peu élevé (273 000 en 1932, 425 800 en 1935) mais, en raison de l'absence de statistiques bien tenues, on sous-estime nettement le phénomène. 900 000 personnes sont vraisemblablement touchées et près d'un million d'étrangers sont rentrés chez eux. La dévaluation de la livre en 1931, puis du dollar en 1933, rendent les prix français à

* B.N.C.I. : Banque nationale pour le commerce et l'industrie.

l'exportation beaucoup trop élevés et les ventes fléchissent. La crise réduit les recettes fiscales et, dès 1932, le budget est déficitaire. Alors qu'à partir de 1933 des signes de reprise sont visibles à l'étranger, la France, touchée par une maladie de langueur, s'enlise dans la crise dont le fond est atteint en 1935. Cet enlisement résulte en grande partie des effets de la politique déflationniste suivie avec obstination par les gouvernements entre 1932 et l'été 1936. Mal informés, peu familiers des problèmes économiques, les hommes politiques s'acharnent longtemps à respecter la règle de l'équilibre budgétaire et, disposant de recettes réduites, diminuent les dépenses de l'État et le traitement des fonctionnaires, font pression sur les prix pour tenter de les aligner sur le niveau anglais ou américain. La déflation n'empêche pas la crise de confiance des milieux d'affaires dans une monnaie surévaluée, elle freine la reprise de la consommation et donc de la production, elle aggrave le chômage. A l'exception de Paul Reynaud, la classe politique française se méfie de l'autre politique économique (dévaluation de la monnaie, déficit budgétaire, relance de la consommation...) expérimentée avec succès en Belgique, en Angleterre et aux États-Unis.

Le déferlement de la crise n'est pas étranger à la brutale détérioration des relations internationales. L'esprit de conciliation des années 20 disparaît, la S.D.N.* devient vite impuissante à empêcher les nombreux coups de force qui marquent les années 30. Depuis janvier 1933, Hitler est au pouvoir en Allemagne, une Allemagne qui a cessé de verser des réparations à la France. Les nazis cherchent à battre en brèche les clauses du traité de Versailles, tandis que le régime fasciste italien se raidit, envahit l'Éthiopie (1935-1936) et s'écarte des démocraties occidentales pour s'allier avec l'Allemagne nazie. Allemagne et Italie soutiennent le général Franco dans la guerre civile espagnole (1936-1939). Hitler exploite habilement les hésitations des démocraties, leur désir de paix. Il réussit à réoccuper militairement la rive gauche du Rhin (mars 1936), annexe l'Autriche (mars 1938) et obtient même à la conférence de Munich (septembre 1938) l'accord des Franco-Britanniques pour démembrer la Tchécoslovaquie. La France prend conscience de la montée des périls. Elle se rapproche du Royaume-Uni, entame dès 1934 le dialogue avec l'U.R.S.S. de Staline et prend les premières mesures de réarmement, mais l'état de son économie et de sa démographie (41,1 millions d'habitants en 1936) en limite la portée.

La crise met en évidence l'épuisement du régime et le désarroi de l'esprit public. Six gouvernements se succèdent entre 1932 et 1934. On évoque souvent une réforme de l'État, toutefois les propositions du gouvernement Doumergue visant à renforcer le pouvoir exécutif sont repoussées par la Chambre des députés en 1934. La dissolution n'est jamais employée, les gouvernements restent à la merci d'un vote de défiance du Sénat ou de la Chambre dont la majorité peut évoluer pendant une législature. Occupant désormais le

* S.D.N. : Société des Nations.

centre de l'échiquier politique, les radicaux font alliance avec les socialistes — voire avec les communistes comme en 1936 — à la veille des élections générales. La victoire acquise, les radicaux forment ou participent au gouvernement de gauche, mais répugnent vite à réaliser les réformes avancées proposées par les socialistes et généralement rompent l'union après deux ans de gouvernement. Trois fois, la gauche gagne les élections (1924, 1932, 1936); trois fois, la « loi des deux ans » provoque l'éclatement de la majorité et le glissement des radicaux vers le centre et la droite. Ces retournements spectaculaires laissent l'opinion stupéfaite et jettent le discrédit sur le système parlementaire. Divers scandales financiers (affaires Hanau, Oustric, Klotz...), qui touchent de près ou de loin le monde politique, vont de pair avec la réapparition de l'antiparlementarisme. A gauche comme à droite, les extrêmes progressent. La crise entraîne un essor du parti communiste que dirige Maurice Thorez. Au sein de la S.F.I.O., le mouvement néo-socialiste se constitue derrière Déat, Montagnon, Marquet. A l'extrême droite, les ligues prolifèrent, multiplient les défilés (l'Action française, le Francisme, la Solidarité française, les Jeunesses patriotes, les Chemises vertes, et, surtout, le groupement d'anciens combattants des Croix-de-Feu...). Des heurts sanglants éclatent parfois. Conservatrices, nationalistes, autoritaires, ces ligues, dont certaines sont influencées par le fascisme italien et l'antisémitisme, dénoncent violemment un régime accusé d'incompétence et de corruption. Le préfet de police de Paris, Jean Chiappe, est à plusieurs reprises soupçonné de complaisance à l'égard de ces mouvements.

Défilé de Camelots du roi (photo Edimedia).

Déflation et crise du régime (1932-1936)

Les élections de 1932 donnent la majorité à une coalition de gauche formée de radicaux et de socialistes, qui ne participent d'ailleurs pas au gouvernement. Le parti communiste, dont les relations sont alors très mauvaises avec le reste de la gauche, reste isolé. Entre 1932 et 1933, les gouvernements radicaux dirigés par Herriot, Paul-Boncour, Daladier, Sarraut, Chautemps... sont éphémères. La politique déflationniste appliquée tend à aggraver et à prolonger la crise tandis que la majorité de gauche se fissure.

En décembre 1933, éclate l'affaire Stavisky. Impliqué dans une escroquerie, Stavisky est retrouvé mort. Le décès paraît suspect à une opinion qui découvre les relations nombreuses qu'entretenait « M. Alexandre » avec les milieux radicaux. Les ligues exploitent l'affaire, dénoncent les « députés voleurs », les « pourris ». Le scandale énorme provoque la démission du gouvernement Chautemps, le 30 janvier 1934. Daladier constitue un nouveau cabinet, nomme une commission d'enquête et, pour plaire à la gauche, déplace le préfet de police Chiappe. Le 6 février 1934, au moment même où la Chambre réunie vote la confiance au nouveau gouvernement Daladier, les ligues se rassemblent place de la Concorde pour protester contre le régime et contre le déplacement de Chiappe. En essayant de marcher sur l'Assemblée, la manifestation dégénère. Le service d'ordre, mal commandé, réplique violemment. On relève 15 morts et près de 1 500 blessés. L'émotion est immense. Bouleversé, Daladier démissionne. Le pays retrouve les vieux réflexes de 1871 et de 1917. A soixante et onze ans, l'ancien président de la République Doumergue sort de sa retraite pour constituer un gouvernement d'union nationale allant de la droite aux radicaux. La majorité socialo-radicale vole en éclats. Le gouvernement Doumergue (février-novembre 1934) ne parvient ni à réformer le régime, ni à lutter efficacement contre la crise. L'instabilité gouvernementale se poursuit au sein d'une Chambre désormais orientée à droite et au centre (ministères Flandin, Laval, Sarraut). La crise s'amplifie, les sorties d'or se multiplient. La déflation reste à l'honneur et Laval diminue le traitement des fonctionnaires de 10 % en juillet 1935.

La manifestation du 6 février 1934, qui ne semble pas devoir relever du complot prémédité, et à laquelle d'ailleurs participaient des anciens combattants communistes, a fortement impressionné les militants de gauche. Beaucoup y ont vu un début de coup de force fasciste, une menace pour la République. Un réflexe unitaire apparaît vite à la base. Le 12 février, une manifestation de protestation réunit cortège communiste et cortège socialiste. En mars 1934, des intellectuels créent un comité d'action antifasciste. En juillet, un accord est conclu entre socialistes et communistes. En 1935, à la veille des élections, Daladier pousse le parti radical à accepter l'alliance avec les socialistes et les communistes. Ainsi naît le Front populaire cependant que l'Internationale communiste, inquiète de l'essor du nazisme, invite le parti communiste français à sortir de son isolement.

Le Front populaire (1936-1938)

Le Front populaire est une alliance électorale conclue entre les trois partis de gauche : le parti radical, la S.F.I.O., le parti communiste. Longtemps divisée, la gauche, qui a pris conscience de la menace fasciste, se rassemble et remporte les élections d'avril et mai 1936 qui ont lieu dans un climat passionné et alors que Hitler vient de remilitariser la Rhénanie. Si le Front populaire l'emporte largement en sièges (378 contre 220 au centre et à la droite), il n'y a en revanche que 500 000 voix d'écart entre la gauche (4,7 millions de voix) et la droite (4,2 millions). Au sein de la gauche, les rapports de force évoluent, les radicaux perdent leur suprématie (106 députés) au profit de la S.F.I.O. (149) et des néo-socialistes (51). Le parti communiste enregistre un net progrès et obtient 72 sièges.

Léon Blum
(photo Roger Viollet).

Pour la première fois dans l'histoire de la France, un socialiste, Léon Blum, dirige le gouvernement, auquel participent les radicaux mais pas les communistes. Ce gouvernement (juin 1936-juin 1937) suscite des réactions passionnées. A droite, c'est la consternation et la hantise de la révolution. L'exemple de l'Espagne, où éclate en juillet la guerre civile, apparaît prémonitoire. L'extrême droite se déchaîne, multiplie les attaques antisémites contre Blum, s'acharne sur le ministre de l'Intérieur Salengro qui, épuisé, se suicide en novembre. Inversement, à gauche, c'est l'euphorie. D'immenses grèves (1,5 million de grévistes) avec occupation d'usines éclatent en juin. Ces grèves pacifiques apparaissent comme une sorte de célébration joyeuse de la venue au pouvoir du Front populaire. Durant l'été 1936, alors que les grèves refluent, de grandes réformes sont réalisées. Les accords Matignon, conclus entre gouvernement, patronat et syndicats ouvriers, instituent des délégués ouvriers et généralisent les conventions collectives. Les salaires sont augmentés de 7 à 15 %, les congés payés apparaissent (deux semaines) et permettent une première démocratisation des vacances. Les auberges de la jeunesse sont créées. La semaine de travail est limitée à quarante heures, un Office du blé voit le jour pour freiner la baisse des cours. L'industrie aéronautique est nationalisée. L'État prend le contrôle de la Banque de France.

« *Les grèves de la joie* », 1936 (photo A.F.P.).

Dès l'automne, les difficultés apparaissent. Les hausses de salaires provoquent une poussée brutale des prix français qui rendent les exportations extrêmement difficiles. Le patronat et les milieux d'affaires se méfient, répugnent à investir, multiplient les sorties de capitaux. Tardivement, le ministre Auriol impose, non sans mal, une dévaluation modérée du franc (1er octobre 1936). Déjà, entre radicaux, communistes et socialistes, des tensions apparaissent à propos de la politique économique et de la « non-intervention » de la France dans la guerre d'Espagne. A l'extrême droite, les ligues dissoutes en juin se sont transformées en partis politiques et continuent de manifester leur opposition. Au début de 1937, Blum annonce la pause dans les réformes sociales. Une reprise industrielle semble s'esquisser, le chômage recule légèrement mais, dès le mois de mars, la crise rebondit et la production chute à nouveau, alors que les hausses de prix ont absorbé l'intégralité des hausses de salaires de l'été. C'est l'échec. Un échec qui tient sans doute à plusieurs raisons : une dévaluation trop tardive et trop timide qui n'a pas donné le coup de fouet nécessaire aux exportations ; une mauvaise volonté évidente des milieux d'affaires effrayés par les grèves de l'été ; une mauvaise information économique du gouvernement ; le choix discutable de la semaine de quarante heures, dont l'application rigide imposée par les syndicats n'a guère permis de réduire le chômage tout en freinant les possibilités de reprise industrielle au printemps de 1937... Alors que la fuite des capitaux s'accélère, Blum sollicite les pleins pouvoirs financiers afin d'établir le contrôle des changes. La Chambre accepte, le Sénat refuse, Blum démissionne le 21 juin 1937.

La majorité de Front populaire se maintient encore un an (juin 1937-mars 1938), mais les radicaux prennent la direction du gouvernement et imposent la modération. Si le cabinet Chautemps nationalise les chemins de fer et crée la S.N.C.F. (31 août 1937), il assouplit aussi la loi des quarante heures. La production stagne toujours (indice de production 100 en 1928, 83 en 1938), les grèves reprennent alors que Hitler annexe l'Autriche en mars 1938.

Édouard Daladier (photo Associated Press).

La montée des périls extérieurs, les tiraillements croissants au sein de la gauche provoquent, en avril 1938, un déplacement de majorité. Les radicaux s'allient avec le centre et la droite pour constituer un gouvernement d'union nationale que dirige Edouard Daladier (avril 1938-mars 1940). Le Front populaire est mort. La menace d'une guerre avec l'Allemagne se fait de plus en plus précise. Le ministre des Finances, Paul Reynaud, réussit par une série de mesures pratiques à amorcer un redressement économique du pays. Nettement assouplie, la loi des quarante heures permet une reprise de la production industrielle, mais entraîne de rudes conflits sociaux. La grève générale, lancée le 30 novembre 1938 par la C.G.T., échoue et la répression est sévère (près de 10 000 licenciements). Une dévaluation bien réussie stimule les exportations, la confiance revient et, avec elle, les capitaux. Le réarmement est renforcé. Le gouvernement Daladier, s'inquiétant de l'ampleur de la crise démographique, augmente les allocations familiales et lance une politique nataliste (le Code de la famille). En 1939, la France a tout juste retrouvé son niveau de production de 1928 (indice de production en 1939 : 95) tandis qu'après la crise tchèque (conférence de Munich, 29-30 septembre 1938) une nouvelle crise éclate en Europe à propos du « corridor polonais ».

Paul Reynaud (photo Roger-Viollet).

Les bouleversements de la Seconde Guerre mondiale

La Seconde Guerre mondiale provoque en France des bouleversements profonds. Vaincu après quelques semaines de combats en mai-juin 1940, le pays voit soudainement son influence mondiale régresser, ses institutions démocratiques s'effondrer, ses habitants, humiliés et rançonnés par l'ennemi, se déchirer. Le redressement est difficile, tardif et doit beaucoup à l'appui des Alliés.

La défaite et l'écroulement du régime

La France est-elle prête ?

Les forces en présence en mai-juin 1940
Sur mer, les Franco-Britanniques disposent d'une supériorité écrasante. Sur terre, le 10 mai 1940, 145 divisions allemandes s'opposent à 105 divisions franco-britanniques. La France fournit l'essentiel des troupes, dispose d'un parc d'artillerie très important. Ses chars Renault, Somua, Hotchkiss sont moyennement rapides, mais bien armés, et disposent d'un blindage excellent. Le 10 mai 1940, sur la frontière du Nord il y a autant de chars d'un côté que de l'autre (de 2 600 à 2 700 chars dans chaque armée). Le point faible pour les Alliés reste l'aviation.

Parce que Hitler veut rattacher au Reich le « corridor polonais », créé en 1919, qui sépare la Prusse-Orientale du reste de l'Allemagne, une nouvelle et violente crise diplomatique éclate au printemps de 1939. Le Royaume-Uni et la France apportent leur soutien à la Pologne. L'U.R.S.S. semble incertaine, les États-Unis restent résolument isolationnistes. Brutalement, les choses évoluent. Le 23 août 1939, l'Allemagne nazie se rapproche de l'U.R.S.S. Le pacte germano-soviétique de non-agression contient un accord secret de partage de la Pologne entre les deux puissances. Les mains désormais libres à l'Est, Hitler ordonne l'invasion de la Pologne le 1er septembre. Le 3, le Royaume-Uni, puis la France déclarent la guerre à l'Allemagne.

Mobilisés dès le 1er septembre 1939, les Français partent au front sans aucune ferveur, résignés, sceptiques. Le pays, vieilli, sortant à peine de la crise économique et ayant encore en mémoire le sinistre bilan de la Première Guerre mondiale, manque d'enthousiasme. La guerre entérine l'ultime dislocation du Front populaire. La direction du parti communiste français, qui a prôné la résistance armée face au nazisme, change de ligne après le pacte germano-soviétique, opte en septembre pour le pacifisme, dénonce la « guerre impérialiste ». Cette volte-face déconcerte de nombreux militants et entraîne la démission de vingt et un députés et d'un sénateur communistes. Le président du Conseil Daladier prononce la dissolution du parti communiste le 26 septembre. Celui-ci plonge alors dans la clandestinité, Maurice Thorez déserte.

Si le moral est bas, en revanche tout le monde s'attend à une guerre longue dans le style du conflit de 1914-1918, mais dans les galeries modernes et bétonnées de la ligne Maginot. La nouvelle et jeune armée allemande, la Wehrmacht, n'a pas encore fait ses preuves. L'armée française jouit à l'époque d'une réputation solide et dispose — contrairement à la légende — d'un équipement non négligeable. Si, entre les deux armées, le rapport des forces n'est pas disproportionné, en revanche, les conceptions stratégiques s'opposent nettement. L'armée allemande dispose d'un moral excellent, et se trouve dirigée par des généraux jeunes à l'esprit audacieux. Elle opte pour la « guerre éclair » : combinaison adroite de l'aviation qui repère puis détruit au sol les défenses ennemies, et des chars d'assaut regroupés en divisions blindées, que suivent des centaines de camions transportant les troupes. Sitôt la percée acquise, l'armée allemande, qui utilise toutes les ressources de la technique de l'époque, a appris à s'engouffrer dans la brèche à 30-40 km/heure pour encercler un ennemi lent à se déplacer. A l'inverse, l'état-major allié, dirigé par Gamelin, vit sur les souvenirs de 1914 et opte pour une stratégie prudente et défensive. Il s'agit de gagner du temps, d'attendre les progrès de l'industrie alliée et les élections américaines de novembre 1940 en se retranchant derrière la ligne Maginot, tout en disposant sur la frontière belge les meilleures troupes. L'aviation joue un rôle secondaire, les préférences vont à l'artillerie, les chars éparpillés sur tout le front doivent servir de bouclier à l'infanterie qui progresse à pied. Tardivement, les idées novatrices du colonel de Gaulle reçoivent un début de réalisation. En mai 1940, trois divisions françaises de chars existent, mais les Allemands ont regroupé tous leurs chars en dix divisions.

La « drôle de guerre »

Alors que les troupes allemandes sont pour l'essentiel en Pologne, les Franco-Britanniques se contentent d'une offensive timide et sans conviction dans la Sarre. Le 28 septembre 1939, Varsovie tombe aux mains des Allemands qui procèdent alors à un partage du pays avec les Soviétiques. L'Allemagne rapatrie ensuite ses forces vers l'ouest. Le front français reste immobile tout l'hiver. Belges et Hollandais sont neutres. Les soldats, retranchés sur la frontière, connaissent vite l'ennui. Les combats sont réduits à des escarmouches. La guerre semble absurde, irréelle, c'est la « drôle de guerre ». Le pourrissement de la situation provoque une crise politique. Le 20 mars 1940, le gouvernement Daladier est renversé. Paul Reynaud constitue un nouveau gouvernement (22 mars-16 juin 1940) avec une faible majorité. Reynaud tente une reprise en main de la situation, conclut avec le Royaume-Uni un engagement à ne pas signer de paix séparée. Les Alliés lancent une opération navale et terrestre à destination de Narvik en Norvège pour couper la « route du fer » (avril-mai). Hélas ! la réaction allemande est brutale. Le Danemark et la Norvège sont envahis. Le 10 mai, Churchill prend la direction du gouvernement britannique.

Contre l'avis de son état-major, Hitler impose l'attaque. Entre le 10 et le 12 mai, une première vague allemande (25 divisions) envahit les Pays-Bas et la Belgique. Les principaux aérodromes français ont été bombardés.

Le général Gamelin décide alors d'envoyer en Belgique les troupes franco-britanniques cantonnées jusque-là sur la frontière belge. La manœuvre vise à déplacer le choc de la bataille en Belgique pour préserver les départements du Nord. Lentes à se mouvoir, sans protection aérienne, les armées alliées n'atteignent pas les objectifs fixés. C'est alors qu'une seconde vague allemande (40 divisions soutenues par plus de 1 500 chars) crée la surprise en perçant le front au sud, dans la région boisée, accidentée mais mal défendue, de Sedan (13-15 mai). La percée réussit et le général Guderian fonce avec ses chars vers la Manche. C'est le piège. Les

Les combats en mai-juin 1940 — la percée — l'invasion.

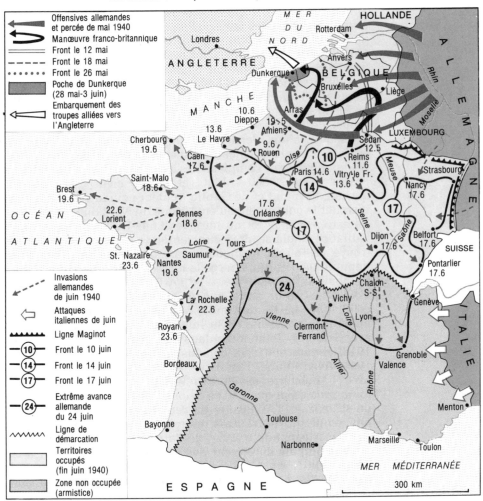

meilleures troupes alliées sont prises en tenaille. Reynaud fait alors entrer au gouvernement le maréchal Pétain (18 mai) et limoge Gamelin au profit du général Weygand (19 mai).

Une tentative pour percer le front allemand dans la région d'Amiens échoue (21-25 mai). Les troupes encerclées en Belgique battent en retraite et se regroupent sur les plages de la mer du Nord autour de Dunkerque. Sous un déluge de bombes, la marine anglaise réussit l'évacuation de 330 000 soldats dont 110 000 Français seulement (28 mai-3 juin). De graves dissensions apparaissent à ce sujet entre les deux gouvernements. Un énorme matériel doit être abandonné sur les plages. Weygand tente alors un dernier effort pour essayer de constituer un front fixe et d'arrêter les Allemands. Entre Montmédy à l'extrémité de la ligne Maginot, qui reste intacte, et Abbeville, en suivant la Somme, les Français résistent à un contre deux et sans couverture aérienne. Dès le 6 juin, les Allemands percent le front. Le 10, le gouvernement français évacue Paris pour Tours, puis Bordeaux. Le même jour, l'Italie déclare la guerre à la France, mais les chasseurs alpins résistent victorieusement aux troupes de Mussolini. Entre la Somme et la Loire, c'est désormais la retraite générale des armées. Pris de peur ou de panique, près de 8 millions de civils suivent le mouvement des troupes. C'est l'exode. Encombrées, les routes et les voies ferrées sont bombardées par l'aviation allemande. Le 17 juin, les Allemands atteignent Caen, Le Mans, Orléans, Le Creusot.

Depuis le 5 juin, de Gaulle, nommé général de brigade à titre provisoire, fait partie du gouvernement Reynaud. Sur les routes de l'exode, les ministres fatigués, mal informés, se divisent. Les uns, derrière Pétain et Weygand, se prononcent en faveur de l'armistice en faisant valoir la médiocrité de l'aide anglaise et l'ampleur des pertes (en mai-juin 1940, la France perd 92 000 soldats et 80 000 civils). Les autres, derrière Reynaud et de Gaulle, veulent poursuivre le combat, installer le gouvernement en Afrique du Nord ou en Bretagne. Ils estiment que, tôt ou tard, les États-Unis bougeront, que l'alliance anglaise doit être renforcée. Aucun accord n'est trouvé. Le 16 juin, Reynaud démissionne et le président de la République, Lebrun, charge le maréchal Pétain de constituer un nouveau gouvernement. Le 17, Pétain déclare à la radio : « C'est le cœur serré que je vous dis, il faut cesser le combat... » Le 18, de Gaulle réfugié en Angleterre lance un appel à la poursuite de la lutte. Les négociations engagées avec Hitler à Rethondes, dans le wagon qui avait servi en 1918, aboutissent à la conclusion de l'armistice le 22 juin 1940. Avec l'Italie, l'armistice est conclu le 24. La rupture avec l'Angleterre devient irréversible. Ne disposant pour toute protection que de ses avions de chasse, les Spitfire, et de sa marine, l'Angleterre ne veut en aucune façon que les navires de guerre français rentrent dans des ports contrôlés par les Allemands (clause de l'armistice). Le 3 juillet, des navires anglais encerclent des bateaux français réfugiés en Afrique du Nord. A Alexandrie un accord est trouvé, mais à Mers el-Kébir, c'est l'affrontement. 1 300 marins français périssent.

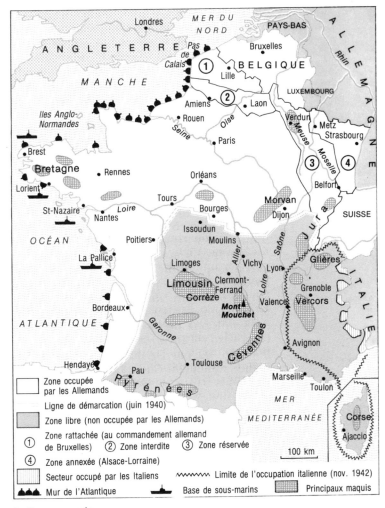

Londres · · MER DU NORD · PAYS-BAS · ALLEMAGNE

ANGLETERRE · Pas de Calais · ① · BELGIQUE · Bruxelles

MANCHE · Lille · ② · Laon · LUXEMBOURG

Amiens · Rouen · Oise · Verdun · Metz · Strasbourg

Iles Anglo-Normandes · Seine · Paris · Meuse · Moselle · ③ · ④

Brest · Bretagne · Rennes · Orléans · Belfort

Lorient · Loire · Tours · Bourges · Morvan · Dijon · Jura · SUISSE

St-Nazaire · Nantes · Issoudun · Moulins · Poitiers

OCÉAN · La Pallice · Limoges · Vichy · Lyon · Glières · ITALIE

Limousin · Clermont-Ferrand · Allier · Grenoble

Corrèze · Valence · Vercors

Bordeaux · Mont Mouchet · Garonne · Cévennes · Avignon

ATLANTIQUE · Toulouse · Marseille · Toulon

Hendaye · Pau · Pyrénées · MER MÉDITERRANÉE · Corse · Ajaccio

100 km

Zone occupée par les Allemands
Ligne de démarcation (juin 1940)
Zone libre (non occupée par les Allemands)
① Zone rattachée (au commandement allemand de Bruxelles) ② Zone interdite ③ Zone réservée
④ Zone annexée (Alsace-Lorraine)
Secteur occupé par les Italiens — Limite de l'occupation italienne (nov. 1942)
Mur de l'Atlantique · Base de sous-marins · Principaux maquis

La France occupée.

La mort de la IIIe République

L'armistice conclu avec l'Allemagne remet en question l'unité territoriale. Trois départements d'Alsace-Lorraine sont rattachés au Reich et nazifiés, 160 000 jeunes Français sont enrôlés de force dans la Wehrmacht : ce sont les « Malgré-nous ». Les départements du Nord et du Pas-de-Calais sont rattachés au commandement allemand de Bruxelles. Une zone interdite et une zone réservée sont créées, le retour des réfugiés y est interdit. L'armée allemande occupe la moitié nord de la France et toutes les plages occidentales sont bientôt fortifiées (le « mur de l'Atlantique »). Au Sud, le gouvernement français reste souverain dans la zone libre. Entre les deux zones, la ligne de démarcation (Mont-de-Marsan, Poitiers, Vierzon, Moulins, Mâcon...) constitue une frontière difficile à franchir. La France doit verser 400 millions de francs par jour (500 millions à partir de novembre 1942) pour l'entretien des troupes d'occupation. Le taux de change est fixé d'une façon avantageuse pour l'Allemagne. Hitler a refusé de libérer les prisonniers. 1 850 000 soldats français prennent le chemin de l'Allemagne et servent vite de moyen de pression sur le gouvernement français. L'armée française a dû livrer un important matériel et ses effectifs ont été réduits à 100 000 hommes.

Les Allemands ayant occupé Bordeaux, le gouvernement Pétain cherche une nouvelle capitale en zone libre. Le choix se porte non pas sur Lyon, Marseille ou Toulouse, villes réputées favorables à la gauche radicale, mais sur Vichy, ville de villégiature, disposant de vastes et nombreux hôtels et proche de la ligne de démarcation. Convoqués à Vichy, sous le choc de la défaite et de l'humiliation, députés et sénateurs acceptent les arguments de Pierre Laval justifiant une révision constitutionnelle. Le 10 juillet 1940, au grand théâtre de Vichy, 649 parlementaires prennent part au vote qui, par une forte majorité (569 oui contre 80 non), donne au maréchal Pétain tous pouvoirs pour promulguer une nouvelle constitution qui « devra garantir les droits du Travail, de la Famille, de la Patrie ». Comme en 1870, le régime vaincu s'écroule. Dès juillet 1940 apparaît un nouveau vocabulaire. On parle non plus de la République mais de l'État français, un État français d'ailleurs reconnu par tous les gouvernements étrangers, dont l'U.R.S.S. et les États-Unis. Seul le Royaume-Uni condamne Vichy et entreprend le blocus des côtes françaises.

La France déchirée (1940-1944)

Vichy et la « Révolution nationale »

L'été 1940 voit la disparition des institutions républicaines et démocratiques. Les assemblées sont mises en congé, les hommes politiques de la IIIe République tombent en disgrâce. Aucune élection n'aura lieu pendant quatre ans. C'est un vieillard de quatre-vingt-quatre ans, relativement alerte pour son âge, prudent, très conservateur, qui dispose désormais de tous les pouvoirs. Philippe Pétain, vainqueur de la bataille de Verdun, incarne alors, pour la majorité des Français, le père autoritaire dont on attend qu'il orchestre le redressement national. Derrière le maréchal, un nouveau personnel politique, où se mêlent des « ultras » sympathisants du nazisme (Doriot, Brasillach, Déat), des antisémites (Darquier), des royalistes (Weygand, Alibert, Maurras), des hauts fonctionnaires porte-parole de la droite classique (Bichelonne, Baudoin, Pucheu) et quelques hommes de gauche (Belin, Chasseigne), rêve d'un ordre nouveau, explique la défaite par le relâchement moral et met en accusation le Front populaire, le régime parlementaire déréglé, les francs-maçons, les Juifs... La « Révolution nationale » qu'ils appellent de leurs vœux cherche à créer un État fort, nationaliste, reposant sur la hiérarchie des élites. Les étrangers en seraient exclus et l'économie organisée avec rationalité.

Le régime de Vichy tourne vite à la dictature : un chef d'État tout-puissant qui ressuscite dans ses actes juridiques le style majestueux des rois de France, un chef de gouvernement aux pouvoirs considérables et délivré de tout contrôle parlementaire. Le régime révoque 2 200 fonctionnaires et les deux tiers des maires des villes de plus de 10 000 habitants. La propagande déferle, la chanson « Maréchal, nous voilà ! » connaît un immense succès. Vichy n'hésite pas à créer en 1941 des sections spéciales de cour d'assises avec effet rétroactif, à créer en janvier 1943 une force redoutable, la Milice. Si le régime constitue une dictature personnelle, conservatrice, nationaliste, Vichy n'est pas vraiment un État fasciste. Il refuse le parti unique et se méfie des thèses des ultras, qui d'ailleurs préfèrent Paris et les autorités allemandes à la capitale de la zone libre. Le régime ne cesse d'accabler la IIIe République, mais n'échappe pas cependant aux luttes entre factions et connaît quatre gouvernements entre 1940 et 1944 : Laval (juillet-décembre 1940), Flandin (décembre 1940-février 1941), Darlan (février 1941-avril 1942), Laval (avril 1942-août 1944).

Pierre Laval (photo Wide World).

L'un des thèmes préférés de Vichy est la restauration de l'ordre moral. A cet effet, le régime crée des corporations, supprime les syndicats et les écoles normales d'instituteurs, constitue des chantiers de jeunesse.

La politique vichyssoise revêt un aspect volontiers dévot et bien-pensant, apporte un soutien voyant à l'Église, réprime sévèrement l'avortement (une avorteuse guillotinée), augmente les allocations familiales et restreint le divorce. Vichy crée aussi le salaire minimum, la retraite du vieux travailleur, accélère le remembrement des terres. Si les hauts fonctionnaires ralliés au régime profitent des difficultés du rationnement pour expérimenter des solutions dirigistes et quasi technocratiques de gestion de l'économie, la propagande prend plaisir à exalter le travail des champs et le retour à la terre.

L'amiral Darlan (photo L'Illustration).

Les hommes de l'État français prennent aussi leur revanche. Blum, Daladier sont arrêtés et font figure de boucs émissaires. Le procès de Riom (1942) tourne cependant à l'avantage des accusés. Les francs-maçons, les étrangers réfugiés en France font l'objet de persécutions.

Le 30 octobre 1940, de sa propre initiative, Vichy établit un statut qui transforme les 300 000 juifs vivant en France en véritables parias soumis à de multiples mesures vexatoires (à partir de mai 1942, le port de l'étoile jaune par exemple) et bientôt aux arrestations. Vichy laisse faire et participe même à l'arrestation de 76 000 Juifs français déportés en Allemagne. A peine 2 500 d'entre eux, moins de 3 % des personnes arrêtées, échappent à l'extermination...

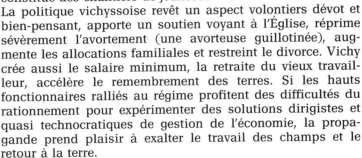

Le 24 octobre 1940, le maréchal Pétain rencontre Hitler à Montoire-sur-le-Loir et annonce le début de la politique de collaboration avec l'Allemagne nazie. Contrairement à l'idée courante, c'est Vichy et non Hitler qui fait le premier pas. Après la rupture de l'été 1940 avec le Royaume-Uni, les hommes de Vichy, par calcul pour la majorité d'entre eux, par acte de foi pour les « ultras », cherchent le rapprochement avec le vainqueur dans l'espoir d'obtenir un allégement des clauses de l'armistice, voire une place privilégiée dans la future Europe.

Rapidement, la collaboration s'engage avec le vainqueur. L'Allemagne exigeant sans cesse davantage et accordant des compensations très maigres, le calcul de Vichy tourne vite au marché de dupes mais l'amène à se compromettre dangereusement. En mai 1941, l'amiral Darlan, chef du gouvernement, accorde au Reich des bases militaires en Syrie et en Tunisie. En juin 1942, Laval accepte les demandes du Reich en main-d'œuvre, imagine la « relève » (trois ouvriers volontaires pour l'Allemagne font libérer un soldat prisonnier), puis en février 1943 le S.T.O. (Service du travail obligatoire). Au total de 620 à 700 000 jeunes Français sont contraints d'aller travailler en Allemagne. La collaboration économique amène aussi de nombreuses entreprises françaises à fabriquer des moteurs d'avion, des camions, des automobiles, des pneus, etc., pour le Reich. Près de 6 % de la production allemande sont fabriqués en France pendant la guerre. Le gouvernement Laval organise à Paris la terrible rafle du « Vél d'Hiv ». 12 884 Juifs parisiens dont 4 051 enfants sont arrêtés les 16 et 17 juillet 1942 par la police française et déportés vers les camps de concentration. C'est également en juillet 1942 qu'est créée la L.V.F. (Légion des volontaires français contre le bolchevisme) dont les engagés portent l'uniforme allemand et se battent sur le front russe. Enfin, de 3 à 4 000 Français acceptent de servir d'auxiliaires à la Gestapo et d'aider celle-ci dans sa chasse aux résistants et aux Juifs ; la Milice (de 15 à 40 000 miliciens) dirigée par Darnand accomplit la même besogne.

La grande rafle du Vél-d'Hiv, 16-17 juillet 1942 (photo Snark International).

L'opinion, d'abord favorable au maréchal Pétain, prend peu à peu ses distances avec le régime, se réfugie dans l'attentisme. A partir de 1941, les États-Unis et l'U.R.S.S. entrent en guerre. Le 8 novembre 1942, les Anglo-Américains débarquent en Afrique du Nord. Le 11, les Allemands envahissent la zone sud et contrôlent les rives de la Méditerranée. Le 27, la flotte de guerre française se saborde à Toulon. Pétain, qui a refusé de gagner Alger, est désormais prisonnier des Allemands qui occupent tout le pays. A partir de cette date, Vichy perd toute marge de manœuvre et devient un État fantoche mis en coupe réglée par les services nazis. On estime qu'entre 1940 et 1944 la France a versé 1 100 milliards de francs à l'Allemagne. L'empire colonial se détache de Vichy et opte peu à peu pour le camp allié.

Pour les Français, ces quatre années de guerre sont des années cruelles et difficiles. La faim est de retour. Nombreux sont les enfants qui souffrent de rachitisme, de sous-nutrition, d'avitaminose avec raréfaction des globules rouges. La carte d'alimentation n'assure guère plus de 1 200 calories par jour à son détenteur. Le « marché noir » devient une quasi-nécessité mais les prix y sont astronomiques. Un œuf vaut 11 F au marché noir alors qu'une dactylo parisienne gagne 1 500 F par mois ! Des trafiquants peu scrupuleux réalisent de rapides fortunes. Le charbon manque (un tiers de la production de 1938 est disponible), l'essence est rarissime. Il faut faire fonctionner les voitures avec des gazogènes, se déplacer à bicyclette ou dans des trains surpeuplés. Les Français apprennent à se réfugier dans les abris pour éviter les bombardements alliés. Le 16 septembre 1943, un bombardement américain mal réglé fait 1 150 morts à Nantes et provoque l'exode des trois quarts de la population vers la campagne. Les dénonciations, les perquisitions, les arrestations sont nombreuses. Les privations, l'angoisse, la peur font partie de la vie quotidienne.

La Résistance

L'appel à la poursuite de la lutte lancé à Londres par le général de Gaulle dès le 18 juin 1940 peut être considéré comme le point de départ de la Résistance. Le mot « résistance » figure d'ailleurs dans le texte de l'appel. Très vite, la Résistance présente deux visages : il y a la Résistance extérieure qui amène, par exemple, les 130 pêcheurs de l'île de Sein à rallier l'Angleterre dès le 24 juin 1940, il y a la Résistance intérieure qui se concrétise dès 1940 par la manifestation des étudiants à l'Arc de Triomphe (11 novembre) ou par la création du premier réseau au musée de l'Homme (décembre).

A Londres, la Résistance extérieure se regroupe derrière de Gaulle qui se comporte en chef d'État et se veut l'incarnation de la France. Avec l'aide de l'Angleterre, une petite armée de « Français libres » est constituée (70 000 hommes dès 1942). Le débarquement en Afrique du Nord le 8 novembre 1942 crée une situation délicate. Les Alliés préfèrent écarter de Gaulle (les relations du président Roosevelt avec le chef de la France libre sont mauvaises) et négocient avec l'amiral Darlan puis, après l'assassinat de ce dernier (24 décembre), soutiennent le général Giraud, soldat patriote mais dépourvu de sens politique. Finalement, de Gaulle est associé au gouvernement de l'Afrique du Nord et, le 7 novembre 1943, devient le président unique du Comité français de libération nationale. Avec Leclerc et Kœnig, les Français libres combattent en Afrique du Nord contre les Allemands et les Italiens (batailles de Koufra, Bir-Hakeim, de Tunisie). En septembre-octobre 1943, la nouvelle armée participe à la libération de la Corse. Avec des troupes levées en Afrique du Nord, le général Juin participe à l'invasion de l'Italie fasciste et s'illustre à la bataille du mont Cassin (février-mai 1944). En août 1944, des Français libres participent au débarquement de Provence

Le général de Gaulle (photo Edimedia).

et c'est la division Leclerc qui libère Paris avec l'aide de la Résistance intérieure.

Dans des conditions très difficiles, la Résistance intérieure constitue en métropole d'abord des réseaux (Combat, Libération, Franc-Tireur, Organisation civile et militaire, Front national...), puis des maquis souvent constitués de jeunes réfractaires au S.T.O. En juin 1941, après l'attaque allemande contre l'U.R.S.S., le parti communiste entre massivement dans la Résistance. Derrière Henri Frenay, Georges Bidault, Pierre Brossolette, Charles Tillon, le « colonel Fabien », Emmanuel d'Astier de la Vigerie, Christian Pineau, Lucie Aubrac, Bertie Albrecht..., la Résistance conduit des hommes et des femmes de toutes tendances politiques, de tous milieux sociaux à se regrouper. Il s'agit de collecter des renseignements, d'organiser l'évasion des pilotes alliés abattus, d'imprimer des tracts, des journaux clandestins, de saboter. Des attentats sont perpétrés contre des soldats allemands ou des ténors de la collaboration, mais la violence des réactions de la Wehrmacht ou de la Milice entraîne l'abandon de ce procédé. Astreints à mener une double vie, à respecter une discipline stricte, à multiplier les précautions, les résistants sont pourchassés par la Gestapo et la Milice. Il y a peut-être eu au maximum 400 000 résistants (chiffre de l'été 1944). Plus de 20 000 d'entre eux sont fusillés. 40 à 60 000 résistants sont déportés, près de la moitié ne revient pas.

Soucieux de préserver l'unité nationale, d'éviter un possible déchirement entre résistants communistes et résistants non communistes, de Gaulle charge Jean Moulin d'unifier les divers mouvements. Le 27 mai 1943 est créé le Conseil national de la Résistance, le ralliement à de Gaulle est accepté, un programme de réformes à réaliser à la Libération est élaboré. Arrêté en juin 1943, Jean Moulin meurt sous les tortures de la Gestapo. Georges Bidault assure la relève à la tête de la Résistance. En mars 1944, la Résistance extérieure regroupe tous les mouvements armés de l'intérieur dans les F.F.I. (Forces françaises de l'intérieur) dirigées par Kœnig.

La Libération

Le 6 juin 1944, une flotte immense (4 300 navires de transport, 500 navires de guerre, 300 dragueurs), protégée par un important bouclier aérien, réussit à faire débarquer sur les côtes normandes un corps expéditionnaire anglais, américain, canadien, commandé par le général américain Eisenhower. L'opération « Overlord » n'est qu'une demi-réussite. Si le « mur de l'Atlantique » est percé, les Alliés ne contrôlent qu'une bande côtière étroite. La riposte allemande, le relief vallonné et la tempête ralentissent l'avance alliée. Cherbourg ne tombe que le 27 juin. La Résistance intervient massivement. Les cheminots réussissent à freiner le mouvement des troupes allemandes. Si les maquis du mont Mouchet ou du

Vercors succombent, la Bretagne est le théâtre d'un important soulèvement. Les Allemands réagissent avec brutalité et multiplient les massacres à Tulle (99 pendus le 8 juin), à Oradour (642 morts le 10 juin), à Maillé (124 morts le 25 août).

Longtemps contenus dans le Cotentin, les Alliés réussissent, le 31 juillet, une percée à Avranches grâce au général Patton. Dès lors, les Allemands battent en retraite et transfèrent Pétain et Laval en Allemagne. La Bretagne est libérée. Les Alliés franchissent la Seine le 21 août. La Loire est atteinte, Orléans est libéré le 17 août. Toutefois, Eisenhower n'a pas l'intention de libérer Paris immédiatement mais, le 19 août, une insurrection éclate dans la capitale. En France depuis le 14 juin, de Gaulle, qui craint peut-être la proclamation à Paris d'un gouvernement pro-communiste par le chef des F.F.I. parisiens, Rol-Tanguy, insiste auprès d'Eisenhower pour détacher sur la capitale la 2e division blindée de Leclerc (en France depuis le 1er août). Le 24 août, la 2e D.B. atteint Paris. Le 25, von Choltitz qui a refusé d'exécuter l'ordre d'Hitler de brûler Paris, fait sa reddition. 3 000 F.F.I. sont tombés au combat. De Gaulle accourt. Dès le 25, il installe dans la capitale le gouvernement provisoire et reçoit le 26 août sur les Champs-Elysées l'hommage enthousiaste des Parisiens.

Entre-temps, le débarquement du 15 août en Provence a porté ses fruits. L'armée américaine de Patch et l'armée française du général de Lattre de Tassigny libèrent le Midi puis remontent la vallée du Rhône. Lyon est libéré le 4 septembre, le même jour que Lille. La jonction avec les troupes de Normandie est réalisée le 12 septembre. Leclerc libère Strasbourg le 23 novembre 1944.

A cette date, l'essentiel du territoire national est libéré, à l'exception de la région de Colmar et des poches de Dunkerque, Lorient, Saint-Nazaire, La Rochelle, Royan où les dernières troupes allemandes, solidement barricadées, résistent jusqu'au 8 mai 1945.

La foule pavoise, acclame ses libérateurs mais cède vite à une poussée irrésistible, spontanée, de vengeance dans un pays désorganisé, dont les autorités « légales » ont disparu. Les commissaires de la République, nommés par de Gaulle, souvent dépourvus de moyens, ont de la peine à imposer leur volonté aux multiples comités de libération qui apparaissent localement.

Au nom des humiliations et des souffrances subies durant quatre années de guerre (20 000 résistants au moins et de 20 à 30 000 otages fusillés, de 140 à 200 000 déportés vers les camps de concentration), la foule exige des comptes. On procède à de nombreuses arrestations, des excès sont commis.

On s'en prend volontiers aux femmes accusées d'inconduite, dont on rase la chevelure et que l'on traîne par les rues. On traque les « collabos ». Il y a peut-être de 9 à 10 000 exécutions sommaires avant que le gouvernement provisoire ne parvienne à rétablir l'ordre à l'automne 1944.

La libération de la France.

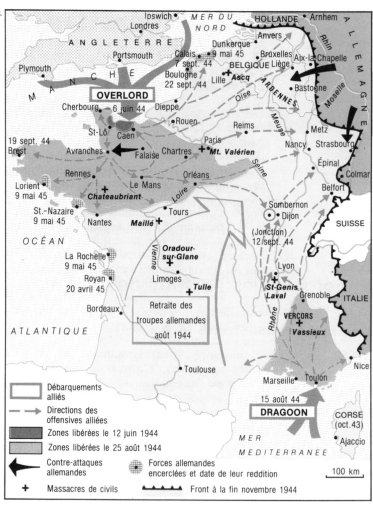

Débarquements alliés

- ↘ Directions des offensives alliées
- Zones libérées le 12 juin 1944
- Zones libérées le 25 août 1944
- ← Contre-attaques allemandes
- ⊞ Forces allemandes encerclées et date de leur reddition
- ✝ Massacres de civils
- ▬▴▬ Front à la fin novembre 1944

100 km

La libération de Paris : défilé de la victoire (photo Edimedia).

De la Libération
à la crise du 13 mai
(1944-1958)

L'humiliante défaite de 1940 suivie d'un redressement *in extremis* en 1944-1945 crée un choc. A la Libération, nombreux sont les Français à espérer la naissance d'un régime plus juste, plus efficace, plus moderne. Ce grand élan rencontre bien des difficultés à se concrétiser...

Espoirs et désillusions de la Libération

Un pays à reconstruire (été 1944)

Les pertes matérielles sont plus importantes qu'en 1918. 460 000 immeubles ont été rasés, des villes comme Caen ou Le Havre sont sinistrées à plus de 70 %, plus d'un million de familles sont sans abri. L'indice de la production industrielle (base 100 en 1938) tombe en 1944 à 38 ! La désorganisation complète des transports paralyse le commerce, accentue la pénurie. Les ports maritimes encombrés d'épaves sont inutilisables, la flotte de commerce est détruite aux deux tiers. Sur les fleuves, les ponts ont sauté. 115 grandes gares de chemin de fer sont détruites et les Allemands ont emporté le quart des locomotives et la moitié des wagons. L'essence reste très rare et 60 % des camions ont disparu...

Le 25 août 1944, le général de Gaulle installe à Paris le Gouvernement provisoire de la République française (G.P.R.F.). Assisté d'une Assemblée consultative provisoire, le gouvernement regroupe vingt et un ministres représentant la Résistance et les partis politiques ayant refusé la collaboration (Pleven, Frenay, Bidault, Mendès France, Lacoste...). Pour la première fois, des communistes accèdent à des responsabilités ministérielles. La situation est très difficile et les tâches ne manquent pas. La guerre n'est pas achevée et le G.P.R.F. entend bien participer aux côtés des Alliés à la poursuite des combats. Reprendre la lutte, c'est affirmer la renaissance de la puissance française. A l'été 1944, la France fait en effet figure de pays vieilli, de puissance déclinante. Fait significatif, les Alliés attendent le 23 octobre pour reconnaître officiellement le G.P.R.F. et se gardent d'inviter la France aux conférences de Yalta (février 1945) et de Potsdam (juillet 1945).

La situation intérieure est inquiétante. Vichy s'est écroulé. L'ampleur de l'épuration « sauvage », l'allure révolutionnaire de certains comités de libération proches du parti communiste, l'existence de milices patriotiques armées, constituent autant d'obstacles au rétablissement de l'ordre républicain et à l'affirmation de l'autorité du G.P.R.F. Le pays, qui a perdu au total 620 000 personnes, est en partie ruiné. On manque de tout : d'abord de bras pour reconstruire, ensuite de pain, de lait, de viande, de médicaments, de savon, de vêtements, de charbon... Les transports sont paralysés. Le rationnement et le marché noir existent encore. La situation monétaire est déplorable. La France doit consacrer ses maigres ressources à financer l'effort de guerre. L'encaisse-or a diminué de 17 % alors que la masse des billets en circulation a été multipliée par cinq. Le volume des biens à acheter sur le marché étant très réduit et les salariés, victimes du sévère blocage des salaires imposé par Vichy, attendant avec impatience une augmentation, les conditions sont réunies pour que le mouvement des prix prenne l'allure d'une explosion inflationniste et pour que le franc se déprécie. Cependant, le climat général reste à l'euphorie et à l'optimisme. Délivrés de l'occupant, ayant retrouvé leur dignité, beaucoup de Français ont confiance dans l'avenir, se rallient volontiers aux idées formulées par le Comité national de la Résistance. On espère la naissance prochaine d'une république qui concilierait démocratie et efficacité, modernisation et justice sociale. Les idées de gauche en faveur d'une intervention accrue de l'État connaissent alors une audience notoire.

Le rang et l'autorité de l'État

L'épuration
Laval et Brasillach sont condamnés à mort et exécutés. Le maréchal Pétain est condamné à mort, mais le jury émet le vœu que de Gaulle accorde sa grâce au condamné qui achève sa vie en prison. 40 000 peines de réclusion sont prononcées par les tribunaux, 4 783 condamnations à mort dont 786 sont appliquées. L'épuration est sévère dans les milieux intellectuels, dans les rangs des engagés de la L.V.F. ou de la Milice, mais ne touche que 5 000 fonctionnaires et atteint très peu les collaborateurs économiques.

Non sans mal, le G.P.R.F. parvient à rendre à la France son rang dans le monde et à restaurer l'autorité de l'État. Inflexible, de Gaulle veille au respect de l'indépendance française. En décembre 1944, lors de la contre-offensive allemande, il s'oppose avec énergie aux Américains qui veulent évacuer Strasbourg. L'armée française libère Colmar le 2 février 1945, participe à l'assaut final contre l'Allemagne, pénètre en Bavière, atteint le lac de Constance et Berchtesgaden. De Gaulle impose aux Alliés la présence de la France lors de la signature de la capitulation allemande le 8 mai 1945. Il cherche à se démarquer des Anglo-Américains, conclut un pacte de sécurité avec l'U.R.S.S. et refuse d'aller rencontrer à Alger le président Roosevelt de retour de la conférence de Yalta (février 1945). L'opiniâtreté française porte ses fruits : la France obtient un siège de membre permanent à l'O.N.U. en mai 1945 (le premier projet de création des Nations Unies excluait la France du rôle de grande puissance) et une zone d'occupation en Allemagne. Toutefois, le retour pur et simple à la situation d'avant-guerre apparaît très difficile. Dans l'empire colonial, la défaite de la France a fait naître des espoirs d'émancipation. A Sétif, en Algérie, une importante insurrection musulmane éclate en mai 1945. En Indochine, les Japonais vaincus évacuent la colonie française en laissant le pouvoir aux nationalistes et aux communistes du Viêt-minh. Fin août 1945, Hô Chi Minh proclame la République démocratique du Viêt-nam. Le dialogue s'engage mal et, dès octobre, un corps expéditionnaire français est envoyé en Indochine.
En métropole, l'ordre public est rétabli dans le courant de l'automne 1944. En utilisant l'avion et en multipliant les voyages en province, de Gaulle persuade les chefs des principales milices patriotiques de déposer les armes ou de s'engager dans l'armée. Le 28 octobre 1944 les milices sont dissoutes. Le parti communiste s'écarte des thèses de Charles Tillon en faveur d'une insurrection armée et d'une

révolution socialiste pour s'aligner sur la position très légaliste de Maurice Thorez, de retour d'U.R.S.S. L'épuration désormais confiée à des tribunaux spéciaux devient moins violente. Quelques grands procès (Pétain, Laval) marquent la période.

Le retour des libertés, les grandes réformes

La démocratie renaît. Une importante rénovation de la presse permet l'apparition de titres comme *Le Monde* de Beuve-Méry, *Combat* qui publie des articles d'A. Camus et de R. Aron, *Les Temps Modernes* de J.-P. Sartre. Le renouveau politique et syndical amène un glissement à gauche de l'opinion. Certains partis de droite compromis avec Vichy disparaissent. Les radicaux, qui symbolisent la IIIe République, sont discrédités. En revanche, la S.F.I.O. reconstitue son appareil militant. Le rôle du parti communiste dans la Résistance permet à ce dernier de faire oublier son attitude en septembre 1939 et ses flottements entre 1940 et 1941. Dès l'été 1945, le Parti, alors très marqué par l'idéologie et les méthodes staliniennes, compte 540 000 adhérents. Deux partis nouveaux issus de la Résistance voient le jour : l'un regroupe les démocrates chrétiens dans le M.R.P. (Mouvement républicain populaire) que dirige Georges Bidault ; l'autre derrière Pleven, puis Mitterrand, regroupe des modérés dans l'U.D.S.R.* Les femmes se voient accorder le droit de vote et participent désormais à la vie politique.

En avril-mai 1945, les élections municipales mettent fin à l'existence souvent critiquée des comités de libération et traduisent une nette poussée de la gauche. Le 21 octobre 1945, une triple consultation est organisée par le G.P.R.F. Par référendum, on demande aux Français s'ils souhaitent changer de constitution (96 % de oui) et s'ils font confiance au G.P.R.F. (66 % de oui seulement). Des élections organisées le même jour pour désigner des députés à l'Assemblée constituante permettent à trois partis, représentant 75 % des voix, de se partager 80 % des sièges : le parti communiste devenu le premier parti de France (26,1 % des voix, 148 sièges), le M.R.P. (25,6 % des voix, 143 sièges), la S.F.I.O. (24,6 % des voix, 135 sièges). Les radicaux (9,3 % des voix, 31 sièges) et les modérés (14,4 % des voix, 65 sièges) semblent marginalisés.

La reconstruction de l'économie et de la société est amorcée. L'effort porte en priorité sur les transports et les mines de charbon. Jusqu'à la fin de 1945, les progrès sont lents. Le niveau de vie reste très bas. L'État joue désormais un rôle économique prépondérant, décide des prix, des salaires, du rationnement. On croit satisfaire l'opinion en supprimant les tickets de pain et en accordant des hausses de salaires de 30 à 50 %. Hélas ! le pain disparaît vite des boulangeries et les

* Union démocratique et socialiste de la Résistance.

prix s'emballent (+ 48 % en 1944). Il faut rétablir le rationnement. Partisan d'une rigoureuse politique de blocage des salaires et des prix accompagnée de mesures autoritaires de dégonflement de la masse monétaire, Mendès France n'est pas écouté et démissionne en avril 1945. Pleven impose alors une politique plus libérale et plus souple en matière de hausse salariale. Un emprunt réduit en partie la masse monétaire. Les investissements reprennent, la production frémit (indice de production industrielle : 99 en 1947) mais l'inflation se déchaîne : + 52 % de hausse des prix en 1945... + 58 % en 1948 ! En décembre 1945 le franc est fortement dévalué. Le G.P.R.F. réussit cependant à réaliser les grandes réformes socialisantes inspirées par la Résistance. Des usines ayant travaillé pour les Allemands (Renault, Gnome et Rhône qui va devenir la SNECMA), des secteurs économiques que l'on juge essentiels pour l'avenir du pays, et dont on estime qu'ils doivent être soustraits aux intérêts privés (la Banque de France, les grandes banques de dépôt, les grandes compagnies d'assurances, les mines de charbon, les compagnies d'électricité et de gaz, les transports aériens avec la création d'Air France), sont nationalisés et les actionnaires indemnisés. Une planification souple et non directive imaginée par Jean Monnet voit le jour (1946). La Sécurité sociale, les comités d'entreprise, l'École nationale d'administration, le Commissariat à l'énergie atomique apparaissent. Les allocations familiales majorées encouragent le mouvement de reprise de la natalité observable depuis 1943.

Le temps des ruptures et des désillusions (1946-1947)

L'union nationale ne dure pas. De tempérament autoritaire, le général de Gaulle se heurte à plusieurs reprises à l'Assemblée provisoire, puis à l'Assemblée constituante. De Gaulle supporte mal les règles du système parlementaire et s'oppose de plus en plus aux interventions des partis politiques. En désaccord avec le projet de constitution élaboré par les députés, il crée la surprise en démissionnant le 20 janvier 1946. Persuadé de l'incapacité des partis à gouverner le pays, de Gaulle espère sans doute se poser en rassembleur des Français et revenir assez vite au pouvoir.

Pour l'heure, les trois grands partis (P.C., M.R.P., S.F.I.O.) concluent un accord entre eux, se partagent les ministères et confient au socialiste Gouin la présidence du G.P.R.F. C'est le « tripartisme » qui, à propos de la rédaction de la constitution se fissure pour la première fois. Un projet d'inspiration communiste conduit le M.R.P. et de Gaulle à recommander le non aux électeurs. Le référendum du 5 mai 1946 repousse ce projet (53 % de non). On procède à de nouvelles élections constituantes en juin 1946 cependant que Bidault prend la tête du G.P.R.F. La rédaction de la constitution reprend, mais l'opinion est lasse. Les déceptions l'emportent désormais sur les espoirs nés au lendemain du

Vincent Auriol
(photo Keystone).

Paul Ramadier
(photo A.F.P.).

Les ouvriers Renault
en grève en avril 1947
(photo Keystone).

débarquement. Vingt-six mois après la libération de Paris, le référendum du 13 octobre 1946 dote enfin la France de nouvelles institutions, mais le oui ne représente que 9 000 000 de voix et il y a eu 7 790 000 non et 7 775 000 abstentions (recommandées par de Gaulle). La mise en place de la IVe République s'effectue d'ailleurs péniblement. Des élections législatives ont lieu le 10 novembre 1946, elles marquent un progrès communiste (165 sièges), le maintien du M.R.P. (158 sièges), le déclin de la S.F.I.O. (91 sièges) et surtout le réveil des « indépendants » et des radicaux (130 sièges à eux deux). Fait significatif, les parlementaires portent à la présidence de l'Assemblée et à la présidence de la République deux hommes de la IIIe République : Herriot et Auriol. Dès les premiers jours d'existence de la IVe République, une crise gouvernementale éclate. Le vieux Léon Blum se dévoue pour diriger un éphémère gouvernement de transition (décembre 1946-janvier 1947), le temps de parvenir à un nouvel accord au sein du tripartisme. En janvier 1947, le socialiste Ramadier forme le gouvernement qui compte cinq ministres communistes dont Thorez, vice-président du Conseil.

Au printemps 1947, la situation se dégrade. L'inflation atteint 50 %, les salaires sont en partie bloqués et la ration de pain est ramenée à 200 grammes par jour et par personne. Depuis décembre 1946, la guerre fait rage en Indochine, opposant les troupes françaises aux maquisards procommunistes. Le 7 avril, de Gaulle fonde un mouvement politique, le R.P.F. (Rassemblement du peuple français), qui dénonce rudement le « régime des partis ».

La grande union entre les Alliés vit ses derniers jours. Le 24 avril 1947, l'échec de la conférence de Moscou marque le point de départ de la « guerre froide ». Le tripartisme ne résiste pas longtemps.

En mars, un premier incident grave oppose les députés et ministres communistes au gouvernement à propos de la guerre d'Indochine. Le 4 mai, à la suite d'une grève aux usines Renault, députés et ministres communistes votent contre le gouvernement d'union. Le 5 mai 1947, Ramadier met fin aux fonctions des cinq ministres communistes. La IVe République n'a même pas six mois d'existence que déjà le schéma constitutionnel sur lequel reposait le régime — l'union de trois partis disciplinés représentant 75 % des voix — vole en éclats.

La IVe République est mal partie et se trouve vite sous les feux croisés de deux vigoureuses oppositions. A droite, le R.P.F. remporte un triomphe aux élections municipales d'octobre 1947 (38 % des voix). De Gaulle demande la dissolution de l'Assemblée et une réforme de la constitution. A gauche, le parti communiste exploite les difficultés sociales et encourage les très violentes grèves de novembre-décembre 1947 (plusieurs morts, des sabotages) qui provoquent l'éclatement du syndicat C.G.T. et la naissance de F.O. (Force ouvrière).

Le gouvernement Ramadier démissionne le 19 novembre, après seulement dix mois d'existence. L'instabilité est de retour. Les grands espoirs de l'été 1944 sont déjà loin.

La IVᵉ République

Un régime instable et faible

Les constituants de 1946 voulaient doter la France d'un régime permettant de concilier démocratie et efficacité et d'oublier définitivement les tares de la IIIᵉ République. La constitution d'octobre 1946 met en place — en théorie du moins — un régime parlementaire avec un gouvernement qui doit être stable. Certes, le président de la République possède des pouvoirs limités, du moins conserve-t-il le droit de dissolution (utilisé en 1955) et la liberté de désigner à la présidence du Conseil la personnalité de son choix. Les constituants ont voulu doter le chef du gouvernement d'une certaine marge de manœuvre. A cette fin, la constitution précise que le président du Conseil reçoit seul la confiance (à la majorité absolue) de l'Assemblée nationale, que celui-ci est donc libre de constituer comme il l'entend son gouvernement, qu'il faut une motion de censure votée après vingt-quatre heures de réflexion et à la majorité absolue pour mettre fin à l'existence du gouvernement. Le pouvoir législatif est confié à une Assemblée nationale très puissante et à un Sénat dépouillé d'une grande partie de ses pouvoirs et qui s'appelle désormais le Conseil de la République.

Hélas ! ce schéma constitutionnel est tout de suite dénaturé. Les hommes de la IVᵉ République ont construit des institutions qu'ils n'ont presque jamais respectées. Dès janvier 1947, régulièrement investi, le président du Conseil, Paul Ramadier, sollicite un second vote d'investiture lors de la présentation à l'Assemblée de son gouvernement. Un précédent fâcheux est créé. La constitution d'un gouvernement qui devait être en principe l'objet d'un contrat solide entre une majorité et un homme devient vite l'objet de longues et peu glorieuses négociations entre les partis politiques. La IVᵉ République glisse très vite du régime parlementaire au régime d'assemblée. Comme sous l'ancienne République, les gouvernements prennent l'habitude de démissionner dès qu'un parti de la majorité annonce son futur désistement, ou dès qu'un vote apparaît médiocre sans que la majorité absolue soit cependant atteinte. La IVᵉ République souffre beaucoup de la fragilité ou de l'inconsistance des majorités parlementaires. Le texte de 1946 tenait pour acquis l'union entre trois grands partis disciplinés représentant environ 70 % des voix (P.C.F., S.F.I.O., M.R.P.). La guerre froide bouleverse les choses. Dès le 5 mai 1947, cette majorité vole en éclats et le parti communiste s'isole dans une opposition virulente. A droite, la menace du R.P.F. puis, à partir de 1955-1956, du mouvement Poujade est sensible. Dès lors, pour parvenir à constituer une majorité, les deux grands partis restants (S.F.I.O., M.R.P.) n'ont d'autre solution que de s'allier avec deux courants politiques (d'un côté les radicaux, de l'autre les modérés et les indépendants, c'est-à-dire le centre et la droite), très indisciplinés et très marqués par l'esprit de la

IIIe République. L'instabilité politique que l'on croyait bannie réapparaît. La durée de vie moyenne d'un gouvernement s'établit à six mois et demi ! Entre le 18 décembre 1946 et le 28 mai 1958, vingt-et-un présidents du Conseil se succèdent... En décembre 1953, il faut treize tours de scrutin pour élire à la présidence de la République René Coty... Les crises gouvernementales se multiplient car les accords conclus entre les partis sont fragiles. Dès qu'un problème nouveau surgit, c'est la crise et la France reste sans gouvernement en moyenne un mois par an. Cette extrême faiblesse de l'exécutif encourage chez certains militaires des actes de désobéissance et provoque l'écœurement d'un nombre croissant de citoyens. L'antiparlementarisme renaît. Le régime se trouve vite isolé des mouvements profonds de l'opinion et fait figure d'otage aux mains d'une caste de politiciens.

René Coty
(photo A.F.P.).

Si, avec 25-28 % des suffrages exprimés, le parti communiste reste le premier parti de France pendant toute cette période, les autres mouvements politiques connaissent de rapides évolutions. Le mouvement gaulliste s'essouffle. De Gaulle dissout le R.P.F. en 1953 et beaucoup de députés gaullistes se rallient au « système », entamant ainsi de belles carrières ministérielles (Chaban-Delmas). Les deux partis rescapés du tripartisme, le M.R.P. et la S.F.I.O., perdent régulièrement des voix et des sièges. Inversement, on remarque une reconstitution rapide du centre et des diverses familles de droite. Cette renaissance des « modérés » explique le virage libéral que prend la politique économique de la France après 1948. Les radicaux représentés par E. Faure et P. Mendès France retrouvent leur ancienne influence. Dès 1948, c'est un radical, Queuille, qui dirige le cabinet. De même, l'ancienne droite parlementaire renouvelle son audience. En 1948, R. Duchet fonde le Centre national des indépendants (C.N.I.) qui remporte 99 sièges aux élections législatives de 1951 contre 106 aux socialistes et 88 au M.R.P. A deux reprises (Pinay 1952, Laniel 1953-1954), les indépendants dirigent le gouvernement. La renaissance affecte aussi l'extrême droite qui, sous le couvert d'un mouvement de défense du petit commerce et de l'artisanat (mouvement Poujade), exploite l'antiparlementarisme et dénonce l'« abandon » colonial. Les poujadistes obtiennent 12,5 % des voix et 52 sièges aux élections de 1956 qui, cependant, donnent un très léger avantage à une coalition de gauche modérée, le « Front républicain ». L'utilisation du scrutin à la proportionnelle explique l'extrême morcellement de l'Assemblée nationale et la grande difficulté à constituer des majorités.

Outre le cabinet Ramadier, deux gouvernements ont dominé l'histoire de la IVe République. En 1952 (6 mars-23 décembre), Antoine Pinay, chef de file des indépendants, acquiert une importante popularité en indexant le salaire minimum sur le coût de la vie et en brisant la seconde poussée inflationniste de l'après-guerre. Pinay diminue la masse monétaire trop abondante en ayant recours, non à des mesures autoritaires, mais en jouant la confiance du public par le lancement d'un emprunt gagé sur l'or. Entre juin 1954 et février 1955, alors que les troupes françaises viennent de

Antoine Pinay
(photo A.F.P.).

Pierre Mendès France (photo Edimedia).

succomber à Diên Biên Phu (7 mai), l'énergique et lucide Mendès France accède au gouvernement. Par les accords de Genève (20-21 juillet 1954), il met fin aussitôt à la guerre d'Indochine. Il lance le processus de négociation en Tunisie, annonce la mise en chantier d'un vaste programme de modernisation de l'économie, met fin adroitement à la querelle de la C.E.D. (cf. p. 323). Par un style de gouvernement moderne, méthodique, clair, Mendès France, qui bénéficie du soutien enthousiaste de l'hebdomadaire *L'Express,* semble être l'homme capable de donner au régime un nouveau départ. La guerre d'Algérie, qui éclate le 1er novembre 1954, provoque sa chute après sept mois de gouvernement.

Des échecs...

Les débuts de la IVe République coïncident avec l'éclatement de la guerre froide. Les dirigeants de la « troisième force » (S.F.I.O., M.R.P., radicaux, modérés...) affichent des positions anticommunistes. Les liens avec les États-Unis sont renforcés. La France se met à l'abri du parapluie atomique américain et accueille sur son sol les bases militaires et l'état-major de l'O.T.A.N. (Organisation du traité de l'Atlantique Nord, créée en 1949). Tant au niveau économique qu'au niveau diplomatique, la politique française apparaît dépendante de l'allié américain. C'est d'ailleurs au nom de la lutte contre le communisme que les États-Unis prennent à leur charge 40 % du coût de la guerre d'Indochine.

La question coloniale constitue le grand échec de la IVe République, qui n'a jamais bien mesuré le caractère irréversible du mouvement de décolonisation. La guerre d'Indochine (1946-1954) se termine par une défaite. Après des heurts, le Maroc et la Tunisie accèdent à l'indépendance en 1956. En revanche, en Algérie, où la guerre est apparue depuis novembre 1954, c'est vite l'enlisement face à un adversaire (le Front de libération nationale) qui pratique la guérilla et l'attentat. La guerre d'Algérie (1954-1962) accentue le malaise politique intérieur, provoque le déchirement de l'opinion et amène finalement la chute du régime.

La menace permanente de l'inflation et la mauvaise situation des finances publiques constituent l'autre grand échec de la IVe République. De 1944 à 1958, la France, faute d'une politique financière rigoureuse, connaît trois flambées des prix : la première, entre 1944 et 1948, prend l'allure d'une explosion (entre 45 et 60 % de hausse par an !) et explique en partie la violence des grèves de 1947. Non sans mal, les ministres des Finances Mayer et Petsche la réduisent. Nouvelle flambée en 1950-1952 (+ 16 % de hausse en 1951) dont vient à bout Antoine Pinay. Dernière alarme en 1956-1958... Un évident laisser-aller financier provoque une croissance excessive de la masse monétaire, alors que l'encaisse-or de la

Banque de France baisse. En 1957, il y a 3 300 milliards de billets en circulation (624 milliards en 1944) pour 511 tonnes d'or (1 578 tonnes en octobre 1944). Par une monnaie trop abondante, on stimule les prix, on encourage les emprunts, les investissements, la production, mais ce laxisme financier possède un revers. Entre décembre 1945 et juin 1958, le franc est cinq fois dévalué et le dollar passe de 119 F à 420 F...

Production industrielle et inflation de 1944 à 1959.

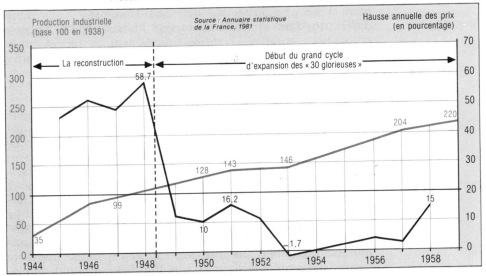

... mais aussi des succès

Il y a cependant des succès dont la IVe République peut, à juste titre, s'enorgueillir. En dépit des crises, certains ministres ont pu occuper leur poste assez longtemps pour mener une politique utile (R. Mayer, G. Bidault, E. Faure). Les hommes de la IVe République entament très vite le processus de la construction européenne et jettent les bases d'une réconciliation avec la jeune République fédérale d'Allemagne. R. Schuman et J. Monnet sont les artisans de la C.E.C.A. (Communauté européenne du charbon et de l'acier, avril 1951) qui institue une baisse des tarifs douaniers entre six pays (la R.F.A., la Belgique, les Pays-Bas, le Luxembourg, l'Italie, la France), créant un marché unique pour deux produits alors essentiels au relèvement de l'Europe. La C.E.C.A. est l'ancêtre du Marché commun. Une idée audacieuse pour l'époque, celle de créer une Communauté européenne de défense (C.E.D.), suscite des débats passionnés, mais échoue finalement (1954). Cependant, le gouvernement Mollet relance la construction européenne et signe à Rome, le 25 mars 1957, les traités créant l'Euratom (Communauté européenne pour l'énergie atomique) et surtout la C.E.E.

(Communauté économique européenne) qui pose le principe de l'abaissement futur des barrières douanières et la création, entre les six, d'un marché unique des produits agricoles et industriels : le Marché commun. Avec lucidité et un certain courage, le régime sait mettre fin à la vieille tradition protectionniste et ouvrir progressivement les frontières du pays à ses voisins.

La reconstruction et la modernisation économiques ont été facilitées par le contexte général. A partir de 1945-1947 commence, dans les pays industriels, le grand cycle d'expansion et de prospérité des « Trente Glorieuses ». Le plan américain Marshall (la France reçoit 2,5 milliards de dollars entre 1948 et 1952) favorise grandement le redémarrage économique. Le maintien durant toute cette période d'une forte poussée démographique provoque un rapide relèvement de la population (40,6 millions d'habitants en 1946 ; 44,6 millions en 1958) et, surtout, un net rajeunissement. Les gouvernements de l'époque disposent désormais d'une meilleure information économique grâce à l'I.N.S.E.E.*, créé en 1946, et à la vulgarisation des théories de Keynes sur la relance par le déséquilibre budgétaire.

La politique économique a d'abord une coloration socialisante dans les années 1944-1948 puis, avec l'apparition de la « troisième force », devient de plus en plus libérale. Le rationnement disparaît et les gouvernements encouragent la renaissance du secteur privé. La reconstruction est rapide. Dès 1948, le niveau de production industrielle de 1938 est retrouvé. Au prix d'une inflation chronique, la IVe République réussit à orienter le pays vers une vigoureuse croissance économique (croissance moyenne annuelle du P.N.B. : 5 %). La production industrielle (base 100 en 1938) atteint l'indice 128 en 1950, 146 en 1953 et 204 en 1957... La production double entre 1948 et 1957 !

De nombreux indices témoignent de cette poussée : le bâtiment (multiplication des grands ensembles), l'industrie chimique, l'industrie électrique (électroménager, naissance de la télévision), l'automobile (succès de la 4 CV et de la Dauphine de Renault, de la 2 CV et surtout de la DS de Citroën), l'aéronautique (avions militaires Dassault, moyen-courrier Caravelle de la SNIAS).

Sous la IVe République s'effectue un changement capital : l'économie française s'ouvre non seulement sur l'Europe mais sur le monde entier. La France, qui a accepté les accords monétaires de Bretton-Woods et adhéré au Fonds monétaire international, assouplit peu à peu le contrôle des changes et rétablit partiellement la convertibilité externe de sa monnaie. Les industriels français achètent de plus en plus à l'étranger, notamment du pétrole, mais vendent aussi de plus en plus. Confrontés à la concurrence des produits étrangers, les producteurs français investissent, innovent, font preuve d'imagination. Les responsables politiques ont su favoriser ce grand mouvement de modernisation en ouvrant les frontières, mais aussi en passant des commandes

* Institut national des statistiques et études économiques.

(lycées, hôpitaux, H.L.M., matériel militaire), en créant le C.N.R.S.*, en finançant la construction de grands barrages hydroélectriques dans les Alpes ou sur le Rhône, en accélérant la prospection du méthane (Lacq) ou les travaux civils et militaires sur l'atome.

Deux exemples de la reconstruction et de la modernisation.

Le pont de Tancarville (photo Feher).   *La 4 CV Renault* (photo Edimedia).

La croissance de la production favorise le plein-emploi et la hausse du niveau de vie. La IVᵉ République encourage le progrès social, instaure une politique nataliste généreuse (hausse des allocations familiales, des allocations prénatales et de maternité), lutte avec succès contre la mortalité infantile, le rachitisme, la tuberculose. La Sécurité sociale permet un meilleur encadrement sanitaire de la population comme le montre l'allongement de la durée moyenne de vie (cinquante-six ans en moyenne pour un homme en 1938, soixante-cinq ans en 1954). En 1956, apparaissent la troisième semaine de congés payés et le minimum retraite. En établissant un régime libéral, la IVᵉ République a suscité également une renaissance intellectuelle dont témoignent le succès de journaux comme *Le Monde* et l'*Express* et le renouveau du cinéma. Des écrivains comme Albert Camus, François Mauriac, Jean-Paul Sartre, Simone de Beauvoir, André Malraux, Louis Aragon, Françoise Sagan, Raymond Aron... illustrent la vitalité de la littérature et de la pensée françaises.

* Centre national de la recherche scientifique.

La crise finale

La guerre d'Algérie est à l'origine directe de la chute de la IVᵉ République. De toutes les parties du territoire français, c'est l'Algérie la plus peuplée : un million d'Européens et neuf millions de musulmans y vivent. Depuis le 1ᵉʳ novembre 1954, le F.L.N. mène la guérilla et utilise l'attentat contre les forces françaises. La découverte de gisements importants de pétrole en 1956 (Hassi Messaoud) rend une négociation encore plus délicate.

En janvier 1956, les élections législatives donnent une légère avance au Front républicain qui regroupe, sur un programme ouvert à la négociation en Algérie, les radicaux « mendésistes », le centre gauche et les socialistes. C'est d'ailleurs le chef de la S.F.I.O., Guy Mollet, qui forme le gouvernement (2 février 1956-21 mai 1957). Le 6 février 1956, le nouveau président du Conseil se rend à Alger et se heurte à une violente opposition de la part des « Pieds-noirs », Européens souvent de condition modeste mais passionnément attachés à l'« Algérie française ». Le dépôt d'une gerbe au monument aux morts s'effectue sous une grêle de tomates, de mottes de terre, voire de billes de plomb. La police fait grève. Profondément bouleversé, Mollet change de politique et renforce la lutte armée contre le F.L.N. Un ministre socialiste réputé pour sa fermeté, Lacoste, prend en charge l'Algérie. L'usage des libertés fondamentales est restreint (pouvoirs spéciaux). Des réservistes sont rappelés, puis le contingent est envoyé en Algérie. Alors que des contacts secrets sont pris avec le F.L.N. à Rome, des militaires, sans ordre, arraisonnent l'avion marocain transportant Ben Bella et quelques chefs algériens le 22 octobre 1956. La négociation échoue et Mollet couvre, bon gré mal gré, l'initiative des militaires. Le 5 novembre, le gouvernement français avec l'aide du Royaume-Uni et d'Israël lance une expédition militaire contre l'Égypte du colonel Nasser qui vient de procéder à la nationalisation du canal de Suez et dont le soutien voyant au F.L.N. irrite Paris. Si, militairement, l'opération est un succès, elle tourne vite à la déroute diplomatique. Moscou et Washington exercent de très fortes pressions qui aboutissent à l'évacuation du canal de Suez. En janvier 1957, le gouvernement Mollet confie à la division parachutiste du général Massu des pouvoirs de police pour faire la chasse aux poseurs de bombes du F.L.N. La « bataille d'Alger » (3 000 membres du F.L.N. mis hors de combat) révèle à l'opinion métropolitaine l'utilisation de la torture dans certaines unités de l'armée et suscite un débat passionné.

A la différence de la guerre d'Indochine, la guerre d'Algérie ne bénéficie d'aucune aide financière américaine. Les lourdes dépenses militaires expliquent la troisième poussée inflationniste de 1956-1958 et la cinquième dévaluation du franc de l'été 1958. La France doit recourir à d'humiliants emprunts auprès des États-Unis et du F.M.I. Le 8 février 1958, l'aviation française — à nouveau sans ordre — bombarde le village tunisien de Sakiet soupçonné d'héberger une base de retraite du F.L.N. L'opération provoque la mort de

Guy Mollet (photo A.F.P.).

quatre-vingts personnes et provoque une crise internationale. La Tunisie saisit l'O.N.U., le faible gouvernement Gaillard ne résiste pas et est renversé le 15 avril. Alors que l'opinion est lasse de cette guerre interminable, que partisans et adversaires de l'Algérie française s'affrontent, la France reste sans gouvernement... Enfin, Pierre Pflimlin (M.R.P.) est chargé d'en constituer un. Mais la possible investiture d'un homme réputé favorable à la négociation provoque la colère des Pieds-noirs et particulièrement des « ultras » aux idées proches de l'extrême droite. Le 13 mai 1958, jour du vote de l'investiture du gouvernement Pflimlin, une grande manifestation a lieu à Alger. Avec la complicité de certains parachutistes, la foule s'empare du Gouvernement général et crée, avec la caution des généraux Massu et Salan, un Comité de salut public. Dès lors existe un risque majeur de rébellion, voire de guerre civile, entre l'Algérie aux mains du Comité de salut public et qui dispose de 400 000 soldats et la métropole, où le faible gouvernement Pflimlin investi le 13 mai au soir par les députés, ne semble même pas disposer d'une police sûre. Le 24 mai, la Corse passe à l'insurrection algéroise et l'on parle de plus en plus d'un coup de main militaire des forces d'Algérie sur la métropole (plan « Résurrection »). Entre, d'un côté, Paris et la faible IVe République et, de l'autre, Alger avec le risque d'un gouvernement militaire, une solution intermédiaire, acceptable par une majorité de Français, existe : celle d'un retour au pouvoir du général de Gaulle.

Des émissaires du général de Gaulle gagnent Alger, poussent le général Salan à crier le 15 mai à midi : « Vive de Gaulle ! » Le même jour, mais dans la soirée, de Gaulle diffuse une déclaration : « Je me tiens prêt à assumer les pouvoirs de la République. » La manifestation de gauche du 28 mai ne peut enrayer le processus de ralliement au chef de la France libre. G. Bidault, A. Pinay, F. Mauriac, V. Auriol, *Le Figaro* et finalement G. Mollet et *Le Monde* se rallient. Des contacts secrets sont pris. Pierre Pflimlin démissionne le 28 mai. Le président Coty charge le général de Gaulle de constituer le gouvernement le 29. Le 1er juin, par 329 voix contre 224 (les communistes, une partie des radicaux, des socialistes), l'Assemblée nationale accorde l'investiture au gouvernement de Gaulle qui compte dans ses rangs les principaux responsables politiques du pays : Antoine Pinay (C.N.I.), Guy Mollet (S.F.I.O.), Pierre Pflimlin (M.R.P.). De Gaulle, ayant posé comme condition à son retour le changement des institutions, reçoit de l'Assemblée le 2 juin les pouvoirs constituants accompagnés cependant de garanties sur la nature démocratique du prochain régime.

La Vᵉ République

Selon un processus désormais classique, la grave crise intérieure de 1958 amène les institutions de la IVᵉ République, non pas à s'adapter, mais à disparaître. De retour au pouvoir après une « traversée du désert » de douze ans, le général de Gaulle jette les bases d'un nouveau régime — la Vᵉ République — caractérisé par un net redressement du pouvoir exécutif.

La période mouvementée de la fondation (1958-1962)

La nouvelle constitution

Dans des circonstances dramatiques, le général de Gaulle devient le dernier président du Conseil de la IVᵉ République (1ᵉʳ juin 1958), mais exige que l'on procède à une refonte complète des institutions. L'Assemblée vote au gouvernement les pouvoirs constituants le 2 juin mais impose — souvenir du vote malheureux de juillet 1940 — certaines garanties, dont l'obligation de soumettre le texte à référendum.

Durant l'été 1958, la constitution est rédigée par un petit groupe de spécialistes dont la personnalité la plus en vue est Michel Debré. En septembre s'ouvre la campagne référendaire. Les gaullistes, la droite, le centre, une partie de la gauche se prononcent en faveur du oui. Les partisans du non sont minoritaires (Poujade, Mendès France, Mitterrand, le parti communiste). Le 28 septembre, le oui triomphe (79,2 % des voix) et la constitution est ratifiée. Le référendum revêt une évidente allure personnelle ; pour beaucoup de Français le oui à la constitution se confond avec le oui à de Gaulle. La constitution est bâtie sur deux idées directrices. De Gaulle impose la restauration des pouvoirs du président de la République. Debré, qui raisonne en fonction d'un pays qui n'a pas connu de majorité stable depuis près de quatre-vingt-dix ans, insiste pour que l'on « rationalise » le Parlement, c'est-à-dire que l'on introduise dans le texte des règles draconiennes qui imposent aux parlementaires une certaine discipline et permettent aux gouvernements d'être plus stables et plus efficaces.

Michel Debré
(photo A.F.P.).

Le pouvoir législatif constitué par l'Assemblée nationale, le Sénat et le Conseil économique et social (dont le rôle n'est que consultatif) est en net retrait. De lourdes barrières limitent désormais l'activité du Parlement. Il ne siège que six mois par an en deux sessions, ne constitue qu'un nombre restreint de commissions. Les articles 21 et 37 définissent de manière restrictive le domaine de la loi votée par l'Assemblée et le Sénat, mais élargissent en revanche le domaine du règlement qui procède du gouvernement. On impose la règle de l'incompatibilité entre mandat parlementaire et fonction ministérielle.

Le gouvernement, maître de l'ordre du jour des assemblées, peut écarter tout débat imprévu et faire voter en priorité ses propres projets. Si des amendements parlementaires menacent de dénaturer un texte gouvernemental, le Premier ministre peut exiger un vote bloqué, voire engager sa responsabilité sur ce texte. Si aucune motion de censure n'est votée, le texte est alors adopté sans avoir été soumis véritablement au vote.

Certes, le Parlement conserve le droit de renverser le gouvernement, mais l'opération réglementée avec précision impose un délai de réflexion de quarante-huit heures et, surtout, l'existence d'une majorité absolue d'opposants. Entre 1958 et 1985, cette condition n'a été réunie qu'une fois ! Pour interpréter la constitution, un Conseil constitutionnel formé de neuf membres entre en fonction.

A l'opposé, le pouvoir exécutif est mis en valeur. La constitution indique que le Premier ministre (terme nouveau) « dirige l'action du gouvernement ». Il fixe l'ordre du jour des assemblées, possède l'initiative des lois et l'important pouvoir réglementaire.

Disposant d'importants pouvoirs qu'ils utilisent de façon très modérée, les divers Premiers ministres ont tous — jusqu'à présent — accepté de s'incliner devant le président de la République. En effet, le président retrouve un prestige et des pouvoirs nouveaux. Élu pour sept ans, le président de la République désigne librement le Premier ministre (il n'est pas tenu de nommer le chef du parti majoritaire), préside le Conseil des ministres, signe les ordonnances et les décrets et peut dissoudre l'Assemblée nationale à tout moment, sauf dans l'année qui suit une première dissolution.

En cas de « crise grave », l'article 16 confère au président les pleins pouvoirs, mais le Parlement est alors immédiatement réuni et ne peut être dissous.

Le texte de 1958 prévoit un partage de la fonction exécutive entre un Premier ministre aux pouvoirs importants, dont seul un vote de l'Assemblée peut théoriquement mettre fin aux fonctions, et un président « arbitre » (article 5).

En réalité, les circonstances — l'arrivée à la présidence d'un homme exceptionnel, au tempérament autoritaire — imposent très vite une seconde lecture, d'esprit présidentiel, de la constitution. Jusqu'en 1985, tous les Premiers ministres acceptent de s'effacer devant le président et de démissionner lorsque ce dernier le leur demande.

Le redressement de l'État

A l'automne 1958, la mise en place des nouvelles institutions s'effectue. Les élections législatives de novembre, utilisant le scrutin uninominal majoritaire à deux tours, permettent aux gaullistes de l'U.N.R. (Union pour la nouvelle république) de remporter 212 sièges. Les indépendants ont 118 sièges mais le M.R.P. 56, les radicaux 33, la S.F.I.O. 44 et les communistes 10 seulement. Des personnalités de la IV⁵ République (Mendès France, Mitterrand) sont battues, inversement entre en scène un nouveau personnel politique issu du gaullisme (Couve de Murville, Peyrefitte, Le Theule...). Le 21 décembre, un collège électoral composé de 80 000 élus locaux et nationaux porte de Gaulle à la présidence de la République, avec une forte majorité (78,5 %). Le 8 janvier 1959, le nouveau président nomme Michel Debré Premier ministre. Un gouvernement est formé, reposant à l'Assemblée sur une majorité U.N.R. - indépendants - M.R.P. et quelques socialistes. Antoine Pinay, assisté d'experts et du jeune secrétaire d'État Giscard d'Estaing, reçoit en charge le ministère des Finances. Il réussit à redresser la situation financière délicate et à enrayer la troisième flambée inflationniste de l'après-guerre (cf. p. 322). Le plan Pinay de stabilisation entraîne une forte réduction des dépenses de l'État, recourt à un nouvel emprunt gagé sur l'or pour réduire la masse monétaire et majore les impôts indirects. La sixième dévaluation du franc a lieu en décembre, mais la convertibilité externe de la monnaie est rétablie et, en janvier 1959, le « nouveau franc » (100 « anciens francs » = 1 nouveau franc) est mis en service. Inspirant la confiance à un large public, Pinay réussit à réduire l'inflation (+ 15 % en 1958, + 6 % en 1959), à stimuler les exportations et à reconstituer une partie des réserves en or de la Banque de France. Toutefois, le pouvoir d'achat moyen des Français baisse légèrement.

Les déchirements de la décolonisation

En 1958, beaucoup de Français attendent que de Gaulle trouve une solution au conflit algérien. Si, le 4 juin, de Gaulle s'écrie à Alger : « Je vous ai compris ! », il reste d'une extrême prudence et ne parle pas d'Algérie française. Non sans réticence, de Gaulle estime que le réalisme doit l'emporter, que la décolonisation est inéluctable, que le maintien de l'empire colonial nuit au prestige extérieur de la France et freine sa modernisation. Une formule intermédiaire — une association étroite entre les anciennes colonies et la métropole — lui semble préférable.
C'est cette solution qui s'impose facilement en Afrique noire. Dès septembre 1958, la nouvelle constitution établit une Communauté entre la France et les colonies africaines pourvues désormais d'une large autonomie. Seule la Guinée rompt avec la France. En 1960, la Communauté disparaît. Les

colonies deviennent indépendantes, mais des accords de coopération permettent à la France de conserver de multiples liens politiques, culturels, militaires avec ses anciennes colonies. Paris sauvegarde ainsi l'essentiel de ses intérêts en Afrique noire.

L'évolution est beaucoup plus difficile à conduire en Algérie, en raison des susceptibilités des cadres de l'armée, et surtout de la communauté européenne passionnément attachée à cette terre et persuadée que de Gaulle sera l'homme de l'Algérie française. De Gaulle, d'ailleurs, hésite et sa politique apparaît ambiguë. Tantôt il lance le plan de Constantine destiné à industrialiser l'Algérie et donne l'impression qu'il s'oriente vers l'intégration des 9 millions de musulmans à la France, tantôt il propose au F.L.N. de conclure « la paix des braves » (octobre 1958). En 1959, il confie au général Challe de gros moyens militaires pour combattre les « fellaghas » (30 000 « rebelles » éliminés, soit peut-être la moitié des effectifs du F.L.N.), mais il proclame le 16 septembre le droit à « l'autodétermination » de l'Algérie. A cette date, de Gaulle semble persuadé que la politique d'intégration proposée par les partisans de l'Algérie française est irréaliste et, qu'à côté de l'indépendance, la solution moyenne d'une Algérie autonome associée à la métropole par des accords peut l'emporter. La marge de manœuvre du président de la République est étroite : les positions du F.L.N. sont très rigides, les Pieds-noirs crient à la trahison et les cadres de l'armée, voyant apparaître une victoire possible, protestent. En janvier 1960, le général Massu est relevé de son commandement. Des étudiants dirigés par Lagaillarde et quelques « ultras » derrière Ortiz tentent un nouveau « 13 Mai », se barricadent à Alger et cherchent à infléchir la politique de Paris. L'armée laisse faire, des heurts éclatent avec la gendarmerie (20 morts) et les émeutiers tiennent huit jours (24-31 janvier). Deux ministres acquis à l'Algérie française (Soustelle, Cornut-Gentille) quittent le gouvernement.

Une de France-soir
le 25 avril 1961
(photo Edimedia).

En juin 1960, à Melun, s'ouvrent les premières négociations — infructueuses — avec le G.P.R.A. (Gouvernement provisoire de la République algérienne, émanation du F.L.N.). De Gaulle prend soin de soumettre sa politique d'autodétermination à l'approbation d'une opinion de plus en plus lasse et inquiète (référendum du 8 janvier 1961, 75 % de oui en métropole). Le 22 avril 1961, une seconde crise secoue la jeune Ve République. Les généraux Salan, Jouhaud, Challe et Zeller s'emparent du pouvoir à Alger. Le putsch cherche à entraîner l'armée d'Algérie (600 000 soldats) et les Pieds-noirs dans une vaste rébellion contre de Gaulle et Paris. De nouveau, c'est la fièvre et l'angoisse en métropole. Par un discours très ferme relayé par les radios, de Gaulle, utilisant l'article 16 et l'état d'urgence, s'assure la fidélité des soldats du contingent.

N'ayant pu rallier que 14 000 soldats et 200 officiers, le putsch s'écroule le 25. La répression est sévère. En mai 1961, la négociation reprend avec le G.P.R.A.

La question du Sahara, où la France expérimente sa bombe atomique et exploite du pétrole, est délicate. Le 8 février

1962, à Paris, une manifestation de gauche en faveur de la paix en Algérie est durement réprimée par la police. On relève huit morts (affaire du métro Charonne).

Le dénouement

Non sans mal, un accord est trouvé à Evian le 18 mars 1962. La métropole ratifie l'accord par le référendum du 8 avril 1962 (90 % de oui). La France accepte que l'Algérie devienne indépendante, le G.P.R.A. accorde à la France des garanties pour ses installations militaires, l'exploitation du pétrole du Sahara, promet de respecter les biens des Européens qui pourront opter entre la nationalité algérienne et la nationalité française. Le 1er juillet, les Algériens ratifient ces accords par référendum.

L'espoir d'une étroite coopération entre Paris et la nouvelle République algérienne s'évanouit très rapidement. Entre Européens, musulmans et autorités françaises, la tension est très vive au printemps 1962.

Le 26 mars 1962, rue d'Isly à Alger, lors d'une manifestation d'Européens en faveur de l'Algérie française, des coups de feu sont tirés contre les soldats chargés du maintien de l'ordre. Ceux-ci répliquent. On relève 46 morts. (Photo A.F.P.).

L'O.A.S. (Organisation armée secrète) qui regroupe les « ultras » européens, et dont l'idéologie est inspirée de l'extrême droite, cherche à empêcher l'application des accords, multiplie les attentats contre des personnalités libérales et provoque de graves destructions matérielles. De son côté, le F.L.N. exerce, souvent avec cruauté, des représailles sur les musulmans fidèles à la France. Alors que la situation devient épouvantable, la communauté européenne décide de quitter massivement l'Algérie. Dans des conditions douloureuses, près de un million d'Européens, dont beaucoup abandonnent l'essentiel de leurs biens, regagnent la métropole durant l'été 1962. La guerre d'Algérie provoque d'ultimes déchirements. Rallié à l'O.A.S., l'ancien président du Conseil Bidault voit son immunité parlementaire levée et prend la fuite. La liquidation de l'O.A.S. par la police provoque de nombreuses arrestations et la mise en place d'une juridiction d'exception, la Cour de sûreté de l'État. Le 22 août 1962, un commando dirigé par le lieutenant-colonel Bastien-Thiry manque de peu l'assassinat du général de Gaulle (attentat du Petit-Clamart). Au total 2 360 condamnations sont prononcées dont 41 à mort. Si les généraux du putsch sauvent leur tête, 4 membres de l'O.A.S. sont fusillés.

La crise de l'automne 1962

Depuis avril 1962 le général a changé de Premier ministre. Michel Debré a cédé la place à Georges Pompidou. Avec la fin de la guerre d'Algérie, beaucoup d'hommes politiques estiment que de Gaulle n'est plus indispensable, que son âge (soixante-douze ans), ses méthodes autoritaires, l'effacement jugé excessif du Parlement, justifient le départ du général. Au fil des mois, des désaccords graves ont transformé la majorité à l'Assemblée en minorité. Tour à tour, les socialistes, Antoine Pinay et la majorité des indépendants, le M.R.P. ont pris leurs distances avec le gaullisme et ont rejoint l'opposition.

Dessin de Moisan (photo Canard Enchaîné/Josse).

A l'automne, une crise violente éclate entre le président et la majorité des partis politiques. De Gaulle exploite l'émotion créée dans le public par l'attentat manqué du Petit-Clamart pour proposer une réforme essentielle de la constitution : faire élire le président de la République au suffrage universel. Élu directement par le peuple et non plus par un collège de notables, le président disposerait ainsi d'une autorité et d'une légitimité exceptionnelles. S'estimant le seul dépositaire de la souveraineté nationale, le Parlement redoute une telle réforme qui risque d'accentuer la présidentialisation et la personnalisation du régime. Le 12 septembre, le gouvernement Pompidou annonce que le projet de réforme sera soumis à référendum. Aussitôt, c'est le tollé dans les états-majors politiques. Députés et sénateurs dénoncent le référendum-plébiscite et font remarquer que le gouvernement Pompidou, peu sûr de sa majorité, a délibérément écarté l'article 89 (révision par les assemblées) au profit de l'article 11 (révision par référendum) qui semble plutôt concerner la ratification d'un traité ou « l'organisation des pouvoirs publics » (notion assez vague). Le Conseil d'État déclare inconstitutionnel le procédé ! Le président du Sénat Monnerville parle de « forfaiture ». Le 5 octobre, 280 députés sur 480 censurent le gouvernement Pompidou. De Gaulle refuse de s'incliner, maintient le référendum et dissout l'Assemblée. Une violente campagne référendaire et législative s'ouvre donc. Autour du non à de Gaulle, presque tous les partis se regroupent : P.C., S.F.I.O., M.R.P., radicaux, la majorité des indépendants. L'U.N.R. et un petit groupe d'indépendants dirigés par Giscard d'Estaing apportent leur soutien au oui et à de Gaulle. Cependant le « Cartel des non » a peine à convaincre les électeurs du caractère antidémocratique d'une réforme qui vise à faire élire par le peuple le président de la République. Alors qu'une crise internationale vient d'éclater (crise des fusées de Cuba), de Gaulle, dont le prestige reste encore élevé, annonce qu'il se retirera si le non l'emporte. Beaucoup de Français redoutent ainsi un retour à la IVe République. Dès lors, les conditions sont réunies pour une double victoire, référendaire le 28 octobre (61,7 % de oui), législative les 18 et 25 novembre : l'U.N.R. (32 % des voix et 233 sièges) et les républicains indépendants (35 sièges) dépassent la majorité absolue (241). Les M.R.P. et indépendants (55 sièges), les radicaux (39) enregistrent une sévère défaite. Inversement, à gauche, communistes (41 élus) et socialistes (66), qui ont conclu des accords entre eux, enregistrent un léger progrès. La crise débouche ainsi sur deux faits essentiels pour la stabilité et la longévité de la Ve République : la présidence dispose désormais d'une base démocratique, le fait majoritaire réapparaît.

La Ve République au temps du gaullisme dominant (1962-1974)

Conférence de presse
du général de Gaulle
à l'Élysée
(photo O.R.T.F.,
Daniel Fallot).

Un style nouveau

En prenant quelques libertés avec le texte constitutionnel, le général de Gaulle impose, dès les premières années de la Ve République, une évolution vers le présidentialisme et ressuscite un style de gouvernement majestueux et solennel, rappelant à la fois le bonapartisme et la monarchie du Grand Siècle. Sachant aussi s'adapter aux évolutions techniques et utiliser habilement la radio et la télévision, le général aime convoquer les journalistes à d'amples conférences de presse, durant lesquelles son art de la repartie, ses réponses soigneusement préparées, sa passion de l'histoire et de la « grandeur » de la France font merveille. Le général maintient le contact direct et régulier avec la population. Il réalise de très nombreux voyages en province au cours desquels il aime se mêler à la foule — à la grande angoisse de ses gardes du corps — pour serrer d'innombrables mains. Autour du général, le parti U.N.R. solidement organisé réussit à capter une partie notable de l'opinion : des résistants, une clientèle aisée mais aussi populaire, des technocrates, beaucoup de femmes adhèrent ou votent en faveur du mouvement gaulliste. Le fait majoritaire apparu en 1962 se prolonge (victoires législatives de 1967, 1968, 1973...), conférant une réelle solidité aux gouvernements Pompidou (1962-1968), puis Couve de Murville (1968-1969). Le personnel politique est profondément renouvelé, les ténors de la IVe République sont en disgrâce, les postes essentiels vont aux « barons » du gaullisme (Debré à nouveau ministre, Frey, Fouchet, Malraux, Messmer) et à quelques hauts fonctionnaires (Chirac, Peyrefitte, Missoffe) ou républicains indépendants (Giscard d'Estaing, Marcellin). Pour faire contrepoids à une presse écrite régionale et nationale, parfois distante à l'égard du régime, les gouvernements imposent à la radio et à la télévision d'État une tutelle souvent pesante en matière d'information.

La grandeur

« La France ne saurait être la France sans la grandeur... » Cette phrase du général de Gaulle résume les objectifs ambitieux qu'il impose à la politique étrangère qui constitue vite son « domaine réservé ». Avec l'aide de Couve de Murville, le général cherche à relever le prestige de la France dans le monde et à affirmer d'une manière inflexible sa complète indépendance. La division de la planète en deux blocs antagonistes est condamnée, de Gaulle souhaite faire d'une France puissante, prospère, moderne, un point de ralliement et un modèle pour de nombreux pays.

A cette fin, le général fait accélérer la mise au point d'une arme nucléaire française. La France dispose ainsi d'une bombe A dès 1960, puis de la bombe H en 1968. Apparaissent ensuite les bombardiers Mirage IV, puis les sous-marins nucléaires lanceurs de fusées à tête atomique. Le gouvernement encourage l'essor d'une forte industrie d'armement qui, bien vite, exporte ses productions dans le monde entier.

La France prend ses distances à l'égard des États-Unis. Par de spectaculaires voyages dans la zone d'influence américaine (Amérique du Sud, Canada, Cambodge...), de Gaulle encourage les gouvernements à faire preuve d'indépendance

M. Couve de Murville
(photo A.F.P.).

et multiplie les attaques à l'encontre de l'allié américain, alors embourbé dans la guerre du Viêt-nam. En mars 1966, le général exige le départ du sol français des bases militaires et de l'état-major de l'O.T.A.N., mais la France reste associée à l'organisation. L'État d'Israël est durement condamné lors de la guerre des Six Jours (1967). Inversement, les relations avec les pays arabes sont excellentes. Avec le bloc socialiste, le rapprochement est net. Dès 1964, la France reconnaît le gouvernement de la Chine populaire. Des accords commerciaux sont signés avec l'U.R.S.S. (1965), la Roumanie, la Pologne où le chef de l'État reçoit un accueil chaleureux.

Le régime lance une importante politique de coopération dont bénéficient les anciennes colonies françaises, mais aussi certains pays sous-développés (Zaïre, Sierra Leone, Mexique, Argentine, Grèce...). Chaque année de 1,2 à 2 % du P.N.B. français est consacré à l'octroi à ces pays de dons, de crédits, de bourses. Envoyés en mission, ingénieurs, techniciens, professeurs, militaires contribuent à maintenir une présence française dans le monde.

Avec la R.F.A. et le chancelier Adenauer, de Gaulle entretient d'excellentes relations qui permettent la signature, en janvier 1963, du traité franco-allemand de coopération. Pour favoriser la réconciliation entre les deux peuples, il est décidé que deux rencontres franco-allemandes auront désormais lieu chaque année. D'un nationalisme sourcilleux, de Gaulle est résolument opposé aux solutions supranationales et le montre clairement en 1965 lors de la « crise de l'Europe ». Toutefois, il laisse le Marché commun se mettre peu à peu en place. Les barrières douanières sont abaissées régulièrement, mais le général impose souvent à l'Europe des Six des exigences sévères qui profitent à l'agriculture française. En 1968, les dernières entraves douanières disparaissent entre les six pays. Soupçonné d'être trop lié aux États-Unis et de vouloir remettre en cause les règles communautaires, le Royaume-Uni, candidat à l'entrée dans la C.E.E. est, sur intervention française et par deux fois, écarté de l'Europe (1962 et 1967).

La politique de grandeur conduit la France à retrouver dans le monde une influence accrue, elle suscite toutefois chez les Français des sentiments mêlés. Au centre et à droite, beaucoup regrettent l'opposition menée contre les États-Unis. A gauche, la politique militaire nucléaire est mal vue et certains estiment que la coopération est synonyme de néocolonialisme. Enfin, bien des citoyens s'inquiètent du coût de la politique de grandeur. Ces inquiétudes et ces réticences ont un prolongement électoral — comme le montrent les résultats du premier tour de l'élection présidentielle de 1965 et la courte victoire aux législatives de 1967.

La politique économique et sociale

La politique de grandeur ne se conçoit pas sans une industrie moderne ni une monnaie solide. En s'inspirant des recettes keynésiennes et en utilisant les armes du budget de l'État (en équilibre ou en léger déficit selon les années), l'encadrement souple ou serré des prix, le contrôle plus ou moins rigide de la masse monétaire et des salaires, des politiques conjoncturelles sont mises en place. Lorsque la menace inflationniste se précise (1962-1963), le gouvernement Pompidou freine l'activité économique (plan Giscard d'Estaing de « stabilisation »). Inversement, lorsque l'activité fléchit (1967), le gouvernement la relance (plan Debré). Peu à peu la balance des paiements devient excédentaire, le franc en profite pour gagner en solidité. Les dettes extérieures (3 100 millions de dollars en 1958) sont remboursées pour l'essentiel. En 1966, la dette extérieure est tombée à 380 millions de dollars. Ce redressement permet au général de Gaulle de critiquer le système monétaire international, jugé trop favorable aux Américains, d'exiger de ceux-ci la conversion en or des réserves françaises en dollars. Le stock d'or de la Banque de France est reconstitué et la France détient 4 585 tonnes d'or en 1966 (15 % du stock mondial).

Par de vastes plans de modernisation, les gouvernements Debré et Pompidou cherchent à faire évoluer l'économie. Le ministre Pisani tente de combler le retard pris par l'agriculture française, désormais soumise à la concurrence européenne. Diverses lois (création des S.A.F.E.R.*, des G.A.E.C.**, de l'indemnité viagère de départ) accompagnent les mutations qui affectent alors les campagnes françaises. L'exode des jeunes ruraux vers les villes s'accentue. La croissance rapide des villes, particulièrement de la région parisienne, amène le gouvernement à lancer — d'ailleurs assez timidement — une politique de régionalisation. Des commandes de l'État cherchent à stimuler certains secteurs. Certaines réalisations, financièrement non rentables, relèvent du simple tour de force technique et restent sans effet sur le reste de l'économie : le paquebot *France*, la filière française d'électricité nucléaire, le plan Calcul, bientôt l'avion *Concorde*... En revanche, il y a des réalisations très utiles : le plan autoroutier, la création de vastes zones industrielles portuaires à Dunkerque, Fos-sur-Mer, l'aménagement des ports maritimes, l'encouragement aux regroupements et aux fusions entre industriels, l'incitation à la construction... Portée par le grand cycle de prospérité des « Trente Glorieuses », la croissance économique se maintient (croissance moyenne annuelle du P.N.B. : + 5,8 % de 1960 à 1970). L'indice de la production industrielle (base 100 en 1938) est à 220 en 1959, mais atteint 351 en 1967 et 497 en 1974... A bien des égards, la France change de visage au fur et à mesure que son économie monte en puissance. En 1967, l'économie française dépasse l'économie anglaise. La France devient ainsi la cinquième puissance industrielle de la planète et la quatrième puissance commerciale.

Malgré un mouvement déclinant qui affecte la natalité depuis 1964, la population française continue d'augmenter. Il y a 49,8 millions d'habitants en 1968. Le niveau de vie moyen

La modernisation de l'économie
Le pétrole constitue désormais l'essentiel du système énergétique français et le charbon connaît une régression continue. Les vieilles régions industrielles du Nord, de la Lorraine déclinent au profit de la région lyonnaise ou de la Basse-Seine. La large démocratisation de la télévision (900 000 récepteurs en service en 1958, mais 13,6 millions en 1974 !) et de l'automobile (lancements réussis de la 404, de la 204, de la R 8, de la 4 L) constituent des stimulants pour l'industrie en forte croissance. La chimie, l'aéronautique et surtout le bâtiment suivent. La France se couvre de chantiers, tandis que les industries traditionnelles (textile, acier, chaussure), victimes d'une concurrence étrangère accélérée, s'épuisent. Le 1er juillet 1968, les dernières barrières douanières au sein de l'Europe des Six sont levées.

* Société d'aménagement foncier et d'établissement rural.
** Groupement agricole d'exploitation en commun.

progresse. Une quatrième semaine de congés payés est accordée en 1968. Le nombre croissant de Français à posséder une automobile, une habitation, ou à prendre des vacances d'été (premières ruées à destination de l'Espagne) sont des signes révélateurs, même si les bénéfices de la croissance sont parfois mal répartis. A la périphérie des villes, de vastes installations commerciales inspirées du modèle américain — les grandes surfaces, les hypermarchés — apparaissent, suscitant l'engouement d'une clientèle qui découvre les possibilités de la « société de consommation », sans toujours en mesurer clairement les inconvénients.

La prospérité n'empêche pas certains conflits d'affecter des secteurs menacés par la modernisation de l'économie. Il en est ainsi des paysans qui, dans la nuit du 7 au 8 juin 1961, prennent d'assaut la sous-préfecture de Morlaix, puis barrent les routes (1963). Il en est ainsi des mineurs du Nord et du Pas-de-Calais qui, en dépit d'une mesure de réquisition prise contre eux, font grève durant plus d'un mois en mars 1963. Le syndicalisme français s'enrichit d'un nouveau mouvement avec la naissance, en 1964, de la C.F.D.T. (Confédération française démocratique du travail). Les progrès réalisés en matière de productivité, l'arrivée à l'âge adulte des classes nombreuses nées dans l'immédiat après-guerre expliquent la première poussée de chômage (de 200 à 300 000 personnes touchées) et le caractère souvent turbulent de grèves lancées par de jeunes ouvriers en 1965 et 1967.

Les épreuves politiques (1965-1967)

Jean Lecanuet
(photo A.F.P.).

La rude défaite de l'automne 1962 incite les dirigeants des familles de l'opposition à préparer soigneusement les élections présidentielles (au suffrage universel) de 1965 et à se réorganiser.

La campagne électorale de 1965 marque d'ailleurs un tournant dans la vie politique française. Elle permet à des personnalités de fédérer quelques familles politiques : Tixier-Vignancour et les courants d'extrême droite ; Lecanuet et les centres ; Mitterrand, candidat unique de la gauche. Le processus de réunification de la gauche se précise. La campagne présidentielle utilise largement la télévision et chaque candidat a droit à un temps de parole. Elle accentue donc la personnalisation du débat politique auprès d'une opinion visiblement passionnée. Les agences de publicité et les « conseils en relations » pour la première fois interviennent. Lecanuet et surtout de Gaulle disposent de moyens importants. Écrivains, intellectuels, chanteurs à la mode sont mis à contribution pour appeler à voter pour tel ou tel candidat. Les sondages se multiplient. Au premier tour, le général de Gaulle est mis en ballottage. C'est une surprise de taille. Si le président sortant l'emporte le 19 décembre, au second tour, par 54,5 % des voix contre 45,5 % à F. Mitterrand, il reste que, manifestement, une érosion menace le courant gaulliste. Encouragée, l'opposition redouble d'efforts. Jean Lecanuet parvient à réunir le M.R.P. et une partie des indépendants dans le Centre démocrate. François Mitterrand tente de réunir dans une vaste fédération de la gauche les courants de la gauche non communiste. Alors que la conjoncture économique est légèrement tendue, que le scandale créé par la disparition en France de Ben Barka, chef de l'opposition au Maroc, éclabousse les services secrets français, les élections législatives de 1967 marquent une poussée des familles de l'opposition. L'U.N.R. (200 députés) et ses alliés républicains indépendants (44 sièges) et non inscrits (3 sièges) frôlent la défaite (majorité absolue : 244) ! Inversement, la poussée à gauche est sensible : 73 députés communistes, 121 députés de la fédération de la gauche ont été élus. Les centristes se maintiennent (41 élus).

Mai 1968 et le départ du général de Gaulle

La rue Gay-Lussac, le 11 mai 1968 (photo A.F.P.).

La crise politique qui éclate soudain au printemps de 1968 bouleverse ces données. L'université française a mal supporté la montée brutale des effectifs (triplement en dix ans). Déjà des problèmes de débouchés se posent, notamment en Lettres et en Sciences humaines. De petits groupes d'étudiants mènent — en particulier à Nanterre — une agitation souvent vigoureuse, s'inspirant d'idées maoïstes, castristes, anarchistes, voire socialistes utopiques. Alors que le ministre de l'Éducation nationale Peyrefitte envisage d'établir une sélection à l'entrée des universités, de vifs incidents éclatent à Nanterre. La crise gagne très vite le Quartier latin à Paris. Le 3 mai, après quatre heures d'affrontements dans les rues, on procède à 127 arrestations. Le gouvernement tente la manière forte... en vain. Les étudiants lancent une grève générale, des professeurs suivent. Le 6 mai (805 blessés à Paris) et surtout le 10 mai (1 000 blessés, 33 barricades), de graves affrontements ont lieu entre étudiants et forces de l'ordre. Des centaines de slogans fleurissent sur les murs. Le mouvement de contestation gagne la province et se durcit, alors que des grèves sauvages gagnent, à l'initiative de jeunes ouvriers, les usines à partir du 14 mai. Des divergences sérieuses surgissent entre Pompidou et de Gaulle, le pouvoir est visiblement dépassé. Les grèves ouvrières déferlent (de 8 à 9 millions de grévistes) et paralysent l'économie et les transports. Ni l'opposition parlementaire, ni les syndicats n'arrivent à contrôler le mouvement. Une négociation, hâtivement nouée entre Pompidou et les représentants syndicaux (26 mai), est désavouée par les ouvriers. C'est l'impasse. La Vᵉ République va-t-elle s'écrouler ? Mendès France et Mitterrand vont-ils remplacer Pompidou et de Gaulle ? En fait, la profonde désunion des « contestataires », l'hostilité de la C.G.T. et du parti communiste aux « gauchistes », la lassitude de l'opinion devant cette révolution en forme de kermesse, permettent à de Gaulle une reprise en main du pays. Le 29 mai, de Gaulle « disparaît », visite secrètement les forces françaises stationnées en Allemagne. Le 30, il lance un vigoureux appel à la mobilisation des sympathisants gaullistes et dissout l'Assemblée nationale. Une importante manifestation préparée par les gaullistes déferle aussitôt sur les Champs-Elysées (de 500 000 à 1 million de personnes). Dès lors, c'est le reflux. Le travail reprend à partir du 4 juin et les élections des 23 et 30 juin sont un triomphe pour l'U.D.R. (ex U.N.R.) qui atteint à elle seule la majorité absolue (293 sièges). Les républicains indépendants ont 61 sièges mais les forces de l'opposition subissent un lourd revers : 33 sièges pour les centristes, 57 pour la fédération de la gauche, 34 pour les communistes. La renaissance de la gauche semble brisée. Maurice Couve de Murville forme le nouveau gouvernement.

Les augmentations de salaires accordées en mai (+ 15,8 % en moyenne) stimulent la consommation. La production repart rapidement, mais les prix grimpent (+ 6,6 % en 1969) et la balance des paiements est déficitaire. Les produits français sont devenus trop chers à l'exportation cependant que les réserves de la Banque de France diminuent d'un tiers. De Gaulle repousse toute dévaluation du franc et la situation financière reste délicate.

La rentrée universitaire s'effectue non sans mal, mais les temps ont changé. Certains projets du général (l'alourdissement des droits de succession, la participation des ouvriers aux bénéfices de l'entreprise...) déconcertent les électeurs de la majorité. Une vaste et complexe réforme régionale, provoquant une quasi-disparition du Sénat, pousse Giscard d'Estaing à rejoindre l'opposition en faveur du non au référendum. Mal préparé, le référendum du 27 avril 1969 suscite de nombreuses réticences. Le non l'emporte par 53 %. Aussitôt le général démissionne et s'enferme à Colombey où il meurt le 9 novembre 1970.

La mort du général vue par J. Faizant.

La présidence de Georges Pompidou (1969-1974)

Les élections présidentielles de juin 1969 sont marquées par la nette victoire, au second tour, de Georges Pompidou (58 % des voix) sur le président du Sénat, le centriste Poher. Derrière une apparence souple et tranquille, le nouveau président, doué d'une grande force de travail, soumet ses Premiers ministres (Chaban-Delmas, puis Messmer) à une étroite surveillance. Impressionné par la puissance de l'industrie allemande, Pompidou intervient pour accélérer les concentrations dans l'industrie française et favoriser sa modernisation. Jusqu'à l'automne 1973, la croissance économique reste très soutenue. Les progrès de l'industrie sont spectaculaires, en particulier dans l'automobile (lancement réussi de la R 5). L'énergie reste bon marché, le crédit aussi. La fièvre du béton n'épargne ni les villes, ni les littoraux. 400 000 logements sont achevés chaque année. La prospérité se poursuit, cependant qu'apparaissent chez les héritiers de Mai 68 des critiques contre la « société de consommation ». Réaliste, le président fait dévaluer le franc en 1969, abandonner le procédé français d'électricité nucléaire au profit d'un procédé américain et accélérer l'entrée du Royaume-Uni dans la C.E.E. La politique gaulliste d'indépendance reste à l'ordre du jour.

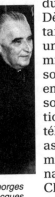

Le président Georges Pompidou et Jacques Chaban-Delmas (photo A.F.P.).

Dès juin 1969, la majorité est reconstituée et Giscard d'Estaing redevient ministre des Finances. En 1973, elle accueille une partie des centristes. Jacques Chaban-Delmas, Premier ministre de 1969 à 1972, lance la politique de la « nouvelle société » qui cherche à instituer des rapports moins tendus entre patrons et syndicats ouvriers et à accélérer le progrès social (lois sur la formation professionnelle, sur la protection des pauvres, des personnes âgées...). L'information télévisée connaît une légère libéralisation. Cette politique assez généreuse suscite bien des réserves au sein d'une majorité conservatrice. Alors même que l'Assemblée nationale vient de renouveler sa confiance au gouvernement Chaban-Delmas, le président impose en juillet 1972 la démission de ce dernier. La lecture présidentielle de la constitution reste à l'honneur. Si le gouvernement Messmer remporte les élections législatives du printemps 1973, il ne parvient pas à s'imposer auprès de l'opinion, alors qu'une nouvelle crise économique mondiale éclate en octobre 1973 et que se multiplient les rumeurs sur l'état de santé du président. La création d'un nouveau parti socialiste qui succède en 1971 à la vieille S.F.I.O. et la conclusion d'un programme commun de gouvernement entre communistes et socialistes (1972) témoignent d'un réveil de la gauche. Brutalement, le 2 avril 1974, le président Pompidou disparaît.

L'évolution récente (1974-1985)

Sans le recul nécessaire à la réflexion et à l'enquête, il devient difficile d'écrire une histoire objective. On se bornera à présenter ici quelques repères simples.

La crise déferle

Lorsque meurt le président Pompidou, la seconde crise économique du XXe siècle est lancée. Le renversement de la conjoncture longue, la désorganisation du système monétaire international, la trop grande abondance de la monnaie américaine, la poussée d'inflation observable sur la planète depuis la fin des années 60, les brutales hausses du prix du pétrole imposées par les pays arabes exportateurs à la suite de la guerre du Kippour..., autant d'éléments partiels pour tenter d'expliquer l'origine de cette crise de grande ampleur. Apparue en octobre 1973, la crise rebondit en 1979 (second « choc pétrolier » : nouvelle hausse du prix du pétrole). En France, la crise provoque aussitôt un lourd déficit commercial, une inflation forte et durable (de 10 à 14 % de hausse moyenne annuelle des prix, puis déclin après 1982) et enraye le processus de la croissance économique (moyenne annuelle du taux de croissance du P.N.B. entre 1974 et 1981 : + 2,4 %). C'est la « stagflation » accompagnée d'une montée très rapide du chômage : 450 000 demandeurs d'emploi en 1973, mais 900 000 en 1975, 1 850 000 en 1981, 2 000 000 en 1982... Les théories keynésiennes de relance économique s'avèrent désormais inefficaces. La situation internationale se détériore tandis que se multiplient au sein de la société française des signes de tension et d'inquiétude.

La production industrielle et l'inflation 1957-82.

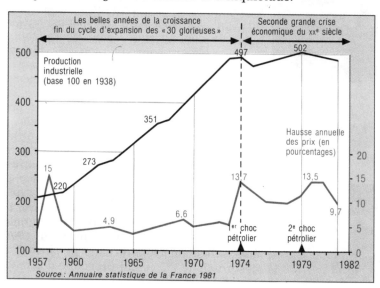

Source : Annuaire statistique de la France 1981

La présidence de Valéry Giscard d'Estaing

Aux élections présidentielles de 1974, la majorité en place depuis 1958-1962 se divise. Candidat gaulliste, Chaban-Delmas est battu dès le premier tour. Une bonne partie des gaullistes, sous la direction de J. Chirac, soutient la candidature de V. Giscard d'Estaing. A l'inverse, la gauche reste unie derrière un candidat habile, F. Mitterrand. Au second tour, Valéry Giscard d'Estaing l'emporte de peu (50,7 %) sur son rival. Pour la première fois, un candidat non gaulliste, chef d'une formation politique minoritaire au sein de la majorité parlementaire, entre à l'Elysée. C'est un tournant, mais les

Valéry Giscard d'Estaing (photo Keystone).

relations entre gaullistes et giscardiens, bientôt renforcés des centristes de Lecanuet, vont être délicates.

Des réformes sont lancées (télévision, légalisation de l'avortement, majorité à dix-huit ans...), mais la crise économique s'intensifie. Les prix grimpent, le franc fléchit. Entre le Premier ministre J. Chirac (1974-1976) et le président de la République des divergences importantes apparaissent. En août 1976, J. Chirac démissionne de façon spectaculaire. Les gaullistes perdent ainsi leur dernier point fort, Matignon, qui passe à un Premier ministre « technicien », R. Barre (1976-1981). Très vite, le R.P.R. (Rassemblement pour la république, nouvelle appellation du mouvement gaulliste) prend ses distances avec l'U.D.F. (Union pour la démocratie française) qui regroupe centristes et giscardiens. La querelle au sein de la majorité est souvent aigre. Aux élections municipales de 1977, J. Chirac triomphe à Paris du candidat U.D.F. Raymond Barre impose à l'économie une difficile et impopulaire cure d'austérité. Le franc est consolidé, une libéralisation de l'économie esquissée, mais le gouvernement ne parvient à enrayer ni l'inflation, ni le chômage, ni la hausse des impôts. L'action du président de la République est souvent jugée trop floue par une partie de l'opinion. En perte de vitesse, divisée, la majorité subit un revers aux élections municipales de 1977, mais parvient à l'emporter de peu aux élections législatives de 1978.

La présidence de François Mitterrand

François Mitterrand (photo Edimedia).

Depuis 1973, la gauche enregistre des progrès électoraux substantiels. Le nouveau parti socialiste trouve vite une audience grandissante chez les ouvriers, dans les classes moyennes et dans une partie de la bourgeoisie libérale. François Mitterrand entend rééquilibrer au profit des socialistes les forces de gauche traditionnellement dominées par le PC. Les élections municipales de 1977 montrent que la gauche est majoritaire dans le pays et que le PS domine désormais le PC ce qui provoque des tensions avec Georges Marchais. A droite également, des tiraillements sérieux existent entre J. Chirac et V. Giscard d'Estaing.

Le 10 mai 1981, François Mitterrand est élu président de la République avec 51,7 % des voix. Profondément divisée, la droite est battue. Pour la première fois depuis 1945, les communistes, avec 15,3 % pour G. Marchais, passent en dessous de la barre des 20 %. Le nouveau président dissout l'Assemblée nationale. Les élections législatives de juin 1981 constituent un triomphe pour les socialistes qui, comme les gaullistes en 1968, disposent à eux seuls de la majorité absolue (269 députés).

Le gouvernement Mauroy (1981-1984) constitué de socialistes, de quelques radicaux de gauche et de quatre communistes, multiplie les réformes : abolition de la peine de mort et de la Cour de Sûreté de l'État, cinquième semaine de congés payés, retraite à soixante ans, régionalisation... Au moment même où la crise s'accentue (deuxième choc pétrolier), que des milliers d'emplois dans les industries anciennes sont menacés, que des politiques monétaristes s'imposent au Royaume-Uni (Thatcher, 1979) et aux États-Unis (Reagan, 1981), le gouvernement Mauroy reste fidèle à une politique keynésienne de relance : hausse du pouvoir d'achat, embauche de fonctionnaires, relance du charbon français, nationalisations de groupes industriels et financiers... Les résultats décevants (déficit commercial, dévaluations du Franc, hausse des impôts...) poussent Jacques Delors ministre des Finances à imposer à l'été 1982 une sévère politique de rigueur. C'est l'heure des révisions parfois déchirantes. Les communistes protestent, l'opinion publique prend ses distances à l'égard de la gauche. La droite progresse aux élections municipales de 1983. L'extrême-droite se réveille en exploitant le thème des immigrés dans la société française. Le projet de loi Savary sur l'école libre provoque de grandes manifestations. En juillet 1984, François Mitterrand annonce le retrait de ce projet. Laurent Fabius (1984-86) succède à Pierre Mauroy sans toutefois la participation des communistes dans son gouvernement. Il poursuit la politique de rigueur. P. Beregovoy modernise la bourse et maîtrise l'inflation. J. P. Chevènement calme l'agitation scolaire.

Aux élections législatives de mars 1986, une coalition de la droite classique (RPR et UDF) l'emporte avec une faible majorité. L'extrême-droite avec le Front National fait une entrée remarquée au Palais Bourbon. Pour la première fois depuis 1958, majorité parlementaire et majorité présidentielle divergent. François Mitterrand nomme Jacques Chirac Premier Ministre (1986-1988). C'est la cohabitation qui tourne vite à l'affrontement entre l'Élysée et Matignon. Le gouvernement Chirac dénationalise avec succès quelques groupes industriels et financiers, mais, face aux oppositions, doit renoncer à réformer l'Université et le code de la Nationalité. A nouveau divisée entre R. Barre et J. Chirac, la droite classique échoue aux élections présidentielles de mai 1988. François Mitterrand est réélu avec 54 % des voix.

De profondes mutations marquent la décennie 80. Malgré de lourdes pertes, l'économie française est parvenue à s'adapter au contexte nouveau créé par la IIIe révolution technologique et l'inflation est enfin contenue. En retour, le chômage s'est incrusté et le danger d'une société à deux vitesses existe. Le PS est devenu le parti dominant mais est divisé par des rivalités internes. Le déclin du PC, en relation avec la crise mondiale du communisme, s'est accentué (7 % des voix aux présidentielles de 1988). A l'opposé, le Front National semble avoir réussi une percée (14 % aux présidentielles de 1988) qui gêne la droite classique. Beaucoup d'électeurs ont pris leurs distances avec les partis traditionnels et rejoignent le groupe des écologistes. Si le régime a fait preuve de solidité, il montre aussi ses limites comme le prouve la montée préoccupante de l'abstention en France.

Index

Imprimé en France par Maury-Imprimeur S.A. – 45330 Malesherbes – N° d'imprimeur : L91/37196 H
Dépôt légal n° 6249 01-92 – Collection n° 04 – Édition n° 03